梅兰芳全传

李伶伶／著

中国青年出版社

一个伟大民族的过去、现在和未来，都会有文艺的发展和繁荣相伴随。文艺是民族精神的火炬，是人民奋进的号角。中华民族，是以诗经、楚辞、唐诗、宋词、元曲和明清小说为人类文明画廊增加辉煌的民族，是产生了屈原、李白、杜甫、关汉卿、曹雪芹这些世界文化名人的民族，是产生了伟大的文学家、思想家、革命家鲁迅，产生了郭沫若、茅盾、聂耳、冼星海、梅兰芳、齐白石、徐悲鸿等现代大文学家、大艺术家的民族。无比丰厚的精神遗产，与先驱们的英名连在一起的民族文化的优秀传统特别是革命文艺传统，是中国社会主义文艺的巨大宝藏。

——江泽民 1996 年 12 月 16 日
在中国文联第六次全国代表大会、
中国作协第五次全国代表大会上的
讲话

【目录】

第二章 **显山露水**

第三章 **名闻遐迩**

第四章 **偃旗息鼓**

第五章 **柳暗花明**

【序一】

梅兰芳在我国京剧史上占有极重要的地位，他的卓越的表演艺术，是我国人民宝贵的精神财富，他的道德风范政治操守都足资楷模，把这位艺术大师的一生写成完整的文字记载，是件很有意义的工作。

我曾听许姬传说，大约是在五十年代中期，阿英就有这一雄心抱负。许姬传讲起这件事时，还找出阿英写给他的一封信给我看。信的第一句是“头仍昏昏”。下面讲到，他代梅先生的发言草拟了一个大纲，又讲起梅以前在全国人民代表大会上的发言不够理想。最后讲到他将在六月份写《梅兰芳传》。许姬传说：“阿英给我写了这封信之后不久，就实践了自己的诺言。我很高兴，有这样一位老作家来写梅兰芳传，也是梅先生的光荣。阿英写了一万多字以后，就搁笔不写了。有一次见面时他对我说，梅先生是表演艺术家，在京剧青衣行当中独树一帜，艺术造诣太深厚了，是一项专门学问，我接触到表演艺术上的一些具体问题，就觉得写不下去。看起来，这番心愿，还得依靠你去完成。”

许姬传高度评价了阿英写作的严肃态度，同时告诉我阿英之外，田汉也曾有过撰述梅兰芳传记的意图。可惜的是由于外来的事务纷繁，穷于应付，他被迫放弃了这一愿望。

许姬传是梅兰芳的老友，解放后，梅受聘担任公职，从此定居北京，并请文化部任命许姬传任秘书，处理文字工作。许对阿英、田汉未竟的事业深表惋惜，便视为己任。在《文汇 报》连载经年的《舞台生活四十年》，是以“梅兰芳口述、许姬传记”的形式完成的。1961年，梅先生逝世，许姬传又编成《梅兰芳年表》。不久，“文化大革命”爆发，给戏曲界带来空前绝后的毁灭性灾难，马彦祥对许姬传说，造反派冲击梅家，一旦发现“年表”，你将遭到残酷批斗。许姬传胆小怕事，连忙把“年表”付之一炬。他原计划在有生之年以“年表”为铺垫，来写梅兰芳传，等到“四人帮”覆灭，他已年届八旬，而且体质又弱，为梅立传已不可能。

出人意料的是，与梅兰芳大师生不同时的李伶伶竟然推出《梅兰芳全传》。数年前，李伶伶与王一心从南京到上海，我与一心相识多年，因文字关系结成忘年交。记得初识伶伶时，她透露写梅兰芳传记的愿望，知道我与梅家有较多的交往，盼望得到我的帮助。她的陈述，使我联想起阿英前辈为梅立传知难而退的往事，对这位教师的心愿不免疑虑起来。最近得一心来信，得悉伶伶的《梅兰芳全传》已经脱稿付梓，而且是四十多万字的长篇巨制，着实令人惊奇。继而一想，传记作品浩如烟海，其中不乏作者面询传主的纪实文字，更多的是作者与传主生不同时，通过前人文字记述剔抉爬梳完成历史著作的。我没有读过《梅兰芳全传》，但从此书的目录上看，与我的推测大致吻合。至于从事者取舍史料的眼光和功力的高低，那是读者的评价了。

前面提到阿英前辈，这位三十年代声名显赫的作家到了五十年代，给我的印象是，衣着朴素，剃光头，头发花白，因高血压引起头晕，他写梅兰芳传开了个头便搁笔，不仅有表演艺术具体问题，还有体力不济的苦衷。对比起来，李伶伶正当盛年，精力充沛，敢想敢干，无所顾忌，应了古人说的后生可畏那句名言，她能在数年内完成这部作品，应当是意料中的事。我的忘年交一心来信要我写序，盛情难却，我就拉拉杂杂写了上面一些话，是为序。

谢蔚明

二〇〇一年四月

【序二】

梅绍武[1]

“我们是多么企盼能够出现一部《梅兰芳传》，一部《梅兰芳论》，一部《梅兰芳表演艺术体系》，一部或多部这类的专著呀！哪怕是一部或多部《梅兰芳文献长编》、《梅兰芳年表》和《梅兰芳年谱》以及《梅兰芳身段谱》、《梅兰芳扮相谱》、《梅兰芳指法》、《梅兰芳歌曲谱》和《梅兰芳演出剧本全集》之类的导乎先路的资料性编撰工作呢，都是迫切需要的，而且这与为个人树碑立传毫无关系，这是关系我们民族文化的大事因缘，包括精神文明和物质文明。”[2]

这是已故著名学者吴晓铃先生1984年为拙著《我的父亲梅兰芳》一书所写的序言中的一段语重心长的话。

17年过去了，现在终于有了一部40余万字的《梅兰芳全传》由南京青年作家李伶伶同志完成，这真是一件令人欣喜的事。

读毕这部传记，所得的印象是全书内容编排得井然有序，重点突出，文笔朴实，叙述明净。作者显然掌握了大量资料，且经过了认真思考分析和严肃的取舍，因此在夹叙夹议时引用得得心应手，灵活恰当，详实有据，决不是出自耳食或道听途说。又闻作者为写此书，与她的先生王一心同志整整花费了四五年辛勤劳动才完成先辈作家阿英和田汉等同志拟写先父传记而未竟之业。这都说明作者的写作态度是严肃而负责的，实在难能可贵。

这部传记另一特点是不仅细叙了传主的身世、家庭生活、勤奋

①梅绍武：梅兰芳次子，现任中国社会科学院美国研究所研究员兼梅兰芳纪念馆荣誉馆长。
②见梅绍武《我的父亲梅兰芳》，百花文艺出版社，1984年，第3页。

学艺的过程、艺术创新、处世为人、道德品质、爱国情操等方面，而且也涉及了一些学术上的争论，诸如鲁迅对先父的态度、世界三大重要戏剧表演体系之说和戏曲改革中的移步不换形的理论原则等，诚如作者在后记中所说“对尚未了结的公案作了挖掘考证与分析”。读后觉得作者在这些争论方面的论述，立论比较公允，实事求是。这些问题在当今评论界仍有争议。有争论是件好事，这样就会越辩越明。

京剧艺术自孕育形成和创新发展至今已有两百余年历史，无疑是我国民族艺术中的一块瑰宝。但是它在“文革”期间惨遭摧残，大伤元气，而改革开放以来，文化生活日益丰富多彩，人们有了很大的选择余地，京剧艺术遂有衰微趋势，尤其是流失了青年观众，有人甚至悲观地认为京剧必将走进历史博物馆。我则始终相信京剧艺术不会消亡湮没，特别是在党中央领导同志的“弘扬民族优秀文化，振兴京剧艺术”的大力号召下，京剧艺术必定会在这新世纪再度放出灿烂光辉，在世界剧坛上占有一席重要地位。

当然，京剧艺术毕竟是一种古典艺术。著名哲学家叶秀山先生曾对此作过精辟的论述：“以梅兰芳为代表的中国戏曲艺术，像唐诗、宋词那样是古典的、典范的艺术，是中国艺术史上的‘范例’，而不是一种‘时尚’。应该说，京剧也曾经是一种‘时尚’，所以才有‘时尚黄腔喊如雷’之唱；但是经过几代大艺术家的创造，京剧并没有因‘时尚’流行一时之后就烟消云散，而是形成了一个古典的艺术剧种，找到了它在历史和社会中的应有的地位，只要有华人在，就必会受到尊重、维护和发展。京剧在从‘时尚’成为‘古典’的过程中，需要有一大批艺术天才，而梅兰芳则是他们在艺术精神上的总代表。所以提起京剧，必定要想到梅兰芳，就是很自然的事。各民族的‘古典艺术’之所以不会消失，是因为任何一代的人，为展示自己的文化素养，‘证明’自己‘配得上’自己民族的历史，就应该努力使此种已成‘古典’的艺术得以延续，加以保护，并予以提倡和发扬。”叶先生还深深感慨地说，“我总是觉得，一个民族拥有自己的伟大的艺术家是这个民族的福分……必须承认人家有贝多芬、舒伯特是人家的福分，而我们有梅兰芳，也是我们的福分。”①

综观先父一生，他热爱祖国，热爱艺术，真是把毕生精力都献给了祖国的文艺事业。邓小平同志1984年曾为北京梅兰芳纪念馆亲笔提写了馆名匾额，以示表彰。江泽民主席1996年12月16日在第六届全国文代会、第五届作代会上发表重要讲话，其中也充分肯定了梅兰芳的艺术成就和对民族文化的贡献，把他与鲁迅、郭沫若、茅盾、聂耳、冼星海、齐白石、徐悲鸿等现代大文学家、大艺术家并列。

今年年初，一心同志经莎士比亚专家孙家琇老师介绍，携来本书清样，请我与老伴屠珍提些意见。拜读后，觉得这部传记虽未达到吴晓铃先生生前所企盼的那样能媲美罗曼·罗兰的《贝多芬传》或《圣雄甘地传》，但已是迄今写得很不错的一部了，遂写此序，愿将此书推荐给读者，尤其是青年读者。相信读者读后会对京剧艺术及先父一生所走过的不平凡的生活和艺术道路得到一个较为全面的了解和认识。

2001年8月8日写

时为先父逝世四十周年纪念日

①详见叶秀山:《论京剧艺术的古典精神》，载《梅韵麒风—梅兰芳、周信芳百年诞辰纪念文集》，中国戏剧出版社，1996年，第60页。

第一章 初出茅庐

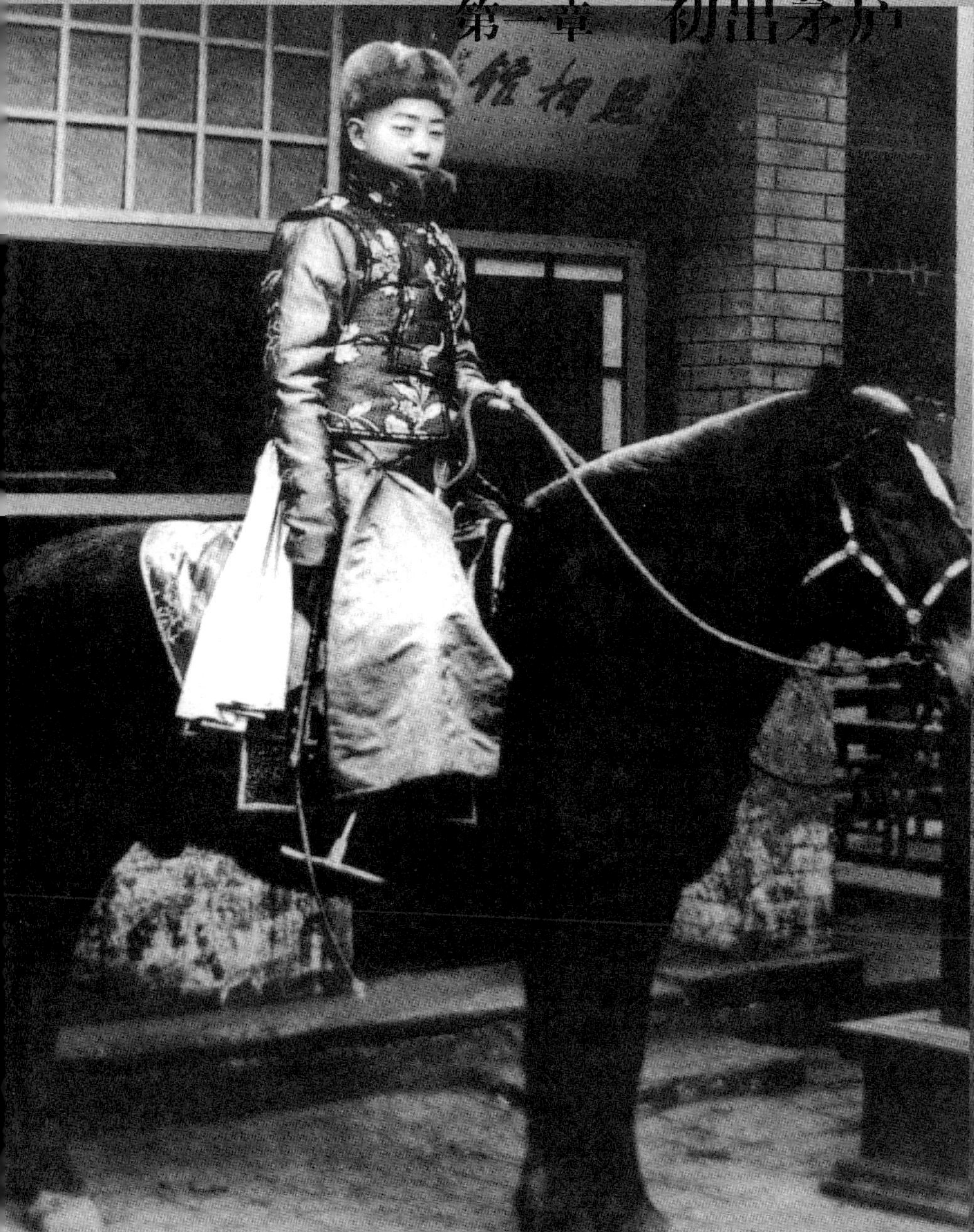

梅兰芳十六岁时照

“义伶”祖父

长期以来，梅兰芳虽然知道自己的祖籍是江苏泰州，却并不了解梅家在泰州的氏族系统。直到20世纪50年代中期，在泰州市文教科工作人员和本家堂兄梅秀冬的帮助下，他才搞清祖上居住在泰州的情况。

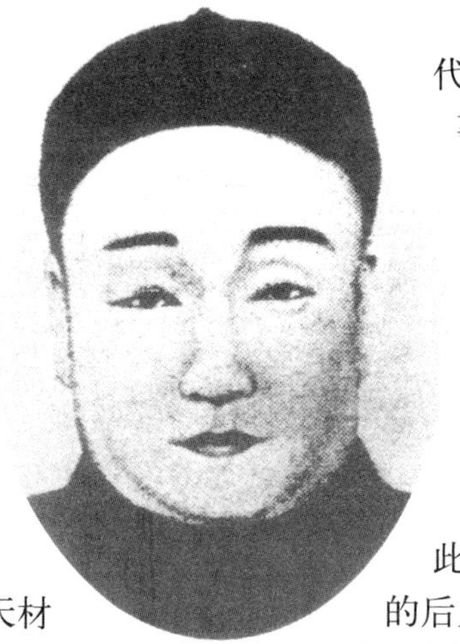

梅秀冬在梅家代代相传的《梅氏家谱》上找到了从事佛像木雕手艺的梅天材的名字。至于梅天材的后代，家谱中只记有喜丁[①]名巧玲，即梅巧玲。梅秀冬还回忆起他曾经听老人说过他们梅氏祖上有一支在太平天国年间失散，那房寡母携子逃往江南，因家境贫寒，不得已将孩子卖给苏州的一户人家，从此再无消息。据推测，失散的便是梅天材的后人，那被卖掉的孩子可能就是梅天材的后代梅巧玲。也就是说，梅天材是梅兰芳的曾祖父。这又与梅兰芳的祖母有关梅兰芳的曾祖父是经营人物、佛像木雕的说法相符合。梅巧玲是梅兰芳的祖父，记家谱时他还未出生，他是梅天材的长子。

梅巧玲的曾祖名梅世贤，家住泰州之东薛家庄。梅世贤的儿子名梅万春，自小在泰州城里吴家雕刻铺学习雕刻，后来在石人头巷开了间雕刻铺。梅万春生有四子，即梅天根、梅天桂、梅天材、梅天富。梅天材继承了父业，也以雕刻为生。据《泰州志》记载：从

①喜丁：胎儿。

道光十年至咸丰十年（1830—1860），苏北里下河一带频遭水患，民不聊生。梅天材终未熬过贫穷与疾病而去世。死后被葬于泰州斜桥马家汪梅氏祖茔，离鲍家坝仅约一华里，故现统称梅氏祖茔在鲍家坝。梅天材死后，其妻颜氏带三个儿子背井离乡，逃往江南，迫于生计不得已将年仅8岁的长子巧玲卖给苏州的一户人家。颜氏后来独自一人返回泰州，穷饿而死。至于巧玲两个弟弟的下落，目前无一明确说法，有人推测不是被颜氏卖了，就是夭殇。梅巧玲进京成名后曾托人回乡打听家人下落，始终一无所获。

一个人的命运有时会因偶然因素而改变。梅巧玲如果不是幼年被卖，或许他只能像他的祖辈一样终生待在一个小地方以家传手艺糊口，而不会在中国京剧史上占有一席之地，也不会有梅兰芳的今天。

梅兰芳对祖父梅巧玲的认识，更多的源于祖母对往事的回忆。上了年纪的老人总是喜欢回忆旧事。夕阳中，半倚在靠椅上，一件件一桩桩无论是开心的还是伤心的，无论是使人生气的还是让人惋惜的往事，像小精灵般一一跳出脑际，在眼前徘徊，挥之不去。老人们就在对往事的追忆中品评着人生，感受着时代的变迁。

梅巧玲是京剧形成初期的一位著名旦角②演员，原名芳，字慧仙，号雪芬，别号蕉国居士，自号梅道人，又称景和堂主人，清道光二十二年（1842年）生于江苏泰州东门外。加入梨园③后，因其体貌丰满，故有“胖巧玲”之称。清同治、光绪年间，他与其他12位京剧杰出名伶并称“同光十三绝”。

父亲梅天材死后，梅巧玲和弟弟随母亲逃难到了江南。因迫于生计，母亲将他卖给苏州城一个姓江的人做义子。江某死了老婆，没有儿女，孤身一人，巧玲的到来不仅使他摆脱了孤独与寂寞，更使他感受到了家庭的温暖。所以，他起初的确很善待巧玲，但好景不

②**旦角**：扮演女子的角色。

③**梨园**：唐玄宗时教练宫廷歌舞艺人的地方。后人即以其代指戏曲、戏班等。

长，江某不久娶了继室，很快就添了个儿子。有了亲生儿子，义子巧玲便成了多余。巧玲的日子不那么好过了。

有一天，江妻在屋里的风炉上用砂罐烧红烧肉，吩咐巧玲照看着，巧玲不小心将砂罐给碰翻了。当时没人看见，巧玲自然不敢声张。等到大家追究起来，发现巧玲的鞋底下沾有肉汁，这下惹了大祸了。江某夫妇暴跳如雷，借口巧玲做了坏事还抵赖，竟三天三夜不给巧玲饭吃以示惩戒，把巧玲饿得天昏地暗。还是家里的一个厨子起了善心，偷偷用荷叶包了点饭给他吃，这才算没有饿出个好歹来。后来，江某遇到一个专为戏班子买小孩的人贩子，便想把巧玲卖掉，既拔了眼中钉，又可得一笔钱财，一举两得。但他表面上却假惺惺地问巧玲是否愿意去学唱戏。早已受尽虐待正想脱离虎口的巧玲一听有机会离开江家，便毫不犹豫地回答说愿意。哪里想到等待他的又是什么呢？

梅巧玲被卖到苏州福盛班做徒弟时只有11岁。这时，京剧已经形成，正急速成长。福盛班班主杨三喜擅长昆曲，却以虐待徒弟闻名。他对徒弟包括巧玲在内动辄打骂，还特别喜欢用硬木板打徒弟手心，据说巧玲的手纹都给打平了。

有一年除夕夜，杨三喜莫名其妙地就不给巧玲饭吃，只让巧玲抱着他的孙子杨元在地上拣饭粒吃。许多年以后，梅巧玲做了四喜班班主也收了徒弟，杨元被请来给学徒教戏。许是自小耳濡目染，杨元对学徒也很苛求，动不动就要挥舞木板条。梅巧玲便对杨元说："这儿不是福盛班，我不能看着你糟蹋别人家的孩子，干脆给我请吧。"杨元后来死在一个庙里，没有人去理会，还是梅巧玲心肠软，派家人将杨元的尸首收殓了。

梅巧玲离开杨三喜后，跟了一个叫夏白眼的师傅，这又是一个喜欢虐待徒弟的师傅。梅巧玲在他手上也吃了不少苦头，直到跟了第三

⊙梅巧玲饰萧太后

个师傅罗巧福，他才算是彻底脱离了苦海。罗巧福人很厚道，他原是杨三喜的徒弟，满师后独立门户开课授徒，他不忍心见巧玲在夏白眼那里受尽折磨，便花了一笔钱将巧玲赎了出来，收在自己门下。罗巧福教戏很认真，从此巧玲安心向罗巧福学皮黄①，进步很快。

和师傅罗巧福一样，梅巧玲满师后也自立门户，他立即派人到家乡去，打算接家人出来同住，没想到母亲早死，两个弟弟不知去向。梅巧玲直到死也没有打听到家人的下落。

梅巧玲是应工花旦②，擅念白戏，做工戏也有独到之处，他最大的优点是拓展了旦角戏路子，扩大了上演剧目。他还从身段、表情、神气、台步以及扮相等方面大胆革新，打破了过去京剧舞台上演贞节烈女时“行不动裙，笑不露齿”的动作程式，为王瑶卿、梅兰芳日后开创融青衣花旦于一炉的“花衫”奠定了基础。陈氏嫁进梅家后，梅巧玲渐渐红了起来，成为“京昆俱佳、扮相俏丽、台风清新、念白文雅脱俗的第一代京剧旦角演员”。

不久，梅巧玲接管四喜班。四喜班与三庆班、春台班、和春班并称“四大徽班”。

“徽班”并不是“徽州班”而是“安庆班”。成书于乾隆五十八年(1793年)的《扬州画舫录》明确指出：“高朗亭入京师，以安庆花部，合京、秦两腔，名其班曰三庆。”安徽省始建于清康熙六年(1667

①**皮黄**：戏曲腔调西皮、二黄的合称，是京剧的基本腔调，有时也特指京剧。
②**应工花旦**：本行为花旦之意。

年)，以安庆府三台为省会，故安庆戏班均号称“安徽班”，外省人习惯称之“徽班”。“四大徽班”之一的“三庆班”原是二黄戏的发源地安庆的徽调戏班，后从安庆到扬州、杭州等地演出。“四喜班”、“和春班”、“春台班”三个班原都不属于安徽，而分别属于苏州、扬州和湖北，当时凡演唱安庆二黄戏的统称“徽班”。由于徽戏两个主调吹腔和拨子很受百姓欢迎，加上徽戏剧目题材广泛，情节动人，语言通俗易懂。文戏，曲调丰富多彩；武戏，开打技术新颖。因此，徽戏发展很快，徽戏班社随之逐渐扩大，到乾隆中叶，徽班已遍及江、浙、皖、赣、鄂、粤等省。

乾隆五十五年（1790年）9月21日是乾隆八十“万寿”，掌管浙江盐务的伍拉纳为给皇帝祝寿，命属下带三庆班进京参加庆贺演出。三庆班在京城一鸣惊人，抢占了戏剧界的首位。三庆班从此没有南返，留在了北京。随后，四喜班、和春班、春台班三个班也相继入京。

梅巧玲虽然做了四喜班的班主，但日子过得并不舒坦，原因在于他性情温善，待人宽厚，一反苛待学徒和同业的恶习，对他们十分爱护和尊重。全班共百十口人，都得由他一一照顾，有些角儿和场面[①]觉得班主好说话，便常常拿大牌，耍性子，闹脾气，他都忍受着，反过来还得好言相劝，最让他难受的是由他一手扶植出来的得意弟子、京剧老生流派的奠基人之一余三胜的儿子余紫云常常告假不唱，任凭梅巧玲急得跳脚。

每当余紫云告假不唱的关键时刻，四喜班另一青衣演员时小福就自告奋勇上去代唱。时小福（1836—1900）与梅巧玲交情甚深，他的绝活和梅巧玲一样文武昆乱不挡[②]。他擅演悲剧，不常演公主，他

①**场面**：乐师。

②**文武昆乱不挡**：意为在本行当无所不能。字面上分别为文戏、武戏、昆曲、乱弹各剧目，不挡，都挡不住（难不倒）。

善于用水袖[3]的功夫来表达剧中人物的性格与心情，他与梅巧玲和余紫云不同的是以青衣为主，很少演花旦。

时小福对梅巧玲的帮助不仅在于他总在余紫云告假不唱时上场代唱，更在他后来掌管春和班时常常接济梅巧玲的四喜班，使四喜班得以维持。

清帝制时代，皇帝或太后、皇后死了叫做"国丧"，民间称"断国丧"、"断国服"。国丧期间，必须"遏密八音"[4]。国人在国丧期间必须身着丧服为他们服丧戴孝，除此，还不许剃头，不许宴会，不许娱乐，甚至连街上做小买卖而使用的唤头（如鼓、锣、铃、钹等）都禁止敲打。如果背着的箱子、柜子是红色的，在此期间也得改成黑色蓝色。既然禁止一切娱乐，各戏院自然得全部停业。

国丧期原先规定皇帝死后是三年，皇后太后死后是一年。清朝末期始，国丧期全部改为 100 天，100 天后半开国服，演员可以上台，但不能着行头，必须穿便衣，名为"说白清唱"。这时，"唱青衣的头上包一块蓝绸子，老生可以戴髯口，小丑在鼻子上抹一点白。花脸用包头的颜色来表示他的身份。另外在脸上画两道浓眉，代表戏中人的性格。场面上，大小锣、堂鼓等乐器，都在禁用之列。打锣的人，左手虚作提锣的姿势，右手拿着锣锤，嘴里念着锣经，以口代锣。打鼓的也不能使劲敲打。"[5]

梅巧玲很不走运，在他掌管四喜班时，接连遭遇了两次"国丧"。两次国丧期长达200天，近七个月，戏班不能演出因而没有收入。当时戏班的行规是日薪制，戏班又有大小班之分，一些资本薄弱、人数有限的小戏班无力维持，纷纷解散，一些演员为了生计只得改行外出做些小生意。大戏班如四喜班、三庆班、春台班等因是固定的组织，所有的演员都订有契约，领班人设有"下处"（即宿舍），供给

③**水袖**：袖端所缀一尺左右的白绸，以其甩动时形似水波纹故名。

④**八音**：指金、石、丝、竹、匏、土、革、木；"遏密八音"，即禁止弹奏各种乐器。

⑤叶涛：《中国京剧习俗》，陕西人民出版社。

全体演员餐宿，每人都有一定的“工资”。为了照顾同业的生计，因而不能解散。虽不能解散，但照常规，这段时期演员只能拿半份工资以维持生活。而梅巧玲却照演出时待遇一律发全薪。戏剧界因此交口称赞，认为这是一种厚谊。其实，梅巧玲这么做并不是因为他有很殷实的经济基础，他是靠借贷来维持的，他在向汇票庄借贷的同时也曾向时小福伸手。时小福的春和班虽然也与四喜班一样正苦熬“国丧期”，但时小福不忍坐视梅巧玲及四喜班同业挨饿受冻，便借给梅巧玲一笔数目很大的银子。但款子只能救一时之急，过了一段时期后，四喜班再度陷入困境。梅巧玲有心让时小福接管四喜班，但时小福没有答应，原因自然是他也很困难，无力支撑。时小福虽然没有答应梅巧玲，但他为挽救四喜班的危机，竟毫不犹豫地将自己的住宅卖了，卖房款全部给了梅巧玲。四喜班终于得以维持。

许是梅巧玲童年时受师傅杨三喜、夏白眼的虐待太深，因此他格外体恤自己的弟子与四喜班成员。除了给四喜班同业以全面照顾外，对个别极困难的同业更为关心。当他看见某同业衣不御寒时，总是一边为其扣好衣领扣子，一边说：“这样会冻坏的，做件衣服穿吧。”说着，他就将一个钱包塞到这人的领口内。当他看到某人鞋不保暖时，总是一边说：“脚冻坏了，怎么上场啊？”一边就将一个钱包塞在他的鞋里。

对同业如此，对行外朋友，梅巧玲也是如此。有一位御吏叫谢梦渔，与梅巧玲是同乡，他有渊博的旧学知识，所以常与梅巧玲研究字音，唱腔，两人交往甚密。谢梦渔祖籍扬州仪征，是清道光庚戌科的探花，虽为官多年，但洁身自好，一生廉洁致两袖清风，经济颇为拮据。梅巧玲知悉后，常送些银两给他。谢梦渔每次收了钱总是亲笔写一字据给梅巧玲，表示以后一定悉数奉还。谢梦渔70多岁时死在北京，家人在扬州会馆设立灵堂，梅巧玲亲自前往祭吊。

那时候有一风俗，就是平日交情深的在祭吊死者后，还要面向死者家属致唁。梅巧玲向谢梦渔的儿子致唁后，从怀里取出一沓借据，共计三千两银子。谢子见后，以为梅巧玲是来要债的，父债子还，天经地义，他无限感伤地哀叹道："这事我们知道，不过目前我们实在没有能力，过些日子一定会如数归还的。"其实谢子误会了。梅巧玲说："我不是来要账的，我和令尊是多年至交，今天知己已亡，非常伤痛，我是特意来了结一件事情的。"说完，他在谢家亲属惊讶疑惑的目光中，将手中的借据顺手借着灵前正燃烧着的烛火点燃，借据瞬间变成灰烬。梅巧玲又问谢子："这次的丧葬费用够不够？"谢子实在不好再开口了，梅巧玲也不多言语，只从靴统里取出三两银票递给谢子，谢家上上下下无一不为梅巧玲的慷慨而感动得热泪盈眶。

还有一位举子酷爱京戏，到北京会试时结识了梅巧玲，因为他对戏剧文学颇有研究，因此常能指出梅巧玲戏中的得失，故而二人交情深厚。这位举子一度生活很困难，但又不好意思向人借贷，只好常常上典当行，将衣物和一些值钱的东西送去典当。梅巧玲起初并不知道，当他看出端倪后，一天突然来到这位举子住的公寓。举子不在家，梅巧玲便四处翻找，希望找到赎票为他将衣物赎回来。他的举动引起与举子同住的一位老家人的不满，他不问青红皂白，厉声喝斥梅巧玲，梅巧玲原本不想将原委告诉这人，担心一旦被举子知晓后，举子会认为丢了面子。可这老家人执意认为梅巧玲心怀不轨，梅巧玲只得如实相告，这家人终释然，忙着替梅巧玲翻找出了赎票。东西赎回来后，梅巧玲又留下两百两银子。举子回家后从老家人那里得悉一切后，对梅巧玲感激万分，亲自上门道谢，梅巧玲规劝他要多用功，少看戏，把心思用在读书上。他果真不再泡在戏馆里，终日发奋努力，终于高中。只可惜高中后不久他就因病死了，身后棺殓等费用仍是梅巧玲代为料理的。

梅巧玲的这些义举被广为流传，被人尊称为“义伶”。晚清李莼客在他的《越缦堂日记》光绪八年11月7日写道：“孝贞国恤，班中百余人失业，皆待慧仙举火 。”祖父的义举深深影响了梅兰芳，他在入党时写的自传里曾这样说：

我的祖父梅巧玲是满清同治、光绪年间的名演员，在那个时期，戏曲演员是被人看不起的。我祖父一生为人有行侠仗义的作风，他对同业和朋友们的帮忙，常常是牺牲本身的利益去替别人解决困难，这类事情很为人们所称道。我的父母去世很早，我祖母和姑母把我祖父的为人行事讲给我听，我受了感动，立志要学我祖父和一切好人的样子，要长进向上，不敢胡来。[①]

咸丰十年（1860年），梅巧玲与著名小生陈金雀的女儿定亲。陈金雀原名陈金爵，以善演昆曲《金雀记》而闻名，人们因此而称其“金雀”。那时梅巧玲孤身一人，陈氏还未过门，陈家就派了一个老妈子去侍候他。老妈子从此在梅家服务了一辈子。晚年，梅巧玲曾买了一所房子送给她，她坚决不收，后来死在梅家，梅巧玲为她预备了一份很厚的衣衾棺木将她装殓了。

梅巧玲的夫人陈氏心地善良，善于治家，她比梅巧玲小两岁，婚后育有二子二女，长女嫁给了为人仗义、有古侠士风之称的旦角演员秦稚芬。秦稚芬小名“五九”，除唱戏外，他还精通书法，对历史也颇有研究。二女的丈夫是武生演员王怀卿（又名王十八）。

①马少波：《马少波近作选》。

⊙梅兰芳伯父梅雨田（1865～1912）

“六场通透”的伯父

梅巧玲虽有“义伶”之称，但他的“义”并不是总能得到回报的，当角儿或场面闹脾气而告假罢演时，梅巧玲痛心疾首之余便在妻子面前发牢骚说：“我一定要让咱们的儿子学场面。”仿佛老天爷有意成全梅巧玲，他的长子梅雨田从小就喜欢音乐。梅雨田出生于1865年，刚满3岁时，就坐在一个木桶里，抱着一把破弦子，叮叮咚咚地弹着玩，8岁时父亲问他想学什么，他说：“我爱学场面。”梅巧玲听了别提心里有多欢喜，此后，他便把京城里的吹拉敲弹各路好手都请来教儿子。“四喜班”的琴师贾祥瑞成为梅雨田的开蒙老师，京城其他名手如李春泉、樊景泰、韩明儿、钱春望都教过梅雨田。梅雨田天资聪慧，在音乐方面也有天赋，无论什么他一学就会，吹拉弹敲样样拿手。儿子没有辜负梅巧玲的一片苦心和厚望，成为著名的戏曲音乐家。

天才大多性情古怪，梅雨田也不例外，他性格孤僻高傲，常和与他合作的演员闹不愉快。当时乐队只六人，分武场文场，武场有单皮鼓、大锣、小锣；文场有胡琴、月琴、三弦，而胡琴又兼笛子、水镲、唢呐；月琴要兼铙钹、笛子、唢呐；三弦要兼堂鼓、海笛、唢呐。梅雨田因为无论武场还是文场，无论胡琴还是月琴样样精通，因此很年轻时就有“六场通透”之美称，因而被召进内廷当差，为著名老生[②]“谭派老生”的创始人谭鑫培操琴多年。谭老板的唱腔，梅雨田的胡琴，配上鼓师李五的鼓，可谓珠联璧合。三人被公认为是最理想的“搭档”，但却因各自孤傲的性格而常闹意见，甚至平日里谁也不愿低头向对方请教。外界一会

②**老生**：扮演儒士、秀才一类的男性人物为“生”。老生为扮演中老年男子中性格正直刚毅的正面人物。

⊙梅兰芳母亲杨长玉（左下）（1876～1908）
（著名武生杨隆寿之女）

儿盛传他们散伙了，一会儿又说他们和好了，莫衷一是。其实意见归意见，三个人谁也离不开谁，只要一上台，谭老板唱得来劲，梅雨田弹得畅快，李五的鼓敲得也痛快，三人之间那份默契简直是天衣无缝。

要做到配合默契并不是件容易的事，因为谭老板在每出戏里的唱法常常变换，而他上台前也不通知另两位搭档，可是不管他怎么唱，唱什么，梅雨田的琴调就像粘住了他似的，李五的鼓声也一点儿不乱。

在音乐方面极有天赋的陈彦衡，尤其擅长胡琴，当时其他胡琴手都不在他眼里，而只有面对梅雨田，他才不得不低下头去，自愧弗如。

除了陈彦衡低头拜梅雨田为师外，京城许多亲贵也都纷纷慕名而来，跟梅雨田学戏，或向他请教有关音乐、牌子、昆曲、皮黄等问题，梅雨田虽性情孤傲，但对上门求教者却极有耐心，每每慷慨施教，直至求学者满意而去。

父亲早逝家道中落

梅雨田17岁时，父亲梅巧玲因病去世，弟弟梅竹芬当时只有10岁。梅竹芬就是梅兰芳的父亲，他出生于1872年，是梅巧玲的二公子，他也走上乃父的道路。他先学老生，又改小生[①]。最后唱青衣花旦。他的昆曲、皮黄都是向梅巧玲学的，凡是梅巧玲唱

①小生：扮演青年男子。

⊙梅兰芳父亲梅竹芬（右上）(1872～1898)

过的戏，他都会唱，而且唱得极似梅巧玲，加上他长相酷似乃父，因而又名“梅肖芬”。梅巧玲去世后，梅竹芬上台唱梅巧玲的《德政坊》、《雁门关》、《富贵全》等戏，观众认为他是梅巧玲的再生。

梅竹芬后来娶了著名武生②杨隆寿的女儿杨长玉为妻。杨隆寿有“活武松”、“活石秀”、“杨猴子”之称。他在光绪六年(1880年)创办了“小荣椿”科班，培养了“荣”、“椿”两科演员，出色的学生有著名老生蔡荣贵（马连良的老师）、谭小培（谭鑫培的儿子）、徐春明和“富连成”班创始人叶春善，以及武生杨小楼（春甫）、侯春生，小生程继仙、狄春仙。杨隆寿的长子杨长喜、孙子杨盛春、曾孙杨少春都是武生演员。梅兰芳的母亲杨长玉出生于1876年，比梅竹芬小4岁。

梅竹芬并非科班③出身，但他在掌握了京剧表演的基本技巧和本行当主要剧目的主要角色后，搭班④当时在京城颇有名气的迟家的“福寿班”。

过去的老艺人曾说：“搭班如投胎”，形容过去演员搭班如同投

②**武生**：扮演擅长武艺的青壮年男子。

③**科班**：是当年培养京剧演员的主要基地。早期京剧演员的培养有两种方式，一是“投师问艺”，二是“以班带班”。“投师问艺”就是学员进入戏班后，专门向某位演员学艺；“以班带班”就是以戏班带科班，戏班为培养接班人而广收学员组成科班，学员边学习边参加戏班演出。进入科班学艺的学员多是七八岁左右家境比较贫寒的孩子，学艺时间多为七年。因为科班在教学时采用“打戏”的方式，所以学员挨师傅毒打是家常便饭，有人称七年坐科为“七年大狱”。学员出科后就得搭班演戏。见叶涛著《中国京剧习俗》。

④像梅竹芬这样加入某戏班，参加该戏班的演出，俗称“搭班”。

胎一般难。"富连成"科班的创始人叶春善从"小荣椿"科班出科后一时搭不上班，为了养家糊口，他不得不四处奔走。有一天，他在"庆乐戏园"门口遇到他父亲原先的徒弟，也是他的师哥，这位师哥正在"四喜班"任管事。叶春善便求师哥道："师哥，您这儿要是有空档儿，给我谋一个吧！"这位师哥白眼一翻，冷冷地、半讽刺道："你也要搭这个？"说完他掉头就走，把满怀希望的叶春善"晾"在了那里。萧长华曾说："旧社会学艺难，学了艺想找个吃饭谋生的门路更难。"

但并不是所有的能搭上班的演员都很珍惜演出机会，"福寿班"有些演员常闹脾气，告假不唱。因为梅竹芬为人老实厚道、心地善良且性情温和，迟班主总是请他上场代唱，他也从不推辞，而且每次唱的都是梅巧玲的唱工本戏。戏班为多挣钱，营业性的演出异常频繁，加上经常性的外串堂会，梅竹芬因家境每况愈下也不得不卖命地唱。长此以往，元气大伤。26岁时患上"大头瘟"的毛病，吃了药也不见效，只几天工夫他就死了。梅兰芳的祖母陈氏曾说："竹芬是累死的，因他忠厚老实，什么累活都叫他干。"出殡那天，迟班主在灵前痛哭流涕。

梅竹芬死时，儿子梅兰芳只有4岁。在那个重男轻女思想很重的年代，梅雨田生了三个女儿，没有儿子，于是梅兰芳就有了兼祧两房的责任了。

梅巧玲、梅竹芬相继去世后，一家大小的生活重担便压在了梅雨田的身上。梅巧玲死时留下几间房子，梅雨田操琴伴奏的戏份早期和一般场面差不多，后为谭老板操琴后，戏份才有所提高，这些要维持家庭生活本来是没有多少问题的，但梅雨田根本不懂得什么是理财，加上庚子年间(1900年)八国联军入侵北京，日子就更艰难了。

八国联军烧杀抢掠，无恶不作，街市一片萧条，多家戏园茶园也被烧了，剩下的几家也关门歇业，戏班不得不停演而断了戏份，演员们只得外出自谋出路。名丑萧长华为了生计不得不上街卖烤白薯，名净李寿山则上街叫卖萝卜和鸡蛋糕。

梅家虽然不至如此，作为名琴师的梅雨田也是演一场挣一份钱，没有演出也就没有收入。梅家仅靠梅巧玲留下来的产业维持生计，时间一长，坐吃山空，富足的梅家逐渐中落，直到入不敷出、寅吃卯粮的地步。无奈之下，梅雨田也只有外出谋生了。

一个琴师除了操琴演奏外还会什么呢？梅雨田万分苦恼之余，想起了他认识的一家修表店的赵师傅。赵师傅虽从事修表业，但平时素爱听戏，尤偏爱胡琴，他和梅雨田是旧好，两人曾经互传技艺，他向梅雨田学拉胡琴而梅雨田则向他学习修表。不久，赵师傅琴艺大长，而梅雨田也学得一手修表技艺。平时家里大小钟表都由他来修，甚至邻里亲朋家的钟表坏了也上门请他修，他也乐意帮忙却分文不取。此时，他不得不利用这偶然学成的技艺以维持生计了。

洋兵入城后，不停地骚扰百姓，出入民居如入无人之境，翻箱倒柜，奸淫妇女。杨典浩的《庚子大事记》里这样记载："皇城之内，杀戮更惨，逢人即发枪毙之，常有十数人一户者拉出，以连环枪杀之，以致尸横满地，弃物塞途，人皆踏尸而行……"百姓们能跑就跑，能躲则躲，各家纷纷将女儿小媳妇藏起来，有的姑娘整日卧在屋顶上，饭菜茶水由家人定时递送上去。

杨长玉当时只有24岁，为躲避兵匪，不得不每天化装，用煤炭将脸涂黑，躲着不敢见人。当时梅家为了缩减开支，将李铁拐斜街的老宅卖了，搬到百顺胡同居住。梅雨田夫妇和他们的女儿加上梅兰芳母子和祖母陈氏及两个姑母一家八口租住三间房。因为考虑到百顺胡同房浅窄，洋兵很容易闯入而不够安全，杨长玉带着儿子梅

⊙梅兰芳9岁时

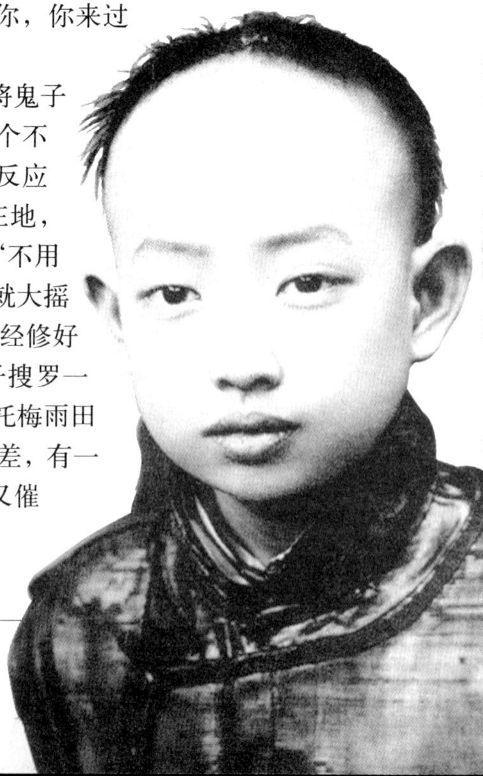

兰芳搬回娘家居住。杨隆寿家其实也不安全，杨长玉在娘家也不能随处走动，整日躲在杨家摆砌末（即道具）的房里。

果然有一天几个洋兵冲进了杨家，每个房间绕过后执意要进这间杂物房看看，杨隆寿当然不答应，把着门不让进，双方便起了冲突，洋兵竟拔出枪来对准杨隆寿，嘴里叽哩咕噜地恐吓威胁了一番。为保全女儿，杨隆寿仍坚持不让洋兵进屋。洋兵无奈，只得怏怏离去。杨隆寿却因惊吓过度，不久就病倒了，这一病就再也没能起来。

杨长玉带着梅兰芳回到了百顺胡同后不久，洋鬼子不知怎么了解到梅家有许多钟表，便三番五次前来攫取，有时一天数次，让人不胜其烦。一天，梅宅大门被敲得山响，7岁的梅兰芳开门一看，原来是一个面孔黧黑的鬼子兵。毕竟是孩子，他冲着鬼子兵大叫：

“你怎么又来了？我认识你，你来过四趟了。”

说着，他不由分说，死命将鬼子往外推。鬼子兵起初被眼前这个不知道害怕的小孩子吓了一跳，反应过来后蛮横地将梅兰芳推倒在地，一边用半生不熟的中国话说：“不用你管，叫你家大人出来。”一边就大摇大摆地往里走去。不用说，已经修好的和未来得及修的钟表被鬼子搜罗一空。以后也没有人再敢上门委托梅雨田维修钟表了。梅家境况越来越差，有一次连房租都交不出来了，房东又催得紧，情急之下，梅雨田的妻子胡氏卖了头上的簪子换了钱才算过了关。

虽说不久剧业恢复，但仍不景气，梅雨田重操旧业的收入也有限，一家大小的日子过得紧紧巴巴。一直挨到梅兰芳成名担负起了全家的生活费用后，梅家才算苦尽甘来。

第一个老师被气走了

1894年10月22日，梅兰芳出世了。他原名澜，字畹华，又字浣华，兰芳是他后来取的艺名。

北京李铁拐斜街梅宅传出的婴孩哭声与一般婴儿并无区别，许是出身于梨园世家，他的哭声好像更加嘹亮，更加高亢，只是谁也没有预料到这个普通的婴孩有朝一日会成为世界级戏曲艺术大师，成为中国京剧史上最具代表性的人物。

梅兰芳4岁失去了父亲，跟着母亲依靠大伯梅雨田生活。走向衰败的家庭是没有欢乐与幸福可言的，那时的梅家老宅充满了沉闷的空气。虽然成了“肩祧两房”的梅家香火传人，梅兰芳却并未因此在家中多受重视。母亲杨氏年纪轻轻就守寡，得靠别人养活，心情可想而知。梅兰芳在10岁以前的一个时期，“几乎成了一个没人管束的野孩子”①。

就唱戏来说，梅兰芳在童年时并未表现出过人的艺术天分，相反，和一般孩子相比甚至还显得不够聪明伶俐。戏曲界前辈艺人曾言，要想成为一个好演员，必须具备6个条件，即“相貌好”、“嗓子好”、“身材好”、“会唱”、“会做表情”、“会做动作”，前三个是先天条件，后三个得靠后天培养。梅兰芳除了不够聪明伶俐外，相貌也很平常，特别是因为两只眼睛有些近视，眼皮老是下垂，眼睛既

①梅兰芳：《舞台生活四十年》。

⊙梅兰芳与幼年学艺时的小伙伴

前排左起：刘砚芳、姚玉芙、梅兰芳、王春林

二排左起：曹小凤、孙砚庭、姜妙卿、迟玉林

三排左起：罗小宝、姚佩兰、姜妙香、朱幼芬

不能外露，又不能正视，见了生人，他还不太会说话，面部表情不够生动，人便显得有些木讷，他的姑母秦老太太曾用八个字概括："言不出众，貌不惊人"①。

梅家搬到百顺胡同后，7岁的梅兰芳便在百顺胡同附近的一个私塾就读，在那里读起了《三字经》、《百家姓》之类的书。后来私塾搬到万佛寺湾，他也随去继续读书。初时因为读书不用心，成绩自然不佳，而当时的私塾，教学方法单一，学生一旦背不出书来，先生惟一的办法就是打。为了躲避挨打，梅兰芳想出的对付办法就是逃学。

有一天，梅兰芳背着书包走出家门，当远离家人视线后，他一溜小跑奔到一条干涸了的小沟旁，正要将书包往沟眼里塞，忽然有一只大手将他连人带书包拎了起来，不由分说，将他拎往一旁的井台，边走边说：

"不念书，竟逃学，看你还逃不逃了！"

眼看就要到井台了，梅兰芳以为来人要将他摔到井里去，吓得浑身哆嗦，连声求饶："我不逃了，我再也不逃学了。"那人这才将快要哭出来的梅兰芳放在井台边，问："那你今后好好念书不？"

梅兰芳连声应道："我好好念，好好念，大叔您饶了我吧！"

这一次，梅兰芳被吓得不轻，不过这一吓倒促使他再也不逃学了，书也奇迹般念得好了。那位"大叔"正是当时已很有名气的武生杨小楼。

杨小楼是"奎派"老生、同光十三绝之一杨月楼的独生子，比梅兰芳大16岁。杨月楼是文武全材的生行演员，既能演老生戏，又擅长武生长靠戏、短打戏和猴戏。因他把孙悟空演得活灵活现，所以人们又叫他"杨猴子"。杨小楼幼年师从梅兰芳的外祖父杨隆寿，

①梅兰芳：《舞台生活四十年》。

又经武生三大流派“俞派”创始人俞菊笙的精心栽培，技艺迅增，但他在科班时并未成名，出科后演的角色多为配角。后有一次在3天之中，他连演3个不同的武戏，并用“小杨猴子”的艺名出台，一炮而红。

杨月楼临终前托谭鑫培、杨隆寿照顾小楼，谭鑫培收小楼为义子，并为其按儿子“嘉”字辈取了新名“嘉训”。小楼因此入谭鑫培的“同庆班”，受谭鑫培亲授。

梅家租住百顺胡同时，杨小楼是梅家邻居。那时梅兰芳尚年幼，而杨小楼却已名声鹊起。当时北京城里会馆甚多，各省有省会馆，各县有县会馆，有些大的会馆内设有戏台，逢年过节，会馆常邀请京城名演员前去演唱，杨小楼自然也在被邀之列。他为赶会馆的戏台练武功、吊嗓子而不得不黎明即起，每天出门的时间与梅兰芳上学的时间差不多，因而常常将梅兰芳抱去私塾，有时把他抱在胸前，有时让他骑在自己脖子上，一路上他还给梅兰芳讲民间故事，常逗得梅兰芳笑个不停，有时半道上，他还会给梅兰芳买串糖葫芦。梅兰芳常常一边吃着，一边听着故事，在杨小楼的臂弯里或肩头晃晃悠悠、轻松自在地被送到私塾门口。

不曾想，十多年以后，“杨大叔”竟然有机会同当年逃学的孩子同台演出。在后台化装的时候，两人说起旧事大笑不止。

梅兰芳8岁时，清政府同俄、英、美、日、德、法、意、奥、西、比、荷等11个国家签订了不平等的“辛丑条约”。就在这年，梅兰芳开始学戏。当时京剧演员的培养方式除入科班学艺外，还有拜师做手把徒弟、请教师在家中授艺和票友学艺等几种形式。梅雨田为梅兰芳选择的是“请教师在家授艺”的方式。

第一个被请来为梅兰芳说戏的是名小生朱素云的哥哥朱小霞。

朱小霞、朱素云、朱小芬、朱幼芬兄弟是梅巧玲的弟子、“云和堂”班主朱霞芬的儿子，均子承父业，朱素云成就最突出。

朱小霞按照青衣的传统教授方法给梅兰芳讲授《二进宫》、《三娘教子》等一些老腔老调的简单玩艺儿。可就是前四句极普通易学的老腔，朱小霞教了半天，梅兰芳学了多时也还是不能上口，把个朱小霞气得吹胡子瞪眼，嘴里不禁骂道：“祖师爷没给你这碗饭吃。”说罢竟拂袖而去，从此再不肯登门施教了。

梅兰芳后来经过刻苦努力，终于成名。一次他在后台遇见了当初被他气走的师傅，朱小霞不好意思地说：

“我那时真是有眼不识泰山！”

梅兰芳却笑着说：“您快别说了，我受您的益处太大了，要不是挨您一顿骂，我还不懂得发奋苦学呢！”

梅兰芳真正意义上的开蒙老师是吴菱仙。“开蒙老师”是演员跟着学艺的第一个老师，他负责传授唱、念、身段等京剧艺术的基本功，为学生今后的艺术生涯奠定基础。演员的基本功是否扎实与开蒙老师的传授大有关系。

吴菱仙是“同光十三绝”之一时小福的弟子，本名吴永明，菱仙是艺名。时小福一生收徒众多，均以“仙”字排行，其中最为著名的有张云仙、陈霓仙、吴菱仙、陈桐仙、江顺仙、王逸仙、吴霭仙、张紫仙、秦燕仙。

朱素云、朱小霞的弟弟朱小芬是梅兰芳的堂姐夫，吴菱仙起初是朱小芬请到家里为他的弟弟朱幼芬和表弟王蕙芳开蒙的，梅家得知后，便将梅兰芳送到朱家借学。

吴菱仙为梅兰芳开蒙时已有50多岁了，但他不顾年老体弱，每天天不亮就带着三个小徒弟到中山公园等空旷地带遛弯喊嗓，一练就是两个多小时。练完后，他再带他们回到朱家，吃过早饭便开始教戏。吴菱仙教学步骤是先教唱词，待学生将唱词背得滚瓜烂熟后，再教唱腔。为了让三个孩子便于接受，他在教唱腔时，总是先讲戏的剧情故事，再解释唱词含义，三个孩子理解了唱词，学起唱腔来就容易多了。

吴菱仙虽说是旧时代的先生，但却深谙儿童心理，他知道孩子坐不住，便常变换教学方法，当他发现他们唱得有些不耐烦了，他就即时收住，改教他们基本功和练身段，筋骨活动开了，人也有了精神，这时再让他们坐下继续练唱。

孩子终究是孩子，特别像梅兰芳这么一个曾经有过逃学经历的孩子对枯燥乏味的学习更有一种本能的厌倦，因而上课开小差的事就经常发生。吴菱仙与一般教书先生一样，教戏时端坐在椅子上，桌子上放着一块长方形的木质“戒方”。戒方的用处有两种，一是用来拍板，二是用来责打思想不集中的学生。学生站在桌旁，随时提防着“戒方”落在自己头上。

吴菱仙却从来没有用“戒方”打过他的学生，特别是对他所钟爱的梅兰芳，他甚至连大声呵斥都不曾有过。他为了使学生基本功学得扎实，在桌上摆放着十个刻着“康熙通宝”四个字的白铜制钱，用这些钱代替计数器。学生每唱一遍，他便取下一枚铜钱，放在一边的漆盘内，直到十枚铜钱全部拿完，然后再将铜钱放回原处，重新开始。因此每段唱腔，学生至少要唱上几十遍。对有些比较难上口的唱段、唱腔，他更是要求精益求精。他认为只有奠定坚实的基础，学的东西才不至于走样，时间再长也不会遗忘。

梅兰芳那时只有8岁，当然不是很明白师傅的这种做法，他唱了几遍后，觉得已经唱熟了，心神便不专一了，嘴里虽仍哼唱着，但已是机械的了，原本就下垂的眼角此时更加耷拉下来了，眼睛也几乎要睁不开了。如果不是师傅提醒，他恐怕就会这么站着睡着了。吴菱仙并不用“戒方”打他，只是轻轻地推他一下，暗示他打起精神来继续学习。

像吴菱仙这样开明的老师在当时可谓凤毛麟角，梅兰芳正是在他的教诲下在唱段、唱腔方面打下了坚实的基础。

吴菱仙教给梅兰芳的第一出戏是《战蒲关》，除了唱腔唱段外，他还教授青衣的初步基本动作，比如走脚步、开门、关门、手式、指法、抖袖、整、提鞋、叫头、哭头、跑圆场、气椅等身段，每个动作他都要求学生反复做，直做到准确熟练为止。吴菱仙虽同时教授三个学生，但他却偏爱梅兰芳，把大部分精力都放在了梅兰芳身上，精心培育，誓要将他培养成材。因为吴菱仙早年不止一次地得到梅巧玲的帮助。

吴菱仙曾在梅巧玲的“四喜班”里待过许多年，与梅巧玲感情甚好。一次吴家出了意外，急需一笔钱，但他又不好意思向梅巧玲开口，正不知怎么办时，梅巧玲从别的途径了解到情况。一天戏后，梅巧玲隔了好远，扔给吴菱仙一个小纸团，说道：

“菱仙，给你个槟榔吃！”

吴菱仙接住了，打开一看，原来是一张银票。就是这张银票替吴菱仙解了围，使吴家摆脱了困境。梅巧玲之所以采取这样的方式，是因为当时的班社制度，各人有固定的戏份，而各人的家庭环境、经济状况不同，梅巧玲随时根据具体情况用这种方法加以照顾。吴菱仙说：“当这人拿到这类赠予的款项的时候，往往正是他最迫切需要这笔钱的时候。”

受梅巧玲这种馈赠的当然不止吴菱仙，吴菱仙也不止一次受到梅巧玲这样的馈赠。他有机会教导恩人梅巧玲的孙子，便把对梅巧玲的感激还报在梅兰芳的身上。因而当梅兰芳离别之际前来表示感谢时，吴菱仙叹口气，眼圈红红地说道：“你用不着报答我，我竭力精心地教你，是为了报答你祖父当年对我的恩情。”

正是祖父“仗义疏财、忠厚待人”的因，才会有吴菱仙善待梅兰芳的果。梅兰芳又一次深深体会到人品高尚的重要。

首次登台演织女

光绪三十年(1904年)8月17日，这天是梅兰芳第一次登台演出的日子，当时梅兰芳10岁。让梅兰芳正式登台演出也是吴菱仙的主意。梅兰芳在吴菱仙的精心教导下，加上自己刻苦用功学戏终于开了窍，技艺进步很快。吴菱仙既想让梅兰芳多一点实践的机会以增强信心，同时也是为他的家境考虑。此时梅家经济状况已无法再为梅兰芳延聘专任教师了。梅兰芳早一天登台演出，家里也就多一份收入。因此，当吴菱仙得知有一个叫“斌庆社”的戏班将在广和楼茶园贴演应节灯彩戏《天河配》时，便去和班主商议，让梅兰芳串演昆曲《长生殿·鹊桥密誓》中的织女。班主倒也爽快，一口应允。

清代将演戏的场所称为茶园、茶楼，以后才改为戏园、戏馆。称剧场、剧院是在民国以后。之所以称剧场为茶园，是因为早期的剧场并不以演戏为主，而以卖茶点为主，演戏反而为辅。准确地说，那里是喝茶的场所，非看戏的场所。将戏班引进茶园是茶园老板招徕茶客的“促销手段”。进茶园喝茶的茶客不收戏票钱，只收茶钱。客人往往或三五一群，边交谈，边品茶；或独坐一隅，边品茶，边听戏。那时不叫看戏，而称“听戏”，有些客人并不刻意观看演员的表演，而专注于演员的唱，当听得入神时，常微闭双目，随着节拍微微晃动着脑袋，手里或摇把扇子，或用手指头在桌上敲点着，一副陶醉入迷的样子。

梅兰芳的成就之一就是以自己独具魅力的表演将戏迷由听戏阶段带入看戏阶段。

“广和楼茶园”是北京最早的营业性茶园，原叫查家茶园，是明末一个姓查的盐务巨商的私人花园，位于北京前门外肉市街路东。这条街原是土马路，马路两旁有许多摊贩，查某凑热闹，遂将他的花园改作茶园，取名“月明楼”，人们习惯上称“查园”。“查园”后改为“广和茶园”。

“广和茶园”内设有几十张长桌和长板凳，开始时只卖清茶。清乾隆年间，前门街的土马路被改造成石马路，原来马路边的小摊贩纷纷在新建的石马路边盖起了门面房。“广和茶园”不知不觉被挤到了角落里，失去了原先占据显赫位置的优势。查家人不得不扩大营业面积，在茶园内加筑了一个小型戏台，白天照样卖清茶，晚上掌灯后，加演评书、杂耍、八角鼓、莲花落等，此举吸引了大量茶客，营业额急剧上升，查家因此获得巨额利润。

光绪年间，“广和茶园”再次翻修扩建，茶园内的戏台也随之扩大，并增加了座位，一次能容纳八九百人之多，被请到戏台上演出的已不再是民间单个艺人，而是京城名戏班和名角儿。

八国联军入侵北京时，查氏为躲避战乱，将茶园卖给了商人王善堂，“广和茶园”改名为“广和楼茶园”，内部进行了第三次整修。门外胡同口临街处，搭上了一个牌楼，牌楼两边分竖两根高约一丈的方木柱子，分别写着“吉祥新戏”、“风雨无阻”，牌楼正面有铁板刻花大聚宝盆，上写“广和楼”三个大字，下边写着演出的班名、社名。

⊙舞台上的大帐俗称"守旧"

梅兰芳在"广和楼"演出时，园内戏台的构造与一般戏馆里的戏台构造大致相同，为四方形，坐东朝西，戏台前后共有四个大木柱子，台前两根木柱上的一副木刻楹联写着："学君臣，学父子，学夫妇，学朋友，汇千古忠孝节义，重重演出，漫道逢场作戏"；"或富贵，或贫贱，或喜怒，或哀乐，将一时离合悲欢，细细看来，管教拍案惊奇"。戏台后面两个柱子中间，是一堵木板墙，墙上挂着一条大红绣花的单片，当时称为"门帘大帐"，新式舞台搭用布景后，遇到旧戏还需挂门帘大帐时，人们已不再称其为"门帘大帐"，而改称"守旧"。墙的两头分别有两个小门，演员上下场就是从这两个小门里进出，两个门上都挂有一条红绣花的门帘。"守旧"与"门帘大帐"不同的是，"门帘大帐"只遮盖木板墙，与两边的门帘是分开的，而"守旧"则是连成一体的。在这四根大柱的外围，左右前方三面有一尺多高的矮栏杆，矮栏杆的小柱子上刻着狮子头，这大概就是"广和楼"与其他戏馆最大的区别了。其他戏馆台前矮栏杆的小柱子上多刻的是莲花头。在戏台台口的上方横着一根铁棒，名为"轴辊"，预备给表演武戏中诸如飞檐走壁等技术用的，演员利用"轴辊"做出双飞燕倒挂蜡等不同姿势。

整个茶楼中间一块地方叫"池子"，池子两边叫"两廊"，长桌、

长凳就摆在池子里，茶客们的座位不都是面对舞台的，而是面对两廊。之所以这样设计是因为便于茶客交谈。大多数茶客进茶楼主要是品茗谈天而非听戏。真正进茶楼听戏的戏界行家往往坐在戏台边小池子里，小池子里的凳子是专为行家准备的，那里离戏台最近，看得真切也听得清楚。除此，还有些人喜欢坐在茶园四周靠墙被称为“大墙”的地方，那里没有凳子，而是用砖砌起来的高台，矮点的人非跳一跳才能坐到台上去，侍者（那时北京叫“看座的”，上海叫“案目”）会给客人一个垫子，让他靠在背上，所以坐高台并不比坐凳子难受，相反，倒是有不少人偏偏就喜欢坐在台上，靠在墙上听戏。天长日久，茶园四周的墙被靠得光滑无比。

茶楼楼上正面名为散座，中间也有一池子，与楼下池子设备差不多，只是池子两旁不是两廊，而叫官座（即后来的包厢），每个官座可坐十一二人，官座里设备也较好，坐进去很舒服，这里多接待达官贵人。

梅兰芳初次在“广和楼”演出的日子正是农历七月初七，相传是牛郎织女相会的日子，牛郎织女的故事家喻户晓，各戏班每逢七月七日都要上演《天河配》，唱法大同小异。此时对梅兰芳来说，唱法是次要的，重要的是唱得准确熟练，吴菱仙的目的也只是让梅兰芳有个锻炼的机会。

《长生殿·鹊桥密誓》里有一个鹊桥的布景，是道具搭成的，桥上插着许多喜鹊，喜鹊里点着蜡烛。在当时灯光布景还比较简陋的条件下，这样的场景已算是很好看的了。梅兰芳只有10岁，他是由吴菱仙抱上椅子，登上鹊桥的。站在造型逼真的鹊桥上，望着摇曳的烛光，10岁的梅兰芳着实有些兴奋，这一兴奋倒使他忘了胆怯，面对台下叽叽喳喳的茶客，他放开嗓子很投入地开始了平生第一次的演唱。

第一次成功的演唱预示着梅兰芳与舞台与京剧结下了不解之缘，他没有料到，他这一唱直唱到生命的终结。京剧从此伴随了他一生。

“广和楼”第一次登台后，吴菱仙又安排梅兰芳不断在各戏班里串演小角色。除演传统戏外，梅兰芳也演过时装戏。例如在文明茶园俞振庭组班演出的时装新戏《杀子报》中，里面有两个小孩子的角色就是梅兰芳和李洪春串演的。

⊙梅兰芳11岁时

舞台实践既开阔了梅兰芳的眼界，也使他的技艺大大进步，他的同学朱幼芬、王蕙芳此时也知道实践的重要了，不久也开始登台，幼芬专工青衣，蕙芳兼学花旦。在日后的一个时期里，王蕙芳与梅兰芳齐名，有“兰蕙二芳”之美称。

除和吴菱仙学青衣外，梅兰芳的姑父秦稚芬和伯母的弟弟胡二庚也是他的老师，常向他传授花旦的技艺。胡二庚是唱丑角的，但他又是胡喜禄的侄儿，所以也通青衣花旦。

胡喜禄(1827—1890年)原名国梁，字艾卿，扬州人，是与梅巧玲同一时代的著名旦角演员，他常与“徽班鼻祖”程长庚配戏。他的唱腔工整熨帖并且善创新腔，如《玉堂春》的新腔，大部分就是他创造出来的。除此以外，他很重于做功的钻研，表演细腻生动，不但文戏拿手，还能演武戏。

京剧形成初期，旦行中青衣花旦的界限划分得相当严格，演青衣的演员不能演花旦，演花旦的不能兼演青衣。青衣是正旦[①]的俗称，因所扮演的角色常穿青色褶子而得名，而花旦大多饰演的是活泼开朗、动作敏捷、聪明伶俐的青年女性。青衣讲究唱功，不讲究表情、身段，面部或毫无表情或冷若冰霜，因为青衣多饰演稳重的中青年妇女，所以，演员出场时往往采取抱肚子身段，一手下垂，一手置于腹部，稳步前行，身体不许倾斜。与青衣正好相反，花旦不讲究嗓音和唱腔，重点在表情、身段、科诨，服装多夸张、绚烂，正因为青衣花旦有这些差别，所以不许演员兼演。

胡喜禄、梅巧玲最先打破了这一成规，大胆地将青衣花旦糅为一体。当年梅巧玲接演《雁门关》里的萧太后一角时，发现萧太后这个人物在表演上既需要有“青衣”的端庄娴静，又需要有“花旦”的爽朗大方，既要能“唱”，又要精于“念”、“做”，于是，他在演出时，不仅运用了青衣的唱功技巧，也吸收了花旦的念白和表情，将萧太后这个人物塑造得活灵活现。

梅兰芳在专工青衣的同时也兼学花旦。

光绪三十三年(1907 年)，14 岁的梅兰芳随家人从百顺胡同移居芦草园，这年，他正式搭“喜连成”班参加演出。随梅兰芳一同进入“喜连成”带科入艺的学生还有“ 麒麟童”周信芳（老生)、姚佩兰（花旦)、“小益芳”林树森（老生）等人，梅兰芳常与他们合演。特别是麒麟童，他既是梅兰芳的好搭档，又是梅兰芳少年时的好伙伴。他俩都属马，入“喜连成”的性质都一样，都是带科入艺、搭

①**正旦**：女主角。

班学习，所以，两人关系非常密切。这个时期，他俩合作过的戏有《战蒲关》，麒麟童演刘忠，梅兰芳演徐艳贞；在《九更天》里，麒麟童演马义，梅演马女。

除麒麟童外，小益芳、金丝红（王喜秀）、小穆子都与梅兰芳有过合作，"喜连成"贴演《二进宫》一剧时，梅兰芳演李艳妃，金丝红演杨波，小穆子演徐延昭 ，这出戏在当时颇具号召力，也极卖座。

与梅兰芳感情最好的要算是律喜云了。律喜云是名小生律佩芳的弟弟，他是"喜连成"第一科"喜字辈"学生，专工青衣兼学花旦，因此，他与梅兰芳合演的机会最多，两人感情深厚，常相帮助，无论谁有病或嗓音失调，另一人就替他唱。只可惜律喜云早早病死。很多年以后，每每提及律喜云，梅兰芳总是伤心不已。

在"喜连成"搭班演戏的同时，梅兰芳继续向吴菱仙学戏。白天他在广和楼演日场，晚上仍住朱家。吴菱仙先教《二度梅》、《别宫》、《祭江》、《孝义节》、《祭塔》、《孝感天》、《宇宙锋》、《打金枝》，配角戏有《桑园寄子》、《浣纱计》、《朱砂痣》、《岳家庄》、《九更天》、《搜孤救孤》等共30多出戏。因为吴菱仙是时小福的弟子，所以，梅兰芳这时期的青衣唱法随吴菱仙宗法时小福。18岁以后，他才创立了自己的流派。

除了学习，梅兰芳将剩余时间全部用来观摩戏界前辈的精彩演出，从中找出自己的不足，他曾这样说："我在艺术上的进步与深入，很得力于看戏。我搭喜连成班的时候，每天总是不等开锣就到，一直看到散戏才走。当中除了自己表演以外，始终在下场门的场面上、胡琴座的后面坐着看。越看越有兴趣，舍不得离开一步。这种习惯，延续了很久。以后改搭别的班子，也是如此。"

说是看戏，但已不是单纯地娱乐了。对梅兰芳来说，看戏也是他业务学习中的一部分。整个学艺阶段，梅兰芳没有同龄孩子那般自由快乐，他的生活极为规律与刻板：吃饭、睡觉、学习、上台、观摩将他的每一天塞得满满当当，这虽使他感到活得充实却不免过于忙碌与枯燥，“甚至出门散步、探亲访友都不能乱走，并且还有人跟着，不能自由活动”，因此，少时的梅兰芳便将看戏当作他惟一的乐趣了。

最让梅兰芳看得过瘾并深有体会的戏要算谭鑫培和常陪谭鑫培唱的几位老前辈，如黄润甫、金秀山所唱。在谈到看谭鑫培的戏时，梅兰芳说：“我初看谭老板的戏，就有一种特殊的感想。当时扮老生的演员，都是身体魁梧，嗓音洪亮的。惟有他的扮相，是那样的瘦削，嗓音是那样的细腻悠扬，一望而知是个好演员的风度。”黄润甫的人品最为梅兰芳称道，他不但人缘好，颇为观众喜爱，“对业务的认真、表演的深刻、功夫的结实”无一不让梅兰芳佩服，“他无论扮什么角色，即使是最不重要的，也一定聚精会神、一丝不苟地表演着。观众对他的印象非常好，总是报以热烈彩声。假使有一天，台下没有反应，他卸装以后，就会懊丧到连饭都不想吃。当时的观众又都叫他‘活曹操’，这种考语，他是当之无愧的。他演反派角色，着重的是性格的刻画。他决不像一般的演员，把曹操形容得那么肤浅浮躁。”

每看一出戏，梅兰芳总是进行一番评论，不但指出他人的粗劣之处，更注重吸取他人的长处。观摩久了，在演技方面，梅兰芳不知不觉有了提高，慢慢地他在台上“一招一式，一哭一笑都能信手拈来”，所以，梅兰芳一直认为“一面学习，一面观摩的方法是每一个艺人求得深造的基本条件”。当他许多年以后也带徒弟时，他不但要求学生看本工戏，也要求他们各行角色都要看。

可以说，这段时期的学习与观摩不仅为梅兰芳日后演艺的进步打下了坚实的基础，而且还造就了他从善如流的处世态度。

⊙茹莱卿（武工）

观摩前辈演戏，不如请前辈教戏。茹莱卿被梅雨田请到家里负责教授梅兰芳武功。茹莱卿是梅兰芳外祖父杨隆寿的弟子，40岁前工武生，长靠短打都很出色，与名武生俞菊笙同台合作过多年，40岁以后他拜梅雨田为师学习胡琴，以后为梅兰芳伴奏多年。

武功是戏曲演员必须具备的基本技能，武生、武旦自然以武功为主，青衣花旦同样需要武功。在科班中，学生以学习武功为先，然后再分行，分行后，还要进行本行的武功训练，可见武功的重要。

梅兰芳随茹莱卿学习武功是从打“小五套”开始的。“小五套”是打把子的基本功夫。所谓“把子”就是戏曲舞台上的“兵器道具”，如刀、枪、剑、戟、斧、钩、叉、棍、棒、拐子、流星、鞭、锏、锤、抓等等，统称“刀枪把子”。“毯子功”、“腰腿功”与“把子功”并称“三功”，是科班学生的基本功。“小五套”含有五种套子，即灯笼炮、二龙头、刀转枪、十六枪、甩枪，打的方法都从“幺二三”起手，接着你打过来，我挡过去，分上下左右四个方向对打。虽然演员上台开打后都不用这五种套子，但五种套子却是学好别的套子的基础。学好五种套子，再学别的就容易多了。

练好“小五套”，梅兰芳接着学“快枪”和“对枪”，这也是台上最常用的。两种打法是不同的，“快枪”打完后要分出胜负，而“对枪”则不分胜负。

练完手上的，再练胳膊和腰腿。胳膊、腰、腿有三种基本功：一是“耗山膀”，就是用左手齐肩抬起，右手也抬到左边。两手心都朝外，右手从左拉到右边，拉直了，要站得久，站得稳，才见功夫；二是“下腰”，就是两脚分开站定，中间有“一脚档”的距离，两手高举，手心朝外，眼睛对着两个大拇指，人往后

⊙路三宝（刀马旦）

仰，练到手能抓住腿腕，梅兰芳承认他没能练到这个程度。三是“压腿”，就是用一条腿架在桌上，身子要往腿上压下去，直压到头能碰到脚尖。

除此，武功的其他必修课，如虎跳、拿顶、扳腿、踢腿、吊腿等，梅兰芳就没有练过了，他毕竟是旦角演员，也没有必要练得那么深了。

练得最苦的恐怕要算是“跷功”了。那是在一张长板凳上放着一块长方砖，要踩着跷，站在这块砖上，要站一炷香的时间。所谓台上一分钟，台下十年功。为了台上的轻松容易，小小年纪的梅兰芳不得不忍受着脚上起泡的痛苦。有时他还必须在寒冬腊月里踩跷在冰面上打把子，跑圆场，经常被摔得鼻青脸肿。然而，梅兰芳一生从未在舞台上踩跷表演过。论及原因，有人说他的“足踝乏力”。[①]其实自他祖父首倡花旦不踩跷后，他的父亲演花旦戏也不再踩跷，他不过是继承传统而已。尽管他从来没有踩跷表演过，但跷功锻炼了他的腰腿，使他60岁以后还能演繁重的刀马旦戏。

茹莱卿的武功教得细致严格，梅兰芳学得全面扎实，而刀马旦戏则是梅兰芳另一位老师路三宝的专长了。路三宝比梅兰芳大17岁，山东历城人，初名振铭，字玉珊，科班出身，初学须生，后改花衫、刀马旦，和谭鑫培、王瑶卿等人均有合作。1907年，即梅兰芳搭班“喜连成”那年，路三宝和马德成、郝寿臣等人到朝鲜望京戏院演出，他们可以算作是帝制时代第一批把京剧传向国外的演员。梅兰芳随路三宝学会的最重要的一出戏便是《贵妃醉酒》。以后经过数次修改，这出戏日后成了他的保留剧目，一直演到老。

除以上几位老师，还有几位老师也是梅兰芳不能忘怀甚至终生感激不尽的。

---

①张或驰：《梅兰芳与程砚秋》，《梅兰芳研究资料》台湾天一出版社。

⊙李寿山（左上）（昆曲）
⊙钱金福（下）（武工）

初时学戏，梅兰芳专工青衣，戏路是时小福派的纯青衣路子。时小福之后，陈德霖可谓青衣演员的代表人物。陈德霖自幼坐科于三庆班，初学武旦，后改学青衣，他的表演艺术，着重继承老派青衣的传统，以唱为主，接近时小福的唱法，兼用徽音，声音嘹亮高亢，他的唱腔中有些也采用胡喜禄设计的新腔。因他嗓音圆润、气力充沛、调门高，在青衣唱法上，他还创造了在尾音将收住以前一甩的峭拔唱法，为唱腔增添了艺术感染力。除此，他的昆曲根底深厚，十分讲究字音声韵。那时的演员学戏都从昆曲入手，因为昆曲的历史最悠久，在皮黄创制以前它就存在，观众先入为主。尽管皮黄发展很快，及鼎盛时期时，观众仍无法舍弃昆曲，昆曲始终有一席之地。另外，昆曲的身段、表情、曲调非常讲究，是学好皮黄的基础。皮黄里的许多东西都是从昆曲里吸收过来的，学好昆曲再学皮黄就容易多了。梅兰芳和尚小云、姜妙香、韩世昌、姚玉芙、王蕙芳等人有幸成为陈派弟子，得到了陈德霖昆曲旦角戏的亲传。梅兰芳的昆曲根底深厚即源于此。

梅兰芳在向陈德霖学习昆曲的同时，也向名净李寿山学习昆曲。李寿山人称大李七，是尚小云的岳父，他与陈德霖、谭鑫培、钱金福都是程长庚“三庆班”的学生，他初唱昆曲旦角，后改架子花脸。梅兰芳的《金山寺·断桥》、《风筝误》和《昭君出塞》就是李寿山所教。

钱金福是京剧史上一位有影响的架子花脸兼武生演员，他一生辅佐谭鑫培、余叔岩和杨小楼，成为他们不可分离的左右手。梅兰芳向钱金福学会了两出小生戏，一是《镇檀州》，一是《三江口》。这两出戏，梅兰芳虽然只是在堂会上唱过而没有在戏园

⊙梅兰芳（右一）与陈德霖（前）、王瑶卿（右二）、王蕙芳（左二）、姚玉芙（左一）（1914年）

里唱，但为他后来在《木兰从军》中反串小生打下了基础。

梅兰芳似乎很早就懂得拿来主义，更清楚每个人都有独特之处。他遍拜名师并将他们的独特之处拿来为己所用，创立了别具一格的“梅派”。

娶王明华

继承陈（德霖）派并有所创新的是对梅兰芳影响极大的王瑶卿。王瑶卿得到过陈德霖亲传。梅兰芳正是在拜王瑶卿为师之后，表演风格起了变化，从单一的以唱为主的表演方式，向唱做并重的“花衫”路子过渡。

“花衫”由王瑶卿首创，他把青衣的“衫”和花旦的“花”合并，取了个与青衣对应的名词——“花衫”。王瑶卿堪称京剧表演艺术的革新家、戏曲发展史上继往开来的艺术大师、京剧承前启后的重要人物。

王瑶卿出生于1881年，祖籍江苏清江，原名瑞臻，字稚庭，号菊痴，瑶卿是其艺名，晚年更名瑶青，斋名“古瑁轩”，其父王绚云是名昆旦演员。王瑶卿9岁起师从田宝琳学习青衣，12岁拜名师谢双寿继续学习青衣。梅兰芳出生这年，王瑶卿搭三庆班正式登台，不久，他又搭小鸿奎班演出一年。在小鸿奎班改为大班后，渐露头角，在继续向谢双寿学习青衣的同时向钱金福学习靶子戏，还整理过去所学的刀马旦戏。16岁时，他搭“福寿班”，“倒仓”①后在家休养了一年，嗓音恢复后随其岳父杨桂云入“四喜班”。1899年，他成为“福寿班”主要演员。八国联军进入北京后，戏班停演，他便在家练功。不久，他补时小福的缺，进宫承差，成为“内廷供奉”，经常与田际云、谭鑫培、余玉琴等名角合作，技艺大大提高。

王瑶卿在演技方面博采众长，承上启下，上承梅巧玲、余紫云的衣钵，下启梅兰芳、程砚秋的端绪。他不仅继承了前辈的优点，而且有所创新，兼取青衣、刀马旦、闺门旦、花旦和昆旦工之长，对唱、念、做、打进行了新的创造，创造了“花衫”这一新行当，丰富了京剧旦行的艺术手段。戏曲理论家徐凌霄誉之为“非青衣、非花旦，卓然自成一宗”。

所谓“花衫”就是既非青衣、又非花旦，更不是刀马旦，而是将青衣、花旦、刀马旦糅合在一起。王瑶卿之所以如此做，是因为他很清醒地意识到时代的向前发展使京剧剧目也不断得以丰富，而新的剧目推出了一些新的妇女形象，这些新形象，无论用青衣抑或花旦都不能恰如其分地表现出来，而只有将它们兼收并蓄、熔于一

①**倒仓**：也称倒嗓、变嗓、变声，是演员在青春发育期，嗓音由童声变为成人声的必经过程。

炉，才能满足舞台表演的需要。

梅兰芳看了王瑶卿的《虹霓关》后，对“花衫”这一新行当极感兴趣，他央求伯父梅雨田介绍他拜王瑶卿为师，梅雨田欣然应允。王瑶卿与梅雨田交情深厚，他当然答应教授梅兰芳的要求，不过，他坚决不同意梅雨田提出的行拜师礼。过去拜师学艺有一套程序，尤其拜名师，仪式更为隆重、繁琐，不仅要有人引荐，更要在征得老师同意后，在饭店举行拜师仪式，费用由学生全包，老师则要写收徒帖，向同行散发，邀请参加收徒仪式。行礼这天，学生首先要向祖师爷磕头，然后分别向师傅、引荐人、师伯师叔磕头认师，还要拜见各位师兄。仪式结束，学生随老师回家，还要拜见师娘、师兄、师嫂等，一一呈上见面礼，老师也要给学生回礼，称为“衣包借牒”。

王瑶卿不同意梅兰芳行拜师礼是因为辈分问题，他对梅兰芳说：“论行辈我们是平辈，咱们不必拘形式，还是弟兄相称，你叫我大哥，我叫你兰弟。”梅兰芳拗不过，答应了。虽然两人以兄弟相称，但王瑶卿终究是梅兰芳的老师。他的教学主张是：昆乱并学，文武兼备，循序渐进，由简入繁，在排演实践中则要熟知全剧，兼晓各行，表演真实自然，神形兼备。他教戏认真、细致、一丝不苟。梅兰芳不仅向王瑶卿学到演戏的技艺，更从他那里学到不少为人的道理。王瑶卿对梅兰芳从不留一手，他把自己从万盏灯（李紫珊）那里学到并一炮唱红的《虹霓关》全部教给了梅兰芳，在梅兰芳学会此剧并上台演出后，他自己就再也不唱这出戏了，表现了艺术家“让戏”的高尚品德。受王瑶卿影响，日后梅兰芳收徒教戏，也是如此。

继《虹霓关》之后，梅兰芳又从王瑶卿那里学会了《汾河湾》和《樊江关》，这两出戏都是唱工少，说白多，重在表情和做派。成年后的梅兰芳与谭鑫培合作《汾河湾》，与王瑶卿合作《樊江关》都取得了极大成功，这与王瑶卿早期的教导是分不开的。

梅兰芳在“喜连成”期间，除上戏园演戏外，还得经常唱行戏。“行戏”又称 “行会戏”，是京剧戏班专门为各行各业祭祀祖师等团体活动所进行的演出，也是戏班营业性演出的一种，对梅兰芳来说，是多了一份实践的机会。当时北京三百六十行，行行都有自己的祖师爷，如瓦匠的祖师爷是鲁班，厨师的祖师爷是灶王，皮匠、鞋铺的祖师爷是孙膑等。各行都有固定的日子祭祀祖师爷，这个日子往往是祖师爷的诞辰。祭祀祖师爷的日子，也就是各行业人员大聚会的日子。这天，各行业人员凑些份子，娱乐一天，而娱乐的重要项目就是请戏班唱戏。行戏的时间多在每年农历元宵节至四月二十八，因此，各戏班在这段时间就显得格外繁忙。好在各行的行戏演出时间是固定的，所以戏班和戏码都能提前定好，到时间，戏班就不再安排其他演出。梅兰芳所在的“喜连成”在正月十五前就把戏定了下来，过期如有行会再来预定，戏班就不再接了。行戏演出的地点除某些行业有固定的会馆外，一般的行戏多借用精忠庙、浙慈会馆织云公所、南药王庙、正乙祠、小油馆、江西会馆等场所，有的行会戏直接租戏园演出，而一般行会戏总离戏园不远，所以，戏班可以“分包”。“分包”就是一个戏班分两处或几处同时演出，演员“赶包”（就是在一处演完赶往下一处演出）也较容易。

“喜连成”除上戏园唱营业戏外，也接演行戏和堂会戏，所以，梅兰芳与“喜连成”的其他演员就得分包赶场，因为当时除了药行规模大日夜两场戏外，其他行戏总在上午十点开锣，下午五点打住。演员们白天唱完营业戏和行戏，晚上还得赶到各王府、贝勒府和各大饭庄唱“堂会戏”。赶场的滋味实在不好受，梅兰芳少年时期便尝够了分包赶戏的滋味，他说：“譬如馆子的营业戏、‘行戏’、‘带灯堂会’（即日夜两场戏），这三种碰巧凑在一起，那天就可能要赶好几个地方。预先有人把钟点排好，不要说吃饭，就连路上这一会儿工夫，也都要很精密地计算在内，才能免得误场。不过人在这当中可就赶得够受的了。那时萧先生是喜连成的教师，关于计划分包戏码，都由他统筹支配。有时他看我实在太辛苦了，就设法派我轻一点的戏，钟点够了，就让我少唱一处。”[1]

萧长华的照顾使梅兰芳多出几个空闲的晚上，然而，没有演出的晚上，他必须赶回家继续向吴菱仙学戏，他的许多老戏都是在那时候学的。在搭“喜连成”的一段时间里，梅兰芳掐指算来每年演出的日子将近三百天，除了斋戒、忌辰、封箱等特殊日子按规矩不唱戏外，几乎寒暑不辍。除了演唱就是学习，这段时间成为他舞台生活中最紧张的阶段。

梅兰芳4岁失去父亲。15岁时，正当他搭“喜连成”演出学习最紧张的时候，他的母亲杨长玉不幸病逝，享年只有32岁。父亲去世后，家道中落，小小年纪的梅兰芳不得不挑起担水提篮的家务活，母亲更是每日缝补、纳鞋底，孤儿寡母相依为命，日子过得颇为艰辛。一日，母亲很伤感地对兰芳说：“我何时才能脱离这苦海啊！”兰芳满含眼泪，安慰道：“我将勤奋学艺，终有出头日，使娘能安享清福。”然而，苦命的母亲未能等到苦尽甘来的那一天就故去了，“子欲养而亲不待”，这不能不令梅兰芳悲痛不已。

梅兰芳虽然小小年纪失去双亲，但还有一位疼他爱他并教导他成才的伯父，也算是不幸中的万幸了。

光绪三十四年(1908年)冬，光绪帝载湉、慈禧太后先后去世。国丧期间，各戏班照例停演，梅雨田、梅兰芳闲在家里。闲来无事，梅雨田除督促指导梅兰芳每天吊嗓练唱练功外，还亲自教授梅兰芳学

①梅兰芳：《舞台生活四十年》。

习《武家坡》、《大登殿》、《玉堂春》等几出老戏。

国丧期过后，戏班恢复演出，梅兰芳继续搭班“喜连成”，演出之余他常常观摩话剧。这年冬天，著名旦角演员和戏剧活动家、玉成班班主田际云邀请上海王钟声领导的剧团到玉成班演出改良话剧。梅兰芳在看完由王钟声主演的《禽海石》、《爱国血》、《血手印》等新剧后深受启发。许多年以后，他积极创新，排演了一批时装新戏，应与这次观摩所受的影响有关。

梅兰芳搭班“喜连成”前后共三年，17岁时，他因为“倒仓”而脱离了“喜连成”。倒仓期间，他虽然不能登台，但在其他方面却小有收获，这年，他解决了终身大事，与名武生王毓楼的妹妹、名老生王少楼的姑母王明华结为夫妻。王明华精明能干、贤慧并通情达理，她嫁入梅家时，梅家家境并没有因梅兰芳有戏份而有太大的改善，但王明华不计较生活上的清贫，勤勤恳恳地料理家事、服侍一家老小。梅雨田见她持家有方，便将家庭开支交由她来管理。

养鸽子眼睛有神了

这年，梅兰芳不知为什么爱上了养鸽子，以至如痴如醉，他没有料到因为养鸽子而治好了他那双眼皮耷拉显得没精打采的眼睛。57岁那年，他在台上演出《穆柯寨》，台下一位操天津口音的看客，指着台上的梅兰芳，悄声对身旁一位白发老太太说：“57岁的人，身板还能这样利落，你瞧他那双眼睛，多么有神，这不是天生的吗？”他哪里知道梅兰芳如电的目光是后天练就的呢！

一个时期以来，梅兰芳一直在为自己的眼睛伤脑筋，特别是在经过几年的学习实践，积累了不少的舞台经验，演技也大大增强之后，他就更为自己的这双眼睛而苦恼了。作为演员，梅兰芳深深懂得眼睛的重要。

许多时候，演员很需要用眼神、身段来表现人物性格，然而，梅兰芳总觉自己的眼珠转动不够灵活，转动不灵有时会显得呆滞，自然影响表演，他自己着急不说，家人也为他担心，特别是梅雨田，更加担心他会因为这双眼睛而影响艺术前程。虽然大家想了不少办法，但始终没有治根。

无心插柳柳成荫。许是天注定，命运安排梅兰芳爱上了养鸽子，这一养居然就将他养成一双“神光四射、精气内涵”的好眼睛，为他最终登上艺术巅峰而扫清了障碍。

梅兰芳养鸽子，起初是出于好玩，所以只养了几对，拿它当一种业余游戏，后来兴趣与日俱增，鸽子也越养越多，从几对发展到150对，品种也极其繁多，有中国种，也有外国种。

梅兰芳养鸽子颇辛苦，每天很早起床，吊嗓练唱后，他便忙着给鸽子们喂食，喂水。此时，梅家已从百顺胡同搬到了鞭子巷三条。这是座四合院，院两边都被梅兰芳用做鸽子棚。他不但每日清扫鸽子窝，还三天两头为鸽子们洗澡，上百只鸽子逐一洗过，工作量之大可想而知。鸽子健康壮实当然无话，若有鸽子生病，可就急坏了梅兰芳，他会赶紧为它治病，为防止它传染，还须将它搬入隔离病房，并且小心看护。

放飞鸽子，梅兰芳很有经验，他不是将所有的鸽子一股脑地全部放出去，而是根据鸽子飞行力的强弱，一队队将它们放出去，先放飞行力最强的，再放第二队、第三队……直到全部放完。鸽子虽然都上了天，梅兰芳却不能闲下来，他既要观察鸽队飞行状况，又要训练新鸽飞行。训练新鸽的办法是，先练成一部分老鸽，等它们能飞得很高很远会飞回来了，再将几只新鸽子混在老鸽子中，让新鸽跟着老鸽一起飞。有时候，几队老鸽子飞够了，便聚集在一起，围着房子打转，梅兰芳知道它们是想下来了，他可不能让它们自由自在，他得让它们带着训练新鸽子。于是，他手拿长竹竿，用竹竿指挥着它们，同时将飞行能力弱的新鸽子再一一朝上抛，让它们跟着老鸽子。老鸽子不但能带领新鸽子飞行，梅兰芳还能利用老鸽子驱赶鸽鹰。鸽鹰专爱扑食鸽子，而每当有鸽鹰出现时，经验丰富的老鸽能迅速带领鸽群飞离危险地点。

梅兰芳养鸽子一养就是10年，直到因戏务繁忙抽不开身来为止。谈到自己养鸽的收益，他总结了三条："第一，养鸽子的人，先要起得早，能够呼吸新鲜空气，自然对肺部就有了益处。第二，鸽子飞得高，我在底下要用尽目力来辨别这鸽子是属于我的，还是别家的，这是多么难的事。所以眼睛老随着鸽子望，愈望愈远，仿佛要望到天的尽头、云层的上面去，而且不是一天，天天这样做，才把这对眼睛不知不觉地治过来的。第三，手上拿着很粗的竹竿来指挥鸽子，要靠两个膀子的劲头。这样经常不断地挥舞着，先就感到臂力增加，逐渐对于全身肌肉的发达，更得到了很大的帮助。"[①]

所以，直到老年，梅兰芳的眼神都还十分传神，演《贵妃醉酒》时，穿着分量很重的宫装，照样能做下腰身段；演《穆桂英挂帅》、《霸王别姬》，手臂挥舞自如而不感僵硬吃力。这都与他年轻时养鸽子的经历有关，他说他很感激当年每天挥舞的那根长竹竿呢。

《玉堂春》引人注目

"倒仓"时间是不一定的，有的演员需要很长时间，有的会因为恢复得不好而永远告别了舞台，而有的则恢复得很快，梅兰芳属于后者。嗓子恢复后，他改搭"鸣盛和"班，每日在东安市场吉祥园

① 梅兰芳：《舞台生活四十年》。

演唱，茹莱卿为其操琴。次年，他又改搭“双庆班”，每日在文明园演出，仍由茹莱卿操琴。

“双庆班”由俞菊笙次子俞振庭所组。俞振庭与杨小楼、尚和玉同为俞派传人。俞振庭1879年出生，是著名武生演员，他的演戏特点是以剽悍勇猛见长。30岁左右时，他突然对演戏失了兴趣，转而热衷于做经营前台的老板，创办了“双庆班”并任文明戏园经理。虽说做了老板，但他偶尔也客串某些角色过过戏瘾。从现存下来的当年戏单上看，俞振庭至少和梅兰芳同台演出过《桑园会》以及《玉堂春》。

这年冬天，梅兰芳首次公开贴演新腔《玉堂春》获得很大成功，同台演出的演员还有小生德珺茹（饰王金龙）、老生贾洪林（饰蓝袍）、刘景然（饰红袍潘必正），梅雨田亲自操琴。

将老腔老调的《玉堂春》改造为娓娓动听的新腔《玉堂春》，功劳应归于梅雨田的一位外界朋友林季鸿。林季鸿是福建人，生长于北京，他虽不在戏界，也不是票友，却是个戏迷，业余时间除听戏外，还时常揣摩研究青衣腔调，更热衷于研究新腔。他将改好的《玉堂春》新腔首先教给了杨韵芳。梅雨田从杨韵芳那里听到后觉得新编《玉堂春》虽有林季鸿编的新腔，但仍不失王瑶卿的唱腔风格，因而更加动听且耐听。梅雨田回到家后立即就将新腔《玉堂春》教给了梅兰芳。说是新腔，其实并无质的变动，但与老腔老调相比，它还是有所不同的，耳尖的戏迷自然一下子就听出了差异，于是立即就有两种截然相反的意见出现：保守的人认为这是标新立异，离传统过远；而思想比较进步的人士则认为新腔无论如何比老腔好听，应该不断对老腔进行扬弃。理论上的争来辩去其实是毫无意义的，时代的车轮永远在向前滚动，它不以人的意志为转移，而时代的进步势必带动人们思想认识的进步，艺术如果始终停留在原地终究会

⊙《女起解》，梅兰芳饰苏三（左）
⊙《玉堂春》舞台照（右）

被人们所抛弃。被称为革新家的王瑶卿很清醒地认识到这一点，他致力于新腔的发展，多方面吸收精华，不到十年工夫，他的学生就把层出不穷的青衣新腔传遍了整个戏曲界，成为别具一格的“王腔”。

戏曲音乐家陈彦衡曾说：“腔无所谓新旧，悦耳为上。”无论是林季鸿，还是王瑶卿，经他们之手改编成的新腔无一不以悦耳动听取胜。《玉堂春》可以说是其中的代表之作，成为京剧青衣演员必唱曲目。

这出戏的故事内容是：明朝正德年间(1506—1521)，礼部尚书的三公子王金龙结识了名妓苏三，二人一见钟情，发誓要结为夫妻。王金龙身上的钱用完后，被妓院赶了出去。苏三日夜思念王金龙，一天打听到公子下落，派人送去自己的积蓄和金银首饰，劝公子发奋读书，早日考取功名，并立志为公子守节，拒绝接客。妓院老鸨见已无法从苏三身上榨取油水，便把苏三卖给山西富商沈雁林为妾。沈妻皮氏见丈夫带苏三回家很气愤，便在饭中下毒想害死苏三，没想毒死了沈雁林。皮氏买通官府，诬苏三害死丈夫，要定苏三死罪。此时，王金龙科举中榜，升为八府巡按，在审理案卷中发现苏三的名字。他暗访案情，弄清事情的真相后升堂复审。大堂上，王金龙见到自己昼思夜想的苏三，再也无法控制自己的感情。两位陪官也看出奥妙，帮助他们破镜重圆。

《玉堂春》是一出唱工戏，演员没有基本功是唱不下来的，梅兰芳说：“从前老师开蒙教戏，总是西皮先教《彩楼配》，二黄先教《战蒲关》，反二黄先教《祭江》，没有听说小学生先学《玉堂春》的。可见得唱工如果没有点功夫，是动不得的。学会了《玉堂春》，大凡西皮中的散板、慢板、原板、二六、快板几种唱法都算有个底子了。”[①]

《玉堂春》的唱工不是一般的唱工，梅兰芳说："别的唱工戏，总有休息的机会，不像它老是旦角一个人唱，还要跪着唱。"②演员跪唱，《玉堂春》可谓开了先河。因为有大段唱腔，只有演员独自一人在台上跪唱，若设计不好就会给人以沉闷乏味之感，就会造成演员辛辛苦苦唱了半天却不讨好的状况。而《玉堂春》唱了许多年，观众仍兴味盎然，足见当初《玉堂春》的设计者的设计水平了。

但一部戏毕竟是要通过演员演给观众看的，剧本再好也只成功了一半，剧本再好也还得通过演员将它表演出来。所以演员能否准确把握剧本精神对于戏的成败至关重要，而梅兰芳对于《玉堂春》的理解不是简单地用"深浅"二字就能概括得了的，他对情节的发展线索、人物的对话与表情动作、剧情的节奏与气氛等等都研究得别有心得，甚至到了洞察剧作者用心的地步！

当然，梅兰芳对《玉堂春》的理解也有个渐演渐深的过程，并不是一开始就通透明澈的。但也正是从《玉堂春》开始，梅兰芳演每出戏之前都会认真地分析唱词、研究剧情、揣摩剧作者的用意，然后融入自己对剧情的理解。因而，他饰演的角色无一雷同，既美丽动人又各具个性。肯动脑筋、善于钻研是他对演戏的一贯态度，这也就是他最终获得成功的原因之一。

梅兰芳第一次贴演《玉堂春》是在文明茶园，他的成功不仅在于这出戏本身的精彩和他基本功的扎实及对剧本的深入研究，还在

①② 梅兰芳：《舞台生活四十年》。

于梅雨田的伴奏给整出戏增彩不少。

那天，因为是侄儿头一次唱自己亲授的《玉堂春》，梅雨田显得很兴奋，胡琴拉得也格外轻快，甚至“拉出一个新鲜的牌子”，观众忍不住为他的琴声叫起好来。起初梅兰芳为观众的叫好声感到纳闷，因为当时台上正演“请医”一场戏，这场戏没有梅兰芳的活，当他在后台听到前台彩声四起，好像打雷一样一阵阵地接着不断时，他自忖，按照剧情，由高四保扮演的医生出场时做些身段，对王金龙磕三个头，按两下脉，打开药箱取一包药出来，如此而已，观众鼓掌喝彩为哪般呢？难道为高四保出场时的身段？为高四保磕的三个头？显然都不可能。思量片刻，再听前台传来的悦耳动听、扣人心弦的胡琴声，梅兰芳这才恍然，敢情观众是在为他伯父叫好呢！

尽管过去了许多年，但梅兰芳对伯父的这次伴奏仍然记忆犹新。

“请医”这场戏，梅雨田有两种拉法，一种牌名叫“寄生草”，是梆子腔里的牌子，梅雨田成功地借鉴过来加以融化吸收；另一种是“柳青娘”转“海青歌”。两种拉法，梅雨田变换着拉，而在这之前，他又拉的是工字调的“工尺上”牌子。观众本就欣赏他的胡琴，对他的手音、指法、韵调十分熟悉，今天又见他几种牌子交替着拉，自然听得十分过瘾，不约而同发出叫好声。好演员需要有好琴师相配，而好琴师也需要好演员相伴。演医生的高四保头脑非常灵活，也很聪明，他听出观众在为梅雨田的胡琴叫好，便故意在台上多做些身段，以拖长时间，好让胡琴发挥得更加淋漓尽致。等梅兰芳出场时，台下的观众已经被美妙动听的胡琴鼓动得情绪激昂，再听梅兰芳的唱腔透着新鲜，一时间琴声与唱腔相映成辉，从大段西皮一直到唱完 ，梅兰芳的唱腔差不多每一句都有彩声相伴。

许多年以后，老戏迷和梅兰芳谈起那天的演出仍津津有味、赞不绝口，仿佛还陶醉在悠扬悦耳的胡琴声中。

第一次试唱新腔《玉堂春》成功后，《玉堂春》便成为梅兰芳那段时期的保留曲目。

一出《玉堂春》，使青年梅兰芳开始引人注目。

半夜里剪佣人的辫子

18岁，既是如诗如花般的年纪，同时也是成年的标志。梅兰芳18岁时不仅在事业上已如“小荷露出尖尖角”，跻身于主要演员之列，开始有了叫座率，生活上也极幸福美满。这年隆冬时节，夫人王明华为梅兰芳生了个儿子，取名大永。年轻的父亲怀抱手脚乱蹬、皱着眉头哭号的小毛头，心中的喜悦是无法表述的。这孩子可谓新时代的同龄人，伴随着孩子的哭声，大清王朝寿终正寝，中华民国建立了。

民国成立后不久，政府就下了剪辫子的命令。可当时还是观望的人多，真动手剪的人少。梅兰芳却在民国元年的6月里剪去了他自称是“脑后这根讨厌的东西”。当时在北京城的戏班子里，他是剪辫子较早的一个。从中我们可以看出，他是一个积极追求新生事物的人。日后，他在艺术上勇于创新而不墨守成规也是他的个性使然。

梅兰芳不但自己剪去了辫子，还动员他的伯父梅雨田也剪。梅雨田毕竟年长侄儿数十岁，思想自然不如侄儿新潮。对于剪辫子一事，他起先犹豫不决：这辫子平日里虽说很麻烦，但毕竟已留了四十多年，生下来就开始留着的，一朝剪去，不习惯不说，还真有些舍不得。可是梅兰芳天天在他跟前现身说法，什么省去了每天起床后梳头的麻烦如何轻松，睡觉时后脑又如何自在，说得梅雨田心里痒痒的。梅兰芳见机，又趁热打铁道：“明天我给您到洋行去买一顶巴拿马的草帽，让我给您剪了这根累赘的辫子，您把草帽戴上，那

第一章 初出茅庐

才好看呢！”梅雨田点点头，同意了。第二天下午，梅兰芳先把草帽买回家，又亲自动手将伯父的大辫子给剪了下来，然后给他戴上草帽，拿镜子给他前照后照。梅雨田没说什么，神情上仿佛也还满意。

侄儿精心挑选的那顶细软的草帽，梅雨田只戴过几回。两个月后，8 月 28 日，一代琴师大家梅雨田病逝。梅兰芳舍不得将那顶草帽扔掉，将它转赠给茹莱卿了。

顺利地给伯父剪了辫子后，梅兰芳更来了劲，又想给家里的佣人、他的跟包大李和聋子宋顺剪辫。可是那二人似乎都不可理喻，任梅兰芳道理说了一大堆，就是不动心。梅兰芳便在一天夜里乘聋子宋顺睡熟后，悄悄拿了把剪刀把他的辫子给剪了。聋子一觉醒来，感觉脖后不大对劲，伸手一摸，吓了一跳，立刻也就明白了是怎么回事，虽然懊丧不已，却也无可奈何了。

可是这样一来，却打草惊蛇，大李知道下一个挨剪刀的就是他了，于是每晚睡觉总是把脸对着床外，叫梅兰芳不易下手。不过防不胜防，终于还是在一次酣睡中让梅兰芳得手了。只是因为他睡觉时背向着床里边，梅兰芳费了不少手脚，也只剪下半条辫子，并且剪成了三四段。

第二天，大李含着眼泪，手里捧着那剪下的半条辫子，走到上房向梅兰芳的祖母陈氏诉苦，他说：“您瞧，我的辫子也让大爷铰掉了。您说怎么办？”他一边说，一边哭。陈氏见状安慰道：“你心里别难受，叫大爷也给你买一顶草帽好了。”可是在大李心里，草帽虽名贵，却不能与受之父母的发肤相比，过了好久他跟人谈起这事来，还是一副悲哀的样子。

得意的自然是梅兰芳，他软硬兼施将家人一同推进了新时代。

《汾河湾》招来齐如山

辛亥革命推动全国各界走向维新的道路，戏曲界自然不甘落后，那时候伶人多从幼时学戏，文化欠缺，一些有识之士很想通过自己的团体向同行们传播新思想、灌输新知识，以提高他们的文化修养，更好地在舞台上塑造人物。这年秋末，由著名京剧、河北梆子演员田际云、著名京剧演员余玉琴等发起，组成“正乐育化会”，由谭鑫培任会长，田际云为副会长，梅兰芳也被邀请加入该会。“正乐育化会”附设了一个育化小学校，鼓励本界子弟入校读书。该会除负责处理本行业内的有关事务，还注意保持与外界的联系。当黄兴等辛亥革命领导人到北京时，“正乐育化会”全体会员在贵州会馆召开欢迎大会，会后还共同留影。另外，“正乐育化会”还常邀请文艺界人士到会演讲，齐如山就是其中一位。坐在台上侧耳聆听齐如山 演讲有关戏剧理论的梅兰芳，没想到台上这位貌不惊人却满腹经纶的人日后会给他的演艺生涯提供极大的帮助。

齐如山，长梅兰芳19岁，祖父是清代进士阮元的门生，父亲齐令辰是翁同龢的门生、李鸿藻大学士家的西席、李石曾的老师，其兄齐筑山为法国中国豆腐公司总经理，与蔡元培、李石曾等同为留法勤工俭学创始人。齐如山幼时受过良好的家庭教育，19岁时就读于北京同文馆，学习德文和法文，前后共5年。毕业后游历西欧各国，广泛接触西洋戏剧，辛亥革命后回国，出任京师大学堂和北平女子文理学院教授。齐如山的家乡在河北高阳，高阳在明朝时昆弋腔就很发达，很多人都会唱昆弋腔。北京的梆子班常到高阳演出后，高阳人又爱上了梆子腔，传说当时高阳的几个村子的狗叫声里都有高腔味儿。齐家几世都能唱昆弋腔，幼年的齐如山虽不能唱，但每有戏班来演出，他就早早地端坐在台前，专注地聆听台上伶人的一腔一调。当时他最爱看的戏当然要属武戏，像许多小孩子一样，他也喜欢舞刀弄枪，齐家所在的村子有个武术会，村上许多年轻力壮的小伙子多会个三拳两脚，齐如山等一般小孩子看惯了打拳及武术会中的各种武器，对戏中的武打也就格外感兴趣，这又促使他更爱看戏。入读北京同文馆后，齐如山为不能随心所欲地看戏着实苦恼了一阵，要知道在乡下看戏从来是白看，不需要花钱的，而在北京，入戏馆听戏可就得自掏腰包了。齐如山只是个学生，自然没有许多闲钱。算他运气，正当他算计着如何才能看到不要钱的戏时，结识了文质川。文质川当时也是同文馆学生，比齐如山高三届，他虽然也是学生，但在都察院有个都事的差使，都事虽没有御史级别高，不能像御史那样听戏时可以要间包厢，但都事去听戏也是不用花钱的，虽不能要包厢，但可以要一张桌，一张桌能坐八人。买票听戏得花九吊多钱（一吊合大洋一角），而文质川给看座的茶房赏钱也不过一吊，所以，他除自己常去听戏外，还常邀请齐如山等同学同去。每逢星期日，齐如山便能泡在戏馆里了。虽然看戏再不用花钱，但齐如山心里总感别扭，觉得自己是在占别人便宜。

光绪庚子年间，八国联军入侵北京。一天，齐如山下狠心自己花了两元钱在广和楼买了一个包厢。正看得起劲，门外闯进来几位德国兵，不知为什么和伶人吵了起来，后来双方竟大打出手，齐如山因能听、说德语，便上前解释方才平息了风波，令戏馆老板大为感激。还有一次也在广和楼，几个德国兵在听了花旦小旋风的戏后，对扮相秀美的小旋风有了兴趣，非要到后台亲眼见见小旋风的真面目，把大伙儿都吓坏了，小旋风躲在厕所里不敢露头。齐如山闻讯赶紧来到后台，一番德语交谈后才知道这些德国兵以为小旋风真是个姑娘。齐如山遂叫出小旋风，让他当着德国兵的面卸跷、卸装、卸头、洗脸，换衣服，一切收拾停当，一个活生生的大男人出现在德国兵面前，他们大乐，纷纷上前和小旋风握手，然后离去，大家这才吁了口气。戏馆老板对齐如山的感激自不必说，齐如山从此看戏不但自己不用花钱，戏馆还常常派人去请他，他便有了更多的看戏机会，因此认识了许多戏界中人。

就是这么一个戏迷，突然有一阵对国剧大不满意，竟认为绝不能看，还常与朋友争执，数出诸多国剧的不是。原因很简单，他因为三次游历欧洲遍观西洋剧，也曾研究过话剧，脑筋自然有点西化，回国再看戏，觉得中国戏一切都太简单 ，不值得一看，从此约有一年多工夫，他不再看戏，直到有一天因表兄段叔方之邀，方重进戏园。段叔方邀他看的正是梅兰芳的戏。段叔方本不爱看戏，所以当他在齐如山面前极力夸赞梅兰芳时，齐如山不免对梅兰芳有了好奇心，便决定前往一看。

一看之下，齐如山不由感叹梅兰芳是个天才，从此，他又恢复了常上戏馆的习惯。而与以往不同的是，他不只是听戏和看戏，而是着手对国剧进行深入细致的研究。

被“正乐育化会”邀去演讲，齐如山正好有机会向戏界展示其最新研究成果。当时的演讲，他侃侃而谈了近三个小时，说的大多是反对国剧的话，又说国剧一切太简单，不能与西洋戏相媲美，自然又将他在西欧所观西洋戏在服装、布景、灯光、化妆术等方面的内容陈述一番。他起初以为他的这番近于长他人威风，灭自己志气的言论必会招致台下戏界中人的强烈不满，不曾想，大家对他的演讲却很欢迎。

其实不奇怪，当时以谭鑫培为主，特别是梅兰芳等主张维新的人都能接受新思想，他们对齐如山的演讲报以热烈掌声。演讲结束，田际云登台说：“齐先生讲的怎么好，大家自然知道，不必我恭维，我有一句话是，一个外行人，在戏界大会上演说戏剧，这是头一次。”

会后，谭鑫培对齐如山说："听您这些话，我们都应该愧死。"谭鑫培的妻弟侯幼云从前善演刀马旦戏，以小名侯连二字出名，"正乐育化会"成立后，他被谭鑫培拉来担任该会干事，齐如山因为要研究国剧，所以有意识地结识戏界中人，侯幼云是与他来往比较多的朋友之一。听谭鑫培夸赞齐如山，侯幼云悄声对齐如山说："谭老板一辈子没说过服人的话，今天跟您这是头一句。"①

受了这般夸奖，齐如山不禁有些飘飘然起来。可随着对国剧研究的深入，他却越来越觉得上次的演讲实在是歪曲了国剧，是外行而又外行，渐渐明白国剧处处有它存在并深受百姓欢迎的道理。不过，这是几年以后的事了。

梅兰芳在听过齐如山的演讲后不久，曾收到齐如山一封长达三千多字的信。信里对他在《汾河湾》里的表演详细提出了自己的不同意见。这封信是他和齐如山正式交往的开始。

梅兰芳 17 岁时，在北京各界评选公布的"菊榜"中，还只名列"探花"。获"状元"、"榜眼"的分别是梅兰芳幼时的同学朱幼芬、王蕙芳。但也才过了一两年，梅兰芳便已声名鹊起，相当叫座了，似乎有盖过杨小楼、谭鑫培的趋势，甚至有传说老谭对小梅都望尘莫及。

一次，"正乐育化会"附属小学育化小学为筹款，邀戏界名角在大栅栏广德楼演义务戏，当晚安排谭鑫培演大轴子，②压轴戏由杨小楼担当。梅兰芳、王蕙芳的《樊江关》被安排在倒数第三出。碰巧那天梅兰芳另外还有三处堂会戏，赶不及广德楼的义务戏。当倒数第四出戏演完后，梅兰芳未能赶过来，杨小楼的戏便提前上演了。当时戏馆老板如此安排是以为有杨小楼、谭鑫培最后压阵，有没有梅兰芳都无所谓。不曾想，他们低估了梅兰芳在戏迷心目中的地位，当

①齐如山：《齐如山回忆录》。

②**大轴子**：是整场演出中最后一出主要剧目，而倒数第二出戏被称为"压轴子"。

⊙《樊江关》，梅兰芳饰薛金莲

台下戏迷发现应该是梅兰芳出场而出来的却是杨小楼时，推断梅兰芳是不会出场了，因而大为不满。戏馆里顿时人声嘈杂，乱成一团。育化会负责人赶紧上台向观众解释说：“梅兰芳因另外有三处堂会戏要唱，一时赶不过来，但倘若能赶回来他一定赶来。”他的话还没说完，就被观众一阵接一阵的叫嚷声所打断，他们高呼：“他非来不可，他不来我们要求退票。”

齐如山因和育化小学校长项仲延是老友，所以当晚应邀前去帮忙。他见台上那位负责人显然已无法稳定观众的情绪，便拉上项仲延和育化小学的其他几位教师走下台来，来到观众席中，耐着性子向观众说好话，说：

“今天的情形，实在是对不起大家，但今天之戏，是专为教育，诸君虽是来取乐，但对教育没有不热心的，望诸君看维持学校的份上，容恕这一次，以后定当想法子找补。”

他们虽态度诚恳，但仍不为观众所接受，有几位观众站起来大声说：

“我们花钱就是来看梅兰芳的，没有他的戏就退票，用不着废话。”

正僵持之际，忽然有人宣布说梅兰芳已经来了，正在后台，等杨小楼的戏唱完，他即上场。可怜杨小楼整出戏就在满场喧嚷声中草草收场，这个场面对于他来说不啻是一场侮辱和嘲弄，面子一时抹不开，下台后一句话也没说转脸就走了。谭鑫培见状似乎预感到自己也将有如此结果，其难过不减于杨小楼，但他心有所不甘，便早早地把行头穿好，脸彩揉好，只是没有戴网

子。田际云见状悄悄对齐如山说：

“谭老板要看兰芳的戏。”

“何以见得？”齐如山问。

“您看他都扮好了，只差戴网子了，他若不是想看戏，他不会这么早就扮上的。”

果然如田际云所料，梅兰芳的整场戏，谭鑫培足足看了大半场，看时神情专注，像是定要找到梅兰芳所以受观众欢迎的原因。

梅兰芳原本的确是赶不回来的，但育化会的干事看观众闹得实在厉害，有梅兰芳不出场誓不罢休之势，恐事态发展下去不好收场，虽然观众嚷着退票在天津已发生过几起，但在北京这还是第一次，如果最终无奈退票，大家这天的戏白唱不要紧，得罪了谭鑫培、杨小楼可就是大事了。于是，他们急忙派人借了一辆汽车火急火燎地将梅兰芳接了过来。偏巧梅兰芳那天的四出戏都是《樊江关》，所以那边的堂会戏一唱完，他也不用卸妆，围上斗篷就赶过来了，来后也不用重新化妆，摘下斗篷就上了场。他一出场，观众便情绪高涨，掌声欢呼声叫好声响成一片。他刚一张嘴，戏馆里顿时寂静无声，足见他的魅力。

尽管梅兰芳在观众心目中的地位一日高过一日，谭鑫培、齐如山等内行人却并不以为然，谭鑫培看了大半出戏后，对也站在一旁观看演出的齐如山说：

“没什么呀？”

他的意思显而易见，他的“没什么”可能既有唱得并不怎么样之意，恐怕也有莫名其妙于观众的反应。既然“没什么”，观众何以对梅兰芳有如此狂热的热情？这令老谭百思不得其解。

齐如山与谭鑫培有同感，他不仅认为梅兰芳“没什么好”，甚至更坦率地表示“按艺术说，他很平平”。和老谭一样，齐如山也闹不清梅兰芳“何以人缘这样好，风头这样足？”正因为如此，他才下了要研究梅兰芳的决心。

1913年初夏，由俞振庭发起在广德楼主办“义务夜戏”，梅兰芳、谭鑫培、刘鸿声、杨小楼均在被邀之列，安排梅兰芳的戏码是与王蕙芳合作《五花洞》。与上次为育化小学筹款而举办的义务戏一样，梅兰芳那天正好在湖广会馆有堂会，赶不回来。戏单上写着《五花洞》之前是吴采霞的《孝感天》，《五花洞》之后是刘鸿声、张宝昆的《黄鹤楼》。谁知《孝感天》唱完后，出来的却是《黄鹤楼》，观众一时愣住了，他们初以为《黄鹤楼》与《五花洞》调了个儿，《黄鹤楼》结束后才是《五花洞》，所以也就耐着性子往下看。《黄鹤楼》结束后，接着出场的却是《盗宗卷》里的太后，他们这才意识到梅兰芳今晚是不会唱了，于是大为不满，叫嚷着要看梅兰芳。有人甚至站起来大声质问：

“为什么没有《五花洞》？为什么梅兰芳不露面？”

随着这一声喊，其他观众也纷纷指责戏馆不守信用，场内秩序大乱，连谭鑫培饰演的张苍出场也镇不住了。

管事的连忙派人去找梅兰芳，同时派人在台上贴出一张告示：“梅兰芳今晚准演不误”，这才稍稍平息了观众的怨气，谭鑫培就像上次杨小楼一样没情没绪地在纷乱的秩序中匆匆将戏唱完。

来人赶到湖广会馆，见梅兰芳正和王蕙芳在台上唱二本《虹霓关》，他急得团团转。梅兰芳刚下场，他就堵着下场门对梅兰芳说：

“戏馆的座儿不答应，请您辛苦一趟。”

梅兰芳当然不知道广德楼那儿已经秩序大乱，他不慌不忙地说：“好吧，等我们卸了妆马上就赶去。”

“不行，您哪，救场如救火，来不及了，您就上车吧。”来人急道，一边不由分说拉起梅兰芳就往门外走。

⊙《虹霓关》（二本）梅兰芳饰丫环

梅兰芳被拖拽着几乎是跌跌撞撞地来到门口，还没反应过来就被推进门口停着的一辆车上，刚坐稳，王蕙芳也被推了进来，两人坐在车里，彼此望着对方还未来得及卸下的行头，忍不住笑出声来。

他俩赶到广德楼的后台时，前台谭鑫培的《盗宗卷》已接近尾声。管事看见梅兰芳，激动地连声说：

“好了，好了，救星来了，快上去吧！”

当王蕙芳饰演的东方氏突然出现在台上时，观众们议论纷纷：“《五花洞》改《虹霓关》了，梅兰芳又露面了。”因为来不及换行头，梅兰芳、王蕙芳临时决定再唱一遍二本《虹霓关》。当梅兰芳饰演的丫环上场时，观众欢声雷动，他们要看的就是梅兰芳的表演，至于他是唱《五花洞》还是二本《虹霓关》已无关紧要了。

这个时候的梅兰芳，从艺术上来说，虽然未必如齐如山所说“很平平”，毕竟未达炉火纯青的境界。他之所以受观众欢迎和热爱与当时的社会环境大有关系。在京剧女班开始兴盛之初，男女演员是不能同台演出的。这种约定俗成严重制约了京剧的发展。双庆班班主俞振庭当时与清末工部尚书肃亲王来往较密，他利用这个关系，先说通肃亲王，得到许可，一举废止了旧约，双庆班第一次改组成男女合演。由于男女

⊙《汾河湾》梅兰芳饰柳迎春、王凤卿饰薛仁贵(1913年)

演员同台表演，给戏台增色不少。更重要的是，女观众也开始走进戏园。早年，女人是不得抛头露面的，更不要说进入人多杂乱的戏园听戏。1900年以后，随着京剧女班的兴盛，更因受晚清资产阶级民主思潮的影响，戏园的观众席上开始出现妇女的身影。北京京剧女观众的出现，是为了“庚子赔款”上演“义务戏”而造成的。“由于义务戏的兴起，妇女才能走进剧场。最初义务戏的性质，是为了‘庚子赔款’，当时人民还有所谓‘国民捐’，那是清王朝附加在人民头上的负担。由于是这样一个性质，义务戏就必须满座，因此就不得不让妇女走进了剧场。”①虽说允许妇女入戏园，但男女不同座，妇女必须坐在楼上，楼下才是男士座位。

由于观众席上多了妇女，整个戏剧界发生了急遽的变化：过去一直是老生武生统治舞台，如今青衣花旦的地位一日盛于一日。论及原因，梅兰芳总结道：“过去是老生武生占着优势，因为男看客听戏的经验，已经有他的悠久的历史，对于老生武生的艺术，很普遍

①徐兰沅：《徐兰沅操琴生活》第一集。

地能够加以批判和欣赏。女看客是刚刚开始看戏，自然比较外行，无非来看个热闹，那就一定先要拣漂亮的看。像谭鑫培这样一个干瘪老头儿，要不懂得欣赏他的艺术，看了是不会对他发生兴趣的。所以旦角的一行，就成了他们爱看的对象……”[②]

在梅兰芳之前，旦行以陈德霖、王瑶卿为主，然而他们生不逢时，老生武生的光辉遮挡着他们，使他们一直生活在老生武生的阴影之下，名声终不及谭鑫培、杨小楼显赫。作为后起之秀，梅兰芳逐渐取代了陈德霖、王瑶卿，成为旦行主角。他那清脆的嗓音、圆润的腔调、细腻的做工、周到的表情，无一不透露出美的神韵，无一不与当时大众的审美观相合，恰好社会的开放使妇女走进戏园，从而导致旦行地位的飙升，梅兰芳的崛起势在必然。

凡事都有个认识过程，齐如山对国剧也有一个从爱听戏——鄙视国剧——发现国剧特别之处的认识过程，后来他下决心研究国剧、研究梅兰芳，凡有梅兰芳的戏，他必去听，渐渐发现梅兰芳极具天赋，但尚欠完美，需经雕琢。他认为梅兰芳十分符合演戏的六个要点中的前三个，即嗓音好、面貌好、身材好，“虽不能说能够一百分，但其他的旦角都不及他。”[③]在另外三点上即会唱、身段好、会表情，齐如山认为梅兰芳虽有差距，但只要有人加以指点，必进步神速。

于是，在看过梅兰芳的《汾河湾》后，齐如山给梅兰芳写了一封长信，就梅兰芳的演出详细给予评点。

信发出后，齐如山很快就忘了此事，当时他是有想法的，他认为梅兰芳的名气与日俱增，虽然自己有心要使他的技艺得以进一步提高，但名角多半眼皮朝上，未必会听得进别人的意见，何况梅兰芳从未和自己见过面，可能根本就不知道“齐如山”是何许人，他

②梅兰芳：《舞台生活四十年》。
③齐如山：《齐如山回忆录》。

若不按自己信中所说而修改也是情有可原的，如果真如此，只当自己自作多情罢了。十几天后，梅兰芳再次演《汾河湾》，齐如山得知后连忙买了票，早早地坐在戏馆里，虽然他做好了自己的意见不为梅兰芳所接受的准备，但他还心存些许希望。戏开场后，齐如山的心一直咚咚乱跳，越往下看，他的心越跳得厉害，他兴奋极了！梅兰芳完全按齐如山信中的意见对《汾河湾》作了修改，这不能不让齐如山对梅兰芳既爱又敬，他真想不到梅兰芳这么一个大红人却是一个如此谦虚之人。从那以后，齐如山每看过梅兰芳一出戏就给梅兰芳写去一封信，提出修改意见，梅兰芳每次收到信总是耐心地研究齐如山提出的每个意见，当他认为有必要时总是毫不犹豫地推翻自己原先的设定，而按齐如山的意见进行修改。

有一次演义务戏，梅兰芳与谭鑫培合演《汾河湾》，窑门一段引得观众掌声如雷。演出结束，谭鑫培对别人说："窑门一段，我说我唱的有几句，并非是好的地方啊，怎么有人叫好呢？留神一看，敢情是兰芳在那儿作身段呢！"梅兰芳也由此认为齐如山有些意见提得的确好。人说："旁观者清。"齐如山的意见正确，或许就是身在戏外的原因吧。

虽然梅兰芳常接到齐如山寄来的信，厚厚一摞数数足有百封，但他俩始终没得机会见面，直到两年以后，他们才算真正认识了，齐如山便成了梅兰芳的"贴身编剧"之一。从此，梅兰芳的技艺突飞猛进。

台上应变的本事

自参加了育化小学筹款义务夜戏演出后，谭鑫培算是领教了比他小47岁、足能算得上是孙辈的梅兰芳的厉害了。外界曾有传说，说梅兰芳的朋友曾面托谭鑫培格外关照梅兰芳，其实这根本谈不上。

谭鑫培与梅家素来交情不错，他与梅巧玲的感情深厚，梅雨田还多年为其操琴，但他始终没有注意梅家第三代梅兰芳已崭露头角。他一直想找机会与梅兰芳合作一出戏，亲自试试他的身手。

机会很快就来了，这年冬天，"正乐育化会"发起募捐义演，第一天安排的戏是谭鑫培和陈德霖合演的《桑园寄子》，可陈德霖临时有事不能前来，谭鑫培二话不说点名让梅兰芳顶陈德霖的角色，饰金氏。梅兰芳认为能与谭鑫培这样的大师合作实乃难得，便欣然应允，而他的朋友却替他捏着把汗，担心他第一次陪谭老板唱会因紧张过度而唱砸了。梅兰芳心里倒很坦然，他心中有数，《桑园寄子》这出戏，他与贾洪林、李鑫甫唱过多次，他不但对金氏这个角色驾轻就熟，对贾洪林、李鑫甫的唱法也十分熟悉，而贾、李宗的都是谭鑫培的唱法，因此，他在演出之前就已经做到胸有成竹了。

其实，当时梅兰芳朋友们的担心还有另外的原因，他们就谭鑫培以往的表现担心他会当场给梅兰芳出难题，让他下不来台。

谭鑫培有一次演《张飞闯帐》，饰演诸葛亮，饰张飞的演员在念"为何不叫咱老张知道"一句时，因为花脸念开口音好听，所以他将"知道"念成"知大"，许多净角演员都是这么念的，观众也多半不以为意，只会觉得那是演员的习惯而已。而谭鑫培却不依不饶，他接下来的台词是"叫你知道，也要前去；不叫你知道，也要前去。"正好有两个"知道"，便故意将这两个"知道"念成"知大"，他这么一加重语气便有了嘲弄之意，观众立刻就听出来了，便哄堂大笑，使该演员大失面子。

那时的京剧舞台上经常会有演员出错，为了整体效果，当一个演员无意间出错时，另外的演员要想法补救，若不能补救也应想办法掩饰过去，当然不是每个演员都有涵养，有的演员甚至以揭别人的短来抬高自己，还有的演员会在台上就对出错的演员发脾气。其实如果掩饰得好，观众一般是不易发现的。大家不免为梅兰芳担心。

然而，梅兰芳在这次演出中没有出现丝毫差错，谭鑫培挑不出什么毛病，自然也就“无从下手”了。相反，两人虽是第一次合作，但却配合默契，连谭鑫培都不得不由衷地赞叹：“确实不错，是一块好材料。”

从此，梅兰芳与谭鑫培的合作多了起来，外界也就多了关于他俩的传闻。陈彦衡在《旧剧丛谈》里记载着这样一段故事：

民初段宅堂会，外串鑫培、兰芳《汾河湾》，接近兰芳者，以其初次合演，面托鑫培格外关照。鑫培云：“诸大老如此热心，余敢不竭力。况兰芳晚伊两辈，在理尤应护持。”情词极为真挚。及演至“闹窑”一场，兰芳“杀过河”时，与鑫培里外错走，不免相撞。仓促之间，殊无人理会，鑫培于末场白中，打救孩童句下，忽加“叫他这边躲，他偏往那边去”二语，即景生情，妙语解颐。鑫培受人之托，有言在先，乃临时竟不为之回护。想亦积习难忘，忍俊不禁了。

因为谭鑫培的确有不肯替同台演唱的配角遮掩错误的事，所以，人们对这一传闻信以为真，而梅兰芳是断然否认的，他认为这次是冤枉了谭老头，他说：

“杀过河，是两个演员对做的身段，一个往里边过来，一个准就往外边过去，谁唱也不会走错的，我是一个极笨拙的人，在台上向来不敢大意，尤其跟谭老板配戏，更是处处留神，所以这个身段是不会撞的。”[①]

说到谭鑫培曾捉弄过梅兰芳，故意在台上跟他开玩笑使他受窘一事，梅兰芳认为谈不上是故意，他说：“他是久享盛名的老前辈，我

①梅兰芳：《舞台生活四十年》。

是初出茅庐的后生晚辈，这戏里除了一个小孩儿之外，就只有我们两个人，我是陪他唱的，如果把我窘住了，台下一起哄，不等于开他自己的玩笑吗，哪有这种道理呢？”① 他认为谭鑫培有时会在台上开个玩笑不过是倚老卖老地临时加一点科诨，博取观众一笑罢了，并无恶意。

梅兰芳固然是大度的，但如果谭鑫培的对手不是反应机敏、头脑灵活能随机应变的梅兰芳，那结果的确会使谭自己下不来台。当然，像谭鑫培这么一个有着丰富舞台经验的老演员有时演到某个地方时会不完全按照剧本来演，而随兴所至。即兴发挥倒也未尝不可，不过，如果配对的演员经验不足或反应稍慢，就会因措手不及而出洋相，梅兰芳却能使戏出现令人叫绝的场景。

一次，梅兰芳与谭鑫培合演《汾河湾》。这出戏原先一直是王瑶卿和谭鑫培合作的，梅兰芳十分偏爱这出戏，他认为这出戏情节曲折生动感人，而且对演员的演技要求很高，所以他常观摩王瑶卿的演出，看着看着，不知不觉地就学会了这出戏。

戏里的故事发生在唐朝，薛仁贵投军后，其妻柳迎春在寒窑里生下儿子丁山，因丈夫不在身边，生活十分清苦，丁山小小年纪就不得不在山上打雁以侍奉母亲。薛仁贵功成封爵后回窑探望，走到汾河湾时遇见丁山正在打雁，这时有一猛虎突然冲了过来，薛仁贵急忙放箭，欲射猛虎，不料误杀丁山，因他并不知道这个小男孩是谁，便独自离去。夫妻相见，百感交集，历叙别后情景，薛仁贵忽然发现床下有男鞋，怀疑柳迎春不贞，追问柳迎春，柳迎春方说这是儿子丁山所穿，薛仁贵闻儿子已长大惊喜交集，欲见儿子，方知儿子丁山就是被他误杀的那个男孩，夫妻悲痛不已。

谭鑫培饰薛仁贵，梅兰芳饰柳迎春，有一场戏剧情是这样的：

---

①梅兰芳：《舞台生活四十年》。

薛仁贵进得窑来，先跟妻子柳迎春吵嘴，吵完了，便向妻子要茶要饭，接下来夫妻俩有两段对白。

第一段：薛：口内饥渴，可有香茶？拿来我用。
柳：寒窑之内，哪里来的香茶，只有白滚水。
薛：拿来我用。

第二段：薛：为丈夫的腹中饥饿，可有好菜好饭？拿来我用。
柳：寒窑之内，哪里来的好菜好饭，只有鱼羹。
薛：什么叫做鱼羹？
柳：就是鲜鱼做成的羹。
薛：快快拿来我用。

有一次，当梅兰芳念完“……只有白滚水”时，谭老先生竟来了句:“什么叫白滚水？”梅兰芳不动声色道:“白滚水就是白开水。”谭接下去道:“拿来我用。”就收住了。当梅兰芳念到“寒窑之内，哪里来的好菜好饭”时，谭鑫培打断他道:“你与我做一碗‘抄手’来。”梅兰芳也没多想，顺势而上道：“什么叫做‘抄手’呀？”谭转脸冲着台下观众指着梅道:“真是乡下人，连‘抄手’都不懂。‘抄手’就是馄饨呀。”梅兰芳接着说：“无有，只有鱼羹。”又回到了原来的台词上。

在台词中加话，也并不是可以随心所欲不着边际的，它必须是在一定范围内，不能离剧情太远，而答话也不只是能答出就行，不出妙语不要紧，关键是要贴切得当。

白滚水是戏中用词，而白开水则是生活用语，且又是北京话，白滚水解释作白开水，对当时台下的绝大多数北京观众来说，自然是很贴切的了。“抄手”一词是谭鑫培湖北老家的土话，不要说当时的梅兰芳听了不懂，观众中也没几人能理解， 本来梅兰芳尽可以用一句“无有”打发掉，接上“只有鱼羹”，但这样的话，台下的观众因为不明白“抄手”的意思，谭鑫培的土话就会成为一句令观众莫名其妙的台词，那么就大煞风景了。

还有一种情况是演员在台上说走了嘴，搞得不好即难以为继，这时也就要看演员的舞台经验和应变能力了。一次，梅兰芳在天津安徽会馆唱堂会，大轴戏是梅兰芳与天津名票王君直的一出《探母》，唱《坐宫》一场时，演到公主要叫板起誓以前有一段白口，原来的词句应该是“皇天在上，番邦女子在下，驸马爷对我说了真情实话，我若走漏他的消息半点，到后来天把我怎么长，地把我怎么短……”当时台下全是熟人，戏又是难得一见的好戏，所以场内秩序很乱。梅兰芳可能受其影响，一不留神，竟说走了嘴，念成“驸马爷在上……”，王君直一听就怔住了。梅兰芳反应也真快，话一脱口立即就意识到出了差错，他顺水推舟使了个轻妙的身段，做出半嗔半羞的样子推了王君直一把，叫起板来说：“让你都把我给搅糊涂了。”武场跟着敲起小锣，文场拉起流水的过门，一场惊险就这样平安渡过了。戏后王君直在后台赞叹：“兰芳真是不得了，台上这种火什么人救得了啊？！”

“文革”中，某剧团演样板戏曾有一段笑话，在《红灯记·赴宴斗鸠山》一场戏中，由于搬道具的将椅子摆偏了位置，结果李玉和在与鸠山斗法中一屁股坐到了地上，戏演砸了。由此可见道具位置的重要。有一次梅兰芳在天津某宅唱堂会，主人点戏请梅兰芳唱《晴雯撕扇》。不知检场的人是弄不清，还是一时疏忽，将场上的椅子与陈设物品都摆错了地方。梅兰芳一上场唱完第一句就发现不对劲，刚好所唱的是一大段慢板，他便一边唱着，一边新增加许多身段将道具一一摆放在原位，慢板唱完，道具也都摆好，而且动作合情合理，对此戏不熟的观众还以为晴雯是在乘宝玉不在时帮他收拾屋子呢。

演员在舞台上突然忘了台词，也是常有的。演员对本子背得不够熟固然会有，即使演过许多遍的戏，演员有时也会因种种莫名其妙的原因而一下子卡住。戏台上的玩艺儿是到时候就得张嘴，根本不容你有片刻时间去想的，而且多半越急越想不出。所以如何应付此“坎”就特别能显出演员的素质。

民国初年，19岁的梅兰芳和王瑶卿在中国园合演连台本戏《儿女英雄传》，他饰张金凤，王瑶卿饰十三妹何玉凤。这时的梅兰芳尚不够成熟，还不怎么会念京白，语气上常常说不连贯，遇到大段的道白，更是不大顺嘴。那天他又赶场，刚在廊房头条第一楼唱完一出《三击掌》，便奔过来唱《儿女英雄传》，急了点。当他唱到张金凤劝说何玉凤嫁给安公子一场时，忽然忘了词儿。他与王瑶卿正对坐在场上，那个急呀！可也急中生智，他先使了一个眼神，然后走到王瑶卿身旁，在他耳边轻轻说道：“我忘了词儿，请您提我一下。”同时冲着台下做了个表情，看上去像是在劝何玉凤的样子。王瑶卿当然并非等闲之辈，他故意想了一想，不慌不忙也来了个身段，叫张金凤附耳上来，然后把该念的词儿告诉了他。梅兰芳有了词儿，又做出一个合乎剧情的表情，照着念下去。观众自始至终被蒙在鼓里，一点儿也没有看出破绽，反而以为是演员加了新鲜玩艺儿，还喝了彩呢。从剧情来说，张何二人的平时关系颇为亲密，算得上是无话不谈，所以梅兰芳与王瑶卿在台上这样咬耳朵的做派，既达到了目的，又不妨碍剧情，堪称是救场的佳例。事后王瑶卿直夸梅兰芳，说他将来有希望。

梅兰芳日后成大器，与他的聪明机智有悟性有很大关系。

第二章 显山露水

梅兰芳夫妇在京寓所接待美国前总统威尔逊夫人（中）合影

首赴上海一炮打响

无论是搭俞振庭的双庆班，还是后来改搭田际云的玉成班，梅兰芳惟一的活动就是不停的演戏，既参加戏园的营业戏的演出，也从不放过参加义务戏、堂会戏演出的机会。连续不断的演出给了梅兰芳更多的实践机会，使他的演技日臻成熟，为首次赴沪演出成功奠定了基础。

在京剧进入上海以前，上海的戏曲演出活动主要在筑有戏台的神庙和会馆内，另外在茶楼或茶馆里搭板为台。咸丰年间，由于各地群众及戏曲艺人的大批南下，场地狭窄、设备简陋的茶楼戏棚已无法满足需要，急待出现一批真正的戏园和戏馆，“满庭芳”、“丹桂”戏园便应运而生了。

京剧进入上海是在同治六年(1867年)，当年，有个叫罗逸卿的英籍华人在上海建了一座仿京式戏园，取名“满庭芳”。“满庭芳”于次年春天隆重开张。为庆祝开张，罗逸卿特地派人赴津邀角，置办锦绣行头。京剧从此传入上海。同年，另一巨商刘维忠为与罗逸卿一比高下，也建起一座茶园，取名“丹桂”，也是在开张喜庆之际，刘维忠亲自赴京邀请北京“三庆班”中的名角组班南下，同时派人赴广州置办华美行头。次年秋，刘维忠再度进京，邀包括程长庚之子、鼓师程章甫在内的数十位好角到上海演出。

随着京津两地京剧演员的频繁南下，上海京班戏园演剧日见兴盛，上海也成为南方京剧艺术中心。

京剧一经传入上海便迅即风靡上海滩，上海人起初称之为“京班戏”。一种新兴艺术形式总是会引起众人的好奇心的，加上当时的上海已是外国冒险家、封建官绅、洋奴买办的乐园，他们对中国传统文化兴趣浓厚。于是，沪上之人初见“京班戏”便趋之若狂。丹桂茶园因京班演剧而大发其财，园主看准市场行情，趁热打铁，不仅扩大了茶园面积，而且还开设了“南丹桂”分园。几位精明的商人见机也纷纷将资金投向戏园，“升平轩”、“金桂轩”等戏园相继开张。到光绪初年，更有新丹桂、留春园、鹤鸣园、众乐园、满春园、红桂园。光绪中叶，分别开有男班 天福园、天仪园、天和园、天成园、桂仙园、玉成园等；女班戏园有美仙园、迎仙园、美凤园、群仙园、女丹桂园等。光绪三十四年(1908年)，夏月珊、夏月润、潘月樵等在十六铺开设了一座仿日式新戏园，取名“新舞台”，开创了上海京剧戏园从茶园式带柱方台演变为半月形舞台的先例。辛亥革命前后，“新舞台”是上海最负盛名的一个京剧戏园。由此，京剧演出场所进入现代化剧场时期。

与旧式茶园相比，新式剧场在舞台形式、观众座席、灯光照明以及剧场的建筑材料等方面都有较大改进，旧式舞台多伸入观众席中，观众可以从左中右三面观看，有的甚至可以坐在后面，当然能看到演员的背影了，而新式舞台呈半月形，观众只能从正面观看，这种舞台又被称为“镜框式舞台”或“马蹄式舞台”。

邀请梅兰芳赴沪演出的不是“新舞台”，而是“丹桂第一台”。

其实梅兰芳并不是丹桂第一台老板许少卿的首邀人物，他排在须生王凤卿之下。许少卿亲自赴京城邀角，约定王凤卿挂头牌，梅兰芳挂二牌。

王凤卿是王瑶卿的弟弟，比梅兰芳大11岁，名祥臻，又名奉卿，字仁斋，北京人，祖籍江苏淮阳。他幼时与兄瑶卿一同学艺，先学武生，师从崇富贵、陈春元，从崇富贵那里学习毯子功，从陈春元那里学短打戏，还请钱金福教过把子功。在此基础上，他改学老生，李顺亭、贾丽川是他的老师。他14岁时，搭四喜班演戏，名气渐显；16岁时，他与瑶卿同入三庆班，后又共立怡云堂，被称为怡云堂二主人。次年，他离开三庆班，转入长春班，在舞台上崭露头角。

清末，京剧老生有三大流派，除谭鑫培外，还有汪桂芬和孙菊仙，三人被称为“京剧后三杰”。他们都曾得程长庚的赏识和栽培，但他们都不是简单的继承，而是根据自身的条件在继承的基础上有所创新。谭鑫培虽名列程门，唱法实宗余（三胜）派，孙菊仙对京剧演唱技法很有研究，讲究“三讲”，即讲气口、讲音色、讲抑扬。相传京剧老生中的“一口气”唱法就是孙菊仙所创。汪桂芬虽然也有自己的艺术风格，但基本上是程长庚的“徽派”传人，有“长庚再世”之誉。

光绪二十八年(1902年)，因孝钦皇后诞辰，汪桂芬被召入长平署，任内廷供奉，与王瑶卿同在宫中演戏。有一天，汪桂芬到福寿班听戏，无意中听到一小孩唱得极有神韵，回到宫中，他对王瑶卿说：“昨天在福寿班看到一个孩子，嗓子扮相都很好。”

王瑶卿一听就笑了，道：“那是我弟弟。”

汪桂芬颇为惊讶：“原来是你弟弟，难怪呢！天资不错。”过了一会儿，他又说：“材料不错，有工夫我来教教他。”

王瑶卿初以为汪桂芬不过说着玩的，哪知他果然经常到王家，教了王凤卿不少戏，如《文昭关》、《取成都》、《朱砂痣》、《取帅印》、《战长沙》，还有老旦戏《钓金龟》等，特别是《朱砂痣》，汪桂芬是从头教到尾的。而其他一些戏，王凤卿都是先看汪桂芬演，看会后自己再实践，实践中再请汪桂芬评点。他俩应该是师徒关系，但相处得像兄弟。

汪桂芬的嗓子“高的地方如九霄鹤唳，宽的地方如万顷汪洋，低的地方如古寺晚钟”。[①]王凤卿因为嗓音嘹亮，高音洪大敞亮，低音厚实，所以，他专学腔调高亢的汪派，熟练掌握了汪派剧目的独特

①梅兰芳：《梅兰芳文集》。

技巧。有时，他还能在脾气古怪、行为怪僻的汪桂芬临阵罢演时补他的缺，足能以假乱真。光绪三十四年，王凤卿被选入升平署，到民国初年，已名盛一时。许少卿正是冲着他的名气而盛邀其入沪的。

当时梅兰芳虽在北京有了点名气，但上海人并不了解他，也从未听过他的戏。耳听为虚，许少卿对梅兰芳的艺术估价是较低的，而王凤卿则不同，他的名气远大于梅兰芳。所以，许少卿起初只答应给梅兰芳的包银为每月1400元，而王凤卿则是每月3200元。王凤卿认为给梅兰芳的包银偏少，要求许少卿再加400元，许少卿以为梅兰芳不过是王凤卿的陪衬，他既不愿意在“无名小卒”身上多下本钱，又不能开罪王凤卿，所以有些为难。王凤卿见状便有些不高兴，觉得许少卿太过小气，于是，他故意说：

“你如果舍不得出到这个价，那就在我的包银里面，匀给他400元。”许少卿一听此言，很有些难为情，连忙说：“这怎么行，哪能减您的包银。”无奈之余，他终于同意再加梅兰芳400元。从中可见，梅兰芳当时在上海人的眼里地位是不高的。

当时，钱对梅兰芳来说还是比较重要的，梅雨田去世后，家里虽少了一张吃饭的嘴，但也少了一个能挣钱的人。梅兰芳的夫人王明华这年又生了女儿五十，一家大小的生活重担便很自然地落在了梅兰芳的肩头。因此，梅兰芳对王凤卿为他多争取了400元包银充满感激。

那时从北京到上海远不如现今这么方便。梅兰芳生长在北京，二十年从未离开过北京，此番赴沪于他来说就算是出远门了。因为没有经验，他提前一个月就开始作准备，除了准备在上海演出的剧目、购置行头道具外，还要准备衣物、日常用品，买一些到上海送人的小礼物，像北京特产蜜饯、杏脯、茯苓饼等。

梅兰芳在北京忙着准备，许少卿在上海也没闲着。作为经营者，他当然指望这次请到的京班名角不仅能为他带来滚滚财源，更使他名利双收，所以，他不得不下本钱广为宣传。于是，上海人连续数日在《申报》上看到以大黑体字刊登的这样一则广告：

第一台特聘天下无双最著名优等艺员著名汪派须生王凤卿、第一青衣花旦梅兰芳。……今之须生，不外乎汪、谭、孙三派。三者之中，学谭孙者，触耳皆是，而于汪派几如凤毛麟角。盖因谭孙虽难学，尚有巧可取，若学汪，则须有天赋歌喉气力充足，其调高时如千仞之壁，重时如万钧之鼎，故近年来，环顾南北须生中，能得汪派三昧者，仅王凤卿一人而已。其声调非但浑厚，且善用鼻音，凝神静听，与汪毫无二致。本台因沪上久无汪调，故不惜重资亲自北上，聘请来申，以宴顾曲诸君，但既有鼎鼎大名之须生，安可无旗鼓相当之配角？故又挽聘南北第一著名青衣兼花旦梅兰芳同来。梅艺员貌如子都，声如鹤唳。此二艺员真可谓珠联璧合，世无其倚矣。今得来电，由下次新铭船来申，特此预布。[①]

10月19日，这则广告出现在《申报》的头版，足见许少卿是不惜血本的。

广告虽然将梅兰芳抬高到“南北第一著名青衣兼花旦”的位置，但显然是为宣传而宣传，其实对他的才艺并不真正相信，否则不会仅以“貌如子都、声如鹤唳”这区区八个字简单带过，而对王凤卿，则极尽夸耀之能事。

一切准备就绪，就等待开锣了。

北京这边，梅兰芳、王凤卿也一切安排妥当。王凤卿带着少卿、

①见《申报》1913.10.16第12版。

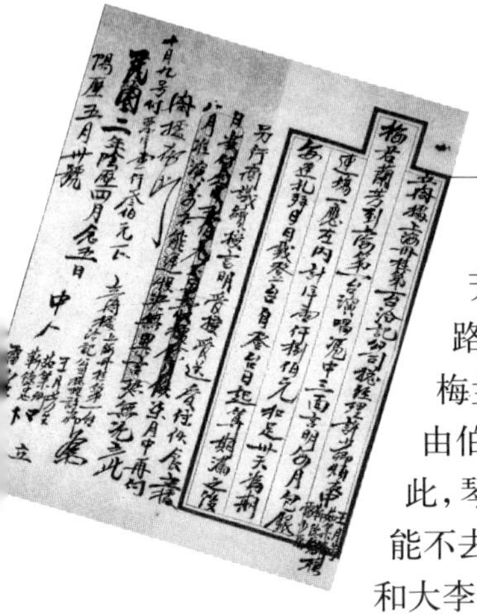

⊙梅兰芳第一次赴沪演出时与戏院订的合同（1913年）

幼卿两个儿子坐船先期离京赴沪。梅兰芳在许少卿的亲自陪同下坐火车沿津浦路先到南京浦口。因为是第一次出远门，梅兰芳的祖母、妻子颇不放心，商议后决定由伯母胡氏相伴前往以料理其平日生活，除此，琴师茹莱卿、梳头化妆师父韩佩亭也是不能不去的。另外，梅兰芳的跟包“聋子”宋顺和大李也陪伴左右一同赴宁。在南京浦口车站下车后，梅兰芳一行转轮渡过江到江南，在下关火车站乘上南京到上海的火车。

丹桂第一台的人早已在上海火车站等候，梅兰芳等人一下火车就被接上预备好的马车。马车径直开到许少卿的家。这是一座三楼三底两夹厢的上海式楼房。为让王凤卿、梅兰芳住得宽敞舒服能休息好，许少卿将一部分家眷搬到别处而特地腾出房间让他们居住。王凤卿被安排住在楼上的客房，梅兰芳住楼下厢房，许少卿住梅兰芳对面的厢房。入住后，放下行囊，许少卿便带大家参观他的家让他们熟悉环境。

许少卿的家给梅兰芳留下深刻印象的就是他家的客厅，客厅的布置与一般人家大同小异，只是家具都是红木的，当中两张红木八仙桌，上面一张长几，长几上陈列着江西景德镇出产的福禄寿三星，另外还有一座朱漆描金神龛，神龛里端坐的是带着守财童子的财神。生意人以赚钱为目的，许家像许多生意人家一样供着财神也不奇怪，只是让梅兰芳忍受不了的是为供财神而在神龛前放着的一炉檀香，檀香日夜燃烧，烟雾弥漫，使这间客厅看上去更像一间小庙。许少卿却坚信袅袅青烟会将他的祈祷传给财神，财神也会因他的虔诚而给他带来滚滚财运。梅兰芳对此不以为然，他不相信运气而更崇尚凭努力达到自己的目标。他的辉煌之路也全靠汗水铺就。

虽说初到南方，由于许少卿安排周到，梅兰芳很快便适应了南方的生活。除适应了南方的气候外，他对南方的饮食也很喜欢，偏爱许家女佣烧的青鱼头尾和炒酱，对上海特有的小点心，他更是情有独钟，早餐他多半吃一些家里做的小点心，或到街头小店品尝汤包和肉面。

正式演出前几天，上海金融界大亨杨荫荪托人来找王凤卿。来人与王凤卿是老相识，故友重逢自然欣喜万分，闲聊了一些家常，来人才说明来意。原来杨荫荪即将结婚，看见《申报》的广告，知道王凤卿、梅兰芳已经到了上海，便想请他们在他结婚当日去他家唱一场“堂会”，点名要唱《武家坡》。王凤卿一时有些为难，他担心许少卿不同意，但经不住老友的一再鼓噪，便答应了下来。果然，许少卿闻讯后反应激烈，他坚决不同意他们在正式演出前去杨家唱堂会，他说：

“万一你们在堂会上唱砸了，弄坏了名声，戏馆的营业额势必受影响，我的损失就将太大了。”

王凤卿好说歹说，许少卿就是不松口，而王凤卿认为既已答应了杨家那是一定要去的，否则岂不失信于人。一边坚决要去，一边坚决不放，双方一时僵持不下，眼见就要闹崩了。杨家得知此情况，就派人来找许少卿，表示：“假如他们在堂会上唱砸了，而影响到戏馆的生意，杨家愿意想办法补救。”

许少卿气乎乎地反问：“你们能有什么办法？”

“我们可以请工商界、金融界的朋友联合包场一个星期，保证你不会亏本。”见许少卿还在犹豫，说客又补充说：“这次堂会，我们就用丹桂第一台的班底，怎么样？”

许少卿掂量后总算勉强同意了。

问题虽然得以解决，但这件事却使梅兰芳背上了一个沉重的包袱，戏馆老板许少卿之所以坚决反对他们在正式演出之前去杨家唱堂会，是因为他很担心他们会唱砸了而影响他的生意。梅兰芳心里颇不是滋味，他由此推断许少卿对他是没有信心的。王凤卿在艺术上已经有了声誉与地位，许少卿还不至于怀疑王凤卿的能力，而自己在上海人眼里还不怎么有名气，许少卿自然吃不准他的艺术功底。同时梅兰芳还有另外的担心，如果许少卿的确不幸而言中，他们唱砸了，那么他从此将销声匿迹，永无出头机会，他的舞台生涯还没有开始便将提早夭折。这些想法固然有梅兰芳过虑的成分，但客观上却使他暗下决心一定要让许少卿对他刮目相看。

决心是下了，而担心却并没有离他而去，这一晚，他睡得很不踏实。第二天一早，他对刚起床的王凤卿说："今儿晚上是我们跟上海观众第一次相见，应该聚精会神地把这出戏唱好了，让一般公正的听众们来评价，也可以让藐视我们的戏馆老板知道我们的玩艺儿。"

话虽说是说给王凤卿听的，实际上他是在给自己打气。王凤卿早已看透了梅兰芳内心的紧张，他笑着安慰道：

"没错儿，老弟，不用害怕，也不要矜持，一定可以成功的。"

堂会地点并没有设在杨家，而是在"张家花园"。花园园主张叔和是位富商，花园占地面积巨大，前门通到静安寺路，而后门则通到威海卫路，园内有两个游憩场所，分别取名"安垲第"和"海天深处"。风和日丽的春秋季，常有男女游客驾着马车逛张家花园，在"安垲第"和"海天深处"的茶座小憩。这种休闲方式当年在上海可算是一种时髦了，而上海各界富商巨贾、达官贵人凡是与张园主有过交情的，都可以开口向张园主借用"张园"，以在喜庆之日大摆宴席。

梅兰芳、王凤卿来到张园时，张园已热闹非凡，被邀来参加婚礼的宾客非常多，人人打扮得漂亮体面。新郎穿着袍子马褂，新娘则穿着披风红裙，头上戴满了珠花和红绒喜花，一派喜气洋洋。梅兰芳、王凤卿向主人道了喜，主人早已为他们准备好了酒席。酒足饭饱后，他们来到后台准备出台。在与许少卿交涉中，杨家已经了解到王凤卿、梅兰芳为不失信于他们而与许少卿发生争执的事，对他们深表谢意，决定将他们的戏码列在最后一出，而且还利用各种形式向亲友宾客替他们作宣传，这使他们的戏备受瞩目。

《武家坡》这出戏，梅兰芳在北京演过多次，与王凤卿合作也有不少次了，所以他并不怵这出戏。等台帘一掀，他更加沉着了，早已忘了许少卿的担心，也忘了他昨晚失眠内心紧张这码子事了。当他的一个亮相赢来满堂喝彩时，他全身心地进入了情境。接下来，他无论是唱那段西皮慢板，还是在做工身段方面便不断博得观众的阵阵叫好声。显然，台下的观众十分注意这位来自北京的第一青衣兼花旦，而对他们比较熟悉的王凤卿，欢迎程度自然略胜于梅兰芳。总之，当晚的演出相当成功，整出戏始终有喝彩声相伴。虽然这是小范围的演出，观众也是极有限的一部分，但这次成功的演出坚定了梅兰芳的信心，为其后在戏馆里演出成功打下了基础。

那时演员新到一个演出地点，最初三天所演出的剧目被称为“打泡戏”（又称“打炮戏”）。“打泡戏”成功与否，直接影响到这个演员日后在当地的演出成绩。开头要开得好，要给观众一个好印象，所以，一般演员都非常重视“打泡戏”，梅兰芳自然不例外。按《申报》事先预告，梅兰芳头三天的打泡戏分别是《彩楼配》、《玉堂春》和《武家坡》。

11月4日，对普通上海人来说是一个平常的日子，而对梅兰芳来说意义十分重大，这是他第一次登上上海舞台的日子，更是他红遍上海的起点。当然，当时他自己并没有想得那么远那么深，他只是要求自己尽心尽力唱好每一场。

这天傍晚，他和王凤卿以及琴师茹莱卿、胡琴田宝林、鼓手杭子和走进丹桂第一台的后台，管事为他们一一介绍了丹桂第一台的基本演员：武生盖叫天、杨瑞亭、张德俊；老生小杨月楼、八岁红（刘汉臣）、双处（阔亭）；花脸刘寿峰、郎德山、冯志奎；小生朱素云、陈嘉祥；花旦粉菊花（高秋颦）、月月红。介绍完毕，梅兰芳不禁暗暗吃惊，丹桂第一台人才济济、角色齐全，也才明白了许老板为何只请了凤二爷与他二人。

接着，后台管事将梅兰芳领到楼上一间扮戏（即化妆）的小屋，而王凤卿则在后台账桌上扮戏。别小看这看似普通的账桌，它可是身份地位的象征。那时候，几乎每个戏馆后台都有这么一张账桌，账桌上往往摆放着戏圭①和戏簿②，有时戏圭旁还有牙笏③，这几样东西是戏班里的重要物件。就因为账桌很重要，所以不是一般的演员都能在账桌前扮戏的。在生行演员占据舞台统治地位时，只有老生武生等生行演员可以坐在账桌前扮戏，而旦行等其他行演员是没有资格的，后来又形成了凡是挂头牌的名角才可以坐在账桌前扮戏的惯例。王凤卿本是老生演员且这次赴沪挂的又是头牌，所以自然坐在账桌前扮戏。

①**戏圭**：又称“戏规”，俗称“水牌子”，是用红木镶边做成的插屏。它是戏班每天用来公布戏码的器具。戏圭长六七寸、宽一尺，分上下两排，里面嵌着用象牙或牛骨做成的小签条，约十二三条不等，每个签条上写着当天的戏码但不写演员的名字，戏码一旦写在戏圭上，除非有特殊情况，否则一般是不许更改的。如确需改动，也只能由后台总管事负责处理，其他人是不能动的。戏圭上虽不写演员名字，但演员们只要看一眼戏圭上的戏码，就知道自己的戏码被排在第几出，该在什么时候出场。

②**戏簿**：俗称“戏账”，是戏班演出的备忘录，戏班每天演出的剧目都由专人记录在戏簿上面。

③**牙笏**（hù）：是和朝笏形状一样的长条板。后台如果有事要通知大家，如公布处分、通知演出事项等，由总管事负责把事情写在牙笏上，靠在戏圭旁，这叫做“出牙笏”，当戏班中的演职员听到“出牙笏”的喊声，便都会纷纷挤到账桌前看个究竟。凡是牙笏上写明的事情，演职员都必须照办。

⊙《彩楼配》，梅兰芳饰王宝钏

梅兰芳的戏码被排在倒数第二，在北京被称为“压轴戏”，而在上海被称为“压台戏”。上海的“压台戏”相当于北京的“大轴戏”。上海的演出习惯，一般称最后一出戏为“送客戏”。

戏码排的较后，梅兰芳估计约到10点才能出场，8点半时，他开始扮戏。他一边不急不忙地扮着，一边竖着耳朵听前台一出紧一出的戏。当快轮到他上场时，他这才感觉到自己其实是很紧张的。虽说前几日的堂会唱得还算成功，但唱堂会毕竟不能算正规演出，这次才算是真正意义上的第一次登上海的舞台，第一次与陌生的上海观众见面，他们会如何看待自己、如何品评自己呢？梅兰芳不是急躁之人，他很能控制自己的情绪，也会尽量使自己心平气和，这固然与他的性格有关，更在于他有良好的修养。他深吸几口气自我安慰道：“《彩楼配》我可唱过多少回了，已经很熟了，从来没有出过错的，我怕什么呢？”这么一想，他倒是真的平静下来了。

场上小锣响起，检场的已经掀开了台帘，梅兰芳明白此时已容不得自己多想了，他猛吸一口气，急步走上场去……

演出很顺利也很成功。回到许家，许少卿一步跨入梅兰芳的房间，颇有些激动地说：“今天观众的舆论对你都很好。”

梅兰芳很冷静，他在北京已经听多了赞誉，所以并没有被在上海第一天的成功而冲昏头脑，他笑着说：“第一天打泡，不足为凭，等过几天看看情形再说。”

两人又闲聊了几句，许少卿上楼与王凤卿挑灯夜话去了。梅兰芳独自坐在屋里的红木太师椅上，手捧一杯龙井茶，细细回味刚刚过去的一切。新的舞台、新的灯光、新的观众都给他留下了极为深刻的印象。他记起当他随着检场的挑起台帘而走向前台时，猛觉眼前一亮，整个舞台如同白昼，闪亮一片，仔细辨别，他才发现在台前有一排小电灯，当他刚一出场，所有的小电灯齐刷刷全部点亮了。他当时内心十分惊奇，既惊奇于上海的舞台绚丽多姿，也惊奇于戏馆老板的独具匠心。试想电灯进入上海不过几年，而戏馆老板为使观众注意新角而在舞台上如此大面积地使用电灯，使人不得不佩服戏馆老板的精明。的确，明亮的灯光不仅吸引了观众的目光，也使梅兰芳更具风采。

站在舞台中央的台毯上，梅兰芳注意到这是座新式舞台，舞台呈半月形，台前两边没有那两根时常遮住观众视线的大圆柱子，使得视野开阔。在这明亮的新式舞台上，梅兰芳感觉神清气爽，忍不住在唱段里加了几句新腔，博得观众的阵阵叫好声。虽然梅兰芳自认为那时他的技术够不上成熟，做工方面，也不过指指戳戳，随手比势，没有什么特点，但上海的观众还是从他的扮相、嗓子、底气和表情等方面看出这位来自北京的第一青衣兼花旦的确配得上“第一”的头衔。

成功地唱完三天打泡戏之后的当天晚上，许少卿邀王凤卿、梅兰芳到客厅里吃宵夜。

梅兰芳走进客厅里，看见客厅中央的大圆桌上已摆放着各种美味佳肴，还有各式点心，香喷喷的美味映衬着许少卿无法掩饰的喜悦。看见梅兰芳进来，许少卿满脸堆笑热情地招呼梅兰芳入座。

坐定后，许少卿忙不迭地为梅兰芳、王凤卿添酒加菜，梅兰芳面前的小盘里的菜堆得小山一般高，许少卿还在一个劲地往里夹菜，并连声说：

“台上辛苦了，今晚应该舒舒服服地吃顿宵夜了。”

接着，他又说了一大堆夸赞他俩技艺的溢美之辞。梅兰芳很清醒地意识到，许少卿如此恭维他们，不过是看在钱的份上。

吃得差不多时，许少卿激动地向他俩“汇报”说：“你们知道这几天的卖座成绩吗？”不等梅兰芳、王凤卿回答，他接着说：“真是好得不能再好，有许多大公馆和客帮公司都已经订了长座了。”

王凤卿插嘴道：“许老板这回岂不是生意兴隆了吗？难怪许老板这么高兴。”

许少卿嘿嘿笑着，说：“托两位老板的福。”说完，他举着一小杯白兰地冲梅兰芳说：“外面都传这位新来的角儿，能唱能做，有扮相，有嗓子，没有挑剔。”梅兰芳只是笑笑，没有作声。许少卿又说：“无啥话头，我的运气来了，要靠你们的福，过一个舒服年。”

看许少卿几乎是得意忘形的样子，王凤卿乘机道：“许老板，上海滩上的角儿，都讲究‘压台’，我们都是初到上海的，你何妨让我这位老弟也有一个机会压一次台。”

闻听此言，梅兰芳不由暗自吃了一惊，他从来就没有如此“非分”之想，他只想这次在上海能给上海观众留一个好印象。当然他很清楚如果真有机会压一次台，那对他今后的发展是再好不过了。既然王凤卿开了口，他当然也没有硬性推辞的必要，只是有些担心许少卿的态度。

许少卿这次答应得很爽快，因为他已经认清梅兰芳非等闲之辈了，便说：“只要你王老板肯让码，我一定遵命，一定遵命。”

王凤卿说：“不成问题，我们是自己人，怎么办都行，主意还是你老板自己拿，我不过提议而已。”

话虽这么说，实际上的意思已经很清楚了，许少卿唯有诺诺。

许少卿走后，王凤卿来到梅兰芳的房间，拉着梅兰芳的手，亲切地说：“兰弟，从现在起，我们永远在一起，谁也不许离开谁，我们约定以后永远合作下去。”梅兰芳很为王凤卿的真诚所感动，他没有想到一个名气声望远大于自己的人居然能如此信任一个初出茅庐的后生。王凤卿真诚地在艺术上鼓励、扶持、帮助梅兰芳，他曾对梅兰芳说：“有了结实的功底，还要懂得戏理、戏情，老师口传心授之外，还要自己琢磨，从书本上也可以得到益处，遇到名师益友，千万不可放过，必须想尽办法把他们的好东西学到手。”梅兰芳正是听了王凤卿的教诲，在日后的演艺生涯中广交益友，无论是行内的还是戏外的朋友，只要对他有帮助，他都虚心求教，细细揣摩。王凤卿更是抓住任何一个机会向文艺界人士介绍宣传梅兰芳，他们唱完杨家堂会，在正式演出之前，他曾带梅兰芳到上海几家大报馆拜访了几位新闻界名人，梅兰芳由此结识了《时报》的创刊人狄平子，著名报业家、刚接办《申报》的史量才，《新闻报》总经理汪汉溪。狄平子是在北京与王凤卿结交的，他不仅将他们介绍给史量才和汪汉溪，而且还介绍他们认识了上海文艺界的另外一些朋友，如金石书画家吴昌硕，清举人、著有《蕙风词》、《蕙风词话》的况夔生，昆曲演唱家俞振飞的父亲俞粟庐和昆剧艺术家徐凌云，另外还有朱古微，赵竹君等人。除此，王凤卿、梅兰芳还拜访了上海两家老票房——“久记”和“雅歌集”。

从1913年首次赴沪演出，梅兰芳与王凤卿开始了长达18年的合作。在长期的合作中，他俩亲如兄弟，从无隔膜。直到1931年“九·一八”事变爆发，梅兰芳从北京搬到上海居住，王凤卿因身体不好而未能同行。王凤卿虽与梅兰芳就此断了合作，他的儿子少卿却留在了梅兰芳的身边，为他操琴多年。

王凤卿向许少卿提议给梅兰芳一个压台的机会，目的是既想多给梅兰芳出头的机会，也想趁此次赴沪捧红梅兰芳，而梅兰芳对此并无奢望，他觉得许少卿当时虽然满口答应了王凤卿的提议，但好像有点情非所愿，在他没有正式作出决定之前，梅兰芳也没有指望这事一定能实现，他仍每天按计划上戏馆唱戏。

又连续唱了四天后，11月10日晚，从戏馆回到许家，许少卿来到梅兰芳的房间，郑重其事地说：“这几天一直在想王老板前几天的提议，今天来跟您商量，就请您唱一回压台戏吧。”

虽在意料之中，但梅兰芳还是感到些许意外，他没有想到许少卿这么快就做出了决定，暗想：看来许老板是真的相信我的艺术了。

机会对于一个艺人来说是相当重要的。纵然你有天大的本事与才能，如若没有机会让你施展，那么你的所谓本事与才能必将随着时间的流逝而被消磨殆尽。应该说，梅兰芳是幸运的，刚入行就有名师指点，刚出道就有前辈提携。愚笨的人苦等奇迹出现，而聪明的人珍惜机会并善于抓住机会。梅兰芳属于后者。

梅兰芳答应了许少卿，随后却犯起愁来，能有一次唱压台戏的机会固然好，但压台戏也不是那么好唱的，唱好了可能会一炮而红，唱砸了也就会适得其反。

如何唱好这出压台戏，关键是选择一出什么样的戏，选择当然要迎合观众的欣赏口味，那么观众到底爱看什么戏呢？梅兰芳将这一星期以来由他单唱的每出戏逐个掂量了一回：头三天的打泡戏，除与王凤卿合作的《武家坡》外，《玉堂春》显然要比《彩楼配》受观众欢迎，后四天的戏分别是《雁门关》、《女起解》、《御碑亭》、《宇宙锋》、二本《虹霓关》。因为这四天里有一天是星期天，所以加演了一场日戏《御碑亭》。这五出戏相比较而言，梅兰芳感觉二本《虹霓关》好像更受欢迎，由此他推断，观众对于那些青衣老戏，如《落花园》、《三击掌》、《母女会》等都不太喜欢，原因是这些老戏除保留了青衣传统专重唱工外，腔调基本上都是老腔老调，这些戏给观众的印象还是“抱着肚子死唱”，而《玉堂春》、二本《虹霓关》等戏之所以受欢迎，除了有更多的新腔外，更是唱做并重。但是如果就拿这两出戏来压台仍嫌份量不足。《玉堂春》虽说多了些新腔，二本《虹霓关》多了些身段表情，但总的说仍属于老戏的范畴，还应该跳出青衣的框框，将眼光再放远些。梅兰芳在无法做出决断前，决定多听听别人的意见。

恰在这时，梅兰芳在北京的朋友冯幼伟、李释戡到上海来看望他，他便将事情原委告诉了他俩，请他们帮忙拿个主意。

梅兰芳一生事业成功，自然与他本人的努力分不开，但也离不开周围一些朋友对他的帮助，特别是王瑶卿在表演艺术上的帮助，冯耿光在经济上的帮助，齐如山、李释戡、黄秋岳在剧目唱词方面的帮助。

冯耿光，字幼伟，广东中山县人，出生于1880年(一说1882年)，早年留学日本，毕业于陆军士官学校二期，与蔡锷、蒋百里、唐在礼等先后期同学。在日本时，他结识了孙中山，归国后，任禁卫军骑兵标统。宣统元年，冯幼伟任清廷所设军咨府第二厅厅长、骑兵司长，民国后，先后任陆军部骑兵团长、陆军部军学司长，曾被授予陆军少将军衔，以后又出任山东临城矿务局督办、总统府顾问。冯国璋代理总统时，冯幼伟经王克敏推荐，出任中国银行（前身是大清银行）总裁，后任新华银行董事长，并任北平戏曲音乐分院院务委员会主任委员。蒋介石攫取政权后，他辞去总裁一职，只保留中国银行董事席位。解放后，冯幼伟任中国银行及公私合营银行董事，首届全国政协委员。1966年病故于上海。

冯幼伟与梅家关系密切，于光绪末年他就同梅雨田往来甚密。梅兰芳14岁时结识了冯幼伟，从此，冯幼伟一直是梅兰芳的幕后老师。梅兰芳曾这样说冯幼伟："他是一个热诚爽朗的人，尤其对我的帮助，是尽了他最大的努力的。他不断地教育我、督促我、鼓励我、支持我，所以我在一生的事业当中，受他的影响很大，得他的帮助也最多。"

李释戡(1876—1961年)，字宣倜，亦名无边华盦居士，福建人，少年时代与黄秋岳、林森、天津商界名人祁仍奚为同窗好友。清末，李释戡毕业于福州英华书院，经同乡萨镇冰推荐赴日留学，归国后赴广西，出任广西边防督办大臣，后因为该职被撤，随郑孝胥进京，进入理藩院，驻节密云古北口，负责蒙藏事务。郑孝胥与李父为同乡故交，关系非同一般。在郑孝胥的关照下，李释戡后来又任过龙州镇提督，可谓官运亨通，春风得意。民国后，李释戡回北京，入将军府为将军，被授陆军中将军衔。不久，经寿子年与冯幼伟的介绍，他结识了少年梅兰芳，从此辅佐梅兰芳达半个世纪之久。有人说："梅兰芳民国六年后承袭'伶界大王'头衔，大王帐下有将军，其缀玉轩，即是梅大王的'军机处'。李释戡在缀玉轩中的地位，如说是军机处，则李便是领班；如说是参赞密议，则李便是梅兰芳的文案班头幕僚长。”①

由于李释戡与黄秋岳关系非同一般，故经李释戡介绍，黄秋岳也有幸成为梅兰芳手下幕僚之一，所起的作用并不逊于他人。然而，我们在梅兰芳的《舞台生活四十年》里却未见有关黄秋岳的只字片语。经推测，恐与黄秋岳日后以汉奸罪被处死有关。

黄秋岳原名黄浚，福建省侯官（今福州）人，早年留学日本，在早稻田大学读书。回国后，在北洋军阀控制的北京中央政府任职。他会诗能文，是民国初期文坛上十分活跃的旧式诗人，曾写过一部颇引人注目的近代笔记著作《花随人圣庵摭忆》，书中记叙了晚清与民国初年的人物史事与掌故，引用的资料杂采时人的文集、笔记、日记、书札、公牍、密电以及有关的一些外国人的著作，内容丰富，情节曲折，文笔流畅。该书不仅为当时的读者所喜爱，更是研究中国近代史的一本好书。也因了这本书，他获得了很大的声名。北洋政府垮台后，他通过旧识的介绍来到南京国民政府工作，很快得到“行政院”院长汪精卫的提拔，成为“行政院”机要秘书，因此能参加国民政府最高级的军政会议，手中也掌握着各种最机密的文件，为他最终沦为日本间谍提供了条件。抗战初期，在国民党首府南京接连发生了多起影响极大的日本间谍案，如“江阴要塞泄密案”、“中央军校行刺案”等等，最为严重的是日本人获悉情报，说蒋介石将和英国大使同乘一辆车去上海，便派军用飞机公然拦截和扫射英国大使的座车，差点要了蒋介石的命。这一切，既使国民党高层人士慌恐，更使蒋介石怒发冲冠，他下令军统的戴笠、中统的徐恩曾和宪兵司令兼南京警备司令谷正伦等人限期破案，终于挖出了隐藏得很深的以黄秋岳为首的汉奸间谍集团。黄秋岳因此被处决。

①葛献挺:《缀玉轩中两将军——谈梅兰芳早年的幕僚长李释戡》,《中国戏剧》1995.7。

⊙北京东城无量大人胡同寓所书房“缀玉轩”，梅兰芳经常在此与友人研究艺术革新（左起：梅兰芳、齐如山、罗瘿公）

客观地说，黄秋岳是有才学的，早年对梅兰芳在文学修养方面的提高也有帮助，至于他堕落为汉奸，那是多少年后的事，与梅兰芳没有任何关系。

梅兰芳在北京的书斋名为“缀玉轩”。其实，“缀玉轩”一开始并不是书斋名，而是早年由他的支持者所组成的一个团体的名字，这个组织俗称“智囊团”，因为当时没有“智囊团”这个说法，外人也称其为“梅党”。有幸成为梅党的人多是有一定文化修养的旧时知识分子，如齐如山、李释戡、黄秋岳等人。以后，缀玉轩里又汇集了诗人罗瘿公，画家王梦白、陈师曾、齐白石、姚茫父等，使缀玉轩里充盈着浓厚的艺术气氛。其实梅兰芳与知识分子的交往早在清末宣统年间就已经开始了，当他在舞台上崭露头角时，便结交了曾

⊙梅兰芳在无量大人胡同寓所与挚友合影
（左起：李释戡、黄秋岳、赵叔雍、梅兰芳、
齐如山、罗复堪）

经留学日本的外文专科学校译文馆的言简斋、沈羹梅、张庚楼、张孟嘉、郭民原、陶益生等人。他们为梅兰芳灌输了不少新知识，使梅兰芳不再像他的父辈那样局限于狭小的戏曲小天地里。具有深厚的文化底蕴是梅派艺术的主要特征，这与梅兰芳注重与知识分子的结交不无关系。

且说冯幼伟与李释戡了解原委后，也认为专重唱工的老戏是无法担负起压台的重任的，他们仔细分析研究后主张梅兰芳学几出刀马旦的戏。梅兰芳恍然：

“以刀马旦的戏压台，观众一定会感到新奇。”

“对，”冯幼伟说，“刀马旦的扮相和身段都比较生动好看，而青衣演员兼唱刀马旦的还很少，兰芳用刀马旦戏压台肯定会使观众耳目一新，观众也一定会喜欢的。”

梅兰芳的几位上海朋友舒石父、许伯明听到这个主张后，也连连点头称是。梅兰芳便接受了大家的意见，决定学习刀马旦戏的代表作《穆柯寨》。

梅兰芳学刀马旦戏并非难事，他在幼年学戏时就曾师从茹莱卿练过武功，现如今，茹莱卿是他的琴师，近水楼台根本不用另找老师。从许少卿通知梅兰芳要他唱一次压台戏到梅兰芳正式压台，在不到一个星期内，梅兰芳得茹莱卿亲授，很快学会了《穆柯寨》。

几天紧张的排练后，11月16日，对梅兰芳来说是个值得纪念的日子，这天，他第一次在上海的舞台上唱大轴戏，也是他兼演刀马旦戏的开始。陪他唱《穆柯寨》的有朱素云（饰杨宗保）、刘寿峰（饰孟良）、郎德山（饰焦赞）。上海的观众果然为一贯抱肚子死唱的青衣居然也唱起了刀马旦戏而备感新鲜别致，自然也就不吝啬自己的掌声了。

对于大多数观众来说，上戏馆听戏看戏图的是热闹愉悦，而对于圈内人士特别是对梅兰芳来说，他们更注重的是演员的技艺，梅兰芳首演刀马旦戏应该是成功的 ，因为从观众的掌声喝彩声中已证明了观众是接受他的。所以，当梅兰芳唱毕走入后台，冯幼伟等人颇感兴奋，拉着梅兰芳的手夸赞道：

“这出戏你刚学会了就上演，能有这样的成绩，也难为你了。”

梅兰芳当然知道他的这些朋友绝对不会只看到他的成功而忽略他在技法上的缺陷，便笑道：“各位老师还是多提意见吧。”冯幼伟等人很了解梅兰芳，梅兰芳从来就是一个要求自己更上一层楼的人，他从不满足眼前取得的一点成绩，所以，他们也就不客气道：

“你在台上常常把头低下来，这可大大减弱了穆桂英的风度，因为低头的缘故就不免有点哈腰屈背的样子，这是我们看了以后不能不来纠正你的，你应该注意把它改过来才好。”

梅兰芳听罢连连点头，这个毛病他不是没有感觉到，只是忙着唱念表情做工而忽略了，其实这个毛病也不能全怪梅兰芳大意。《穆柯寨》是一出扎靠戏，京剧演员穿的“靠”就是古代武将在战场上穿的“铠甲”。“靠”的式样是圆领、紧袖，身子分前后两块，绣着鱼鳞花纹，领口带“靠领儿”（又叫“三尖儿”），腹前有“靠肚子”，上绣龙形或虎头形，护腿的两块叫“下甲”（又叫“靠排子”），背后有一硬皮制做的“护背壳”。“靠”分“硬靠”、“软靠”两种，“硬靠”又叫“大靠”，如果是硬靠，那么“护背壳”内可插四面三角形的小旗，称“靠旗”；软靠与硬靠没有式样上的差别，只是不插“靠旗”。“靠”也分“男靠”、“女靠”，“女硬靠”与“男靠”不同的只是从腰间往下缀有彩色飘带数十条，一般是红色或粉色。

《穆柯寨》中的穆桂英穿的是“女硬靠”，所以背上的“护背壳”内还插有四面“靠旗”。梅兰芳因为是第一次演刀马旦戏，所以是第

⊙梅兰芳第一次演大轴戏《穆柯寨》的戏单(1913年)

一次扎靠，靠紧紧地扎在身上本来就不舒服，加上背上还插着四面“靠旗”，沉沉地压着梅兰芳，使他不自觉地就有点哈腰屈背，而哈腰屈背的结果使他的头老是不由自主地往下低，低头又使他的眼睛无法抬起而总是往下看，眼神势必受到影响。茹莱卿在授课时就曾对他说过：“这类刀马旦的戏，固然武功要有根底，眼神也很重要，你要会使眼神才行。”而梅兰芳在演出中恰恰就忽略了眼神。冯幼伟

洽記
丹桂第一臺
王鳳卿 梅蘭芳
穆柯寨

等人到底是内行，一眼就看出了他的这个毛病。

提出问题、找到症结、提出修改意见后，梅兰芳表示下次再唱这出戏一定会备加注意，同时他也请冯幼伟等人帮忙治好这个毛病。要治就应该根治，如何短时间内根治，冯幼伟等人商量后对梅兰芳说：“以后再演的时候，我们坐在正中的包厢里，看见你低头，我们就轻轻拍掌，以这个暗号来提醒你的注意。”

梅兰芳欣然接受。

第二次演《穆柯寨》，梅兰芳不知不觉地又犯了同样的毛病。有的时候就是这样，你越是要小心注意的就越是容易忽视。当正唱做念在兴头上的梅兰芳忽然听到从正中包厢处传来的有节奏的击掌声时，他便意识到自己又出错了，忙挺直腰板将头抬起来。如此三五次，梅兰芳的一出戏总算在台下一批“名医”的监督下唱完了。观众们哪里知道那几位不时击掌的看客原来在为台上的“穆桂英”治病，他们起初还以为这几个人看到兴头处击掌喝彩呢。

要想一次性根治一种习惯的确不容易，梅兰芳之后又唱过两三次《穆柯寨》，每次都有冯幼伟等人在台下给他暗号，渐渐的暗号越来越少，直到整出戏没有出现一次暗号，他总算改掉了这个小毛病。

除此以外，其他在身段做工方面，茹莱卿与饰杨宗保的朱素云也给了梅兰芳很大的帮助，特别是茹莱卿，每次演出，他总是一面操琴，一面细细揣摩梅兰芳在台上的一招一式，下场后，他立即与梅兰芳细细研究，总结得失。因为他俩同住一屋，所以外人经常在深更半夜还听见他俩在说话。

正是有茹莱卿、冯幼伟等人的帮助，梅兰芳的《穆柯寨》演得越发得心应手。

在唱压台戏的前一天，即11月15日，《申报》刊登了梅兰芳一帧“卸装小影”，标题是“第一台新聘名伶，北京著名青衣”。这说明梅兰芳在上海有了一席之地。

学会了《穆柯寨》，冯幼伟等人又提议梅兰芳何不将《枪挑穆天王》也学了。梅兰芳想想也是，《穆柯寨》他只学到杨宗保被擒为止，如果将接下来的《枪挑穆天王》也学成了，将这两出戏分两天连着唱，岂不是件很有意思的事。《枪挑穆天王》这出戏的精彩部分是穆桂英与杨六郎的几场对打，饰杨六郎的是王凤卿。王凤卿的武功底子要厚于梅兰芳，所以这出戏就由王凤卿传授给梅兰芳。

⊙《穆柯寨》，梅兰芳饰穆桂英(1913年)

“打”是京剧“四功”之一，京剧舞台上敌我双方的战斗称为“开打”，意思是战斗场面的开始，台上的开打又分上手、下手，打法也略有不同。《穆柯寨》中，梅兰芳打的是下手，而《枪挑穆天王》里，轮到他打下手。有王凤卿的精心指点，梅兰芳打起来倒也合手，与王凤卿的配合也很默契。

在第一次贴演《穆柯寨》的第二天，梅兰芳就将他刚学成的《枪挑穆天王》奉献给了观众。以后他经常这样分两天演这两出戏，直到50年代初，他在北京大众剧场演出，将这两出戏一口气唱了，连他自己都没有想到年轻时总是将这两出戏分开唱，57岁时却反而并在一起唱，体能上居然也能顶得住。对他如此举动，确实有许多人不理解，猜测他不是为了生活就是为过戏瘾。虽然人们的猜测不无道理，但梅兰芳说主要原因还是因为他的心里装着观众，他希望他能将从老前辈那里学到的艺术精华毫无保留地呈现给观众，留给下一代艺术工作者。当然除此以外，《枪挑穆天王》作为单独一出戏显得过短也是一个原因。当年在上海将两出戏分开唱是因为上海的观众关心的不是戏的长短，他们看重的更是戏的精彩部分，只要一出戏出彩，那整出戏无论长短，他们都是欢迎的，换句话说，他们要看的也就是这出戏里的精华，精华一过，下面的戏对他们来说就是可看可不看的了。比如《枪挑穆天王》，这出戏从梅兰芳帘内的一句道白："众喽啰人马回山"开始，这时他的扮相是扎靠，唱过一段后下场，王凤卿饰的杨六郎上场，唱一大段西皮慢板的目的是留给梅兰芳充裕的换装时间。等王凤卿唱完，梅兰芳也已改好了扮相，这时，他头戴风帽，身披斗篷再次出场，唱到杨六郎被挑下马后，戏还未完，接着穆桂英带杨宗保回山见穆天王，杨宗保再下山回营，穆桂英带降龙木下山投宋，这出戏才算结束。可每当演到杨六郎被挑下马后，梅兰芳就发现台下的观众已陆续离座而去，下面的故事他们认为没有必要再看了。深谙观众心理也颇能从观众的角度考虑问题的梅兰芳在以后的演出中决定演到杨六郎被挑下马为止，这出戏就算完了，至于后面的"蛇足"，他斩得干净利落。

要说《汾河湾》是梅兰芳看会的，那么《虹霓关》可就得说是王瑶卿亲授了。有名师指点加上自己细心揣摩，梅兰芳每演一次《虹霓关》都有一次新收获，这短短两刻钟的一出小戏，梅兰芳却拿它来叫座。不过，当初他学的是二本《虹霓关》，饰演丫环，属青衣行。有了唱《穆柯寨》的基础，他有了演刀马旦戏的经验，有心再排几出刀马旦戏，便想学习头本《虹霓关》，饰演属刀马旦行的东方氏。恰在这时，他幼年伙伴、表兄王蕙芳从汉口到上海，听说梅兰芳正在上海演出，便到平安里看望梅兰芳。表兄弟久别重逢分外亲热，三句话不离本行，在聊了一通在上海的演出情形后，梅兰芳说：

"蕙芳，我正打算学头本《虹霓关》里的东方氏，这可是你的拿手戏啊，就请你给我说说吧。"

他的真实想法是学会了头本《虹霓关》，然后将头、二本连在一起唱，就像连演《穆柯寨》和《枪挑穆天王》一样。而与《穆柯寨》、

《枪挑穆天王》不一样的是，梅兰芳决定他在头本里饰东方氏，在二本里饰丫环。至于他为什么要这样唱，50年代初，他的秘书许姬传曾就这个问题采访过王瑶卿，王瑶卿解释说：

“头二本《虹霓关》里的东方氏，老路子是一个人唱到底的，像现在头本先演东方氏，二本改演丫环，是打畹华兴出来的，这是因为他的个性不合适演二本的东方氏，才这样倒换了唱的。”

梅兰芳自己也这样对王蕙芳说：“我的个性，对二本里的东方氏这一类的角色太不相近，演了也准不会像样。”

王蕙芳认为梅兰芳言之有理，便抓紧时间将唱词、念白和身段详细地教给了梅兰芳，因为朱素云饰其中的王伯党，所以他也把跟梅兰芳同场的一些身段教给了梅兰芳。这么紧张赶练了几天，11月26日，梅兰芳的戏码是头、二本《虹霓关》。

不断有新鲜玩艺儿奉献给观众，这恐怕便是梅兰芳长盛不衰的原因之一。

转眼，梅兰芳与王凤卿和许少卿签订的一个月的演出合同将满，许少卿急急地前来和梅、王二人商量：“二位老板，馆子的生意很好，希望二位再续半期，算是帮帮我的忙。”

的确，自梅、王二人在第一舞台登台后，戏馆的生意一直火爆，直演了二十多天，生意仍不见衰落。许少卿是生意人，当然舍不得见好就收，反之，他想趁热打铁，巴望着生意再创新高，所以只好低声下气地来求梅王二人。梅兰芳当即表示拒绝，说：

“我是初出码头的人，应该见好就收，再唱下去，不敢说准有把握的。”

梅兰芳当然有顾虑，再唱十天半月也不是不能唱，只是万一哪天唱砸了，那将意味着他前二十多天的努力很可能就付之东流，前功尽弃，算是白忙活一场。

王凤卿则没有那么多顾虑，他毕竟经验丰富也沉着冷静，他认为照前一段的安排再唱十几天是不会有什么问题的。

既然王凤卿表示愿意与许少卿续聘，梅兰芳也就不好再说什么了。他是个随和的人，一般不是什么原则问题，他多半会取礼让之策。

许少卿征得梅王二人的同意续签半月的口头协议，兴高采烈地走了出去。随后，他的家人就为梅兰芳、王凤卿端来冰糖炖银耳，说是给他们滋补滋补。此后每天早晨，他们都能喝上一碗热腾腾、炖得很烂的冰糖银耳。

一天早晨，梅兰芳出门散步后回到许家，跨入客厅，看见一个女人正跪在财神面前，嘴里念念有词。听见脚步声，女人转过脸来，一见是梅兰芳，随即站起身来，满脸堆笑迎上前去招呼：

“梅老板，你出去得早啊。”

梅兰芳这才看清这女人是许少卿的太太，她是一个精明强干的女人，很泼辣很热情，她既能操持家务也能辅助丈夫。他忙回礼道：

“今天天气好，我是去遛一个弯的，你不要招呼我，你做你的功课，我不打搅你。”

许太太却说：“这有什么关系。”她指了指财神说，“光拜这个也没用，你们二位才是我们家里的活财神呢。”

梅兰芳听罢不由笑了起来，他暗想：许家每天早晨送来的补品原来是在灌溉两棵“摇钱树”哩。

当天下午，许太太捧着水烟袋，踱到梅兰芳的房间，推开门就笑着夹杂着上海方言对梅兰芳说：

“梅老板，这几天你太辛苦了。我听见大家都说你的戏唱得真好，喉咙真糯，扮相趣来。实在呒啥批评！台上唱戏，上千对眼睛，钉牢仔看。要叫大家都赞成，真勿是一桩容易格事体！”

“这是您的夸奖。”梅兰芳谦虚地说：“我初次到上海来，人地生疏，全亏你们老板照应我的。”

听到梅兰芳提到老板，老板娘许太太脸上笑开了花，说：“我们老板对你的确是十分关切。他在我面前总是称赞你梅老板的。说你不但戏唱得好，而且脾气也好。年纪虽然是轻，交关稳重。将来一定是大红大紫的。”

梅兰芳当下笑笑，只说“但愿依了你们两位的金口”，算是对老板夫妻对他的夸赞的谢意。

梅兰芳不知道，许太太说了这么多恭维话其实是有目的的。又闲聊了一会儿，许太太这才又说：

“梅老板，你晓得每天吃的这一碗炖得很烂的白木耳，是我亲手给你做的。你看你的气色多好。唱了一个来月的戏，还是红光满面，我的功劳不小。请你看在这一点上，要特别帮我多唱两天。”

按上海戏馆的惯例，演员在合同期满后，还要再帮几天忙，“前台一天，后台一天，案目一天，……，老板娘也可以单独要求一天”，但梅兰芳当时是头一次应聘赴沪演出，并不清楚上海戏馆的这些规矩，他只是看在每天炖得很烂的白木耳的面子上，对老板娘的要求不好推托，便满口答应道：

“许太太，您招待我们这么热心周到，您这一点小事，还能够驳回您的吗？”

“我晓得梅老板是最痛快的人，闲话一句，我多谢你的帮忙。”许太太说完，心满意足地走出梅兰芳的房间。

12月初，梅兰芳、王凤卿按照与许少卿的口头协议续演半个月，仍然十分叫座。“丹桂第一舞台”也加紧大作宣传，从12月1日起，《申报》每天都有王凤卿、梅兰芳演出的最新预告。与一开始的宣传

⊙《枪挑穆天王》，梅兰芳饰穆桂英，姜妙香饰杨宗保

不同的是，对梅兰芳的介绍多了溢美之辞。如介绍他将演的《女起解》为“梅艺员生平最得意拿手好戏”等等。最后一天，“丹桂第一舞台”更是许诺“特别包厢特别官厅头等包厢头等正厅各赠王梅合拍汾河湾小照一张”。赠观众演员照片这不是第一回，前次也赠，但因为照片洗印效果不佳，观众颇不满意，这一次算是补上一次的，所以戏单上又特别写道：“此照用玻璃光所印，较前所赠不同。”

最后三天的演出热闹非凡，梅兰芳、王凤卿不禁各倾全力，更有王凤卿的二位公子王少卿、王幼卿参加演出。王氏父子三人同台演出将气氛推向高潮，也为梅、王二人首次赴沪演出划上了圆满的句号。

梅兰芳首次赴沪演出前后共45天，这位来自北京的第一青衣给上海观众留下了极为深刻的印象，上海观众不仅由此认识了梅兰芳，更倾倒于他的扮相、嗓音、身段和他的唱念做打。著名戏曲评论家、编辑家、教育家、小说作家孙玉声就梅兰芳首次赴沪演出所引起的轰动曾这样对许姬传说：

北京角儿，初来上海的情形，我看见的真不算少。惟有梅先生是不炮而红。民国二年的盛况，我是宛然如在目前的。我们先也不知道有个梅兰芳，等看完他第一天的打泡戏《彩楼配》，散戏出来，那天同去的朋友们，就都纷纷关照各人自己的熟案目，给他们留下长座了。那时梅先生年纪还轻，他的艺术当然不如后来那么成熟。同样的，其他北来的青衣，在民国二年以前，也大都是这一套抱肚子傻唱的老玩艺儿。所以观众并不在身段和表情上对青衣有所苛求。不过扮相和嗓子，那是当年唱青衣的最重要的条件。梅先生的扮相、嗓子和出台的那一种气度，老实说吧，过去我们是的确还没有见到过的。王凤卿是汪派须生，没有说的，唱做全有功夫。但这是给一般喜欢研究皮黄、会哼几句的观众听的。梅先生的戏，是雅俗共赏，不论男女老少都想来看的。因此他的观众的范围就比较广泛了许多。那一次从头到尾，叫座始终不衰。往往有后到的观众，座儿早已卖完，要加凳吧，一时也找不出这许多的凳子，又不肯乘兴而来，败兴而归，就都情愿照付包厢票价，在包厢后面站着听。有时厢后密密层层地连过道都站满了人。像这样热闹的场面，我是常常碰到的。你想这是什么力量呢？

梅兰芳的走红固然有客观上旦行日渐兴盛的原因，但最主要的还是主观因素。青衣素来对扮相和嗓子要求甚高，梅兰芳的扮相、嗓音虽技高一筹，但更重要的是他的那种与众不同的气度无人可比。正是这种以前“确没有见到过的”既高贵又神秘的气度吸引着观众，使观众叹为观止。

细察上海新剧新舞台

紧张的演出结束了，就像一个刚刚参加完考试的学生，梅兰芳感到无比轻松。他并不急着回北京，他首先需要休息几天，更想再四处走走看看，更多地了解上海，认识上海。梅兰芳是个有心人，从他踏入上海、第一次登上上海的舞台开始，他就时时处处感受体会上海与北京的不同，特别是有关戏曲界的一切，从上海的压台戏就是北京的大轴戏到京沪两地舞台布景的不同、灯光的不同、戏馆风俗的不同等等，他都一一记在心里。平时，他注意与“老上海”、戏馆案目交流，从他们那儿了解到不少上海各戏馆的内幕。

梅兰芳初到上海，经常听到有人说“髦儿戏”这个词儿，他从未听过这个名称，更不知此“戏”如何演法，还是一位老上海将有关“髦儿戏”详细介绍给了他。在江南一带，称女伶演剧为“髦儿戏”。髦儿戏班当时在上海已有二三十年的历史，最初叫“毛儿班”，是因为它的创始人名为李毛儿。同治末年，李毛儿随首批南下的京班来到上海，他是二路丑角演员，因不满于上海戏园中一般演员包银低微的现状，毅然脱离了戏班，决定自办戏班。他去安庆等地招收到数十位贫家女孩到上海，亲任教习，将《坐宫》、《戏凤》、《卖胭脂》等两三人合串的徽调小戏和京剧折子戏传教给她们，经过几个月的学习，这帮孩子能独立登台了，李毛儿便仿照昆、徽、淮簧等剧种的女伶髦儿戏班演剧形式，让这帮女孩专门应堂会却并不让她们上戏馆演唱。李毛儿起初的动机是为个人营利，但客观上却开创了妇女走上上海京剧舞台的先例。因“毛儿”与“髦儿”读音相近，所以有人将京剧“髦儿戏”称为“毛儿戏”，有人也误认为李毛儿是我国近代戏曲中女伶演剧的创始人。李毛儿的髦儿戏班生意日渐红火，便有人仿效之，相继成立了谢家班、林家班、朱家班、王家班、云字班等，这些戏班，上海人统称“毛儿班”。随着丹桂茶园的开张，“毛儿戏”逐渐发达起来，童子卿开设的群仙茶园开张后，更邀北京天津的坤班角色赴沪表演，规模日渐扩大。

有一天，梅兰芳拿到一张由他和王凤卿演出的戏单，戏单上明确注明各个等级的票价，如特别包厢1.2元/位、头等包厢1元/位、特别官厅1元/位、头等正厅8角/位、二等正厅5角/位、三等正厅3角/位。当时，他并不了解上海的票价行情，打听后方知就属“丹桂第一台”的票价高。1.2元在当时可以买到两斗米，而一般京班的最高票价不过5角至7角。和现在一样，票价的高低是与戏园的等级成正比的，等级越高的戏园票价自然也就偏高，那么，“丹桂第一台”的票价如此之高，案目们是否就收入丰厚呢?梅兰芳有一次与一位名叫“阿昌”的案目闲聊，问：

"你的收入很不错吧？"

上海的"案目"相当于北京的"看座人"，就是戏馆中负责售票领位子的人，他们的主要任务是，每天上午负责发放戏单，傍晚戏馆开演前后，站在戏馆门口兜揽生意，招徕顾客。案目阿昌听梅兰芳这么问，笑着说：

"梅老板，托您的福，这一期，我们可以赚点钱，舒舒服服过一个年了。"

"你们难道也有赚不到钱的时候吗？"梅兰芳又问。

"当然，像这样好的生意是不常有的，如再遇到五荒六月，清淡的月份，我们就只能束紧了裤带，省吃俭用了。"

听阿昌这么一说，梅兰芳不禁想到上海戏馆流行着的一句成语，叫"金九银十"，意思是说上海每年九十月份是戏馆的黄金季节，因为北京的京剧班社南下演出总是选择在秋冬季，演到12月初赶回北京，正赶上接洽次年春在北京搭班的手续。阿昌接着又说："一般人都说案目进账好，会敲竹杠，其实正合着一句俗语，只看见和尚吃肉，没有看见和尚受戒。"

梅兰芳插话道："好在你们是无本生涯，赔赚无干，有句土话叫'客人蚀本，船家把稳'，我想你们这一行可算是比较有把握的吧。"

不等梅兰芳把话说完，阿昌就叫道："我们也有本钱的啊！"

在上海，要想进戏馆做案目并不是件容易的事，除了要托人情外，还得先付三百或五百洋钱给戏馆，按现在人的说法，这叫做"风险抵押"。因为案目是要经手票款的，所以这三五百就算是押金。上海戏馆中，老板、案目、看客的关系较之北京要密切得多，可以称得上他们之间有着密不可分的连带关系。老板到北京邀名角，案目必须先垫付一定的钱款，而大多数案目自己并没有多余闲钱，他们只能向老主顾借，将来再从戏票钱中扣还。名角邀来后，案目手里控制着的好座儿用来应付老主顾，而这些老主顾每天的戏票钱、水果钱、小账等并不在当日结算，有时会拖上十天半月，才会陆续给一点。遇到他们生意有成、心情高兴时，你或许会收点账回来，遇上他们生意蚀本或家里适逢有不幸之事，你连开口的机会都没有，更要小心的是有些人干脆“脚底抹油，一溜了之”，这时候，案目们就得“耳听八方、火烛小心”，阿昌说：

“不然一笔倒账准会吃进来的，总之，千句并一句，吃我们这行饭，全靠脑筋要动得快，眼睛要亮，一张嘴要会恭维人，才能吃得开。”

对于像阿昌这样的案目，梅兰芳曾经仔细观察过并有生动描写：

他们的打扮，大都是哔叽花呢的袍子，上面加一件黑缎子的对襟坎肩，有四个口袋，有的表袋上挂一根金质的表链，外带两个小金镑，一头穿在扣子下面。头上大都是呢帽或者缎子瓜皮小帽。口内含着烟卷。遇到戏馆生意好，他们是兴高采烈，得意洋洋，对于一些生主顾上门，就有点爱理不理的样子；碰着生意清淡，他们立刻又换了一副脸子，对待顾客也就显得温和客气，非常迁就。只要走到戏馆门口，看看他们的表情，就可以猜着里面座儿的好坏了。①

随着公开售票、对号入座的广泛实行，案目也就逐渐退出了历史舞台。

除了向各色人等打听有关上海戏馆的内幕情形，梅兰芳还多次上戏馆看戏。他自小就喜爱看戏，他将看戏当作自己业务学习的一部分。在上海戏馆看戏，他关注更多的是舞台。在上海的演出结束

①梅兰芳：《舞台生活四十年》。

后，他曾到各大戏馆走了一圈，实地考察后发现，上海戏馆的舞台要比北京现代化得多，包括灯光、布景、舞台美术。给他留下深刻印象的自然是我国最早的近代剧场——上海新舞台。

新舞台由夏月珊、夏月润、潘月樵于辛亥革命前夕合创，地址位于十六铺。夏氏兄弟是清末民初上海著名的京剧演员，其父夏奎章原籍安徽怀宁，同治前后到上海，成了著名京剧演员。夏氏兄弟幼承家学，月珊习文武老生及文丑，月润专攻武生。月珊于光绪三十年左右在上海创办丹桂瑞记茶园，后又与月润、月樵合办丹桂 胜记茶园。这个时期，资产阶级民主革命走向高潮，受其影响，月珊、月润、月樵致力于京剧改良活动，排演了不少时事新戏，而1908年“新舞台”的创立将京剧改良运动推向了高潮，从这年开始到1912年，时装京戏大量涌现。新舞台摆脱了改良运动开始以来以案头剧本和舆论宣传为主的局面，转入进行大规模的有着广泛艺人参加的舞台演出实践活动。马彦祥所著《清末之上海戏剧》指出：“新舞台可以说是中国舞台史上的第一次大革命，它不仅改变了剧场的形式，而且，用了新的舞台形式决定了剧本的内容。”

梅兰芳在“新舞台”看的几出戏是《黑籍冤魂》、《新茶花》、《黑奴吁天录》。“新舞台”成立后，编演了大量时装新京戏，有反映要求推翻清王朝统治的《玫瑰花》、歌颂革命志士的《秋瑾》等。《新茶花》则表现了富国强兵、抵抗外侮的强烈愿望。《黑籍冤魂》深刻地反映了当时社会受鸦片毒害的真实情况，该戏的主要内容是：富家子甄弗戒开有一当铺，生意兴隆，全家生活富足。后因吸鸦片成瘾，以至毒死儿子、气死老娘、逼死妻子，手下两个掌柜趁机将当铺财物席卷一空，逃之夭夭，临走前还放火将当铺烧了。甄弗戒在这种情况下仍无法摆脱鸦片的“魔力”，为筹钱购买鸦片，他竟不惜将亲生女儿卖入妓院。最后，自己沦为乞丐，终倒毙于街头。

无论是《新茶花》、《黑籍冤魂》还是《黑奴吁天录》，这几出戏虽“保留着京剧的场面，照样有胡琴伴奏着唱的，不过，服装扮相上，是有了现代化的趋势了。”[①]“现代化”不仅表现在受文明戏的影响，在剧本体制、结构、语言等方面与传统戏曲相比发生了很大变化，也表现在服装、景物、舞台美术以及演员表演念白等方面。例如《新茶花》中主要角色新茶花梳波浪式短发，着白色长裙，腰部系带；陈少美则着军装、皮鞋、武装带；陈其美穿长袍、戴礼帽、贴胡须、穿圆口布鞋。《黑籍冤魂》剧中人物也多着时装，如长袍、马褂、坎肩、中国巡捕制服、外国巡捕制服、孝服等，黄包车夫则穿打着补丁的破衣破裤。在表演和念白上，这些时装新戏的表演多半朴实而无虚拟动作，念白中掺杂有上海方言。在景物造型方面，这些戏吸收话剧布景形式，如《黑籍冤魂》共分23场（每一场等于一幕），剧中时空环境主要依布景而表现，如第一场的布景采用三面墙形式，正面有中堂花鸟画，两旁是对联，左右两壁侧面，分挂一面挂屏。道具摆设也一改传统戏曲里一桌两椅的单调，改为台正中放一八仙桌，后侧长条几上有一座钟，长条几两侧各有一太师椅，这是室内景。室外景用的整块画幕，如第20场的布景用的就是整块画幕，画幕上是上海一条马路的一角，有楼房、商店、电车轨道、电线、行驶中的电车等等，非常形象逼真。《新茶花》一剧的室内景也用画幕的形式，人们从画幕上看到新茶花的卧室里有带顶的床帐、考究的木床，方桌上铺有台布，上面放着花瓶，方桌旁还有四把靠背椅子。

虽然时装新戏突破了传统表现模式，吸收了话剧的写实的布景与灯光，服装和造型方面也多根据生活的真实，但毕竟属于尝试阶段，因而显得稚嫩。手法上也多照搬生活原貌而未加选择和提炼，未

①梅兰芳:《舞台生活四十年》。

能使生活的真实上升为艺术的真实。尽管如此，时装新戏还是吸引了大批观众，因为新的布景造型服装到底给观众耳目一新的感觉，极大地满足了他们的好奇心。

梅兰芳从上海回到北京后便开始了他舞台生涯中很重要的一个阶段——排演时装新戏，灵感不仅来自于“新舞台”的时装新戏，也来自于欧阳予倩参加的春柳社在上海谋得利剧场上演的如《茶花女》、《不如归》、《陈二奶奶》等新戏。与“新舞台”的时装新戏不同的是，这类新戏已不用京剧的场面，而是纯粹话剧化的。

20世纪初，一批爱好戏剧的先进知识分子提出向外国戏剧学习的主张。1903年，一位署名“佚名”的人在《观戏记》一文中提倡“追绘日本维新初年情事”的日本壮士剧（即新派剧）。早年留学日本的陈独秀也在《论戏曲》一文中提倡以“戏中夹些演说，大可长人识见”的戏剧为榜样改革戏剧。与此同时，留学日本原上海学生演剧的积极分子李叔同、徐半梅、曾孝谷等亲眼目睹日本新派戏后，觉得这种“处处描写吾人的现实生活，而且还有我们未见过的布景、灯光衬托着的”戏剧很适合于自己要求宣扬资产阶级民主主义思想的愿望和情绪。于是，在李叔同、曾孝谷的发动组织下，留日学生中的戏剧爱好者在日本新派剧著名演员藤泽浅的指导下，于1906年在日本成立了“春柳社”。

“春柳社”是一个综合性文艺团体，设有诗文、绘画、音乐、演艺等部门，以戏剧为其主要活动，中国早期话剧由此诞生。

“春柳社”成立的第二年即上演了由曾孝谷根据美国作家斯托夫人的小说《汤姆叔叔的小屋》改编的《黑奴吁天录》，该剧主要描写美国白人农奴主欺压黑奴并贩卖黑奴的黑暗现实。“春柳社”之所以首选此剧，是因为他们认为此剧极富号召力，通过此剧，他们借召唤被压迫民族人民觉醒并反抗民族压迫，隐喻资产阶级民主革命要求民族独立和平等的政治主张。该剧于1907年6月1日和6月2日在东京大戏院本乡座连演两天，主要演员有曾孝谷、李叔同、欧阳予倩等。演出不仅受到留日学生和华侨的热烈欢迎，也引起日本文艺界的注目，《早稻田文学》杂志用了近二十页的篇幅刊登有关该剧剧评，称“支那青年之演剧，足以见支那将来之进步”。

1909年夏，欧阳予倩和谢抗白、陆镜若根据日本新派剧作家田口菊町的《热泪》改编的《热血》在东京座以“申酉会”的名义上演。该剧原是法国浪漫主义作家萨都的作品，因该剧牵涉到歌颂革命者，特别是其中的藏匿革命者、女演员杜司卡殉情自尽、革命者慷慨就义等情节引起清廷驻日使馆的不满，他们下令宣布：“凡属演戏的学生要停止官费。”从此，“春柳社”在日本的戏剧活动就此中止。1912年初，“春柳社”成员大多回了国，由陆镜若领导并以“新剧同志会”的名义在苏州、无锡、上海、常州等地演出。次年，湖南有关人士受“新剧同志会”的影响决心振兴湖南新剧，由当地的社会教育团出面向正在湖南农村的欧阳予倩请教振兴新剧办法。欧阳予倩闻讯力邀“新剧同志会”到长沙，把舞台搭在长沙左文襄祠，演出的新剧极受群众欢迎。不久，因袁世凯篡夺政权，湖南政局逆转，“新剧同志会”在陆镜若、欧阳予倩带领下返回上海。因他们以“春柳社”的继承人自居，所以，仍挂“春柳剧场”的牌子继续进行演出。虽然挂“春柳剧场”的招牌，实际上，欧阳予倩他们并无固定的演出剧场。“新剧同志会”成立于上海，条件极差，起初由陆镜若借钱租了一所两楼两底的房子，大家才得以安身，然后再四处借地方演戏，到湖南演出一段时间回到上海，他们便租下了“谋得利剧场”。

“谋得利剧场”是外国人开音乐会的一所小型剧场，位于南京路东外滩处。“谋得利剧场”在谋得利唱片公司仓库的楼上，有五六百个座位，当时上海的娱乐场主要集中在福州路、福建路、汉口路一带，而谋得利一带非常冷清，甚至有传说，说那里一到下雨天就会出现鬼打死人的惨局，往那儿看戏的观众因而就寥寥可数了。

欧阳予倩的《不归路》是根据日本德富芦花的小说改编，故事情节与中国的《孔雀东南飞》差不多，因为故事感人、情节生动倒也吸引了不少观众。梅兰芳兴致勃勃前去观看此剧自然不单是去看故事的，而是去感受体会受日本新派剧影响极深的中国早期话剧。

无论是“新舞台”的时装戏，还是“春柳剧场”上演的中国早期话剧，都对梅兰芳日后的京剧改良起了促进作用。他曾这样说：“这些戏的剧情内容固然很有意义，演出的手法上也是相当现实化，我看完以后留下了很深的印象，不久，我就在北京跟着排这一路醒世的新戏，着实轰动过一个时期，我不否认，多少是受到这次在上海观摩他们的影响的。”[1]

初排新戏

回到阔别了近两个月的家，梅兰芳这才深刻地体会“祖母倚闾，稚子候门”的滋味。一进家门，他首先到上房向祖母请安。祖母听说兰芳回来了，忙迎出门去，拉着爱孙的胳膊，无限疼爱地说：“孩子，你辛苦了。”说完，她抚摸着爱孙，借着从窗外射进来的光线，细细端详。片刻，老人又说：“脸上倒瞧不出怎么瘦。”

“怎么会瘦呢，忙是忙了点，不过吃得好，睡得好。”梅兰芳笑道，他拉祖母坐下，又说：“奶奶，我给您带了许多南边的土产，有火腿、龙井，等行李打开了，我拿来孝敬您。”

“好，好，这不忙。”祖母说，“快回房休息去吧，你媳妇她会料

①梅兰芳:《舞台生活四十年》。

理你，洗洗脸，掸掸土，换换衣服，歇会儿，回头来陪着我吃饭。”

梅兰芳答应着，离开上房回到他和妻子王明华的卧室。王明华已经知道丈夫回了家，早早烧好了热水，准备好了干净衣服。梅兰芳洗了脸，换了衣服，正和妻子说着在上海的所见所闻，儿子大永从外面跑了进来，直扑父亲的怀抱，叫嚷着向父亲要糖吃，梅兰芳抱起儿子，说：

“有糖，有糖，回头行李运到，就可以拿给你吃了。”

哄好儿子，又听妻子说了一番家里近两月的琐事，喝了一杯妻子泡的浓茶，梅兰芳就匆匆去看他的“小朋友们”去了。

梅兰芳的“小朋友”可不是小孩子，而是他的宝贝鸽子。他有一个习惯，只要在北京，不论演出多忙，他总是要亲手喂养这些鸽子。去上海前，他最不放心的就是这群鸽子。临行，他千叮咛万嘱咐，要家人好生照顾鸽子。离别两个月回来，看这些鸽子仍然活蹦乱跳的，见了他好像分外亲热，他一直为它们悬着的一颗心总算放了下来。正逗弄着鸽子，大李来叫梅兰芳去上房祖母那儿吃饭。

在梅雨田活着的时候，梅家大小总是聚在梅雨田的房里吃饭，自他去世后，他们才改在老祖母的房里吃饭。

梅兰芳跨进祖母房间时，房间中央的大餐桌上已摆放好了饭菜，桌子中央一只火锅正噗噗地冒着热气，火锅里有猪肉白菜丸子，火锅旁有三

⊙梅兰芳祖母陈太夫人(1841～1924)

盘菜：冻豆腐、红炖肉和芥末墩，主食是米饭和馒头。虽是家常菜，但梅兰芳仍然胃口大开。常言道，金窝银窝不如自家的“土窝”，外边的山珍海味永远无法与家里的粗茶淡饭相媲美。

梅家大小包括祖母陈氏、伯母胡氏，两位姑母、雨田的三个女儿，加上梅兰芳夫妻二人，全家九口人围坐在热腾腾的火锅旁边吃边谈，热热闹闹，温馨四溢。听完梅兰芳有关奢靡繁华的十里洋场的介绍，祖母语重心长地对梅兰芳说：

“咱们这一行，就是凭自己的能耐挣钱，一样可以成家立业，看着别人有钱有势，吃穿享用，可千万别眼红，常言说得好，‘勤俭才能兴家’，你爷爷一辈子帮别人的忙，照应同行，给咱们这行争了气，可是自己非常俭朴，从不浪费金钱。你要学你爷爷的会花钱，也要学他省钱的俭德。我们这一行的人成了角儿，钱来得太容易，就胡花乱用，糟蹋身体，等到渐渐衰落下去，难免挨冻挨饿。像上海那种繁华地方，我听见有许多角儿，都毁在那里。你第一次去就唱红了，以后短不了有人来约你，你可得自己有把握，别沾染上吃喝嫖赌的习气，这是你一辈子的事，千万要记住我今天的几句话。我老了，仿佛一根蜡烛，剩了一点蜡头儿，知道还能过几天。趁我现在还硬朗，见到的地方就得说给你听。”

老祖母不能算是一个很有文化的人，但她绝对是一个懂道理明事理的人。听了祖母的这番训诫，梅兰芳几乎要落下泪来，他深为有这么一位祖母而感到自豪。祖母的这番话一直印在梅兰芳的脑海里，他一直“拿它当作立身处世的指南针”。

过去戏班有个规矩，就是在每年的正月初一必须到戏园演出，并要举行特殊的仪式，这种仪式叫“开箱”，戏园方面称“开台”。

这天的演出比平日要早，往往早晨9点就开锣，下午3点就散戏，凡是搭班演员无论有无戏码，在这天都要出台亮相，目的是让观众知道戏班今年约定了哪些演员，故带有广告宣传性质。这天正式演出前还要举行“开箱”仪式，仪式分几个步骤，首先是两至八位由净行扮演的灵官跳灵官舞，跳完后，检场的将装有钱粮纸马的铁盆放到舞台中央，然后背着身子用“吊云”的办法，撒一把火彩将铁盆内的钱粮纸马引燃，这时，四个灵官就着铁盆里的火点燃用长竿挑着的鞭炮，鞭炮放尽，灵官携铁盆下场。两个由末行扮演的童子上场，这两童子名叫“净台童子”或“扫台童子”，他俩上台的目的就是将撒落在舞台上的鞭炮屑扫掉，然后放上台毯，由老生或小生扮演的加官跳着上场，边跳边展开手中的加官条子，条子上写着“恭贺新喜”、“福禄臻祥”等吉祥语。

加官上场后，把加官条子放在台中央的高台桌上，桌的上面有两顶盔头，上首是纱帽，下首是金貂，盔头下有一红盆，红盆内有一副对联，对联用绦子压着，加官放下加官条子后，打开上联“开市大吉”，然后下场，再由花脸或小花脸扮演的财神上场，“财神”戴财神脸穿绿财神蟒，手拿元宝，放下元宝后，打开下联“万事亨通”，然后下场。“开市大吉”、“万事亨通”分别由戏班班主和戏班总管事用红漆盘托着交给台下的上首掌柜和总堂头，红漆托盘递下去，两个各装有红封的铜盘递了上来。红封内是给参加仪式的所有人员的“彩钱”。掌柜和堂头接过红漆托盘后，立即将里面的对联取出贴在戏园后排的两根柱子上，然后堂头高喊一声：“开戏喽！”一年的演出就此开始，到这年的阴历十二月初八，演出结束。从阴历十二月初八到除夕，每个戏班都将停演，这段时间称为“封箱”。“封箱”也有仪式，首先也得跳灵官舞，跳完后给祖师爷烧香行礼，然后将每只戏箱贴上“封箱大吉”的封条，封条的开启自然要等到正月初一“开箱”时。

梅兰芳回家时已是阴历十二月初，离封箱的日子不远了。他在与玉成班续订好次年的合作契约后，索性在家休养了一个时期。

这年年底，以“班”命名的戏班全部改为以“社”命名，“玉成班”改名为“翊文社”。改“班”为“社”的原因目前有三种说法：一种说是由官方下令改的；一种说是为了与“清吟小班”一类的妓院相区别；第三种说法认为民国以后各行各业都讲维新，戏曲界觉得一些旧名词、旧规矩已不适用，于是便自行开会予以更改，改“班”为“社”是其更改的内容之一。“班”与“社”虽只有一字之差，但却有本质的不同，反映了当时剧团内部结构的深刻变动。“班”的内部结构比较紧密、牢固，而“社”则恰好相反，内部结构相对松散；一个艺人一旦进入“班”，一般不能轻易离开，“社”里的成员流动性较大，来去相对自由些；“班”与“社”最大的区别体现在成员的政治、经济地位上，“班”里的演员、场面、舞台工作人员之间无论在政治上还是在经济上地位相近，收入没有太大的区别，演员无论名气多大都没有自己专门的琴师、鼓师、化装师，甚至没有自己独有的行头。民国以后，名角挑班制逐渐普遍，“社”一般都是名角挑班，所以，“社”里的演员从艺术地位到经济收入都有较大差距。在挑班的名角之下，也有主要配角和次要配角（即“头路”、“二路”、“三路”）以及群众演员（即龙套）之分，收入也拉开了档次。名角有自己固定的琴师、鼓师、化装师，有自己专有的行头，生行另有衣箱师傅。这些名角身边的工作人员除在“社”里领取一份固定的收入外，名角个人也要另外付给他们报酬。因为采取了名角挑班，名角的收入大有提高，而二三流演员的收入受到影响，为使这些人也有较好收入，“社”里的成员允许跨“社”，即一个人可以同时加入两三个“社”，同时参加几个社的演出，收入自然也会有提高。随着名气的越来越大，梅兰芳也由戏班里的一名普通搭班演员跃升为班社里的挑班名角。

封箱结束，正月初一这天，梅兰芳便搭“翊文社”在天乐园演出。为讨吉利，这天的戏中多半没有死杀伤刑的情节出现，青衣常演的剧目有《打金枝》、《彩楼配》、《御碑亭》、《贵妃醉酒》、《大登殿》等，这多是些玩笑旦的戏，“专靠科诨，逗乐见长”，因此颇受观众欢迎。除了有死、杀、伤、刑等戏不能唱外，就连《女起解》、《玉堂春》之类的戏也是不能唱的，观众认为苏三的披枷戴锁的形象在正月初一这天出现也是非常不吉利的。梅兰芳那天在“天乐园”唱的戏是《打金枝》。

与梅兰芳同在翊文社搭班的演员还有老生孟小茹、贾洪林、瑞德宝、高庆奎，武生有田际云的儿子田雨农，大家都叫他少掌柜的，旦角除梅兰芳外，还有王蕙芳、路三宝、胡素仙，老旦有谢宝云，小生有张宝昆。

正月里，各戏馆的生意总是很不错的，加上行戏、堂会戏、义务戏等，演员的演出任务很繁重，由于当时的交通工具简陋，演员们也就不得不忙着四处赶场子了。

当时，演员赶场使用的交通工具多半是骡车，比民国以前的交通工具“骑牲口”要有所进步，但相比以后的汽车当然还是相当落后的。坐骡车也是经常出危险的，因为道路不平，常有暗沟，稍不留神，就有翻车的可能，有时两车相撞，惊了骡子，骡子发了疯，人仰车翻也就在所难免了。梅兰芳的伯父梅雨田的老师李春泉（李四）一次和余紫云坐骡车进城赶堂会，半路骡子惊了，翻了车，李春泉被摔出车厢，左耳受了伤，回家后不久就因得了破伤风而过早地死了。白天出门尚且如此，更不要说是晚上出门了。道路不平且不说，在当时没有路灯的情况下，坐骡车就更可怕了。后来虽说有了路灯设备，但多半都是一盏盏用纸糊了一层的油灯，光线还是很微弱的，在这样的情况下，骡车想快也快不起来了。

虽说到了梅兰芳他们这一代，北京街面上多了许多洋车，但因为道路没有改善，路堵现象时常发生。戏馆那时又集中在大栅栏、鲜鱼口一带的闹市，无论是骡车还是洋车行至这一带时都容易堵车，而交通指挥管理跟不上，所以一发生堵车往往要堵上几个小时甚至大半天。遇到这种情况，坐在骡车里准备演出的演员就心急如焚了，有时实在等不及，干脆下车步行，紧赶慢赶奔到演出地点，这就有了“赶场”一说。

考虑到演员存在的实际困难，班社的管事担心演员无法按时赶到就想出了一种临时垫戏的缓冲方法，即临时安排一出戏单上原先没有的戏。如果这出戏唱完了，该来的演员还未到，那只好再垫一出。台下的观众发现垫戏的情况出现，就料定是有演员赶不过来了，也都能表示理解，白白多听一出甚至两出戏还会有什么怨言呢？

“赶场”对于梅兰芳来说也已不陌生了，他在少年时就有过赶场子的经历，现在又再度尝到赶场子的紧张滋味，甚至有一次，他在一天之内连唱三次《樊江关》。那天，第一次出场是下午在陆宅唱堂会，前半截唱得倒也精神饱满，刚过半，“天乐园”催他的电话就开始响个不停，他这时正在台上唱着，看见检场的给他递暗号，意思是让他“马前”[①]。梅兰芳收到消息，加快了演唱速度，思想再也无法集中起来，此时他一门心思就是快点唱完，好赶去“天乐园”。急急地几乎是机械地将下半场《樊江关》唱完，刚走下后台，催戏的就对梅兰芳说：

“馆子怕您赶不过来，在台上贴出了一张梅兰芳因事告假的条子，看客不答应，又把它撕了，现在只好请谢老板（宝云）垫一个

①**马前**：行内术语，要场上演员唱得快点叫“马前”。要场上演员唱得慢点叫“马后”。

《吊金龟》呢。”

梅兰芳此时已顾不得垫戏的是谢老板还是什么老板了，他匆匆从“陆宅”奔向“天乐园”，赶到“天乐园”，《吊金龟》正好接近尾声。来不及歇息片刻，他随即便上了场，再唱第二遍《樊江关》。

在“天乐园”唱完已经是傍晚6点钟了，梅兰芳卸下行头，赶回家吃晚饭，扒拉了几口，他又忙着赶往德泉茶园，第三次唱《樊江关》。

三十七年后，回忆起这一天的生活，梅兰芳说：“这一天唱的三出《樊江关》，在陆宅是显得慌张，天乐是赶得紧张，在德泉是唱得疲乏，结果三处里面，是一出也没有唱好。”②

演员们为了挣钱养家糊口不得不这样卖命，但仔细想来，梅兰芳还是认为这样做得不偿失，因为紧张的奔波使精神压力过大而使身体备受损害。对京剧演员来说，最宝贵的莫过于嗓子了，如果嗓子坏了，那么将意味着他的艺术生涯的终止。所以，在不得不如此赶场奔波的情形下，如何保护好嗓子是一个很重要的问题，梅兰芳从老艺人金秀山那里得到不少诀窍。

金秀山(1855—1915)是清末民初的著名铜锤花脸演员，北京人，满族，自幼喜好京剧，先在翠峰庵票房学艺，后由德珺茹介绍拜何桂山为师，22岁时搭“阜成班”及“长春和班”，六年后入“嵩祝成班”，过四年，入“同春班”，1893年入“四喜班”，1902年应邀到上海春仙班演唱，回京两年后被选入内廷升平署。民国初年，他又数次往上海演唱于群舞台、天仙茶园，新新舞台等，声誉极高。金秀山嗓音洪亮，声调圆润，刚中带柔且有膛音，与谭鑫培合作演出过《战太平》、《黄金台》等剧目。数年后，又与梅兰芳合演《霸王别姬》。

梅兰芳与金秀山第一次合作是在堂会上唱《穆柯寨》。当时，金

②梅兰芳:《舞台生活四十年》。

秀山和梅兰芳一样也在忙着赶场，当梅兰芳从一家戏馆匆忙赶到堂会时，金秀山也是刚下场子赶过来的，他一见梅兰芳就说：

“今儿我已经赶了三个地方了。”

梅兰芳一听不由有点发急，他暗想：“今儿这出戏是唱不好的了，赶场的怎么都凑在一起了呢？”再怎么着急也是白搭，前台锣声已响，他二人不得不出场了。使梅兰芳料想不到的是，上了场的金秀山始终从容不迫，每一句唱腔，每一招式都是精神抖擞、气宇轩昂，丝毫看不出他刚赶过三个场，甚至从他的脸上都找不到“疲惫”二字，整出戏唱得很圆满。下了场，金秀山还是安闲自得，原来他在台上并不是靠精神因素硬撑着的，那么他又是如何使自己在紧张的奔波中保持体力的呢？梅兰芳终于忍不住向金秀山提出他的疑问。金秀山笑道：

“我们这一行，到了正月，馆子座儿好，堂会再多几处，忙起来是免不了要赶场的。今儿要赶几处，你的心里先得有个谱儿。把自己这一点精力，匀开了来唱。不能在哪一个地方，使劲傻唱，可也不能因为唱累了就偷懒马虎，敷衍了事。再说就是不赶场，演员在台上的玩艺儿，本来也应该留些有余不尽的意味。如果你老用拙劲乱喊，听的人听腻了，也分不出哪一句是你在那里卖力，那么这个劲头不是白费了吗？你要知道每一个演员都有他的长处，也准有他的短处。你得会躲开自己的短处，让观众瞧不出来，譬如瞧自己的武功不好，就少打几下。嗓子不够，就少贴唱工戏。人家在这一点上要彩，我就另找俏头，找着了俏头，还不能老是拿它使出来。……可见得凡事得意不可再往，要彩也得有个范围，要是不明白这个道理，以为这样可以迎合观众的喜欢，其结果是反而不会讨好的。”

此番心得令梅兰芳茅塞顿开，他从中悟出演员在台上要懂得“善用其长，不可过火”的道理，更明白了赶场的诀窍在于“事先有计划地支配自己的精力”。

梅兰芳在上海演出时发现，上海的演员从来没有像他们那样赶场子的，也不曾听说过“垫戏”一词，细打听后方知，原因有二：一是上海的演员与戏班都订有合同，每人只搭一个班，挣的是长年包银，而不是戏份；二是上海的堂会戏、行戏等戏馆，营业戏以外的戏较之北京要少得多，所以演员们的演出比较有规律。了解了真相后，梅兰芳倒觉得上海戏界在管理上要胜于北京，因为演出机会多固然多了实践经验，但也会使有些演员为挣钱而唱戏，忽略了艺术的提高。

许多研究者在谈到梅兰芳萌生编排时装新戏的意图时，都不约而同地引用梅兰芳自己所说过的一段话，他说：“1913年，我从上海回来以后，就有了一点新的理解，觉得我们唱的老戏，都是取材于古代的史实，虽然有些戏的内容是有教育意义的，观众看了，也能多少起一点作用。可是，如果直接采取现代的时事，编成新剧，看的人岂不更亲切有味？收效或许比老戏更大，……”①

从他的这段自述中，人们误以为他是1913年赴上海演出时首次接触到了新戏和改良戏，从而受到启发产生了自编时装戏的念头的。事实上，上海之行不过是促使他下决心的导火索而已，早在这之前，他在北京就已经接触过新戏和改良戏了。

京剧改良运动发端于上海，很快波及到北京。玉成班班主田际云大胆地提出用真人真事为题材排演时装新戏，他在第一时期排演了如《天上斗牛宫》、《佛门点元》、《错中错》、《绿野仙踪》和《大战罂粟花》等剧。这些剧目虽然“穿插冗杂，词句俚鄙”，但却开了以表演现代生活为题材的先河。

①梅兰芳：《舞台生活四十年》。

⊙梅兰芳在京寓所练习小提琴

1905年，杭州贞文女校校长惠兴女士求助于将军瑞兴，以解决学校办学经费，瑞兴不但不予帮助反而对惠兴大加侮辱，惠兴遭此打击，一时想不开便吞服了大量鸦片，不幸身亡。此事披露后引起社会公愤，剧作家贾润田将此事改编成京剧新戏剧本。田际云在报上读到这个剧本后，联合谭鑫培将这出戏搬上了舞台，剧名《惠兴女士》，田际云饰女主角惠兴。该戏在福寿堂连演三晚，为贞文女校募捐到3600多两银子，使贞文女校得以维持。

与此同时，票友乔荩臣根据革命志士潘子寅因忧国事忿而投海自尽的事迹编了一出《潘烈士投海》，并自饰潘子寅。

除此以外，这一时期的改良戏还有贾洪林、周惠芳、张文斌、冯子和等人参加演出的《法国血手印》、《破腹验花》和《血泪碑》等。

当年，梅兰芳11岁，他自己说过他在艺术上的进步与深入得力于看戏，对他这么一个把看戏当作业务学习的人来说，这些与传统戏有着很大区别的改良时装新戏，他恐怕多半看过。当然，客观地说，即使当年他看过这些戏，但毕竟年幼，要说感觉深刻也是不现实的，多半是好奇心大于感悟。

四年后，也就是在梅兰芳15岁时，田际云邀上海的新剧家王钟声的剧团到北京与他的玉成班在前门外鲜鱼口的天乐茶园(后为大众剧场)合作演出。王钟声是中国早期话剧的奠基人之一，原名熙普，原籍浙江上虞，曾在湖南、广西等地任中学教师，擅长演说，后投身革命。受春柳社的影响，他说服爱国绅士马相伯、沈仲礼等出资组织了“春阳社”，开展戏剧活动。“春阳社”成立后不久即在上海南市方斜路永锡堂演出了《黑奴吁天录》，后又租下兰心大戏院继续公演此剧，成为在国内首次演出的早期话剧。1908年正月，因经费不足，“春阳社”解散。

接到田际云的邀请后，王钟声率原春阳社人员来到北京演出新戏。梅兰芳观看了由王钟声主演的《禽海石》、《爱国血》和《血手印》。王钟声给北京人带来的新剧，的确令北京人大开眼界。他们第一次看到这种不唱不敲锣鼓也没有行头而只是说的新剧，他们称之为“改良灯戏”，后来才知道这就是新戏。

所以，梅兰芳的改良京剧的种子早在这个时期就已深深地扎根于他的心底，经过几年的孕育，直到在上海再次接触新戏并为上海的新思想新风气所熏灼，深埋于心底的种子发芽了。虽然他首赴上海一炮而红，但他没有沉醉在已取得的成绩中，而仍锐意进取，下定了改良创新的决心并付诸实践。

梅兰芳编排新戏，从构想到剧本的选择到舞台实践，受到包括同业人士、外界朋友、媒介舆论以及观众的广泛支持，特别是翊文社班主田际云更是言传身教，给了梅兰芳极大的影响和帮助。田际云是个勇于接受新思想的人，他邀请王钟声的剧团在北京演出改良新剧后两年，再次邀请王钟声偕同盟会会员刘艺舟率团二赴北京，在由他主持的天乐园连演《爱国血》、《孽海花》、《青梅》、《黑奴吁天录》、《迦茵小传》等新剧，因此而被清御史以“勾通革命党，时编新戏，辱骂官府”为名逮捕入狱达三个月之久，出狱后正值民国伊始，改良风气已弥漫全国，戏剧界也不例外，新戏频出。南方戏剧界改良运动先驱汪笑侬等人频繁北上演出，新戏运动更加如火如荼。田际云的翊文社不甘落后，于1913年排演了由贾润田编剧的新戏《九命奇冤》，当他得知梅兰芳也有意编演时装新戏时便热情予以支持。

1914年7月，田际云托翊文社的管事给梅兰芳送去几个新戏剧本让他挑选一出。权衡比较后，梅兰芳选中了以北京发生过的一件真人真事改编的《孽海波澜》。这个剧本也是由贾润田编剧，剧本曾在报上发表过，故事情节大致如下：

营口人孟素卿受婆婆哄骗到北京，被卖入妓院。开妓院的是恶霸张傻子，他一贯逼良为娼、虐待妓女。孟素卿入妓院后托同乡张子珍给家里捎信，让家里人来赎她。不久，《京话日报》记者彭翼仲得知孟素卿的遭遇后在报上揭发了张傻子的罪恶行径，引起社会公愤。开明官吏协巡营帮统杨钦三查实后将张傻子拘捕入狱，并封了妓院，还接受彭翼仲的建议成立了济良所，收容妓女，教她们读书认字，学习手工。孟素卿的父亲孟耀昌接到女儿的信后，火急火燎地赶到北京，在彭翼仲的帮助下在济良所找到了女儿，父女团圆。其他被拐骗的妓女也分别由家人领回，亲人终于团聚。

梅兰芳读罢剧本，首先感受到这出戏的社会意义，虽然他以前演过的一些老戏也不是没有教育意义，但毕竟取材于古代，离现实太远。而《孽海波澜》的故事刚刚发生，张傻子、孟素卿这样的人或许还有很多，他们或许就生活在观众身边，如果编演此剧，观众一定会受到极大的震动。

梅兰芳又与他的几位朋友商量。朋友们分成两派：反对的一派认为，由梅兰芳出演一名妓女名声不大好听，况且他从来没有演过这一类青楼女子；而赞成的则认为，无论饰演何种角色，只要这种人的不幸是社会现实，那就应该表现出来以“提醒大家注意”。梅兰芳自己也认为演什么角色不重要，重要的是你是否能将所饰演的角色的命运恰如其分地表现出来。梅兰芳说服了反对的一方后，便决定以《孽海波澜》作为他演时装戏的最初试验。

连续排演了几个月后，这年10月中旬，《孽海波澜》分头二本正式在天乐园公演，剧中人物彭翼仲、杨钦三的原型被请去观看，成为“座上的剧中人”。头本从孟素卿被卖入妓院起，演到公堂审问张傻子；二本从彭翼仲向杨钦三建议设立济良所起到孟父女团聚，最后是张傻子戴枷游街。整出戏从头至尾始终紧扣观众心弦，特别是当梅兰芳、王蕙芳演到在济良所学习缝纫一场时，台下一点声音也没有，观众聚精会神地听着他俩的唱，看着他俩的做。学缝纫一场戏与原剧本小有出入，是梅兰芳、王蕙芳经细细研究后重新改编的。为逼真起见，他们还特地将胜家公司的缝纫机搬上了舞台。当孟耀昌找到孟素卿，孟素卿拿着父亲的照片痛哭不已时，梅兰芳看到台下有好些女观众正用手绢抹着眼泪呢。

这出戏之所以成功，除了梅兰芳、王蕙芳的表演无可挑剔外，饰张傻子的李敬山也有上佳表现。张傻子逼奸孟素卿一场戏，李敬山表演生动。最后一场戏，张傻子戴枷游街时，嘴里嚷着：“众位瞧我耍狗熊，这是我开窑子的下场头。”将一个十足下流混混的形象表现得淋漓尽致。

要说这出戏也有遗憾的话，那就是饰彭翼仲的刘景然的表演稍逊一些。彭翼仲本该是个新潮人物，但在舞台上看起来，却显得陈旧。

瑕不掩瑜，梅兰芳的首出时装新戏总的来说还是成功的。它之所以颇为叫座，梅兰芳分析有两个因素：一是新戏是拿当地的实事做背景，剧情曲折，观众容易明白；二是一般老观众听惯了他的老戏，忽然看他时装打扮，耳目为之一新，多少带有好奇的成分。

梅兰芳说的当然没错，但除此之外，这出戏的成功尚有梅兰芳顺应时代潮流、敢于创新，使艺术贴近社会、贴近大众等因素在内。这些梅兰芳没说，不是他不明白，而是他自谦。

二次赴沪成了香饽饽

1914年11月30日，上海《申报》第三张以大黑体字刊登了这样一则广告：

王凤卿、梅兰芳二君客岁在申时，蒙各界欢迎之热忱，已达极点，故在申月余，每晚座满，竟有未及一见颜色之憾。本台主因沪人士渴念之殷，特托人北上，以重金聘请来申，现准于十四日到申，特此预布。

梅兰芳、王凤卿第二次赴沪与许少卿没有关系，这次是受尤鸿卿和文凤祥的邀请。此行，除梅兰芳的伯母胡氏没有同行外，其他随行人员和上次一样，梅兰芳的妻子王明华和儿子大永这次也随梅兰芳一同南下。

12月1日，梅兰芳一行坐津浦车抵达上海，尤鸿卿事先已为他们在戏馆附近租好一所两楼两底的弄堂房子，他们下了车即由“丹桂第一台”派来的车将他们送去住地。此时，尤鸿卿特别聘请的来自北方的厨师已经忙活开了。按惯例，新角到了，戏馆老板照例要招待一顿，这叫做“下马饭”。与梅兰芳、王凤卿同吃“下马饭”的还有丹桂第一台的基本演员。丹桂第一台的基本演员与梅兰芳首次赴上海时有了部分增减，增加了花旦赵君玉，老生贵俊卿、三麻子(王洪寿)，武生杨瑞亭。老生小杨月楼、八岁红、花旦粉菊花、月月红相继离开了第一台。仍然留在第一台的有武生盖叫天、张德俊，老生双处，花脸刘寿峰、郎德山、冯志奎，小生朱素云、陈嘉祥。

12月7日，是梅兰芳第二次赴沪第一天登台的日子，按事先准备，他这天将唱《彩楼配》，戏码被安排在倒二，前面几出戏由丹桂第一台的演员出演。这天傍晚，《时报》主持人狄平子做东在小花园的一家菜馆宴请梅兰芳和王凤卿，同时被邀请赴宴的还有上海的几位旧学湛深兼长书画的老先生，如朱古微、沈子培、吴昌硕等。这天大家兴致都很好，席间谈笑风生。一位穿着华丽、戴金边眼镜的中年人嘴叼雪茄，向吴昌硕讨“笔墨债”，梅兰芳听见这人对吴昌硕说：

“托你画的条幅，半年不交卷，还有一块图章，你也不动刀，那块田黄图章，我是花了大价钱买来的，不要给我搞丢了。”

吴昌硕听了有些不太高兴，他冷冷地回了一句：“你要不放心，明天派人来拿回去吧。”说完，他不再搭理仍在絮絮叨叨的那位中年人，回头对梅兰芳说：“畹华，你这次来，我要好好地给你画一张着色的红梅。”

话音刚落，那中年人插进来对梅兰芳说：“梅老板，你等着吧，明年再来唱戏，你或者可以拿到手了。”

好像为了和那中年人赌气似的，吴昌硕郑重其事地向梅兰芳保证说：

“在你动身之前，我一定画好了送过去。”

吴昌硕果真没有失言。几天后，他托人将一幅笔酣墨饱的着色红梅图送到梅兰芳手里。这幅画上除了有吴昌硕的亲笔题词外，还有于右任题诗一首，诗云：

辉映天人玉照堂，嫩寒春晓试新妆。
皤皤国老多情甚，嚼墨犹矜肺腑香。

诗情画意，足见吴昌硕、于右任对梅兰芳及其艺术的敬仰。

大家吃着聊着，主人狄平子与一位老者大谈起佛学来，好像早就忘了梅兰芳、王凤卿当晚还有演出。梅兰芳心里暗自着急，他想：凤二爷的戏码排在后面，老生的扮戏又简单，而自己的戏码在前，扮戏又很麻烦，如果再这么干坐下去错过时间，岂不又要像在北京一样忙着赶场子了吗。但主人没有散席的意思，他也不好意思开口。

恰好吴昌硕和另一位老者提出有事要先走，梅兰芳乘机道：

“我们有戏在身，也得先走一趟了。”

出了菜馆，梅兰芳急步跳上马车。马车迅急冲了出去，幸而菜馆离戏馆不远，拐一个弯就到了。远远地，梅兰芳就看见跟包聋子宋顺正在门口东张西望，从他脸上表情看，他显然已等得心焦。看见梅兰芳的车子过来了，宋顺连忙上前为梅兰芳开了车门，嘴里催着：

“快，快去扮戏。”

梅兰芳于火急火燎间一时竟然忘了宋顺是聋子，他一边往扮戏房走，一边问宋顺：“场上到哪儿了？”初见宋顺不搭理他还有些奇怪，待反应过来后直笑自己让赶场赶得迷糊了。其实，时间完全够用，等他扮好戏，前面的戏还没有唱完呢，他不过是因为在北京赶场赶怕了。也可见梅兰芳对演戏的认真与对观众的负责态度。

场上小锣响了起来，梅兰芳在一片喝彩声中出场了，他边做身段边朝观众席扫了一眼，见前几排的观众都很面熟，想必大多是去年就看过他演出的老看客。

梅兰芳一直很想看看丹桂第一台几位与他初次同台的演员的戏，包括赵君玉、贵俊卿、三麻子等。第一天因为赴宴耽误了，第二天，三麻子演出《徐策跑城》时他正在为即将演出的《女起解》扮戏，也未看成。倒第四是贵俊卿、赵君玉的 《游龙戏凤》，梅兰芳便早早地到了后台。

贵俊卿扮演的正德皇帝先出场，在梅兰芳听来，贵俊卿的“嗓子不算太好，微带沙音”，但他同时又认为这种嗓子“唱偏重做派的戏倒是比较合宜的”。梅兰芳正凝神品评着，准备上台的赵君玉在台帘边看见梅兰芳，悄声说：

“您别见笑。”

梅兰芳看过赵君玉的几场戏后，觉得他完全走的是冯子和的路子，不仅在演技方面，还包括化妆方面。

梅兰芳第一次在上海演出期间，观摩了上海旦角演员的演出，他发现上海演员在化妆方面有些地方与北京不同，似乎更美观一些，这主要表现在画眼圈和贴片子上。北方旦角演员从不将眼圈画得很黑，而是淡淡地画上几笔，而上海旦角演员却将眼圈画得很黑，使眼睛显得更大更有神。

从上海回到北京后，梅兰芳学习上海旦角演员的化妆方式，对北方旦角演员的传统化妆方式进行了改革。在加深眼圈颜色的同时，他还提倡不能一味地画黑眼圈，而要根据各人眼睛大小因眼而宜，眼睛太大，在画眼圈时尽可能使眼睛看上去小一些，反之，眼睛太小，则需要以画眼圈使眼睛增大。这样，无论是大眼睛的演员还是小眼睛的演员经过化妆后，眼睛看上去都很有神很好看。

北方早期青衣演员在贴片子方面比起南方演员也有缺陷，梅巧玲那个时期的青衣演员贴片子时，片子贴的部位又高又宽，往往会把脸型贴成方的。典型的青衣扮相就是再在鬓角贴出一个尖角，俗

⊙梅兰芳首次赴沪演出回京后，在化装方面有所改革，包括画眼边，改变樱桃小口式的唇红，脑门上的片子降低些

称“大开脸”，头上再打个“茨菇叶”。再往下一代，贴片子仍没有太大改进。到梅兰芳这一代才稍稍有了变化，往当年闺门旦贴片子的路子上改了。虽已有了进步，但梅兰芳在上海看过上海旦角演员贴片子后觉得北方仍然是落后的。回京后，他仔细琢磨，多次实践，总结出贴片子的部位有“前、后、高、低之分”，脸型大的往前贴，脸型小的往后贴，脸型短小的可以贴高一点，脸型长大的就应该贴低些。增强了舞台人物形象的美感。

与第一次赴上海演出相比，此次“丹桂第一台”更加大了宣传力度。人们每天都可在《申报》上看到有关王凤卿、梅兰芳的演出消息。对于梅兰芳，更是好评如潮，如称其所扮演的青衣角色有“一种妩媚幽静令人心醉”之感，说他的《贵

妃醉酒》，“声色兼备，真独一无二之好戏”，夸他所饰演的穆桂英“艳丽袅娜，令人心醉神驰”；在《雁门关》中所饰旗装花旦，“一种柔情妩媚，真南北鲜俦矣，於儿夫一场，喜怒哀乐愁现于面，其佳妙之处，笔难尽述”。对于他和王凤卿合演的《御碑亭》，称“真可谓珠联璧合、独一无二矣，较之他人所演者迥然不同”，而称其与赵君玉为“一对璧人”。

这些赞美之辞虽不乏戏馆老板为提高卖座而做的宣传，但也说明梅兰芳的地位较之首次赴沪有了较为明显的提高，戏馆老板为了叫座，甚至安排梅兰芳与丹桂第一台著名花旦赵君玉合演。

在抵达上海之初的那顿“下马饭”宴上，尤鸿卿即特别将赵君玉介绍给了梅兰芳。

与梅兰芳一样，赵君玉也出身于梨园世家，他的祖父赵嵩绶原是皖南徽班的鼓师，曾参加过太平天国运动，因太平天国运动失败而流落杭州、无锡等地，后到上海加入京班才重操旧业，成为著名鼓师。赵君玉的父亲赵小廉是著名武生演员，与谭鑫培是好友，曾主持过“天仙茶园”。赵君玉与梅兰芳同龄，名云麟，初学花脸，艺名大小奎官，后改演花旦、小生，改名君玉。他在学唱小生期间，曾长期与冯子和配戏，对冯的唱念及做工有很深的研究和体会，改演花旦后，他曾为谭鑫培配演《珠帘寨》中的二皇娘，很为谭鑫培赏识，谭鑫培亲自加以指导。后他又与谭鑫培合作过《御碑亭》、《汾河湾》等，都有上佳表现。赵君玉天资聪慧，扮相秀丽，对业务勤于钻研，会戏很多，花脸、小生、花旦、刀马旦、梆子他全都能唱。他的最可贵之处在于他能时时观察、研究各种类型的青年妇女，所以，他精通时装戏，曾参加过《新茶花》、《黑籍冤魂》的演出，颇受观众欢迎。

尤鸿卿为梅赵二人做了介绍，又对他俩上下打量了一番，笑着说："你们两位要同场对唱一出戏，是再合适没有了。"又安排梅赵二人紧挨着坐在一起，连声说："你们好好谈谈，好好谈谈。"

梅兰芳是个聪明人，他看出尤鸿卿竭力拉拢他和赵君玉是有目的的。"他准是要赵君玉跟我合演几出戏。"梅兰芳暗忖。果然不出所料。从《申报》12月1日至3日连续刊登的广告上得知，梅兰芳、王凤卿到达上海的当天晚上就商议好了，头三天的打泡戏分别是《彩楼配》、《朱砂痣》，《女起解》、《取成都》，第三天合演《汾河湾》。三天打泡戏后，尤鸿卿便提议梅兰芳和赵君玉合作《五花洞》（又名《真假金莲》），随和的梅兰芳答应了。

梅兰芳和赵君玉首次合作的《五花洞》在12月17日正式上演。梅兰芳饰假金莲，赵君玉饰真金莲。尤鸿卿还特意将这出戏放在大轴上唱。演出果然非常精彩，观众反应十分热烈。这天的票价是特别官厅1元／位，头等正厅6角／位，二等正厅3角／位，三等客座2角／位。赵君玉因这次与梅兰芳的合作而身价大增。

梅兰芳第二次在上海演出共达35天，与赵君玉合作多次，主要戏目除了《五花洞》外，还有《掘地见母》、《孝感天》、《樊江关》。

这次梅兰芳在上海还演了《贵妃醉酒》、《破洪州》和《延安关》，这三出戏是梅兰芳头次到上海没有演过的。《贵妃醉酒》是路三宝的拿手好戏，他教给梅兰芳的第一出戏就是《贵妃醉酒》。梅兰芳是第一次从上海回京后向路三宝学的这出戏。早年他看路三宝演出此戏就"觉得他的做派相当细致，功夫结实，确实名不虚传"，但当时因为这是路三宝的"看家戏"，故梅兰芳一直未向他开口要求学习这出戏。当他从上海回京，与路三宝同搭翊文社时，发现路三宝已不再唱这出戏了，便请他来教自己。路三宝满口应承。半个月后，梅兰芳完全学成。在翊文社首次演这出戏时，路三宝还特意送给梅兰芳一副很好的水钻头面。这副闪闪发亮的水钻头面，梅兰芳一直珍惜着，就像珍惜着恩师的教诲。

梅兰芳在上海的演出即将期满时，有一天，他从朋友家应酬回来，刚跨入客厅，一位伙计就告诉他“北京的俞五老板同他的嫂子来了”。推开房门，俞振庭正和王明华说着话，见梅兰芳回来了，他们站起身上前招呼。梅兰芳笑着问：

“你们几时到的，住到哪里，到上海来玩儿，还是有什么公事？”

俞振庭回道：“今天刚到，先在一家栈房落落脚，就来看你们了，我这一次完全是来谈公事的。”

梅兰芳听俞振庭这么说，也没有多想，俞振庭这样的戏班老板到上海来邀角是常事，他对俞振庭说：“那好极了，我祝您公事顺利，等您把事儿办完，我这儿也快期满，我们难得在上海遇着，先玩两天，再一块儿回北京，路上不是热闹得多吗。”

俞振庭笑笑没说什么，他有些开不了口，毕竟他是在想挖别人的“墙脚”。王明华此时插话，对梅兰芳说：

“你知道俞五老板邀的角儿是谁吗？”梅兰芳听妻子这么一问，心里顿时明白了三分，但他不敢肯定，他觉得俞振庭不至于会为他特意从北京赶到上海，他完全可以等他回京后再来邀他。梅兰芳低估了自己，他在上海成功的演出，上海观众对他近似狂热的欢迎已经为他在艺坛上的份量增添了砝码，而他在上海的演出活动也已经传到了北京。俞振庭正是要抢在别人之前先下手争取这颗日渐璀璨的新星。

不等梅兰芳回答，王明华笑着对他说：

“他来邀的角儿就是你，我们已经谈了好半天，他想约你明年加入双庆社。”

既然王明华已经开了口，俞振庭便顺着往下说出他的真正来意：

“我们几千里路下来，专程为了邀您，您可不能驳回我的。”

梅兰芳一时不知如何是好，答应他意味着回京后无法向田际云老板交待；不答应他情面上又过不去。

俞振庭之所以带嫂子一同南下，就是因为他的嫂子是王明华的姑母，因此，梅兰芳与俞振庭多少也有点亲戚关系，他当然不能驳了亲戚的面子，何况，他又是心肠软的人。于是，他说：

“其实这点小事，您又何必老远的跑一趟呢？写封信来，不也就成了吗？”

俞振庭忙摆手道：“那不成，我听说北京有好几处都要邀请您，我得走在他们头里，来晚了，不就让您为难吗？”俞振庭也是知道他的要求会使梅兰芳感到为难，但他也很了解梅兰芳，他知道梅兰芳是个重亲情的人。

其实，为难不为难完全在于处事态度，如果优柔寡断、当断不断当然为难；反之，如果快刀斩乱麻，速战速决肯定不为难。

俞振庭坐等梅兰芳的决定，有不容梅兰芳再考虑之势。梅兰芳只好说：

“您的事总好商量，不过，田际云那边，也得有个交代，我们慢慢地想一个两全的办法才行。”

从这句话中，俞振庭已经听出了梅兰芳的决定，他看到了希望，嘴里答应着满意地走了。

俞振庭走后不久，田际云的邀请信也到了梅兰芳的手里，田际云最终败在俞振庭的手里或许就是因为他的诚心不如俞振庭，也或许是因为他的防患意识不够强，警惕性不高，他原来根本没有想到要给梅兰芳写一封邀请信，他想梅兰芳去上海前一直是翊文社的人，返京后回翊文社乃是顺理成章的事，他想不到煮熟的鸭子居然也飞走了。当他听说俞振庭为梅兰芳而亲自南下时，才稍稍有了危机感，这才提笔给梅兰芳写了一封信，邀请梅兰芳次年春继续留在翊文社并暗示梅兰芳不要答应俞振庭转搭双庆社的邀请。

田际云不知道，他的信已经来晚了，梅兰芳此时已经答应了俞振庭的邀请。

除了翊文社、双庆社在争夺梅兰芳，另外几家班社也给梅兰芳写了邀请信。梅兰芳无法答复他们，直接拒绝会伤了和气，不拒绝又是不可能的，他只有暂时沉默，不回信就是了，事实是最好的答复。

火车徐徐驶入北京前门车站，梅兰芳一行刚出车站即被翊文社、双庆社和其他几家班社派来的人团团围住，死拉活扯，都想把梅兰芳拉上自家的车。到底还是俞振庭厉害，他虽然已经得到梅兰芳的口头答复，但他并不因此就高枕无忧，他担心有人会像他从田际云手里抢走梅兰芳一样从他手里抢走梅兰芳，因此，他一直没有离开上海，在上海玩了几天，一直等梅兰芳结束上海的演出，才随梅兰芳一同回到北京。

此时，俞振庭拉着梅兰芳冲出包围，将梅兰芳一把推上双庆社事先预备好的马车，马车直驶鞭子巷三条梅宅。

马车驶远了，翊文社派去接的人急忙奔回，向老板报告说："梅兰芳被俞振庭接走了。"

田际云一听就忍不住火气升腾，他既恨俞振庭，又气梅兰芳，想梅兰芳自搭翊文社起，他田际云自始至终对他不薄，特别当梅兰芳试图排演时装新戏时，他曾给了梅兰芳很大的支持与帮助。而现在他却忽然转社，招呼也不打，这叫他脸往哪儿搁！翊文社日后的生意也必将大受影响。这样一想，田际云不禁恼羞成怒，他气呼呼地叫来翊文社管事赵世兴，命令他立即去通知梅兰芳，不许他搭别人的班，否则就打断他两只腿，让他永远无法再登台。

梅家接到赵世兴转达的田际云的“通牒”后，无一不气愤不已，特别是梅兰芳的姑父秦稚芬更是怒发冲冠。秦稚芬仗着自己有一身武艺，挺身而出，决定由他保护梅兰芳的人身安全。

田际云的威胁并没有能使梅兰芳屈服，梅兰芳虽然能理解田际云，但他既然已经答应了俞振庭，也不能出尔反尔，他寄希望于等田际云冷静下来后能与之坐下来好好谈，彼此沟通沟通。然而，田际云仍然无法平息自己的怒气，当他得知梅兰芳去意已定时，便头脑发热，让赵世兴率36名手下人手持舞台上用的刀枪棍棒，直闯鞭子巷三条，真的准备“打断梅兰芳的腿”。

闹哄哄、气冲冲的吆喝声让正在房里的梅兰芳有了警觉，他立即从后门跑了出去，直奔秦家。秦稚芬安排梅兰芳躲藏好后，自己奔到鞭子巷三条，在鞭子巷三条南口的空场上正遇赵管事等人，他冲上去拦住他们的去路。赵管事问：

“你姓什么？干吗多管梅家的闲事？” 秦稚芬不客气地回答：“我姓祖，是你祖宗！”说完，他一掌便将赵管事打翻在地。双方一场恶斗于是开始，秦稚芬一个对36个，打得尘土飞扬，鸡飞狗跳。

田际云派来的人终不是秦稚芬的对手，他们不但没能打断梅兰芳的腿，甚至连梅兰芳的腿都未能看到，反而被秦稚芬打得差点折了腿。田际云一见手下个个鼻青脸肿，遂将仇恨转嫁到了秦稚芬的身上，再派出四名高手与秦稚芬过招。

双方在给孤寺门口的一块空场上几番较量后，四名高手也败下阵去。临走时，秦稚芬让他们回去转告田际云，不许他以后再干涉梅兰芳的行动。为防不测，秦稚芬有一段时期一直跟随在梅兰芳左右，保护着梅兰芳。梅兰芳的朋友冯幼伟得知情况后，准备送秦稚芬一根带枪的手杖，秦稚芬执意不肯接受，他就相信他“那身铁打的功夫”。

硬的显然不行，田际云只好来软的，约梅兰芳几番磋商洽谈，终于达成协议，梅兰芳在翊文社再唱几天，然后再转入双庆，一场风波就此平息了。

以现在人的眼光看这场纠纷，如果当时梅兰芳与翊文社签有合同，不论合同是文字的还是口头的，在合同期满之前，梅兰芳擅自“跳槽”自然是梅兰芳的不是，但显然当时演员搭班并不与班社订有书面合同，否则也就不会出现上述纠纷了。虽然双方没有书面合同，但总应该有个惯例，如果惯例是演员来去自由，不受任何限制，那么，梅兰芳的“跳槽”也没有错。当时京剧团体已经由“班”改为“社”，“社”里的成员按惯例来去自由，甚至允许成员“脚踏两只船”。梅兰芳的行为在他与田际云的班社没有合同的情形下并没有错，而田际云的愤怒、气急败坏甚至威胁恐吓也不能说完全不可原谅，毕竟梅兰芳此时已是名角，他的行为客观上使田际云蒙受了精神上经济上的损失。只是因后来有些过激的行为使人们由起初对他的同情、理解转为指责，这是他不聪明的地方。梅兰芳到底算得上是君子。后来，田际云冷静下来后主动派人向梅家求亲，梅家也不计前嫌，将亲戚王家的五姑娘嫁给了田际云的儿子田雨农，梅田两家和好如初。50年代初，梅兰芳在撰写《舞台生活四十年》时，对这场纠纷有过简短的记述，书中这样写道：

我快要离开上海，接到翊文社田际云来信，邀我明年新春仍在他那里演唱，这是他听见俞五赶了过来，恐怕我改搭双庆班，事实上等他的信到上海，我已经接受了俞五的邀请，同时还接到另一个班社来邀请我的信，我都来不及回信，就登车北返，俞五在上海玩了好久，一直等我唱完才同走的。到了前门车站，翊文、双庆，……

几方面都派人来接，结果我是坐上了俞五给我预备的马车，回到鞭子巷三条，翊文社知道我要改搭双庆，派管事来和我交谈，经过几度磋商，答应正月间先在翊文唱几天，再归到双庆，这样才解决了这场小小的纠纷。

梅兰芳在这段文字中没有提及“打架”一事，为此，许姬传解释说：“他认为打架的事由他自己口述记载下来，不大合适，所以嘱我不要细写。”

1976年春节，秦稚芬的儿子秦叔忍到梅家拜年，大家提及往事，还谈到“打架”一事，按照秦叔忍的说法，这是梅兰芳成名后遇到的第一次风险。

致力新剧的编排

从民国4年4月到民国5年9月，梅兰芳搭双庆社在北京吉祥园演唱。这一年半的工作，他自言是“在业务上一个最紧张的时期”。这段时期，他演了四类戏：一类是穿老戏服装的新戏，如《牢狱鸳鸯》；第二类是穿时装的新戏，如《宦海潮》、《邓霞姑》、《一缕麻》；第三类是他创制的古装新戏，如《嫦娥奔月》、《黛玉葬花》、《千金一笑》；第四类是昆曲。

有《孽海波澜》垫底，梅兰芳有了排演新戏的经验与基础，第二次从上海回到北京后，他“更深切地了解了戏剧前途的趋势是跟着观众的需要和时代而变化的”，他“不愿意还是站在这个旧的圈子里边不动，再受它的拘束”，他“要走向新的道路上去寻求发展”，当然，他“也知道这是一个大胆的尝试”，可既然下定了决心，成功与失败已不是他首要考虑的问题了。

当时的梅兰芳虽然想法很多，但他并没有能力组建自己的剧团，什么戏他必须演，什么戏他不想演并不由他自主决定，他的想法、计划能否实现，很大程度上取决于所搭班社班主的态度。他搭翊文社时，当他提出要排演新戏时，班主田际云积极支持，不但为他选择了剧本、组织排练，更在《孽海波澜》排好后安排公演并广为宣传。此番他转搭双庆社，当班主俞振庭听说梅兰芳计划再排新戏时，也未加丝毫阻挠。正因为有田际云、俞振庭的支持，才有梅兰芳的理想得以实现的可能，也正因为有内外界朋友的共同努力，才最终促使梅兰芳将理想付诸实践并取得成功。

梅兰芳二次从上海回京后的首出新戏，是反映官场阴谋险诈的《宦海潮》，内容如下：

郭盛恩、余天球、王如海是结拜兄弟。郭盛恩为官多年，有一天，他在校场秋操时偶见一妇人带一男孩从校场经过，妇人美貌贤良，郭盛恩一见倾心，细打听方知她是兄弟余天球的妻子。为达到霸占余霍氏的目的，郭盛恩找借口将余天球调往他省供职。余天球不明就里领职而去。郭遂把余霍氏母子骗入家中，强行占有了余霍氏。余天球突然归家，识破郭盛恩诡计，与之理论，二人起冲突动起手来。余天球被人拉开仍心有不甘，气愤难平，决定坐船去省城告状。郭盛恩早有防范，派两个师爷暗中跟踪余天球。两位师爷在船上乘余天球不备将其推下船去，余天球溺水身亡。郭盛恩不罢休，想斩草除根，派人欲谋害余天球的儿子，孩子得余家老仆人余福所救，幸免于难。余霍氏得知真情，羞愤难当，自尽身亡。余福带余天球的儿子四处乞讨，路遇王如海，将事情原委一并告知，王如海的一纸诉状将郭盛恩和两个师爷送上了断头台。

4月10日，《宦海潮》在吉祥园上演，梅兰芳饰余霍氏，因为这出戏别的班社 如“富连成”（原“喜连成”），“维德坤社”（全由女演

⊙《邓霞姑》，梅兰芳饰邓霞姑，
姚玉芙饰周士普（右）

员组成的梆子班）都演过，剧本是现成的，梅兰芳他们只是略作了些修改，所以这出戏不能说是由他们自编自演的时装戏，只能说是他“对时装戏的试演”。完全由梅兰芳等人自己编的时装戏是《邓霞姑》，这出戏是写一个少女为争取婚姻自由与封建恶势力作斗争的曲折经过，来源于路三宝听到的一个故事。

1915年农历端午节那天，梅兰芳约了几位同班演员吃饭，其中有路三宝、李寿峰、李寿山、李敬山、程继仙等，酒过三巡，大家的话多了起来。路三宝笑着对梅兰芳说：

“我前天听到一个故事，可能对你编时装戏有用。”

梅兰芳一听便来了精神，李敬山却冲着路三宝开玩笑道：

“是你编出来的，还是真事？”

路三宝说：“我怎么听来的就怎么讲，究竟是真是假，我又没有亲眼得见，要说现编，我不会评书，也不是说鼓儿词的瞎子，没有学过这一套本领。”

这时，李寿峰也横插了一杠子，对路三宝说：

“你虽然不会说评书，可是刚才那几句开场白倒很在行，如果反串老生唱‘断臂’里的说书，恐怕谭老板也叫不起座儿了。”

梅兰芳到底与他们不同，他的心里贮满了理想，他不停地在寻找机会以使理想得以实现。他没有心思和路三宝开玩笑，他急切地想知道路三宝的故事对他到底有没有启发，于是，他打断李寿峰，对路三宝道：

“闲话少说，书归正传，请您快点讲吧。”

路三宝的故事吸引了在座的所有人，梅兰芳更是兴奋不已，他没想到一顿饭就吃出了一出新戏《邓霞姑》，他深刻地感觉到个人理想的实现是离不开集体的力量的。

《邓霞姑》由三李打提纲，演员按分配给自己的角色编写自己的台词。整出戏故事内容如下：

邓彬老夫妻二人生有三个女儿，分别取名邓云姑、邓雪姑、邓霞姑。邓云姑出嫁后不久，丈夫就病死了，她在夫家守寡时与一和尚暗生情愫，秘密往来。二女邓雪姑虽未正式嫁人，但已许配给了丁润璧。三女邓霞姑待字闺中。一天，土匪打家劫舍，将邓、丁两家洗劫一空。邓彬老是个守财奴，眼见聚敛多年的财物损失殆尽，一时气急交加，一口气上不来就死了。丁润璧被迫流落他乡，下落不明。邓雪姑有一舅舅名叫郑琦，为贪图周家财产，软磨硬泡，促使姐姐答应将邓雪姑嫁给周家公子周士普。正在这时，一贫如洗的丁润璧因走投无路回到邓家，希望丈母娘收留。郑琦闻知，不甘心即将到手的周家聘金泡汤，准备害死丁润璧。当郑琦秘密布置杀人勾当时，恰被从窗外走过的邓霞姑听到，她立即通知二姐和丁润璧，并帮助他们连夜逃出邓家。二人逃到周家庄，巧遇周士普的父亲周廷弼。周廷弼得知他俩出逃原因后安排他俩住在周家。郑琦听说雪姑已经逃走，急忙外出寻找，直找到正守寡的云姑夫家。云姑正与和尚在房里说话，听说舅舅来找妹妹，匆忙之中让和尚藏在一只大木箱里。郑琦进屋见云姑慌慌张张，四下找寻又不见雪姑踪影，便断定雪姑藏于木箱中，不由云姑辩白，扛起木箱就走。可等他回到邓家打开箱子一看，发现里面的人已没有了气息。心急火燎间，他也没有细查尸体，只以为雪姑化了装。便断定死者就是雪姑，便派人上周家报信，说雪姑死了。周廷弼来到邓家，邓家正请一班和尚在为死者念经。周廷弼质问邓家雪姑是怎么死的，并一定要开棺验尸。棺材打开，众人愕然，里面躺着的原来是一个和尚，而且正是那班在念经的和尚的师父。他们先前还在为师父失踪而烦恼呢，不曾想师父早已归西，他们刚才所做的法事不是为别人，正是为师父，自然气愤不已，质问邓家。郑琦也不知如何作答。邓霞姑站出来列数舅舅劣行，引起公愤，大家将郑琦送入官府。郑琦被依法判罪。雪姑与丁润璧终于成婚，而邓霞姑嫁给了周士普。

在《邓霞姑》这出戏里，梅兰芳饰女主角邓霞姑，郑琦由李敬山扮演，云姑、雪姑分别由诸茹香、路三宝扮演，程继仙饰丁润璧，李寿山饰邓母，李寿峰饰周廷弼，慈瑞泉饰大和尚，姚玉芙反串小生饰周士普。

梅兰芳属于接受新生事物比较快的那类人，这固然与他所处的时代有关，更在于他思想不保守、不僵化，他在为邓霞姑挺身而出揭露郑琦一场戏编词时用了不少新名词，如“婚姻大事，关系男女双方终身幸福，必须征求本人的同意，岂能够嫌贫爱富，尽拿金钱为目的，强迫作主。现在世界文明，凡事都要讲个公理，像你这样阴谋害人，破坏人家的婚姻，不但为法律所不许，而且为公道所不容。”

《邓霞姑》这出戏，梅兰芳演得不多，但每次演时，当念到这些新名词时都能博得满堂鼓掌欢迎。《邓霞姑》受观众欢迎，不仅是梅兰芳的演技出色，更有同班演员的密切配合，特别是路三宝很能调动观众情绪，戏的最后一场，邓霞姑与周士普举行婚礼，路三宝饰的雪姑在新郎新娘行完礼后冲台下说：“谢谢诸位来宾。”此言可谓一语双关，既可用于婚礼，雪姑感谢参加婚礼的来宾；更可用于现实，路三宝代表全体演员感谢台下的观众，也可把台下的观众当作参加婚礼的来宾。所以每次演出这出戏，观众非要等路三宝说完这句话才肯离去，仿佛他们就是来参加婚礼的而不是来看戏的。

《邓霞姑》的成功比《孽海波澜》、《宦海潮》的成功更使梅兰芳高兴，因为这出戏完全由他们自己所编，有什么比自己的智慧与劳动为人接受并受人赞许而更感自豪的呢！演员自己根据所扮演的角色写台词虽不失是一种办法，但不是好办法。演员文化水平各不相同，对人物的理解也有深浅之分，分开来看，各人的台词可能符合他所饰的角色的需要，但合在一起，可能就不够和谐，也不能很好地协调各角色之间的关系。梅兰芳由《邓霞姑》而有了继续编新戏的兴致，同时也有了请人专门执笔的想法，而齐如山正是最佳人选。

齐如山在与梅兰芳通信长达两年之后与梅兰芳正式见了面。在这之前，他虽与梅兰芳在戏馆中碰过面并说过几句话，但从来没有深谈过，他始终将看戏后的意见以写信的方式转达给梅兰芳。写信无论如何不如面谈来得直接，齐如山一直想要与梅兰芳面谈，但他对登门拜访深有顾虑，照他自己的说法，顾虑有三：“一因自己本就有旧的观念，不大愿意与旦角来往；二则也怕物议，自民国元年前后，我与戏界人来往渐多，但多是老角，而亲戚朋友本家等等所有熟人都不以为然，有交情者常来相劝，且都不是恶意，若再与这样漂亮的旦角来往，则被朋友不齿，乃是必然的事情，所以未敢前往，为自己名誉起见，决定不见生朋友，就是从前认识的人也一概不见。”这也是我们应该同情的地方。

1914年春的某一天，齐如山仍像往常一样去戏馆观看梅兰芳的演出，意外地收到梅兰芳托跟包大李送到台下来的一封约他见面的信，这令他欣喜万分。

梅兰芳是连续接到齐如山多封信之后才开始注意这位总是坐在池子前排、有着一张黑脸、留着一簇小胡子、中等身材、穿一套很朴素的西装的老听众的，起初他并不知道这人就是齐如山，只是感到有些眼熟。眼熟的原因是梅兰芳曾经听过齐如山的演讲，但那时毕竟台上台下，因此没有留下什么印象。当他发现每有他的演出，此人必在下观看时，渐渐想了起来，这位有些眼熟的小老头就是常给他写信提建议的齐如山。这天戏毕，他便托大李给齐如山送去了一封信。

齐如山如约来到梅宅，虽是初次见面细谈，但因为有百封信件垫底，两人倒也并不觉得陌生，相谈甚欢。梅兰芳嘱齐如山以后不必再烦神写信了，有什么问题、什么意见、什么建议可直接上门指教。齐如山自然一一应允。

对梅家，对梅兰芳，齐如山的第一印象是“很好”，他说：“梅兰芳本人，性情品行，都可以说是很好，而且束身自爱，他的家庭，妇人女子，也都很幽娴贞静，永远声不出户。”他认为梅家“与好的

⊙梅兰芳在沪与齐如山(左)姚玉芙(右)(1913年)

读书人家也没什么区别”。

去过一次梅宅，见过梅兰芳并与之深谈过一次后，齐如山以往的顾虑已荡然无存，从此以后他便常去梅宅。在梅宅，他发现梅兰芳交友十分谨慎，“本界的亲友，来往的已经不多，外界的朋友更少”。他在梅宅常见到的是梅兰芳的启蒙老师吴菱仙、昆曲老师乔蕙兰，他们四人常常一起吃午饭，一起讨论旧剧。

如此交往了一年多，齐如山虽有意想帮梅兰芳，但始终无从帮起，他的强项是编戏，要想帮梅兰芳一把也要在编戏上打主意，而他以前编过的几出戏都以失败告终，自然也就不敢莽撞了。

齐如山是从欧洲归国后萌生编戏念头的，当时欧洲风行神话戏，他回国后发现中国虽也有神话剧，但总不如欧洲的神话剧“高洁雅静”，更多是妖魔鬼怪。再比较言情戏，他也认为中国的不如欧洲的，他说“西洋的言情戏，虽然讲言情恋爱，但也相当高尚，并不龌龊，回来再看中国言情戏，简直地说，哪一出也够不上言情，都是猥亵不堪”。[1] 因有此看法，他决定自己编几出戏，可当他拿起笔来时却

①齐如山:《齐如山回忆录》。

发现，无论编神话戏还是言情戏都不容易。相比之下，他以为编出话剧比较容易些，于是，他着手编了一出话剧《女子从军》交给当时被视为“最维新”的演员、梆子班青衣崔松林，希望崔松林能将这出戏搬上舞台。但除了当时话剧不受欢迎的原因外，他编的本子也“不够程度”，崔松林最终还是放弃排演《女子从军》。出师不利，齐如山冷了编话剧的热情，转而编排旧戏，先后编了《新顶砖》、《新请医》分别交崔松林和梆子名丑刘义增排演，但最终还是流了产。对于个中原因，齐如山自然不愿承认是“本子不值得演”，实际上是内容不大符合中国百姓的口味。齐如山旅欧多年，受西洋文化浸润颇深，他编出来的戏多少沾有西洋气息。几次编戏失败，他也灰了心，不愿再轻言编戏，而只是评戏了。

编排新戏的念头在梅兰芳脑海里盘桓多时，在《一缕麻》之前，他没有开口向齐如山提及编新戏之事，只是在等待时机。

由齐如山分场写提纲的第一出戏，也是梅兰芳等人集体编制的第一出新戏，是根据作家包天笑同名短篇小说改编的《一缕麻》。这篇小说是包天笑从他家做厨师的娘姨嘴里听来的真人真事创作而成，这位娘姨自称曾在知府家里帮佣，亲眼所见知府小姐遭遇。姓名则是包天笑杜撰的。

梅兰芳的一位银行界朋友吴震修是在《时报》编的月刊《小说时报》上读到这篇小说的，读后异常激动，立即推荐给了梅兰芳，建议梅兰芳将此小说编成时装新戏，他对梅兰芳说：

“《一缕麻》叙述的是一桩指腹为婚的故事，它的后果真悲惨到不堪设想了。男女婚姻是一辈子的事，应该由当事人自己选择对象，才是最妥善的办法。中国从前的旧式婚姻，全凭‘父母之命、媒妁之言’，已经是不合理了，讲到指腹为婚，就更是荒谬绝伦。一对未来的夫妻，还没有生下来，就先替他们订了婚，做父母的逞一时的高兴，轻举妄动，没想到就断送了自己儿女的一生幸福。现在到了民国，风气虽然开通了一些，但是这类摸彩式的婚姻，社会上还是层见迭出，不以为怪的。应该把这《一缕麻》的悲痛结局表演出来，警告这班残忍无知的爹娘。”

梅兰芳连夜读完小说，觉得确有警世的价值，便决定采纳吴震修的建议。齐如山是个急性子，他领命后立即草拟了提纲。

《一缕麻》批判了封建婚姻的陋习，主人公结局悲惨，故事感人至深，内容如下：

林府小姐尚在母腹中就被其父知府林如智指腹为婚，许配给了钱道台的儿子。不曾想，二人双双成人后，林小姐从丫环嘴里得知钱公子是个傻子，心里满是委屈。林小姐的表哥方居正是个读书人，颇有学问，林小姐自己也曾读过书，两人在一起情投意合。方居正出国留学前来向表妹辞行，林小姐不禁悲从中来，忍不住痛哭失声，遭父亲林知府讥讽。方居正走后不久，林小姐母亲病逝，按惯例，未过门的女婿也要到岳家祭吊。因为钱公子是个傻子，在灵堂上不免闹出诸多笑话，林小姐见状更是痛苦不已。又过了一段日子，钱家选好日子，准备迎娶林小姐。林小姐因为读过书，接受过新思想，便不愿就此将自己终身幸福葬送在一个傻子手里，在花轿已经停在林府门口时，她执意不肯上轿，并跑到母亲灵前，哭诉自己满腔委屈。但她毕竟是个封建社会的大小姐，终经不住父亲声泪俱下的苦苦哀求，答应出嫁。刚嫁入夫家，未等入洞房，林小姐在行完礼后突然得了传染性极强的白喉症。钱家上下因为惧怕被传染而不敢前去照料，倒是新郎，虽有点傻，但心地善良，不分昼夜服侍着新媳妇。在傻子的精心护理下加上用药得法，死神渐渐离林小姐而去，而傻子却不幸传染上了白喉症，很快就死了。林小姐从昏迷中清醒过来，发现头上有一缕麻线，问及原由，方知她的傻子丈夫为照顾她已经死了，不免伤心不已。念及自己的命如此之苦，林小姐一时想不开，用剪刀刺破喉管，自尽身亡，随丈夫而去。

包天笑的原著并不是以林小姐自尽作为结局的，他只写到林小姐决心为丈夫守节一辈子。梅兰芳认为这样的结局不够震撼力。试想在封建社会，女子再嫁几乎是不可能的，特别是出身官宦之家的林小姐更是如此，所以，林小姐选择为丈夫守节也就不足为奇了。而安排林小姐在悔恨绝望之余奋力刺破喉管，不仅使全剧达到高潮，更渲染了该剧的悲剧气氛。梅兰芳的这一改动的确高明，大大提高了该剧的艺术感染力，更能调动观众的情绪，引起他们的共鸣。

梅兰芳等人对齐如山草拟的提纲基本满意，惟有对林知府林如智劝女儿上轿这场戏中的一大段念白不甚满意，认为写得不够紧凑深刻。大家反复商量研究，改了又改，还是觉得不行。梅兰芳在艺术上不是一个得过且过的人，他一生追求的都是完美，如果某处不够完美尚存一丝瑕疵，他也必定反复斟酌，直到找到他认为最佳的解决方案。对林如智劝女儿上轿一场戏，他更是觉得不能马虎，他认为这场戏是个转折，占全剧很重要的地位。林如智的念白如果过多，既会使整出戏显得拖沓 ，也会使观众厌烦，而念白过少显然又不符合剧情。因为林小姐读过书，受过教育，她不可能会被父亲的三言两语说服。同样道理，林如智也不可能以一些老顽固的话压倒她。林如智只有动之以情，晓之以理，情理兼施才有可能打动女儿。

一天，梅兰芳上戏馆准备演出，跟包宋顺对他说：

“今儿真奇怪，吴先生跟齐先生老早就来听戏了。”

可梅兰芳的一出戏快要唱完了，才见吴震修和齐如山姗姗来迟，他不明白他俩为何早早地来到戏馆却又不坐下来听戏。下了台，走进后台，只见吴齐二人正在坐等，梅兰芳边卸装边问：

"你俩上哪儿去了？"

吴震修说："《一缕麻》不就快要上演了吗？怎样让林小姐上轿，再不想好词儿，临时对付几句，是不会搞好的。我们刚才走出园子，围着东安市场，绕了好几个圈子，就是为了讨论这个问题。昨天晚上我替林老头想出几层意思，都跟齐先生说了。林小姐在她父亲面前，除了应该揭穿姑爷是个傻子，表明她不肯上轿的理由之外，一句话都不要再说，只让林知府一层紧一层地逼她上轿，最后拉出了她死去的母亲来动之以情，林小姐这才抱定牺牲自己的决心勉强嫁过去的。我这样处理，可能紧张一点，但是你在这一场上全靠表情做戏，那就要看你的本领了。你听了也不用害怕，我知道你准能胜任的。"

《一缕麻》首演获得巨大成功，特别是林如智劝女儿上轿一场戏，经过吴震修、齐如山的修改，经过饰演林小姐的梅兰芳与饰演林如智的贾洪林的演绎，产生了绝佳的艺术效果。梅兰芳在许多年以后对这场戏仍然记忆犹新。

这场戏的开头是林小姐出场，执意不肯上轿，对着母亲的遗像唱了几句二黄，然后林如智出场，他连说带做分多层意思最终说动了女儿。第一层，他以一套三从四德的老话威胁女儿，林小姐受过教育当然不肯就范；第二层，林如智决定使些小手段，骗女儿说新郎才貌双全，林小姐一听这话，气就不打一处来，反驳道："事到如今，还要来骗我，姑爷是个傻子，家里谁都看见过了，就瞒住我一个人，你好狠的心肠，想尽法子，要把我骗上了轿，送出大门，嫁出的女儿泼出的水，死活由我去受罪，不顾女儿一生的幸福，难道一点父女之情都没有吗？"见女儿已经知道真相，林如智只好再拿父女情企图软化林小姐，林小姐仍不答应，这时，她的不答应是合因为刚才她还说父亲这么逼她是不顾父女之情的，此时林如智再以父女之情当然是无法说动她的。林如智再苦苦紧逼，林小姐始终不发一言。按吴震修、齐如山的意见，此时，梅兰芳的表演以表情、动作为主。梅兰芳对人物的内心活动把握得非常准确，表演起来自然也就十分逼真动人。最后，林如智搬出林小姐死去的母亲，带着哭腔说："就算我做父亲的不好，把你许配给了一个傻子，可是这门亲是你没有养下来就给你定的，也不是我一个人作的主，你那死去的母亲她，她，她，给你定下了的。如今你若是执意不肯上轿，叫为父的为难，倒也罢了，连累你那死去的母亲，被人议论，你于心何忍?你若再不上轿，我也没有脸见人，只能找个深山古庙去躲着，了此余生算了。好女儿，你要仔细地想一想！啊……"说着说着，老泪纵横。林小姐至此终于松了口。

如此层层深入，丝丝入扣，既曲折生动又合情合理。台下许多观众看到这里，不由陪着林小姐一洒同情之泪。连梅兰芳都禁不住假戏真做，落下心酸的泪来。

《一缕麻》受观众欢迎，梅兰芳是预料到的，而因《一缕麻》救了个与林小姐有相似遭遇的万小姐，这是梅兰芳无论如何也没有想到的。

《一缕麻》一演再演，从北京演到了天津。在天津，住着万宗石、易举轩两家，他们两家在当时社会都是有地位的人家，且彼此还是通家世好。万家的女儿许给易家的儿子，后来易公子不幸患了精神病，有人主张退婚，可是两家都碍于脸面，哪方都不愿先开口。他们有几个热心的朋友眼见万小姐一生的幸福就要被葬送，激于友情，出面劝说两家，可是没有结果。无奈之余，就在剧场定了几个座位，请他们去看《一缕麻》。双方都去了，万小姐也去了。万小姐看完回家大哭了一场，她的父亲被感动，终于下决心托人与易家交涉退婚。易家自然也无话可说，双方就协议取消了婚约。梅兰芳本与万、易两家都熟识，他当时并不知有此事，还是后来有一次在朋友的聚餐会上碰到了万先生，万先生一五一十告诉他的。他听了后感慨地说："真想不到《一缕麻》会有这样的效果。"

梅兰芳有个习惯，白天唱完戏后常喜欢与几位朋友下小馆子，他下馆子的目的不在于单纯地吃，而在于听，既听朋友们对他刚刚唱完的那出戏的评价，也听他们对他的建议，所以他称这种下馆子为"以讨论为重心的吃馆子"。说是讨论，其实梅兰芳本人并不积极发言，他往往坐在一边，一句话也不说地听着，他将朋友们对他在唱念做表等方面的分析评论记在了心里，晚上回家后，再细细揣摩。因为朋友们是从正面、反面甚至侧面等不同角度分析议论的。所以，梅兰芳如此"吃馆子"常常有许多收获。《邓霞姑》是在梅宅饭桌上"吃"出来的，《一缕麻》是他与吴震修等人在"恩成居""吃"出来的，而老装新戏《牢狱鸳鸯》和由他自己创制的古装新戏《嫦娥奔月》等也都是在边吃边聊中诞生的。齐如山在他的回忆录中详细记载了《牢狱鸳鸯》的编演过程：

此时梅所搭之班，为俞振庭所成，永远在东安市场吉祥戏园演唱，后俞又把文明戏园租过来，由上海约来林颦卿等戏班，与兰芳之班在吉祥、文明轮流演唱。林以新的本戏《白乳记》、《狸猫换太子》等等为号召，戏虽没有什么价值，但北京人没见过，大受欢迎，兰芳之班大受影响，叫座之力不及人家。兰芳此时已知，不排新戏，不能与人竞争，乃商之他以先几位朋友，他们虽都爱好戏剧，但都是外行，无人能编。兰芳乃商之于我，我说："编戏并不难，但不知你想演哪一路的戏？"他说："类似《白乳记》这路戏就成。"我说："这戏容易得很，不过毫无价值，只能风行一时，过些天就不成了，而且这种戏已出了旧戏范围，可以说是脱离了旧戏，这是上海滩的戏，北京不宜演，你们规矩角色更不宜演。”我又说：“我常想编几出神话戏和清高的言情戏。”他说：“好极了，就编那种戏吧。”我说：“别忙，这类的戏，我虽然早就想着试编，但编的好与否，我一点把握也没有，就是我编出来，您能演的合格与否也不敢说，倘头一次就搞糟喽，以后的声名，不容易挽回，还得小心试着步儿来，一时不可冒昧。我们还是先编一出旧式的戏来试试看。”于是就编了一出《牢狱鸳鸯》，完全旧式，演出后，人山人海，大受欢迎。①

从他的这段回忆中，人们会以为《牢狱鸳鸯》完全是齐如山一个人的功劳，是在梅兰芳的恳请下，由他一手炮制的。而梅兰芳的其他爱好戏剧的朋友都是外行，无法与之相比。在这里，齐如山似乎有抬高自己之嫌。

梅兰芳排新戏的步骤“向来先由几位爱好戏剧的外界朋友，随时留意把比较有点意义、可以编制剧本的材料收集好了，再由一位担任起草，分场打提纲，先大略地写出来，然后大家再来共同商讨”。齐如山就是负责“起草、分场打提纲”的。当然，他的工作相对来说比较重要，但本子最终定稿还必须在大家的共同商讨之后，梅兰芳的那些爱好戏剧的朋友或许只是在语言组织方面稍逊齐如山，但在其他方面，如掌握剧本的内容意识方面，音韵方面，戏里的关子和穿插方面，服装设计、颜色配合、道具式样等方面并不都是外行。齐如山不过是集众人的智慧，初步拟就剧本草稿。新剧本初具规模后，大家再在一起讨论，指出得失优劣。

如此不断磨合修改，剧本才算最终定稿，剩下的就是梅兰芳等演员如何将剧本内容恰如其分地表演出来的问题了。

①齐如山：《齐如山回忆录》。

《牢狱鸳鸯》是吴震修从前人的笔记里看到的，内容说的是一有学问但家境贫寒的书生卫如玉与大家闺秀邓珊珂之间的爱情故事。卫如玉在街上与正和嫂子逛庙的邓珊珂邂逅，二人一见钟情，邓珊珂嫂子得悉小姑的心事后，言及她自己的哥哥与卫如玉曾是同窗，愿意回趟娘家托哥哥为卫如玉和小姑作媒。嫂子回家后才知卫如玉已进京赶考去了，事情就此耽搁了下来。与此同时，邓珊珂被一名叫吴赖的纨绔子弟看中，托人上邓家求亲。邓珊珂父亲不明女儿已有心上人，遂同意了吴赖的求亲。邓珊珂虽心有不满，但也不敢违抗父亲，心里有苦道不出甚是苦恼。成亲当夜，新郎吴赖被潜入新房的蒙面黑影刺死，新娘邓珊珂也差点被黑影强暴，因为邓珊珂的奋力反抗，黑影未能得逞，匆忙逃离中抢了邓珊珂的一根簪子。新郎于新婚之夜被刺身亡，新娘邓珊珂被当作谋害亲夫的凶手关进了大牢。卫如玉也被冤枉关进监狱。二人在糊涂县官的棍棒底下屈打成招，双双被判以死罪。邓珊珂父亲不服判决，到巡按杨国辉那里去喊冤，杨国辉再审该案，发现疑窦，设计将卫、邓二人关在一间监房，然后他和狱吏躲在门外偷听二人谈话，探知凶手身上有狐臭气，说话结巴。杨国辉明查暗访，又从邓珊珂嘴里证实了邓家一赵姓裁缝是个结巴。连夜审讯赵裁缝，凶手果然就是他。原来，他对邓珊珂垂涎已久，买通邓珊珂身边的老妈子，得知邓真心喜欢的是卫如玉，自然又气又急，又见邓老头将爱女许配给了吴赖，他更妒火中烧，于是，混入吴家，刺死了吴赖，还假冒卫如玉欲强暴邓珊珂。冤案得以平反，卫、邓当堂成婚，原先判他俩死罪的糊涂县官被罚一千两银子作为他们的成亲费用。

1914年10月21日，《牢狱鸳鸯》在吉祥戏园正式上演，梅兰芳饰邓珊珂，闺门旦身份，姜妙香饰卫如玉，李敬山饰吴赖，高四保饰糊涂县官吴旦，王凤卿饰巡按杨国辉，路三宝饰嫂子，演员阵容可谓整齐。

《牢狱鸳鸯》的内容虽没有摆脱一对真心相爱的青年男女经过无数磨难终成眷属这样的俗套，但因为符合当时观众的欣赏心理，更有梅兰芳等人出色的演技，因而引起了观众的共鸣，观众既为这出戏的内容也为演员的表演所打动，他们于不知不觉之中被带进了情境。

有一次，梅兰芳在吉祥戏园演出《牢狱鸳鸯》，当演到卫如玉被屈打成招时，高四保演的县官吴旦凛然高坐堂上，冲正跪在堂下的姜妙香所饰演的卫如玉道："你不肯招，也得叫你招了，才好了了这场官司！"

高四保全然进入了角色，没想到一位老年观众冷不防从台下跳到台上，指着高四保大骂：

"卫如玉没有杀人，为什么把他屈打成招！你这狗官，真是丧尽天良，我打死你这王八蛋。"

说完，便挥起拳头朝高四保打去。高四保因为表演投入，一时没有反应过来面前这位突然出现的老头是何许人，面对拳头，只是本能地躲避。可事情来得突然，一时来不及细想躲在何处合适，一猫腰便躲在了桌子底下。后台管事急忙上台将老头拉了下去，一边解释道："这是做戏，不是真事，您别生气，请回到您的座儿上，往下看，您就知道卫如玉是死不了的，您放心吧。"

老头却还没有清醒过来，仍在一个劲地大骂："狗官，混账，可恶！"

老头被拉起后，高四保从桌底下钻了出来，定定神，坐回原位，继续演戏，但是再也找不到那种"擅作威福，盛气凌人"的感觉了。下了台，他心有余悸地对梅兰芳说：

"敢情坏人是真做不得，戏里扮的是假的，还要挨揍，如果真照这种样子做官，他那一县的老百姓，不定是恨得怎么样呢。”

梅兰芳还在为刚才那一幕笑得合不拢嘴，对高四保说：“这也可以证明您演得太像了，台下才动真火的。”

这段小插曲从侧面反映了《牢狱鸳鸯》成功的艺术效果，梅兰芳也由此更加体会到戏剧对观众巨大的感染力。

有关古装新戏《嫦娥奔月》的诞生，梅兰芳的回忆与齐如山的回忆有较大出入。据梅兰芳的回忆，那是1915年农历七月初七，这天，梅兰芳照例是唱《天河配》之类的应节戏。“应节戏”，顾名思义是应节日而排演的戏，如五月初五端午节的《五毒传》、《白蛇传》、《混元盒》等；八月十五中秋节的《天香庆节》；七月十五鬼节的《盂兰会》等。演过《天河配》，梅兰芳就要考虑中秋节的戏了。那天，梅兰芳像以往那样和几位朋友在小饭馆吃饭，当时在座的有齐如山、李释戡等人。提及应中秋节的戏，李释戡提议道：“我们有一个现成而又理想的嫦娥在此，大可以拿她来编一出中秋佳节的应节新戏。”梅兰芳听后觉得是个好建议。齐如山接口道：“我们要干就得认真地干，今天是七月七日，说话就要到中秋了，在这四十天里面，我们一定要把它完成的。我预备回去就打提纲，我们编这出戏的目的，是为了应节，剧中的主角是嫦娥，这今天都可以确定的了，不过嫦娥的资料太少，题材方面请大家多提意见才好。”急性子的齐如山当天夜里就赶出了提纲，次日交李释戡编写剧本，经大家讨论研究后，剧本定为《嫦娥奔月》。

齐如山的回忆却是这样的：

演此戏（指《牢狱鸳鸯》）时，约在七月中旬，离八月节不远了，俞振庭来说：“八月节第一舞台王瑶卿他们演《天香庆节》，乃宫中的本子，中秋就节戏。我们也应该排一出新的应节戏才好，否则一定要栽给他们。”栽者栽筋斗，被人战败之义。在座之人，听说要被人打败，都有一点着急，我说：“戏界总是爱说谁被谁打败了，我最不赞成这句话，今天你的戏码硬，你就上座多，明天他的戏码硬，他就多上座，何所谓打败呢？”大家说完也就各散回家。次日兰芳跑到我家来，匆匆忙忙地说：“您可得救命。”我问：“什么事呀，这么严重？”他说：“你昨天说的那番话可不成。”此时我已经跟他很熟，所以他说话就毫不客气了。他说：“被人家打败，不但本班人瞧不起，第一舞台那一班，不晓得怎么说便宜话呢，连本界人都要说长道短的。”他说完，我乐了一乐，问他：“昨天晚上俞振庭他们去鼓动您了吧？”他也乐了，他说：“振庭他们，自然是着急，但他们不上我家去，我也要来的，总之此戏是非编不可，且非你编不可。”我说：“好吧，一定编。”他问：“编什么戏？”我说：“我得计划计划，总之你放心，一定可以打败他们第一舞台就是了。”

谈了会子他走了，我想大话我是说了，准编的怎么样，则确无把握。想了许久，乃决定编一出神话戏，尤其中秋应节戏，最好是神话，因而想到嫦娥奔月这段故事，没有人编过，于是编了一出《嫦娥奔月》。

实际上，《牢狱鸳鸯》正式上演是在九月中旬而非“七月中旬”，而《嫦娥奔月》在其后十天便上演了。

梅兰芳、齐如山都已作古，当时参加策划该戏的老前辈也多离开了人世，今人已无法考证他俩于五六十年代的回忆究竟谁更准确，那事实也不是太重要，重要的是梅兰芳因该戏创造了两个第一：第一次以古装排演新戏；第一次在京剧舞台上使用追光。

戏编好后，梅兰芳等人忙着为嫦娥设计装束，因为以前没有人排演过嫦娥，因而没有现成模式可模仿，一切都得从头摸索。服装当然是最重要的，除了服装，发型也是不容忽视的。嫦娥应梳何发型，着何服装，佩何饰物，起初在他们脑子里是一片空白。据齐如山的回忆，是他提议将嫦娥的扮相设计为古装的，他在回忆录中这样说："……于是我想着把衣服扮相设法都给他改成古装，并每句唱词都安上身段，成为一出歌舞剧。这种办法，在皮黄中还是创举，一定可以一新观众之耳目。"但他并没有提及他所以这样设计的原因。

梅兰芳说"从画里去找材料"是由他提议的，因为他认为"观众理想中的嫦娥，一定是个很美丽的仙女，……对她的扮相，如果在奔入月宫以后还是用老戏里的服装，处理得不太合适的话，观众看了仿佛不够他们理想中的美丽，他们都会感到你扮的不像嫦娥的，那么，这出戏就要大大地减色了，所以，应该别开生面。"根据他的提议，大家或借或买来一批古画，按照古画中仕女装束，梅兰芳为嫦娥设计了古装扮相。扮相分服装和头面两部分，服装方面，梅兰芳起初按仕女图画请裁缝定做了一套短衣长裙，一改老戏里长衣短裙装扮，然而，裙子因为长而不得不系到了胸前，既影响两只袖子的抬肩，又使他的两只膀子无法抬起，而不能自如地舞蹈。梅兰芳与朋友们于是重新设计，将两只袖子做成肥袖窄肩的斜角形，这样既不影响美观也不妨碍动作。至于水袖，在舒石父、许伯明的建议下，梅兰芳仍按照老戏的习惯使用长水袖，而摒弃了画里仕女都着短水袖的装束。头面方面，梅兰芳的妻子王明华帮了大忙，《嫦娥奔月》上演后一度有传闻说梅兰芳每演古装戏，太太都要跟到后台为他梳头。依梅兰芳的回忆并非如此，古装戏的发型的确是王明华设计的，只是她总在家里将发型做好后交跟包宋顺带去戏馆。古画上只有仕女正面或侧面形象，没有反面可作参照，演员表演时难免不转身的。梅兰芳初次演嫦娥时，后面梳的是双髻，观众反应不好，说太像时装戏了。王明华毕竟是女人，对发式服装有着特有的悟性，她为梅兰芳的嫦娥设计的发型是：“把头发散披在后面，分成两条，每一条在靠近颈子的部位加上一个丝线做的‘头把’，挨着‘头把’下面，有时就用假发打两个如意结。”这样的发型，连专为梅兰芳梳头的梳头师傅韩佩亭都不会做，所以，每次演出，只好由王明华在家梳好，梅兰芳临上场时往头上一套。

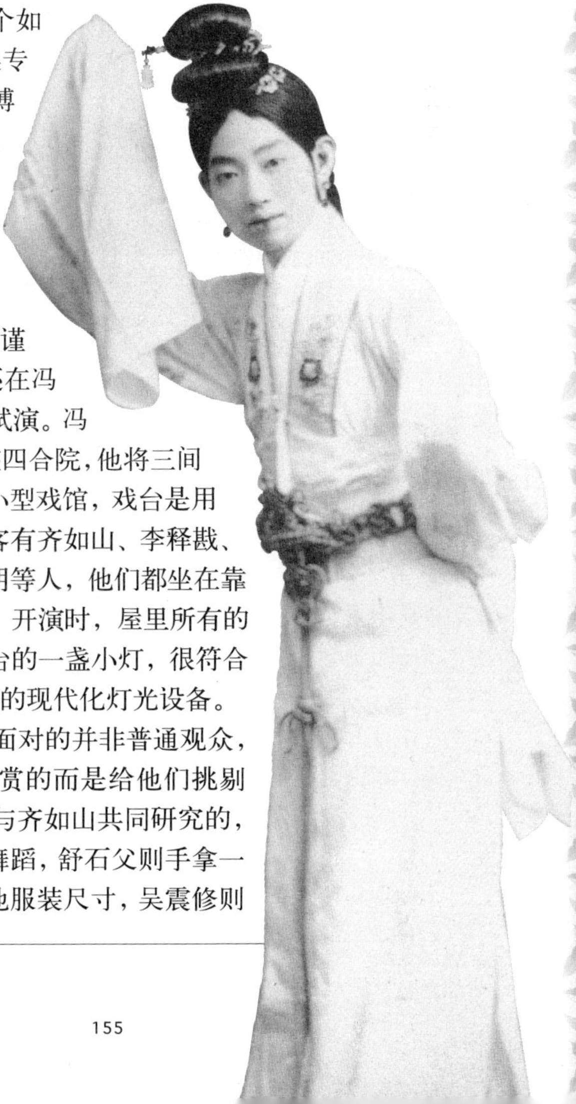

因为是首次排演古装戏，梅兰芳自然十分谨慎，在正式上演之前，还在冯幼伟的家里举行过一次试演。冯宅位于煤渣胡同，是一座四合院，他将三间客厅打通，布置成一个小型戏馆，戏台是用两张大八仙桌拼成，看客有齐如山、李释戡、吴震修、舒石父、许伯明等人，他们都坐在靠门处。为达到逼真效果，开演时，屋里所有的灯都关闭，只留靠小戏台的一盏小灯，很符合“台上要亮，池座要暗”的现代化灯光设备。

演出开始，梅兰芳面对的并非普通观众，他的表演不是供他们欣赏的而是给他们挑剔的，因为舞蹈动作多是与齐如山共同研究的，所以，齐如山负责他的舞蹈，舒石父则手拿一把别针，随时上台纠正他服装尺寸，吴震修则

⊙《黛玉葬花》，梅兰芳饰林黛玉，
姜妙香饰贾宝玉

就行头的颜色侃侃而谈，他认为只有素花或浅淡的颜色才合嫦娥性格，而不能用色太深，更不能在上面绣花。

为了《嫦娥奔月》，梅兰芳和他的朋友们前后忙了一个多月，中秋节转眼就到了，梅兰芳仍然没有把握正式上演。齐如山在他的回忆录中提到梅兰芳在正式上演前曾约请所有配角及场面在自己家里的客厅彩排过一次，戏台也是用八仙桌拼成的，只是这次因有配角同时演练，所以两张八仙桌已经远不够用了，而是借了十六张八仙桌。彩排成功后，梅兰芳这才下了正式上演的决心。10月31日，《嫦娥奔月》在吉祥戏园上演，梅兰芳饰嫦娥，李寿山饰后羿，俞振庭饰吴刚，四个仙姑由路三宝、朱桂芳、姚玉芙、王丽卿扮演，李敬山饰兔儿爷，谢宝云饰王母。

《嫦娥奔月》是梅兰芳的首出古装新戏，在这出戏里，他首次使用“追光”，表明此时他已不满足一般照明，而试图假以灯光作为突出人物、烘托气氛的手段。龚和德在他的《梅兰芳与舞台美术》一文中说：

在戏曲演出中，最早的电光，一是用来照明；二是用来突出名角，即到名角登台时，台前灯具全部开亮，以引人注目。梅兰芳则把灯光的作用向前推进了一步，即由突出名角，变为对剧中人物进行“特写”或制造某种气氛。

《嫦娥奔月》甫一上演，立

⊙梅兰芳演《黛玉葬花》戏单（1917年）

即赢得一片叫好声，但也有唱反调的。叫好的认为该戏一改传统是个创举，而唱反调的则说梅兰芳在这出戏里仍用了老戏的身段，不能算是创作。这种批评对梅兰芳未免太过苛求。他们的评论文章中还有这样一句话：“嫦娥花镰，抡如虹霓之枪。……”意思是说梅兰芳在《嫦娥奔月》的“花镰舞”套用的是《虹霓关》中的东方氏和王伯党对枪的身段，对于这点，梅兰芳并不否认，但实际上他并没有生搬硬套，而是“加以新的组织”。所以恰当地说，应是“借用”而非“套用”。

这年下半年，美国有一个教师团体来华访问，由美国人在华北创办的几所学校的俱乐部委员会为欢迎这个教师团，决定换一种欢迎方式，由传统的集会节目而改为举办一次中国京剧晚会。时任交通部路政司司长的刘竹君力荐梅兰芳出演，他“认为梅兰芳虽然年纪尚轻，刚刚二十岁，但是表演艺术却不同凡响，前途大有可为”。[①]于是，在外交部的安排下，梅兰芳应邀在当时的外交部宴会厅为美国客人演出了他的新编歌舞剧《嫦娥奔月》，受到在座的约三百多名美国教师的热烈赞赏，他们“一致认为梅兰芳的表演细腻动人，表达了中国古典戏剧的优点”。[②]这大概是中国京剧演员最早在中国的土地上向外国人介绍中国京剧。从此，每当有外宾来访，在招待宴会或晚会上，梅兰芳的京剧表演均成为保留节目。据说，以后来华

①②梅绍武：《我的父亲梅兰芳》。

访问的外国人到北京有两样必看，一是长城，一是梅剧。

如果说《嫦娥奔月》开辟了古装戏的道路的话，那么，紧接下来的另一出古装戏《黛玉葬花》则开辟了红楼戏的道路。

古装戏的题材来源比时装戏困难得多，时装戏的故事尽可以在报上或杂志上找寻，现实中每天听到的，看到的故事不少，而古装戏的故事就只能在旧小说里找寻了。流传下来的旧小说虽然数目不少，但不是每篇都能改编成戏，既要选择那些适宜编排上演的，也要考虑到该小说是否影响深远，因为只有根据大家熟知的故事改编成的戏才会拥有广大观众，但如果大家都照此去选择，势必会造成“撞车”和雷同。正是出于这几方面的考虑，当有人向梅兰芳提议排演几出红楼戏时，一向勇于创新的梅兰芳立即就有了决定。

《红楼梦》可谓家喻户晓、老少皆知，但在梅兰芳、欧阳予倩之前，却无人敢问津。原因很简单，在清光绪年间，北京有两大票房，一是由名角刘鸿声、金秀山、 德钧茹、汪笑侬、郝寿臣等组成的“翠峰庵”；另一家就是由陈子芳、魏耀亭、韩五、韩六、贵俊卿、王雨田等组成的“遥吟俯唱”。“翠峰庵”位于北京西城，经济状况不如位于东城圆恩寺的“遥吟俯唱”。因为“遥吟俯唱”经济实力雄厚，陈子芳等便大胆涉足包括红楼戏在内的各类题材的戏。红楼戏，他们排演了《葬花》和《摔玉》，林黛玉和贾宝玉分别由陈子芳和韩六饰演，他们的尝试是大胆的，但最终却失败了，原因是陈子芳饰演的林黛玉的扮相是梳大头穿帔，如同花园赠金一类的小姐打扮，而韩六的贾宝玉的扮相就更让人看了忍俊不禁了，十足一个普通小生模样。曹雪芹笔下的林黛玉和贾宝玉是中国古典文学作品中最具魅力的形象之一，观众熟知林黛玉和贾宝玉，脑子里也都有其鲜明的印象，而演员扮相不符合他们心中的理想模式时，他们自然不认可。

当然，陈子芳等人是票友，红楼戏也仅在一些堂会中上演，并没有作为营业戏上戏馆演出，所以演得再不好也是无伤大雅的，只是内行人对排红楼戏不免起了戒心，担心也会遭观众嗤鼻，因此也就不敢冒风险了。梅兰芳知难而上，决定冒险一试。当然，他不是盲目的，而是经研究分析后才作决断，并仔细做了大量的案头工作。他不仅请人为他详细地讲解《红楼梦》，熟读《葬花词》，还多次和擅长文学的朋友共同探讨林黛玉的性格。

从一位熟悉戏剧掌故的朋友那里，梅兰芳在《菊部群英》这本书里发现祖父梅巧玲也曾演过红楼戏，饰史湘云，但《菊部群英》专载清同光年间名角演唱过的剧目，而没有该剧目的情节内容，更没有剧本。梅兰芳翻遍祖父遗留下来的几箱子戏本子，也未能找到，因此他无法得知祖父演的到底是"红楼梦"里的哪一部分。据梅兰芳的一位姓傅的朋友推断，梅巧玲演的"红楼梦"可能是荆石山民作的"红楼梦散套"里的一出，所谓"散套"就是将"红楼梦"里的每一个故事单独谱成散出，当中并无联系。

根据李毓如、余玉琴、迟韵卿等排《儿女英雄传》的路子，梅兰芳起初决定排一出连台整本的红楼梦，而不是"散套"里的某一出。但刚一着手编制剧本，就发现他的想法是难以实现的，主要困难有二：一是关于演员支配上的困难。众所周知，一个戏班由生旦净末丑各行演员组成，红楼戏需要的多是旦角演员，其他行特别是花脸在红楼戏里几乎没有出台的机会，梅兰芳觉得不能因为他的一出戏而使其他行演员闲着没活干，却还要到别处约请旦角演员，他认为这么做对同班其他行演员有失公允。这其实是次要原因，主要原因还在于红楼梦本身的故事偏重家常琐事、儿女私情，编成的戏会显得过于冷静，而不像水浒、三国等戏人物复杂，情节曲折，戏剧性强。与其编演不温不火的一整本，还不如编演其中精彩的一出。

梅兰芳与大家商量后，认为还是单排一出小戏为好，他们选择了陈子芳编演过的《黛玉葬花》。

与陈子芳的“葬花”不同的是，梅兰芳没有只以二十七回“埋香冢黛玉泣残红”做题材，因为他觉得陈子芳的红楼戏之所以不成功，除了服饰扮相上的原因外，场子过冷也是原因，一出戏只有三个演员，又没有别的穿插当然不够生动。梅兰芳决定多加一些穿插，使戏显得活泼些。于是，他将二十七回与二十三回“西厢记妙词通戏路，牡丹亭艳曲警芳心”相融合，编排出与陈子芳不同的《黛玉葬花》。这出戏仍由齐如山写提纲，李释戡编唱词，罗瘿公等朋友也参与了策划。

《黛玉葬花》在《嫦娥奔月》上演两个月后，于1916年1月14日在吉祥戏院与观众见面。这是梅兰芳第二出古装新戏，也是他的首出红楼戏。李释戡在编剧时有意选用《红楼梦》的原文，并把《葬花词》与《红楼梦曲子》结合，编成台词。梅兰芳在表演上特别注重面部表情，尽量将黛玉凄凉身世与诗人感情通过眉宇表达出来，而他的唱念做无一不将一个借落花自叹自怜的弱女子的孤苦心态刻画得淋漓尽致。他饰林黛玉不仅仅停留在表现林黛玉的弱不禁风和多愁善感，而是重点刻画了林黛玉和没落封建大家庭格格不入的孤傲倔强性格。在这出戏里饰紫鹃的姚玉芙曾这样说过：“兰芳演戏时，让观众能看出黛玉心里有团火在燃烧，可是火苗被压抑着冒不出来。”梅兰芳所塑造的林黛玉形象不仅做到了形似更做到了神似。在戏曲舞台上，梅兰芳可说是第一个成功地塑造了淡雅而又满含哀怨的林黛玉形象。

在扮相上，林黛玉与嫦娥有所不同，服装方面：林黛玉葬花时上穿大襟软绸的短袄，下系软绸的长裙，腰里加上一条用软纱做成的短的围裙，外系丝带，两边有玉佩，回房时外加软绸素帔，五彩绣成的八个团花缀在帔上；嫦娥出场时则上穿淡红色的软绸对胸短袄，下系白色软绸长裙，袄子上加绣了花边，裙子系在袄子外面，腰里围的丝绦上面编成各种花纹，中间垂着一条丝带。头面方面：林黛玉头上正面梳三个髻，上下垒成“品”字形，旁边戴着翠花或珠花，嫦娥头上正面梳两上髻，上下垒成“吕”字形，右边一根玉钗斜插入上面那个髻里，钗头还挂有珠穗，左边戴一朵翠花。

梅兰芳在《嫦娥奔月》里首次使用了“追光”，在《黛玉葬花》里，他更是将电光、布景、道具融合在一起，为本身比较温的戏增色不少，加上饰宝玉的姜妙香、饰紫鹃的姚玉芙、饰袭人的诸茹香等演员的配合，使这出戏一露面就受到观众的狂热欢迎，尤其得到诗人和画家的盛赞，他们评价道：“这是一出很冷的戏，可是梅兰芳就从‘冷’字上下功夫，使观众受到感动，让曹雪芹笔下的林黛玉形象在舞台上体现出来，收到了适度的效果。”姜妙香在他的一篇题为《谈梅兰芳的〈黛玉葬花〉》一文中这样写道：

这是我们两个人合演的第一出新戏，也是兰芳生前排演的第一出红楼戏。……全剧一共只有五个角色，场子相当温，是一出人保戏的冷戏，但兰芳演来，使整个戏展现出优美的意境，有情有色，宛如一首清丽、哀怨的抒情诗。不仅蕴含着丰富的思想感情，而且还闪烁着青春生命所放射出的光彩。

1924年，民新影片公司委托华北电影公司（两者为联华影业公司前身）邀请梅兰芳拍几部戏的片断，梅兰芳欣然答应。《黛玉葬花》里“葬花”和“黛玉看《西厢记》和听梨香院里芳官唱‘游园’曲文”片断被拍成了电影。当时，拍摄地点选在位于东四九条冯幼伟的住宅，这所房子原是清朝贵族奕谟的府第，奕谟是嘉庆皇帝的孙

子。民国初年，奕谟的孙子溥佶将房子卖了出去。由于房子的建筑格局、园林花木的位置与《红楼梦》里的荣宁二府差不多，所以选中这里做为拍摄背景。可惜的是，片子拍成后，梅兰芳只是听朋友说曾看到过这部片子，而他自己始终没有看到。

转眼就要到1916年的五月

初五端午节了，照规矩，各戏班都在这段时期赶排应节戏。端午节的应节戏多以《混元盒》为主，梅兰芳认为这出戏内容怪诞陈腐，近于胡闹，便不准备凑热闹而想另辟蹊径。因为前一段时期排演《黛玉葬花》，梅兰芳曾细读《红楼梦》原著，此时，他依稀记得二十三回“撕扇子作千金一笑”的故事好像就发生在端午节这天。重翻原著，果不其然，他顿时就来了灵感，决定再排一出“红楼戏”。约来朋友军师商议，他们也一致认为《黛玉葬花》已经勾起观众对红楼戏的兴趣，不妨趁热打铁。

《千金一笑》从起意到完成剧本只用了十几天，仍是一出集体创作的古装新戏。这出戏全剧只有三个演员：晴雯（梅兰芳饰）、贾宝玉（姜妙香饰）、袭人（姚玉芙饰），情节也很简单。大意是宝玉在端午节那天陪祖母和母亲“开筵赏午”后回自己房中，叫晴雯为他换衣服，晴雯不小心将宝玉的一把扇子碰掉，宝玉便说了她几句，她回顶了几句，两人拌起口角来。这时，袭人进房见状在一旁也讥讽了晴雯几句，晴雯气恼万分。当晚，宝玉在外喝酒回来后与晴雯说笑，又提及扇子，为讨晴雯开心，宝玉拿出几把扇子任凭晴雯撕烂，连袭人手中的一把扇子也被宝玉夺过来交晴雯撕了。

与《黛玉葬花》充盈着浓重的悲剧成份不同的是，《千金一笑》的结尾略带喜剧色彩，这也是梅兰芳执意要排演这出戏的原因之一，他试图借这出戏尝试喜剧的表演。

端午节过后三四天，《千金一笑》正式在吉祥戏园上演，叫座不很理想。梅兰芳将原因归结于应节赶编，艺术上自然难求精细。所以在梅兰芳的所有古装戏中，《千金一笑》这出

⊙《千金一笑》，梅兰芳饰晴雯的不同身段

⊙梅兰芳在沪第一次演《千金一笑》时舞台上用的扇子撕毁后，重新被裱成手卷并请名人题跋。这是装裱后的扇面(1916年)

戏，他演的次数最少。不过，这出戏里最重要的道具——扇子——却引出了一桩小故事。

《千金一笑》剧本编好后，梅兰芳忙着排身段，念台词，直到正式演出前一天，他才突然想起戏里最重要的道具，那把扇子还没有准备好呢，他忙着翻箱倒柜，终于找出一把两面空白的扇子。他把扇子放在书桌上准备次日带去戏馆，书桌上的文房四宝提醒了他，他一时兴起，操笔在扇面上画了一朵牡丹。有画就要有字相配，这时正巧姚玉芙也在，梅兰芳便把写字的任务交给了他。姚玉芙便在反面题了五句诗。字画都有了，最后需要题款了，大家说："这出戏一共只有三个人，现在晴雯袭人都留下了作品，这款就该宝玉来题了。"正说着，姜妙香踱了进来，听要落款，他便笑着一挥而就。这件道具经过剧中三个人物的共同努力制作成功了。演出《千金一笑》，这把扇子起了作用，可按照剧情，扇子最后是要被晴雯撕了的。戏唱完后，梅兰芳想着要捡回那把被撕坏的扇子带回去留作纪念，可遍寻不得，许伯明在一旁疑惑地说："真奇怪了，一把破扇子谁会来偷呢？这又不是什么古董。"既然找不到了，梅兰芳也就算了。以后再唱《千金一笑》，用来被撕的扇子只是普通的白扇子了。不曾想，过了几天，许伯明拿着一个卷来找梅兰芳，神秘地问："你猜这是什么东西？"见是一卷子，梅兰芳不加思索道："这是一卷古画吧。"许伯明道："对了，这卷古画在中国是找不出对儿的。"梅兰芳大为不解，问："真有这样稀奇的古物吗？究竟是谁画的？"许伯明道："这里面有三个人的作品，是红楼梦上的'晴雯'画的，'袭人'写的，还请'宝玉'题的款呢！你想世界上会有第二件吗？"一听这话，梅兰芳已明白了七八分，抢过来打开一看，果然就是那把破扇子。不过，许伯明已经将扇子拆了，裱成了一个手卷，手卷除梅、姚、姜的笔迹外，还多了许多人题好的诗文。原来那日演出完毕，许伯明

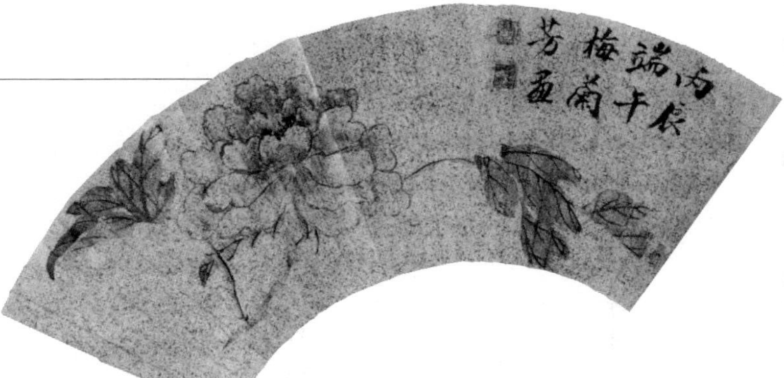

一声不响地将破扇子藏在怀里，他以为一把破扇子不会有人再要了，谁想梅兰芳却提出要带回去留念，他想着和梅兰芳开个玩笑，故意说谁要偷这破扇子。其实“偷”扇子的正是他自己。见梅兰芳笑弯了腰，他更是得意地说：“你看我裱得多好，题得多满，再过多少年，不就是古董了吗？”

拯救昆曲

梅兰芳不仅是京剧大师，也是昆曲大师，他的舞台生涯就是从昆曲开始的。他11岁初登舞台时唱的就是昆曲《长生殿·鹊桥密誓》中的织女。不过，他虽基本上遵循的是祖父梅巧玲的演艺道路，但略有不同，不同在于，梅巧玲是从昆曲入手，后学皮黄的青衣、花旦；而梅兰芳则相反，先学的是皮黄的青衣，再学昆曲的正旦、闺门旦、贴旦。梅巧玲时代，艺人学艺多是从昆曲入手，梅兰芳解释说：这是因为一、昆曲的历史是悠远的，在皮黄没有创制以前，早就在北京城里流行了，观众看惯了它，一下子还变不过来；二、昆曲的身段、表情、曲调非常严格，这种基本技术的底子打好了，再学皮黄，就省事得多，因为皮黄里有许多玩艺就是打昆曲里吸收过

来的。所以，尽管梅兰芳的演艺生涯是从皮黄入手的，但他始终没有放弃学习昆曲。

梅巧玲会唱的昆曲戏很多，他任班主的“四喜班”就是以唱昆曲见长。梅雨田是戏曲音乐家，“能吹昆曲亦不下三百出”。幼时的梅兰芳在学习皮黄的同时兼学昆曲，加上家庭熏陶，耳濡目染，使他小小年纪就能哼上几句，如《惊变》里的“天淡云闲……”、《游园》里的“袅晴丝……”等。他正规地、比较集中地学习昆曲有两个时期，一是在他排演时装新戏的1915年到1916年间，二是在抗战胜利以后一段时期。

如果说，梅兰芳早年学习昆曲是为了提高演艺水平和修养的话，那么，在他逐渐成名后继续学习研究昆曲，除了想借用昆曲的身段用于京剧外，更是为了倡导中国传统民族艺术，挽救濒临灭亡的昆曲。

民国初年，昆曲日渐衰落，衰落的原因是多方面的，除了受到

⊙《西厢记》(左)，梅兰芳饰红娘、
姚玉芙饰莺莺、姜妙香饰张生
⊙《春香闹学》(右)，梅兰芳饰春香

南来的皮黄的冲击，也有它本身的缺陷，如，昆曲艺术保守僵化、脱离群众、词曲深奥、观众不易听懂等，因此逐渐失去了观众。当时，全国的昆曲班社大多解散，北京只有少数昆曲艺人搭班于京剧、梆子班以谋生计，“偶有于前轴或中轴，杂昆曲一折于其间者”，“然而笛声一起，听者纷纷离座如厕，遂相号昆曲曰‘车前子’，‘车前子’者，中药能利小便者也，是则谑而近虐矣。”

就是在这种情况下，梅兰芳决心身体力行，积极倡导，以拯救昆曲。他说：“我提倡它的动机有两点，一、昆曲具有中国戏曲的优良传统，尤其是歌舞并重，可供我们采取的地方的确很多；二、有许多前辈们对昆曲的衰落失传，认为是戏剧界极大的损失，他们经常把昆曲的优点告诉我，希望我多演昆曲，把它提倡起来。”

梅兰芳的主要成就在于勇于创新，但他在创新的同时也不忘继承，他始终能很好地把握继承与创新的关系。当他受京剧改良运动的影响，第二次从上海回京后，积极排演了一批针砭时政的时装新戏。同时，他也学习并排演了一批传统昆曲，可谓新旧并举，两只脚同时朝前迈步。对此，他说：“恐怕有人会奇怪我同时走的两条路子，有点矛盾，既然在创编古装新戏，为什么又要搬演旧的昆曲呢？这原因太简单了，凡是一个舞台上的演员，他的本身惟一的条件就是要看演技是否成熟。如果尽在服装、砌末、布景、灯光这几方面换新花样，不知道锻炼自己的演技，那么台上就算改得十分好看，也是编导者设计的成功，与演员有什么相干呢？艺术是没有新旧的区别的，我们要抛弃的是旧的糟粕部分，至于精华部分，不单是要保留下来，而且应该细细地分析它的优点，更进一步把它推陈出新的加以发挥，这才是艺术进展的正规。”①

梅兰芳在向陈德霖学习昆曲的同时，也拜李寿山、乔蕙兰、孟崇如、屠星之、谢昆泉、陈嘉梁等先生为师，采众家之长。

梅兰芳当时学习昆曲很正规并很严格，每天上午是他学习昆曲的时间，除了固定的教师，还有一些懂昆曲的朋友也常和他一起探讨研究。乔蕙兰每星期上门教授三四次，他教学极其认真，一出没有学会，或学得不够扎实，便不允许学第二出。

有一天，屠星之对梅兰芳说：“你对于昆曲这样热心提倡，肯下功夫研究，应该再到苏州去请一位教师来给你拍拍曲子，这对于字音方面是会有帮助的。”

梅兰芳想想也是，他想乔先生年纪偏大，不能老是劳动他，若要再找个合适的人也可以减轻乔先生的负担，于是，他对屠星之说：“您要是有合适的人，给举荐一位。”

由屠星之推荐，满口吴侬软语的谢昆泉从苏州来到北京，住进了梅宅——芦草园东院的西厢房。东厢房住的是梅兰芳的国文老师。

在这些老师的言传身教下，梅兰芳在这个时期一口气学会了二十多出昆曲剧目，经常上演的占了十分之六七，主要有《白蛇传》的“水斗”、“断桥”；《孽海记》的“思凡”；《牡丹亭》的“闹学”、“游园”、“惊梦”；《风筝误》的“惊魂”、“前亲”、“逼婚”、“后亲”；《西厢记》的“佳期”、“拷红”；《玉簪记》的“琴挑”、“问病”、“偷诗”；《金雀记》的“觅花”、“庵会”、“乔醋”、“醉圆”；《狮吼记》的“梳妆”、“跪池”、“三怕”；《南柯梦》的“瑶台”；《渔家乐》的“藏舟”；《长生殿》的“鹊桥”、“密誓”；《铁冠图》的“刺虎”；《昭君出塞》、《奇双会》等。其余所学之所以没有上演，要么是因为场子太冷，要么是配角难寻。

①梅兰芳：《舞台生活四十年》。

1918年，上海中华书局出版的一本题为《梅兰芳》的书里对梅兰芳第一次集中学习并上演了一批昆曲这段史实这样记载：

都中昆曲衰败之极，都中诸名士谓欲振兴昆曲非梅郎不可，共劝其习之，梅郎乃延老供奉乔蕙兰教授。蕙兰今年六十余，德霖之师也。樊山初次会试，与之往还甚密。蕙兰为都中昆旦第一，至今在帘内度曲，尚娇脆若十五六女郎也。所授已二十余出，皆精熟，惟配角难求，所演出者仅出塞、风筝误、思凡、闹学、拷红等数出而已，其余尚未演也。

梅兰芳在戏里扮演过三次丫环，一是二本《虹霓关》里的丫环，那是一个极富正义感的角色，另外两个丫环是昆曲《春香闹学》里的春香和《佳期》、《拷红》里的红娘。春香是一个天真烂漫、娇憨顽皮的女孩，而红娘则沉稳、有主见又有胆识且具有正义感，是一个勇于争取婚姻自由的典型人物。梅兰芳根据人物的不同性格在表演上做了不同的处理。演《春香闹学》，既表现春香的天真活泼、笑骂哭打，又不流于油滑轻浮；演《佳期》、《拷红》，既表现了红娘为促成崔莺莺和张生的一段好姻缘而做的努力，又不简单地将其看作说媒拉线的媒婆，使人物形象丰满立体。

梅兰芳的《佳期》、《拷红》和《春香闹学》都是在北京吉祥戏院首演，时间分别是1915年9月25日和1916年1月2日。陪他唱《闹学》的是李寿峰，饰陈最良，李寿峰在《拷红》中饰崔母，张生和莺莺分别由姜妙香和姚玉芙扮演。

1915年11月14日，梅兰芳与陈德霖、姜妙香、李寿山合作演出了《风筝误》，这是一出喜剧，由许多错综复杂的趣事组成，戏剧性很强，角色很多，参演的三个旦角、三个丑角，外加小生、老生，

几乎各行演员都有，相当于“群戏”。故事内容说的是一丑一俊两个少年公子，丑的姓戚，俊的姓韩，韩公子因自小父母双亡，由戚家抚养长大。戚家隔壁住着一户姓詹的人家，詹家有一丑一俊两个女儿，丑姑娘由大娘所生，俊姑娘由二娘所生。一天，戚、韩两公子在院内放风筝，风筝偏巧落在詹家，由此引出一串故事，结局是韩公子与詹家俊姑娘，戚公子与詹家丑姑娘配成两对夫妻。梅兰芳饰俊姑娘，韩公子由姜妙香扮演，戚公子由郭春山扮演，丑姑娘由李寿山扮演，陈德霖饰沉着大方的二娘，李寿峰饰老练稳重的大娘。

这段时期，梅兰芳如此集中演出了一批昆曲，在社会上产生了极大的影响，不仅每次上座成绩都不错，也引起了舆论的关注，如顾君义主编的《又新日报》、邵飘萍、徐凌霄、王小隐办的《京报》等报刊常发表有关昆曲的消息和评论。在昆曲重又逐渐引起人们兴趣的情况下，北京大学、清华大学特地增设了昆曲课，特邀昆曲专家去授课。昆京合璧的票房如“消夏社”、“饯秋社”、“延云社”、“温白社”、“言乐会”等相继成立。北京的一些戏班见昆曲重新受观众欢迎，便邀河北省高阳县昆弋班里的老艺人进京组班。1917年，活动于冀东一带以郝振基为首的昆弋同合班进京，次年，活动于冀中一带的昆弋荣庆社进京，昆曲因此进入了一个活跃期，这不能不说

⊙梅兰芳在北京比国营业公司演出堂会戏《思凡》舞台照

与梅兰芳的大力提倡有着直接关系。

梅兰芳是在昆曲沦为“车前子”的境况下开始大规模学习排演昆曲的，可以说他当时冒着很大的风险。但他凭着高超的技艺和对昆曲的历史与艺术特点的精深的研究，将观众从厕所拉回了座位。他在学习时除了认真求教、虚心接受外，又根据自身的条件和时代的变迁在实践中不断地加以革新和发展，使每出戏都尽可能达到高度美的境界。

当时，虽说昆曲已经衰落到极点，但有个别几出剧目是例外，如《孽海记》里的“思凡”。因为“思凡”这出戏曲文简练，没有一句废话，且通俗易懂，不像大多数昆曲曲文过雅，非要靠老师逐字逐句讲解才能明白意思，所以，梅兰芳一下子就被吸引住了，他便选择这出戏作为他学习昆曲的开始。

在学习“思凡”的过程中，梅兰芳发现了一个问题，那就是剧中色空的扮相与曲文有矛盾。按照乔蕙兰的教法，赵色空应该梳大头、戴道姑巾、穿水田衣，这是带发修行的道姑打扮，而不是出了家当了尼姑的打扮。再看剧中念白，定场诗的第一句就是“削发为尼实可怜”，唱词中又有“正青春被师父削去了头发”，唱的同时，色空还用拂尘指了指自己的头，表示她的头发已被师父削去了。可见，尼姑色空应该是个光头才对，“梳大头”显然不符合剧中人物的身份；至于色空穿什么衣服，唱词中也有交待，如“腰系黄绦，身穿直裰，奴把袈裟扯破”等句，这也是典型的尼姑装扮，与“戴道姑巾、穿水田衣”相悖。梅兰芳一心想把色空的打扮改过来，改成与人物身份、与剧中唱词念白一致。他将他的想法告诉几位戏界前辈和外界研究昆曲的朋友，他们不仅都说色空一向如此打扮，而且还拿出沈容圃画的同光十三绝那张画，画里朱莲芬扮的色空与陈妙常扮的琴挑一模一样，都是“梳大头、戴道姑巾、穿水田衣”。

梅兰芳经过多次演出，逐渐悟出前人为什么会将色空如此装扮。因为色空与琴挑都不情愿过那种枯寂的出家人生活，一心想重返红尘，色空后来果然逃下山去，终脱离了佛门，将色空设计为道姑模样正是想借此反映出她还俗的决心。同时，如果将色空扮成光头，不仅与人物性格不合，更不能在舞台上“处处照顾到美的条件”。以前也有人与梅兰芳的想法相同，为追求生活的真实，将色空的装扮改了样子，头上是剃得光光的，连帽子都不戴，脸上抹了粉，稍为涂了一点胭脂，加上几个黑点子，这被称为“丑扮”，与“梳大头、戴道姑巾、穿水田衣”的“俊扮”相比 ，似乎更真实，更符合曲文，但观众看到那样的“丑思凡”，不仅不会有真实的感觉，反而“容易将它当作一种滑稽闹剧”。

所以，梅兰芳从此演“思凡”，都是“梳大头、戴道姑巾、穿水田衣”的俊尼姑形象，虽然从狭义讲不真实了，但却达到了更高层次的真实，那就是艺术的真实。

从这件小事可以看到，梅兰芳学习知识不仅“知其然”，而且还要求自己“知其所以然”，决不“照猫画虎”，“囫囵吞枣”，“泥古不化”。

在辛勤的工作中，梅兰芳不仅学习上演了一批传统昆曲，为振兴民族传统艺术做出了贡献，而且还排演了着老戏服装的新戏、时装新戏和古装新戏。同时，他还于1915年11月下旬抽空去了一趟天津，在天津东山仙舞台演出，时间近一个月，主要剧目有与王凤卿、朱素云、荣蝶仙合作的《御碑亭》，与荣蝶仙合作的《樊江关》，与王凤卿合作的《汾河湾》等。

就梅兰芳这段时期的艺术活动，晏甬在他的《梅兰芳艺术生活的道路》一文中作了如下评价：

梅兰芳真正的艺术创造生活开始在他20岁以后，那时，他已经是一位驰名京沪的京剧演员了，可以得到很高的“包银”。按说，“继承上辈的行业，吃饭养家”的目的已经达到了，并且早已大大超过了预期和限额。我们知道，在那个时代，多少有才能的演员曾经在这一级阶梯上停步不前了啊！他们再也不敢在艺术上进行什么新的探索了，再也不愿向上攀缘一步了，也有的就在这时开始了不择手段地追求名利，甚至堕落腐化。然而梅兰芳在这关键的一步上，却是勇敢地走向了正途。他首先考虑的是，应当如何提高艺人的社会地位。经过探索，他找到了一条道路，那就是，要提高戏曲演员的地位，必须使京剧艺术对推动社会的前进起一定的作用。无疑地，这个理想是正确的。这些，看起来不过是在艺术创造上的一种想法，在实际上却是把艺术同当时的民主革命运动联系起来了，使得京剧艺术的发展得到了一种新的动力。

梅兰芳之所以成为梅兰芳，或者说其与一般京剧演员不同处，即在于他不仅在艺术上精益求精，而且胸怀宽广、目光远大，亦即不但独善其身，而且虑及全中华京剧事业，并且努力使艺术走出象牙之塔，而与社会、时代、大众发生联系，使京剧这门艺术不断地老树抽新枝，从而充满了旺盛的生命力，而梅兰芳自己，也在这块得到极度发育的艺术土壤上获取养分，茁壮成长，最终成为一代大师。

养花习画为修养

1915—1916年间，梅兰芳在事业上可谓硕果累累，物质生活上也大有改善。他用2千多两银子在芦草园买了一所房子，房子相比鞭子巷三条要宽敞得多了。房子是两所四合院合并而成，共有20间房，上房10间，南房10间。10间南房除一间是大门洞、一间是门

⊙梅兰芳在北京东城无量大人胡同寓所书房作画和读书照

房，一间用来堆放杂物外，其余7间又分里外两部分，外面3间被打通，用作客厅，里面4间也被打通，用作书房，梅兰芳每天吊嗓、排戏、读书、画画等都在这间书房，有时，他和朋友聚谈也喜欢在这间大书房里。尽管如此，梅兰芳的心情还是喜忧参半的，原因是他在生活上接连遭到不幸，两个孩子先后夭折，刚刚5岁的儿子大永死于1915年，次年，女儿又早殇。痛失爱儿爱女，梅兰芳、王明华夫妇伤心不已。

或许是不想让自己有更多的时间沉浸在悲痛中，梅兰芳在这段时期除了照例出台演唱、排演新戏外，迷上了养花和绘画。

梅兰芳从小就喜欢花，不过因自小学戏演戏，没有空余时间亲自养花。22岁那年，有一天，他到齐如山家里想找齐如山谈一些事。在齐宅院子里培植的许多奇花异草中，他发现牵牛花除了有与一般鲜花差不多的颜色外，还有两种颜色非常别致，居然是赭石色和灰色的，“简直跟老鼠身上的颜色一样”，这种颜色的牵牛花，他还是第一次见到，感到非常新奇，便问齐如山：

“为什么我常见的‘勤娘子’，没有这么多种好看的颜色呢？”

齐如山说：“这还不算多，养得得法的话，颜色还要多哪。你要是喜欢它的颜色，你也可以来养它。这不单是能够怡情养性，而且对身体也有好处的。”

一整天，梅兰芳满脑子都是牵牛花奇异的颜色，当晚，他就开始研究如何养牵牛花了。牵牛花俗名“勤娘子”，意思可能是只有勤快而不懒惰的人才能养得好它。梅兰芳自决心亲自养牵牛花后，每天一清早就爬起来，因为牵牛花每天一清早就开花，然后就开始慢慢萎谢，起晚了，就看不到它盛开的模样，这时，他才体会到齐如山所说的“对身体也有好处”。

牵牛花是一种藤属植物，有点像爬山虎，所以，一般人都喜欢

将它种在竹篱笆底下，或者用根绳子从地上拉到房檐，让它顺着竹篱笆或绳子慢慢爬上去，但它自己不会往上爬，需要有人扶它上去，既麻烦，花开得也实在瘦小，颜色就更单调了。梅兰芳为养好牵牛花，特地买来好些如何养花一类的参考书，发现日本人最善养牵牛花，他们改牵藤为盆里培植，花朵因此可以养到如碗口那么大，颜色的种类也极其繁多。按照书上介绍，梅兰芳拉上王琴依、姜妙香、程砚秋、许伯明、李释戡和齐如山，共同研究如何养好牵牛花，研究好了，再将任务分派给大家回去实验。

梅兰芳养牵牛花和他演戏一样，喜欢往深处钻研，他不满足于花被养活了、开花了。他之所以选择牵牛花来养，是因为这种花有奇异的颜色。为了让它开出的花有更多的颜色，他反复研究，首先搞清楚了这种花所以会有数不清的颜色，是因为人工用科学的方法将它的种子串种改造成功的，就是用两种极好的本质不同的颜色配合，使它变成另一种奇异的图案和颜色。于是，他做了各种实验，用不同的颜色相配，但开出的花的颜色有些并不如他所期望的那样，如，他用赭色和灰色相配，想使它变成一种平均混合的颜色，但结果总不如人意，不是偏赭就是偏灰，甚至还夹杂着其他的颜色。经过多次实验后，他发现这种花的颜色虽然需要有人工的雕琢，但人工的雕琢并不意味着就能限制了它天然的发展。他甚至发现，有些天然发展的颜色要比人工雕琢出来的更加艳丽，他有些不明白，再通过细致观察，反复实验，精心研究，他终于发现那是蜂蝶在起作用。

从书本上的理论知识到具体的实践操作，梅兰芳逐渐掌握了养牵牛花的诀窍，对于播种、施肥、移植、修剪、串种这一套过程也十分熟练了，经他手改造的好种子也一天天多了起来，达到了三四十种。朋友们见他有如此成绩，纷纷上门讨教，舒石父、陈嘉梁等人也陆续加入了养花队伍，各人在家努力改造新种子。谁家的花开得特别大，或谁家的花的颜色特别奇异，就邀请大家前去欣赏、把玩，共同分享成功的快乐。

除了互相观摩，交换新种子外，他们这些花友还不定期地举行不公开的汇展，约定好一天，花友们带上自己最得意的作品，到某人家供大家品评，再约来不养花的朋友，让他们评选。每盆花都不标明主人姓名，随便乱放，被邀请来的"评委"便毫无顾忌地大胆评选。有好几次，被公认为花中之首的都是梅兰芳的作品，这令他开心不已。他也自以为他养花得法，手段高明，成绩不坏。可当他几年后首次到日本访问后，才发现天外有天，山外有山，于是，再也不满足自己的养花成绩了，便重新开始更深的钻研，终于又研制成功与日本一名贵种子"狻猊"不分伸伯的新种子"大轮狮子笑"。

梅兰芳做什么事总是喜欢和他的本行联系起来，绘画如此，养花也是如此。养了一段时间的牵牛花，他发现养花不但如齐如山所说"能够怡情养性，对身体也有好处"，而且对演戏也极有帮助。每次一部新戏问世，他总是会为头上戴的翠花的颜色和身上穿的行头的颜色如何相配而烦恼，而牵牛花却告诉他"哪几种颜色配合起来就鲜艳夺目，哪几种颜色的配合是素雅大方，哪几种颜色是千万不宜配合的，硬配了就会显得格格不入太不协调"。[①]养牵牛花无意中帮助他提高了审美能力，这使他感到意外和惊喜。

梅兰芳学画并不是逞一时之好，而是认为能从绘画中吸取到一些对戏剧有帮助的养料。他的绘画兴趣来自于二次赴沪演出时，吴昌硕送给他的着色红梅图。从上海回到北京后，他结交了几位对鉴赏、收藏古物有特别兴趣的朋友，从他们那儿，他欣赏到包括山水

①梅兰芳:《舞台生活四十年》。

人物、翎毛花卉等在内的古今书画，从这些画里，他“感觉到色彩的调和，布局的完密，对于戏曲艺术有声息相通的地方，因为中国戏剧在服装、道具、化装、表演上综合起来可以说是一幅活动的彩墨画”。[②]所以说，他学画不是单纯地自娱自乐，而是准备用来为戏剧服务的。

起初，梅兰芳只将绘画当作业余爱好，没有想到要特地请一位绘画老师，他利用空余时间翻出祖父、父亲遗留下来的一些画稿、画谱加以临摹，但他因既没有绘画基础，更没有理论知识，所以虽然临摹了不少画，但他自觉“对用墨调色以及布局章法等，并没有获得门径，只是随笔涂抹而已”。[③]就在这时，一天，罗瘿公来到梅宅，见梅兰芳正在书房临摹，便对他说：

“你对于画画的兴致这么高，何不请一位先生来指点指点。”

梅兰芳欣然接受罗瘿公的提议，便请罗为其介绍一位老师。王梦白便成为梅兰芳绘画的开蒙老师。

王梦白的画取法新罗山人，“他笔下生动，机趣百出，最有天籁”。他“应聘”做梅兰芳的绘画老师后，教学极为认真，每周一、三、五三次准时、准点来到梅宅。他的教学方法很简单，但学生易懂易学，他往往当着学生梅兰芳的面先画一幅，一边画一边讲解下笔方法，哪些地方特别要注意，哪些地方需要腕力等，他都一一讲到，不放过任何一个细微处。画好后，他将画贴在墙上，再在书桌上重新铺上宣纸，让梅兰芳对临。当梅兰芳对临时，王梦白在一旁细心指导。他之所以要采用这种教学方法是因为他认为：“学画要留心揣摩别人作画，如何布局、下笔、用墨、调色，日子一长，对自己作画也会有帮助。”作画如此，演戏又何尝不是如此呢。

临摹只是一个方面，就像演员观摩别人演戏一样，临摩观摩固

②③梅兰芳：《舞台生活四十年》。

然有助于自己技艺的提高，但它的根本目的在于通过临摩观摩而学会如何观察生活、积累生活素材，从而进行艺术创造。王梦白不仅教会梅兰芳如何临摹，更教会他如何观察生活。

王梦白最喜欢画翎毛，所以在家里用大笼子养了许多种不同样子的小鸟，闲来无事时，他就会静静地观察鸟儿的一举一动，看它们悠闲时的模样，看它们受惊时的神态，看它们吃食时的动作。有时，他会从地上拣一块土块或小石子轻砸鸟笼，看鸟儿“起飞、回翔、并翅、张翼的种种姿势”。画小鸟如此，画昆虫也是如此，每当要画昆虫时，王梦白总是事先活捉几只螳螂、蟋蟀或蜜蜂，仔细观察后再动笔。有时，梅兰芳和王梦白等人去香山郊游，一般人只是游山玩水，而王梦白则不然。梅兰芳发现王先生无论对花草还是山水抑或昆虫，无一不细细地看、深深地揣摩。当然，观察生活的表象只是浅层次的，高层次的则需要将生活素材加以提炼、夸张、再创造，就像戏曲演员扮演孙悟空，光模仿猴子的生活习性还远远不够，模仿只是一个方面，关键是要表现出孙悟空的灵性，这就需要在做到形似的同时做到神似。明白了这个道理，梅兰芳在学画时就要求自己不能简单地依样画葫芦地生搬硬套。

自从开始学习绘画，特别学习了画佛像、美人后，梅兰芳注意到各种图画中有许多形象是可以运用到戏剧里面的。经过一段时间的摸索，他逐步由理想走向了实践，如《嫦娥奔月》、《黛玉葬花》里的服装和扮相，多少就受了古画的影响，到1917年排演《天女散花》时，灵感更是由一幅画带来的。

一天，梅兰芳在一位朋友家里看到一幅《散花图》，“见天女的样子风带飘逸，体态轻灵，画得生动美妙”，他深深被图上天女的娇美、飘逸吸引住了。朋友见梅兰芳看得出神，便提议道：

“你何妨继《嫦娥奔月》之后，再排一出《天女散花》呢？”

梅兰芳闻言，不禁笑道：“是呵！我正在打主意哪。”实际上，此时，他已经打好了主意，他准备就此编一出歌舞剧。他回头向主人要求借走这幅《散花图》。主人打趣道：

“借是可以的，不过有一个条件。”

“什么条件？”梅兰芳以为主人会提出什么苛刻条件，所以，有些紧张地追问。

主人笑道：“条件就是如果你排好了，唱的时候，要留几个好座儿，请我听戏才行。”

梅兰芳不由舒了一口气，连忙说：“那是没有问题的。”

《散花图》被梅兰芳小心翼翼地“抬”回了家，他对着这幅图，足足看了半天。既然决定编一出歌舞剧，如何歌如何舞就是最重要的了。他首先按照图中天女身上的风带的样子，做了许多绸带子，但舞起来后，发现带子太多，显得乱七八糟，不清爽。经过多次试验，他将绸带子减为只剩两条，舞起来，感觉既利落又不失美观，由他首创的“绸带舞”就此诞生。

绸带舞的基本动作，梅兰芳在他的《舞台生活四十年》中曾有具体描述：

绸带舞的基本动作，很多地方是根据“三倒手”和耍双家伙的法则。有的地方就如同耍枪花一样，要把手背抡开，将带子在前后左右耍出同“车轮”一样大小的花样，好像把人裹在当中。有的地方或在头上或在身子左右舞出同“回文”、“套环”等形式大小不同的花样。有的地方是在上下左右舞出同“螺旋”、“波浪”等等长短不一的花样。这种舞法有时是在两边对照着同时来做的，有时是一顺边的，有时是一上一下的，有时是先左后右或先右后左的，有时是从里往外或从外往里的。有时还夹在“鹞子翻身”里或走大小圆场里来做的。再有是把两根带子并在一处变成一根，也舞出像上面这种姿势，所怕的是带子同带子绞在一起，或是带子绕在腿或胳膊上，或是同丝绦绕住，所以功夫要十分熟练，才不会有这种现象。

经过八个多月的准备排练，梅兰芳的又一出古装新戏《天女散花》于1917年12月1日首次在吉祥戏园上演，陪他唱这出戏的有姚玉芙、高庆奎、李寿山、李寿峰、李敬山等人。他在第四、六场中创造了包括“绸带舞”在内的许多优美舞蹈动作，极大地丰富了京剧舞蹈艺术的表现形式。

1916年夏末的一天，双庆社老板俞振庭来找梅兰芳，提出让梅兰芳将已多时不演的头二本《孽海波澜》分四天上演。梅兰芳有些犹豫。《孽海波澜》是他首出时装新戏，无论是从内容上、技巧上，还是服装、布景、灯光、砌末等方面都不如以后几出新戏成熟，但俞振庭有他的想法，他是个喜欢玩花样的人，当然，身为戏馆老板，他必须时刻变换花样吸引观众，提高票房率，他的意思是每天在《孽海波澜》前加演一些老戏，如《思凡》、《闹学》、二本《虹霓关》、《樊江关》等，新老戏同时演出必然使观众耳目一新。至于梅兰芳已多时没有演出《孽海波澜》，俞振庭安慰道：

“正因为很久不演了，才让你重新搬出这出戏，否则观众只记得你最近反复上演的几出新戏，倒要把这出戏忘了呢，何况这出戏毕竟也是一出新戏嘛。”

梅兰芳答应了俞振庭的要求，谁知道，他这一答应喜了俞振庭，却害苦了谭鑫培。

那几天，梅兰芳在吉祥戏园重演《孽海波澜》的同时，久不出

⊙《天女散花》，梅兰芳饰天女

台的谭鑫培在丹桂茶园演出。“吉祥”、“丹桂”都在东安市场里面，相距不远。因为梅兰芳风头正健，又是新老戏并举，所以，观众纷纷拥向“吉祥”。梅兰芳演出四天，“吉祥”天天人如潮涌，挤得水泄不通，而“丹桂”那边，门庭冷落，观众寥寥。这时，梅兰芳才得知俞振庭如此安排的真正目的。其实，俞振庭早就知道谭鑫培要在丹桂茶园“露脸”，而且戏码都很硬，他担心谭老板这一露面会影响“吉祥”的生意，便想出让梅兰芳新旧戏同唱的招数，想以此打败“丹桂”。果然，“丹桂”被“吉祥”打了个落花流水，老谭也被小梅压倒，这使谭鑫培伤心不已，也使梅兰芳内心十分不安。

“吉祥”虽然大获全胜，但梅兰芳并不认为自己的演艺就比谭鑫培高明。他认为谭鑫培的观众之所以少是因为前往“丹桂”的多是内行，他们看的是门道，而挤到“吉祥”的多是外行，他们看的不过是热闹，看热闹的总是多于看门道的。梅兰芳的这个想法固然有道理，但多少有些自谦。

演完《孽海波澜》几天后，梅兰芳和几个朋友去逛北京西山附近的一个名胜之地——戒台寺。游兴正浓时，梅兰芳意外地与谭鑫培遇上了。当时，梅兰芳和朋友们逛过一处葬着许多和尚的丛塔，顺原路准备回借宿地，走到半道上，迎面远远地走过来七八个游客，走在中间的是一位矮个儿老头，穿着雪青色的长衫，黄色的坎肩，头戴小帽。梅兰芳正纳闷这个老头怎么那么像谭鑫培时，那几人已经走到了他们面前，那老头果然就是谭鑫培。想到前几日“吉祥”与“丹桂”打对台，梅兰芳站在谭鑫培面前不由紧张慌恐起来，他往前紧走几步，双手垂下，对谭鑫培微微欠了欠身，恭恭敬敬地招呼了一声：

“爷爷。”

老爷爷谭鑫培这时也看见了梅兰芳，不知是他掩饰得好，还是原本心里就不气梅兰芳，总之，他的态度使梅兰芳更加局促不安，他伸手拍了拍梅兰芳，笑得丝毫也不勉强，很真诚的样子，说：

“好，你这小子，又赶到我这儿来了，一会儿上我那儿去坐。”

“是。”梅兰芳老老实实回答。

与谭鑫培身边的人一一打过招呼后，梅兰芳等人与谭鑫培等人岔开了。梅兰芳重重地吁了一口气，他仔细地回味着谭鑫培刚才那句话。虽然谭鑫培说的那句话也许并没有别的意思，但梅兰芳总觉得那句话有双关意思，“又赶到我这儿来了”，难道没有暗指上次的事吗？

其实不管怎么说，梅兰芳在这件事上绝对没有错，他是双庆社的演员，他得服从老板的安排，与谭鑫培各唱各的戏，根本没有必要你让我我让你。谭鑫培要怪也只能怪在双庆社老板俞振庭的头上，是他有意识要与“丹桂”一比高低的，与梅兰芳毫不相干。但梅兰芳心地善良，无论从谭鑫培是戏界长辈，而他是晚辈这方面考虑，还是顾及到梅家与谭鑫培多年的交情，他都认为他在这件事上也有错，错不在答应俞振庭的“用新戏老戏夹着唱”的要求，而是错在知道谭鑫培同时在“丹桂”贴演重头戏码以后，没有要求俞振庭停止这种行为，致使“丹桂”生意受影响，使已不常出台的、即将退出舞台的谭鑫培偶尔露面还遭此打击。

“唉！”梅兰芳一路走着，一路想着，深深地叹口气，为自己的年轻冒失而自责不已。

回到借宿地休息了一会儿，梅兰芳和几个朋友便起身去看望谭鑫培。戒台寺空气清新，环境幽静，是个潜心休养的好地方，谭鑫培和杨小楼一有空就到那里去休假，所以与那里的和尚都很熟。谭鑫培在那里还有一处偏院，这是戒台寺和尚特地为他安排的。他每次去戒台寺都是自带厨子，自开伙食。他甚至早就在戒台寺附近选好了墓址，他死后，果然就葬在了那里。

梅兰芳等人来到谭鑫培住的小偏院，与他交谈片刻后，谭鑫培主动邀他们留下吃饭。梅兰芳忙推辞道：

“我们人多，就不麻烦您了。”

其他人也都表示不能再打扰了，便纷纷起身告辞。梅兰芳又与谭鑫培谈了一会儿，也告辞出来。

戒台寺一聚，梅兰芳看出谭鑫培并没有太多的责怪，心里这才舒坦了许多。

赴上海游杭州

1916年9月，梅兰芳再次赴天津作短期演出，演出于云仙舞台。在天津，他除了与姜妙香、高庆奎合作了《玉堂春》，还和姜妙香、姚玉芙、诸如香、高四保合作了四本《一缕麻》。这是《一缕麻》首次在天津上演。

从天津回到北京，梅兰芳接到上海许少卿的邀请，再一次约他南下演出。10月2日，他和演员王凤卿、姜妙香、姚玉芙，以及打鼓的何斌奎、吹笛的陈嘉梁外加茹莱卿坐船来到上海。他和王凤卿仍住在平安街平安里许少卿的家里，其他人住在旅馆。这次演出地点不在丹桂第一台，而改在当时上海最大的戏馆——位于二马路的天蟾舞台。许少卿之所以改换演出地点，是因为他知道梅兰芳的名气如日中天，上海观众不仅已经认识了这位来自北京的第一青衣，更倾倒于他扮相的美丽和生动娴熟的技艺，许少卿认为丹桂第一台已无法容纳更多的梅兰芳崇拜者，而有三千多座位的天蟾舞台才更配梅兰芳，当然利润也更大。

这是梅兰芳第三次到上海，他还清楚地记得头一次到上海的情景与不安的心态。那时，他还只是个新手，而短短两三年工夫，他已经是红遍南北的名角儿了，这使他感慨万分。

梅兰芳第三次在上海演出时间较之前两次都长，从10月6日开始，一口气连续唱了四十多天，直唱到11月24日。他的打泡戏仍然是《彩楼配》，接下来约一周时间 ，他唱的都是老戏：《玉堂春》、《贵妃醉酒》、《宇宙锋》、二本《虹霓关》（与姜妙香合演）、《双潘金莲》（与姚玉芙合演）、《汾河湾》（与王凤卿合演）、《穆柯寨》、《枪挑穆天王》（与王凤卿、姜妙香合演）。然后，他将他新排着老戏服装的新戏、时装新戏、古装新戏和昆曲一一贴演，从10月14日起，他的戏码分别是《嫦娥奔月》(与姚玉芙合演)、《御碑亭》(与王凤卿、姜妙香合演)、《牢狱鸳鸯》(与王凤卿、姜妙香合演)、《武家坡》(与王凤卿合演)、《四郎探母》(与王凤卿、姜妙香合演)、《千金一笑》(与姜妙香、姚玉芙合演)、《嫦娥奔月》(与姚玉芙合演)、《玉堂春》(与姜妙香合演)、《美人计》(与王凤卿合演)、《邓霞姑》(与姚玉芙合演)、头本《虹霓关》(与姚玉芙、姜妙香合演)、《百花亭》、《千金一笑》、《黛玉葬花》。

上海观众第一次看梅兰芳，更多的是为好奇心驱使，第二次看梅兰芳则是被他的不俗气质与高超的演技所倾倒。不断有新鲜玩艺儿奉献给观众，不重复自己，这是梅兰芳第三次赴沪仍然吸引观众的主要原因，这也是他的聪明之处，这使他始终能保持京剧界“首屈一指”的地位不动摇。

大多数人都喜新厌旧，梅兰芳的几出新戏最受观众喜爱，特别是《嫦娥奔月》和《黛玉葬花》这两出戏，观众尤其爱看。他在演出期间，天蟾舞台每天座无虚席，贴演《嫦娥奔月》和《黛玉葬花》时，更是人山人海，买不到票的人甚至愿意站着看，戏馆不得不常常将铁门拉上，防止观众一拥而入。

有这种情形出现，梅兰芳自然心花怒放。一个演员，只要观众接受并喜爱，他就是好演员，因为他的技艺本来就是为观众服务的。观众是最好的裁判。

一个多月后，杭州第一舞台请陈嘉璘的哥哥陈嘉梁赶到上海，邀请梅兰芳等人去杭州演出。看在陈嘉梁的面子上，加上梅兰芳等人都没有去过杭州，于是，他们答应了陈嘉梁的邀请。

12月下旬，梅兰芳一行来到杭州，王凤卿住在朋友张伯歧家里，其余几人都住在离戏馆很近的城站旅馆。因为事先说好是短期演出，所以，梅兰芳在杭州只挑了几出古装新戏、昆曲和刀马旦上演。新颖的故事、别致的扮相，加上从未在京剧舞台上见过的载歌载舞的缘故，《嫦娥奔月》和《黛玉葬花》依然最受观众欢迎。

当初，梅兰芳他们同意到杭州演出，都怀有“私心”，想利用这次机会到杭州玩一玩。所以，他们在演出间隙，外出游山玩水是免不了的。到杭州的第三天，梅兰芳随大家一起去逛了西湖，在三潭印月吃了西湖藕粉，在孤山喝了龙井茶，在楼外楼品尝到了久已闻名的醋溜鱼。过了几天，有人提议去逛山，梅兰芳没有反对。

当时已是严冬季节，天气寒冷。无风无雨并阳光灿烂的日子自然好过，可逛山前一天，天气突然起了变化，西北风刮得厉害，天空乌云密布，眼看就要下雪了。梅兰芳考虑再三，决定放弃和大家一起去逛山。他不是玩心不重，只是他将他的事业看得高于一切。自他入行以来，特别是渐渐成名以来，他一直很注意自己的身体，注意保护自己的嗓子。要知道，有一副好嗓子对一个京剧演员来说是多么重要。 他几乎不沾烟酒，遇有庆祝活动，他也只浅尝辄止，刺激性的食品，他绝对少吃，太油腻的东西因为容易生痰也吃得很少，而多吃鲜牛奶、鸡蛋、水果、蔬菜。在演出期间，他连冷饮也是不吃的。平日里，他外出尽量坐车，这倒并不是说他怕走路，而是避免吹风受寒而伤了嗓子。有时演出中出了大量的汗，他在卸装时总是用热毛巾将头盖好，再用干毛巾围住脖子，等汗干了后，他才多穿件衣服走出屋子。每次从有暖气的房间走到户外，他从来不忘记戴好帽子，围上围巾，还要紧闭住嘴，更不在风中说话。在睡眠方面，他也很注意，每天尽量睡足八九个小时，他很清楚充足的睡眠也有利于身体健康。有些中药西药对嗓子都是有损害的，而一旦生了病又不能不吃药，吃了药又伤害嗓子，谁也无法为他们想出个好办法，所以，他们只有格外注意饮食，注意寒暖，争取不生病。

其他人就没有梅兰芳小心谨慎了，次日一早，姜妙香、姚玉芙、茹莱卿和许伯明不顾恶劣天气，分乘四顶小轿上山去了。梅兰芳独自坐在旅馆里，看着窗外纷纷飘落的雪花，既为难得来一次杭州而不能尽兴去玩而感到些许遗憾，又为自己的最终决定感到庆幸，也为外出的几位朋友感到担心，担心他们冻坏了嗓子。

傍晚，姜妙香他们回到旅馆，大声叫嚷着天冷得厉害，但梅兰芳从他们的语气与表情中分明感到他们玩得是很痛快的，他忙着问他们游玩的情况，姜妙香最兴奋，兴冲冲地说：

“今儿看的风景太美了，我们坐了轿子，出清波门先逛云栖，一路上满山都是竹林，轿子就在这万竿竹林中穿过去，天上飘着一片片的雪花，一阵阵的清香，沁人脾胃，简直就如人在画里，这种滋味太好了。”

“咦，六爷，我听您说话，怎么嗓子好像有点哑？”梅兰芳一下子就听出姜妙香的声音有些异样。

听梅兰芳这么一说，姜妙香便试图喊两嗓子试试，果然嗓子哑了，他顿时有些着急，他也是演员，自然知道嗓子的重要，何况他们在杭州的演出还没有结束。他慌了，急道：

“这下糟了，到台上出了乱子，这怎么办呢？”

梅兰芳忙安慰道：“好在今天晚上是《穆柯寨》，杨宗保的唱儿不多，到台上如果实在哑得厉害，您就不用起唱了。”

“这哪儿行呢？”姜妙香说。

“您别着急，”梅兰芳说，“先回屋里休息一会儿，咱们临时再看情形。”

姜妙香赶紧回屋里躺着了，再也不敢兴奋地乱嚷嚷了。他走后，梅兰芳问其他人：

“六爷怎么就吹了风呢，你们不是都乘轿子吗？”

许伯明说：“妙香是第一次逛杭州的山，走在半道上，他冒着风雪，

下了轿子，一边走着，一边手舞足蹈地大声叫好。一半也是他会画画，今天要数他的游兴最好了。”

梅兰芳在心里暗暗感叹道：演员是病不得的啊。他不由得想起他们到杭州来以前，还在上海演出时，一天，他正化妆时发现脸上长了一个粉刺，他也没在意，随手就将粉刺挤破了，然后，他再在脸上抹粉上彩，匆匆上台了。谁知第二天，他的脸突然肿了起来，起初他并不知道是什么原因，找来医生，医生诊断后对他说：

“这是肌肉里面进去了脏东西的缘故。”

这时，梅兰芳才突然想起昨天被他挤破的粉刺，粉刺被挤破后，他也没有消毒，就往脸上抹了粉，而化妆粉恰恰含有铅之类的毒素。

梅兰芳急坏了，他没有想到他无意中的举动却造成如此严重的后果。这件事如果发生在其他任何人身上都没有发生在他的身上那么要紧，因为那天晚上，他恰恰贴演《玉堂春》，按照剧情，他必须跪在台口，一口气要唱很长一段，坐在台前的观众不可能看不到他肿成半个馒头大的脸。

苦思冥想了许久，梅兰芳才想了个补救办法：改演《风筝误》，他在这出戏里扮演的是俊小姐，这位俊小姐常常用扇子遮住半张脸。虽然这天的戏单上印着《玉堂春》，但许少卿在了解了梅兰芳的苦衷后，考虑到观众看的就是梅兰芳，至于他演什么戏已经不重要了，而只要是梅兰芳出场，就不影响戏馆生意，所以他同意梅兰芳的主张，连忙又赶印了《风筝误》的戏单。这天的戏，梅兰芳就这么肿着脸对付过去了。

现在，梅兰芳又要想着如何为姜妙香想个好主意，让他俩今晚的演出顺利过关。当晚，梅兰芳先到了后台，正化着妆，姜妙香苦着脸来了，他忙过去问：

“嗓子好些了吗？”

姜妙香哑着嗓子说："你听，比刚才哑得更厉害了。"

于是，两人商量对付办法，梅兰芳决定姜妙香不唱杨宗保被擒后的四句摇板，改由他唱。如此一连两三天，姜妙香的嗓子始终没有恢复，无论是唱《黛玉葬花》还是《千金一笑》，他们都是这么对付过去的。

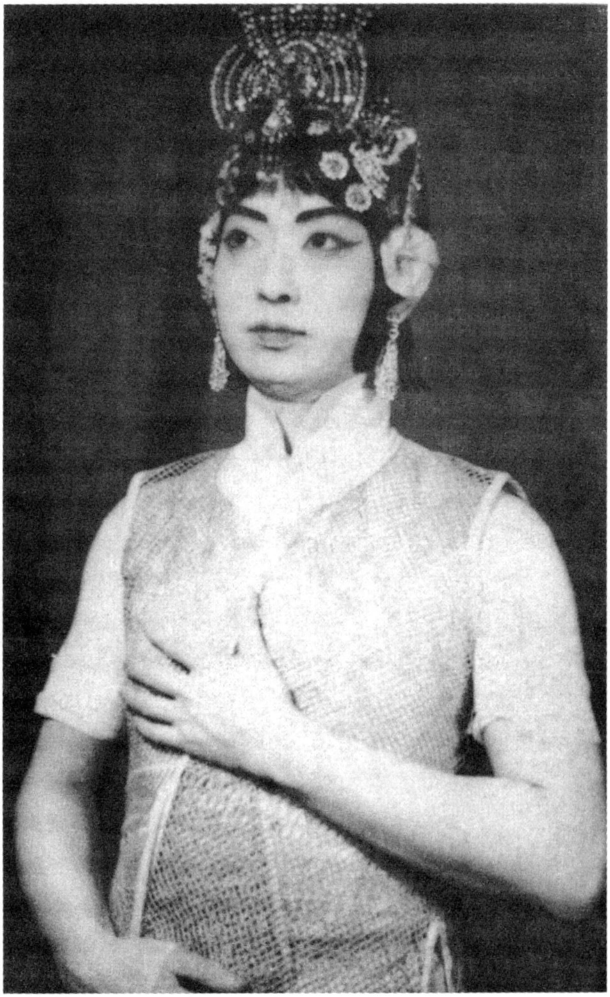

由姜妙香因一时贪恋美景而伤了嗓子，梅兰芳更加体会到这样一个道理："做一个戏剧工作者，在演出期间，对自己的健康要格外注意，就连日常的生活也应该由自己来加以严肃地管束。"

放弃时装戏的尝试

从杭州回到上海，梅兰芳禁不住许少卿恳求又加唱了九天。当他匆匆赶回北京时，已经临近过年了。到家刚放下行李，朱幼芬就找上门来了，约梅兰芳加入由他组织的桐馨社，他对梅兰芳说：

“我们已经约定好了不少人，有杨小楼、钱金福、范福泰、范宝亭、迟月亭、许德义、王长林、贾满林、高庆奎、许荫棠、郝寿臣、董俊峰、九阵风、路三宝、 张文斌、德珺如等，王凤卿、姜妙香、姚玉芙、李寿山也都答应我了，现在就差您了。”

朱家与梅家是至亲，朱幼芬的二哥朱小芬是梅兰芳的表姐夫，梅兰芳与朱幼芬既是儿时伙伴也是同学，他当然不能驳了朱幼芬的面子，便接受了邀请。年前，梅兰芳便搭桐馨社在第一舞台演唱夜戏。桐馨社组建后的首场演出，演员阵容十分强大，戏码也够硬，既有梅兰芳、王凤卿合作的《汾河湾》，也有杨小楼的《落马湖》、贾洪林、路三宝的《乌龙院》、九阵风的《取金陵》、姜妙香、姚玉芙的《岳家庄》、高庆奎的《卖马》、许荫棠的《御碑亭》。演出地点是当时北京最新式的戏馆“第一舞台”。

该戏馆位于北京前门外柳树井大街，建于1914年，戏馆建筑、灯光模仿的是上海三马路大舞台的形式，分楼上楼下，能容纳2500名观众，因它既大又新，所以常有救济赈灾的义务戏在那里演出。在第一舞台建成前，北京各戏馆的营业戏只能在白天演出，演夜戏只能以“义务”的名义，从1914年春天开始，谭鑫培开始在文明、丹桂等戏馆陆续演唱夜戏，但只是短期性质。第一舞台自开张后，始终演的是夜戏。

梅兰芳搭桐馨社演戏时间不长，却有几个方面值得纪念：一是他首次登上北京的最新戏馆；二是开始经常唱夜戏了；三是与当年将逃学的他拎到井台边吓唬的杨大叔杨小楼同搭一个班并同台演出，这是他感到最愉快的地方。

在桐馨社搭班演唱的一段时期，梅兰芳的戏码总是被排在倒二，大轴由杨小楼担当。有时，梅兰芳得以陪杨小楼唱诸如《长坂坡》、《回荆州》这一类的群戏。

梅兰芳搭班桐馨社虽然时间短暂，但也有两出新戏问世，一是《木兰从军》，二是《春秋配》。在谈到排演《木兰从军》的动机时，梅兰芳说："我总觉得以前演出的好些新戏的情节，虽说多少含有一点醒世的意义，但是在大体上讲，套来套去，总离不了家庭琐事、男女私情这一套老的故事。木兰是一位古代传说中的女英雄，我想如果把她那种尚武的精神，和用行动来表现的爱国思想在台上活生生地搬演出来，这对当时的社会，不敢说一定能起多大的作用，总该是有益无损的。另外，那时我正跟朱四爷（素云）学了一出'辕门射戟'，常常在家里连唱带做的练着玩，兴趣十分浓厚，我就利用木兰要改扮男装这一点，可以拿小生的姿态，这又是我在台上的一种新的尝试了。"①

《木兰从军》的故事几乎家喻户晓，它是根据古乐府中一首《木兰辞》改编的。王瑶卿曾演过由《木兰辞》改编的《花木兰》，分两天演完。梅兰芳改编的《木兰从军》与《花木兰》在台词、场子和各种穿插方面都有出入，他将全剧分29场，完全按照《木兰辞》写的，分头二本两天演完。他认为："凡是根据古典名著改编的戏剧，应该尽可能尊重原著，保留它的本来面目，除非记载有了出入，足以引起我们的怀疑，或者含有毒素的地方，自然也应该加以变更和删节。"②

①②梅兰芳：《舞台生活四十年》。

⊙《木兰从军》，梅兰芳饰花木兰

经过两个多月的整理改编排演，这年的3月24日，《木兰从军》在第一舞台首次与观众见了面，演员阵容可谓强大，梅兰芳饰花木兰、贾洪林饰花弧、罗福山饰花母、姚玉芙饰花木蕙、王凤卿饰贺廷玉、姜妙香饰魏主、李寿山饰突厥、李敬山、郭春山、曹二庚、罗文奎分饰四个征兵。这天的大轴是杨小楼的《艳阳楼》，《木兰从军》被安排在倒二。

首次演出结束，就有人给梅兰芳提意见说："你排的木兰从军，意义深长，是成功的作品，不过穿插方面还可以删掉些不必要的场子，能再简练一下，两本并成一本，或者更要精彩。"其实，梅兰芳不是没有考虑到这个问题，不过，当时他有两种选择，一是减少穿插，而减少穿插的后果就是他得按王瑶卿扮花木兰的扮相，走老路子，即由一个梳大头、穿褶子的青衣打扮一下子改为身穿帽钉甲、头戴倒缨盔、足蹬薄底靴的士兵模样时，只换服装，不洗脸，不改头面，脸上的脂粉、两鬓的片子一律照旧，头上加戴一顶小生的帽子；第二种选择就是增加穿插，如第六场"奉命征兵的差官，回营交令的过场"和第七场"四位征兵擢往尚义村，与花弧结伴投军的过场"都是可有可无的穿插，而增加这些穿插的目的是为了能从容地为花木兰改变装扮，由纯粹的青衣模样换成纯粹的士兵模样。梅兰芳最终选择了第二种，因为他认为按照剧情，花木兰从军十二载，始终没人看出她的真面目，如果在扮相上没有太大改变，谁都会一望而知她是个女子，所以，为真实起见，那些看似可有可无的穿插就成为必需的了。

1924年秋，民新影片公司委托华北电影公司（联华影业公司前身）将《木兰从军》里“走边”，即木兰一手拿枪，一手拿马鞭昼夜赶路一场拍成了电影。这场戏的身段比较复杂，活动部位是四个犄角和中央，变换部位虽有一定段落，但有些动作相当快，因此，拍摄时有一定的困难。尽管如此，由于梅兰芳在拍这场戏之前已拍过电影，对拍电影有一定的经验，对于远、中、近各种镜头的性能和作用也有一定的了解，因而拍摄还算顺利。

比起《木兰从军》，梅兰芳排演《春秋配》的动机就显得单纯多了。有一天，他在戏馆后台看见李顺亭正独自一人坐在大衣箱上，静静地抽着他的关东烟，他走过去问：

“您在想什么呢？”

李顺亭吐出烟圈，说：“梆子班有一出《捡柴》，咱们不是常看到吗？”

“是呀，怎么？”梅兰芳问。

“它的全本叫做《春秋配》，我有这个本子，这里面描写婚姻问题，还牵连着人命官司，它的情节比起咱们京班演的《法门寺》好像还要复杂一点。你如果把它改成皮黄来唱，我想一定错不了的。”

“哦，那你把本子拿来给我看看。”

过了几天，李顺亭果真就将梆子戏剧本《春秋配》拿到戏馆，交给了梅兰芳。梅兰芳读后，虽然感到这出戏的内容并不新鲜，无非就是一对青年男女由同情到爱情，再经过无数次挫折，最终结为夫妇，男女主人公的姓名中各有“春”和“秋”字，这出戏才取名《春秋配》，但他仍然为这出戏复杂的情节、曲折的穿插所吸引。一出戏，无论它有多深厚的教育意义或醒世作用，如果戏本身内容枯燥、故事干瘪，照样无法吸引观众。观众去戏馆看戏，往往首先要看的就是故事。所以，梅兰芳决定着手改编这出戏。

因为有现成的剧本，只是将梆子改皮黄，所以改动幅度不大，不几天，这出戏就能上演了。

《春秋配》全剧较长，梅兰芳将它改编成4本，分两天演出。就是分两天演出，每天的内容也是超过一般戏的。戏馆方面有个规矩，总是喜欢将新戏放在大轴唱，而此时，梅兰芳与杨小楼同搭桐馨社，大轴总是由杨小楼唱的，突然将杨小楼安排唱压轴，梅兰芳总觉得有些对不住杨小楼；就算是杨小楼同意唱压轴，因为梅兰芳的《春秋配》偏长，杨小楼的压轴势必上得较早，而上得较早，又势必会出现台下还没有满座的现象，这种局面对杨小楼来说是很不愿意看到的。戏馆老板经过反复权衡，向梅兰芳提议请杨小楼也参加《春秋配》的演出。梅兰芳是个爽快人，他满口答应，只是担心因为角色安排，杨小楼只能出演一位“武进士出身、受了试官的刺激，一怒就去入伙集峡山的好汉，名叫张衍行”而委屈了杨小楼。谁想，杨小楼毫不犹豫地应承下来，要知道，从全剧来看，张衍行出场并不多，杨小楼如此一个名角儿竟心甘情愿地充当配角，这使梅兰芳万分感动，他明白，杨小楼这么做诚心是要捧他的。

5月12日和13日两天，梅兰芳与杨小楼、王凤卿、路三宝、姜妙香、李顺亭、李连仲、贾洪林、刘景然、姚玉芙、李敬山、罗福山合作的《春秋配》在第一舞台正式演出。梅兰芳饰女主人公姜秋莲，秋莲的丈夫李春发由姜妙香扮演，杨小楼饰李春发的好友张衍行，罗福山饰秋莲的乳娘，路三宝饰秋莲的后母贾氏，贾洪林饰秋莲 的父亲姜绍，刘景然饰李春发的老仆李义，姚玉芙饰张衍行的妹妹张秋鸾，李敬山饰小偷石敬坡，李连仲饰强盗侯上官，李顺亭饰知府耿申，王凤卿饰巡抚何德福。

梅兰芳在第一舞台演过两次《春秋配》，观众普遍反映这出戏值得看并也有看头的只有头本，因为主要场子如《捡柴》、《砸涧》都在头本里，而其余几本无非是交代故事，结束剧情，没有什么高潮。梅兰芳虚心听取观众的意见，以后再演这出戏，就不常演全本了，而只挑其中主要的场子，如《捡柴》、《砸涧》等，有时，他专门演《捡柴》一场。

1916年初，梅兰芳搭桐馨社在第一舞台演夜戏的同时，又参加了俞振庭组织的春合社，常在吉祥戏园唱日戏，得以与谭鑫培同台演出。俞振庭在管理他的双庆社的同时又抽出精力组织春合社，完全是为了谭鑫培。春合社与双庆社不同，双庆社是个具有长期性质的固定班社，而春合社则具有临时性质。当时，有时双庆社这种固定班社临时请到名角，这些名角往往唱不多久就走了，这对班社正常生意是有些影响的。谭鑫培到了晚年，不再搭一个固定的班社，哪家班社请到他，就用一个无主的旧班社的名义，先向“正乐育化会”申报开业，再临时邀一些其他行的角儿，如此凑足一台戏，唱过一阵后，如果生意不好，或邀来的名角走了，该社也就匆匆收场，不至于长期赔本。春合社也就是在这种情况下成立的，该社的临时演员除了谭鑫培、梅兰芳，俞振庭还邀请了路三宝、黄润卿、陈德霖、增长胜、周瑞安、张宝昆、姜妙香等。

梅兰芳参加春合社期间，他的戏码也总是被排在倒二，大轴自然由谭鑫培唱，这使他常能欣赏到谭鑫培的表演。在他看来，谭鑫培的《捉放》、《骂曹》、《碰碑》、《空城计》、《洪羊洞》等拿手好戏都是百听不厌的。可能连梅兰芳在内，谁也不曾想到，谭鑫培在春合社的这段演出是他一生最后一次出台了。

谭鑫培搭春合社期间的主要戏码有：1月12日，与梅兰芳合作《汾河湾》；1月15日，与增长胜、李连仲、汪金林合作《捉放曹》；1月16日，与李寿山、李顺亭合作《失街亭》；3月3日，与陈德霖合作《南天门》；3月4日，与增长胜、福小田合作《洪羊洞》。

梅兰芳很庆幸自己赶上与有着高超表演艺术的前辈老艺术家合作的机会，他和谭鑫培虽然只合作过三出戏：《桑园寄子》、《四郎探母》和《汾河湾》，但每一次合作，梅兰芳都有新的感受与体会。谭鑫培炉火纯青的吐字行腔、好看且合情合理的身段、对剧中人物性格深刻的把握以及根据剧情需要而灵活多变的表演，都使梅兰芳获益匪浅，给梅兰芳留下深刻印象，近四十年后仍记忆犹新的一次合作是在天乐园同唱《四郎探母》。

那是一次义务戏，《四郎探母》的海报早就贴出去了。演出当天早晨，谭鑫培起床后发现身体有些不适，试着喊两嗓子，发现嗓子有些哑，叫得也很吃力，他感觉到这天是唱不好的了，于是派人到戏馆，向戏馆老板请假，准备不唱了。谁知派出去的人一会儿赶回来说老板不准假，说海报贴出去了，园子也满座，此时无法回戏了。谭听罢，无奈地长叹一声道："真要我的老命啊！"当晚，谭鑫培来到戏馆扮戏房，梅兰芳一眼就看出他身体欠佳、情绪不好，便问：

"我们还要对戏[①]吗？"

谭鑫培回答说："这是大路戏，用不着对了。"

上台前，梅兰芳还像以往一样托付谭鑫培，让他在台上兜着他点儿，谭鑫培撑着笑笑道："孩子，没错儿，都有我哪。"

到了台上，谭鑫培果真表现得不如以往，大段西皮慢板勉强唱罢，观众也没有像以往给以热烈回报。当轮到他唱"未开言，不由人，泪流满面"这句倒板时，他的嗓子终于哑了，居然发不出声来。梅兰

①**对戏**：是指演员在上台前，将台词、身段再对做一遍，也就是再演习一遍。

芳帮不上忙，只能干着急。到对口快板一段，梅兰芳只看见谭鑫培的嘴在动，却听不清唱词儿了。幸而，谭鑫培还能勉强动作，几个漂亮的身段掩饰了他的哑嗓，终于获得了掌声。观众们也听出谭鑫培的嗓子出了问题，但他们一向敬仰谭老板，因此也就理解并宽容了他，而没有表现出太大的不满，但免不了要悄悄议论几句，这对一贯有压堂能力的谭鑫培来说，还是觉得自尊心受到了莫大的伤害。

从台上下来，梅兰芳明显感觉到谭鑫培的不高兴和难过，可他一直很畏惧谭鑫培，一时也找不到安慰话，只好在神色间向他表示同情。谭鑫培领受到了梅兰芳的关心，他卸装后，拍了拍梅兰芳的肩膀说：

“孩子，不要紧，等我养息几天，咱们再来这出戏。”

显然，谭鑫培已经做好了再唱一次《四郎探母》以挽回今天失败的准备。一个多月后，梅兰芳突然接到谭鑫培派来的管事的通知，说决定某日在丹桂重演《四郎探母》，他知道谭鑫培已经准备好了。

演出那天，戏馆仍然早已满座，梅兰芳早早地来到戏馆，正化着妆，谭鑫培精神抖擞地走了进来。梅兰芳赶紧站起身，恭恭敬敬地称呼了一声：“爷爷”。谭鑫培还是老动作，在梅兰芳的肩头拍了拍，说：

“你不要招呼我，好好扮戏。”

这次，谭鑫培作足了要打翻身仗的准备，在梅兰芳看来，他似乎把积蓄了几十年的精华都一齐使出来了，特别是唱到上次唱砸的那段倒板时，他更是使出浑身解数，唱得格外好听。尤其是他那一条著名的“云遮月”的嗓子，越唱越亮，真像是一轮皓月破云而出。梅兰芳受了鼓舞，唱得也极为酣畅淋漓。整出戏，无论是演员还是观众，始终情绪激昂。梅兰芳虽与谭鑫培唱过多次《四郎探母》，惟有这次给他留下终生难忘的印象，这不仅使他欣赏到谭鑫培淋漓尽致的表演，更让他看到了老一辈艺术家对待艺术的认真与执着。

1917年5月10日，谭鑫培去世。在他去世前，梅兰芳和他同台演过一次赈灾义务戏。那天，大轴是谭鑫培的《捉放曹》，压轴是梅兰芳的《嫦娥奔月》。义务戏过后不久，他俩又在总统府的堂会上相遇了，在这次堂会上，谭鑫培的戏码是《天雷报》。就在那次堂会上，因为扮戏房与后台有一段距离，谭鑫培不得不来回走了两趟，因此受了寒、着了凉，回家后就病倒了。偏巧不久，当时大总统黎元洪为欢迎广东督军陆荣廷和警察总监李达三，在金鱼胡同那家花园举行堂会，安排梅兰芳唱《黛玉葬花》，谭鑫培唱大轴《洪羊洞》。这出《洪羊洞》成了一代京剧大师谭鑫培的绝唱。

当时，谭鑫培以因病未复元为由拒绝唱那次堂会，但次日，有人上门威胁他道："你要是不唱这个堂会，小心明儿就把你抓去关起来；你要是唱了的话，明儿连你的孙子也可以放出来，眼前摆着两条道，你拣着走吧！"谭鑫培的孙子双儿在一个月前因事被拘，正关在警察局里。在这种情况下，谭鑫培不得不带病坚持上场了。

那天为谭鑫培操琴的是梅兰芳的姨父徐兰沅，徐兰沅到后台时，发现谭鑫培的其他五个场面一个也没有来，打鼓的刘顺闹脾气不肯来，打大锣的陈宝生有病不能来，打小锣的汪子良告假，弹南弦子的程春禄却根本不知道当晚有演出，弹月琴的孙惠亭赶另一个堂会去了。徐兰沅很为谭鑫培担心，不知他如何应付。过了片刻，谭鑫培披着斗篷、戴着风帽，跟着步军统领衙门的右堂袁德堂走进了后台。徐兰沅忙过去对谭鑫培说：

"您的场面都没有来。"

谭鑫培满脸倦容，有些无精打采，听到场面都没有来，好像也无力生气，不知是安慰徐兰沅，还是安慰他自己，说："好在《洪羊洞》打'病房'起是大路活，好歹对付得了的。"

那家花园堂会原本是为了欢迎陆荣廷而特邀谭鑫培的，可当谭鑫培的大轴开始时，陆荣廷等人却早就走了，但戏单已经发出，谭鑫培也就不得不唱了。

演员上了台，就像是身后有人盯着催着一般，总是尽力唱得最好，实际上，这完全是因为他们心里有观众，他们总想将最完美的东西呈现给观众，总想每次演出都不留遗憾地给观众留下好印象。谭鑫培尽管身体虚弱，体力不支，但在舞台上，他仍然强打精神，竭尽全力。他虽然获得满堂喝彩，但下了台后便趴在桌上抬不起头来。歇息了好半天，他的跟包才为他披上斗篷、戴上风帽，扶着他踉踉跄跄地走出戏馆，上了马车。

如此一折腾，谭鑫培原本就没有康复的身体雪上加霜，一病不起了。身体的不适加上心里积聚的闷气使他内热始终不清，而为他诊治的糊涂大夫偏又为他下了一剂热药，这真是火上浇油，谭鑫培因此持续高热不退，终于不治，临死时，鲜血从他的嘴里、鼻子里缓缓流出。

71 岁高龄的京剧大师就这样凄惨地离开了舞台，离开了人间。谭鑫培死后，社会上曾有“欢迎陆荣廷、气死谭鑫培”的传说，足见旧时代艺人的艰难处境。

1918 年 2 月 2 日，梅兰芳最后一部时装新戏《童女斩蛇》在北京吉祥戏园首演。这出戏的剧本由北京通俗教育研究会所编，故事出自于晋朝干宝所著《搜神记》，主要内容说的是在福建庸岭下出了一条大蛇，民间有人说是金龙大王下凡，只有在每年 8 月送上童女祭蛇，此地才不会有大灾祸。于是，每年 8 月，在县令的命令下，总有一位百姓家的小女因此丧命。在前后有八位小姑娘先后被送去祭蛇后，这年，轮到了百姓李诞家的女儿寄娥，为了不再让更多的人受到伤害，寄娥勇敢地挺身而出，但她早有准备，在千钧一发之际，她取出怀里藏着的匕首，斩了蛇，又把设局骗人的何仙姑扭送到官，终为当地百姓除了害。

作者选定编这出戏是看中它特定的社会意义。1917年秋天，天津洪水泛滥，市区水深可划小船，市民外出非搭小船不可，有些住在二楼的居民出行已无法走大门，而是爬过窗台，直接划船而去，居民财产损失严重。在这种情况下，天津郊区的有些村子里，便有投机取巧之人造谣说这是因为得罪了“金龙大王”，要想消灾必须奉祀金龙大王，他们还说奉祀金龙大王不仅可以使洪水退却，也能防病治病。许多不明真相的人听其谣言，争先恐后前去烧香许愿，问病求方，耗财耗力不说，大水并没有因此消退，病也并没有因此治愈。

北京西郊潭柘寺一直也有关于蛇的故事传说。其实这里地处郊区，草木繁盛，寺庙周围没有居民，因此常有蛇出没也不足为奇，但庙里有些不守清规的住持却借这里所谓“大青”、“二青”的传说骗香客钱财。有一次，梅兰芳到潭柘寺游玩，在那儿住了几天。临走时，他正遇住持，便告诉住持他今天就将回城。住持说：

“您难得到佛地，我很短礼，因为下院（指城内翊教寺）有佛事，今天才回来，现在陪您到大殿上随喜随喜。”

住持一番好意，梅兰芳自不好推辞，他随住持一边说，一边走，穿过几重院落，来到大殿，这儿是和尚们做功课的地方。梅兰芳和住持绕过正做功课的和尚，准备顺东门绕到后门走出去。当他们走到墙角时，住持指着放在墙角的一个小龛说：

“您是福大命大的人，真是造化不小，您看二青爷，正在这儿哪，没有佛缘的人是见不着的。”

梅兰芳不由抬眼望去，只见佛龛上盘着一条草绿色的小蛇，龛内有个小小的朱漆金字牌位，上面刻着“大青爷二青爷之神位”，前面有几件小巧精致的供器。梅兰芳脚步未停，两人走出大殿，来到“玉兰院”，双双坐下后，住持从楠木案上拿过一张8寸照片给梅兰芳看，并说：

“您瞧！这是那一次二青爷降坛传谕：某月某日要大显法身。我们就在那天找照相馆的人给二青爷照了这个法像，您别瞧刚才法身那么小，它是能屈能伸，说大就大的。”

梅兰芳一眼看出那是张经过暗房处理的照片，几乎要笑出声来，只是不便当着住持的面拆穿，于是敷衍了几句，便告辞而出。

回城后，梅兰芳将他在潭柘寺的所见所闻说给朋友听，朋友说潭柘寺下院翊教寺里一个偏殿内也供着“大青”、“二青”的牌位，也常常不知从什么地方捉来小蛇供在佛龛上，有时一时找不到小青蛇，就用红蛇、灰蛇、花蛇代替，美其名曰“今天二青爷换了袍了”。真有不少人就相信这唬人的把戏，寺庙内一度香火不断，求嗣问病的络绎不绝。

潭柘寺的亲历和朋友所言一直盘桓在梅兰芳的脑际，他便想着要排一出破除迷信的戏。当他在北京通俗教育研究会编印的一批剧本中发现《童女斩蛇》时，立即就决定将其改编成时装戏。

由于《童女斩蛇》的原剧本没有注明故事发生的年代，而梅兰芳又准备将它编排成时装戏，他想到当时百姓的服装与前清末年的服装大同小异，所以决定把时代规定在前清末年，所有人物的服装都着当时流行的服装。在设计寄娥的扮相上，他着实动了不少脑筋。首先他考虑到寄娥的年龄比他演过的时装戏里的女主人公都小，因此不能是少妇打扮也不能是大姑娘打扮，他将寄娥的扮相最终设计为：“梳一条大辫子，额前有一排短发，当年把这排短发叫‘刘海’，北京人又称为‘看发儿’，耳朵前面还有两绺短发，叫做‘水鬓’，也叫‘水葫芦’，都是当时妇女流行的打扮”。在演出时，梅兰芳“把

'看发儿'和'水鬓'的假发加厚，'看发儿'两边下垂的部位和'水鬓'连接起来，看上去就有贴片子的感觉。"在其他方面，梅兰芳将寄娥脑后的辫子设计得比平常女孩子的辫子大。"面部的脂粉和画眉，画眼边，都是照京剧的化装方法，不过淡些薄些。勒头时，眉毛、眼睛也要吊得低一些，这种化装的目的，是要使观众觉得和日常生活里接触到的人差不多，但比她们更鲜明，更美，这样才能和身上穿的袄裤相称。"①

时装戏的服装总应该与当时的时代相配，梅兰芳每排一次时装戏，就要花费不少，请专门的裁缝定做服装，而做一次新戏服又演不了几次，待再演时，时代前进了，上一次用的服装可能就不合适了，再花费重做势必造成浪费。常为了节约起见，梅兰芳便挑一些夫人王明华的衣服作为戏服，后来娶了福芝芳后，他又常穿福芝芳的衣服演出。福芝芳曾这样回忆道：

大爷（指梅兰芳——引者注）早年排时装戏，除了自己选料找裁缝做的以外，也兼穿元配夫人的衣服，后来就常穿我的衣服，目的为了节约。时装戏演出的次数比其他戏少，而时装的式样（下摆的圆角、方角、领子的高低，袖口，腰身的宽窄长短都有变动），花头（绸缎的图案，大花、小花、圆花、散花），镶滚、花边，都要适合当时看戏的眼光，过时就要重做，他觉得不经济，所以常常挑拣我的衣服搭了穿，但他做蟒、靠、宫装、帔、褶子等行头，对于料子，图案，金银线等十分讲究，决不惜费，他认为这些行头，用途广泛，必须工精料好，才能延年耐用。

正如福芝芳所说，梅兰芳排时装戏，有时也自己选料找裁缝做，《童女斩蛇》中的寄娥服装，他就是约了许伯明、舒石父同到瑞蚨祥拣选色彩鲜明的杭州出品的铁机花缎料子，找宁波裁缝做的。

①梅兰芳：《舞台生活四十年》。

⊙梅兰芳演《盗令》时见母后所穿蟒袍，俗称“旗蟒”

服装做好后，梅兰芳穿戴、打扮好，约了几位朋友到家里看他排戏。罗瘿公看到梅兰芳的扮相后，打趣说：

“你的样子好像‘广生行’的‘双妹牌’商标。”

大家听了哈哈大笑。“广生行”是一家化妆品公司，出品的“双妹牌”花露水在当时极为流行。

《童女斩蛇》初次上演，就受到观众的欢迎。它不仅对揭穿像天津村子里金龙大王、潭柘寺青蛇之类的骗局，唤醒愚氓大有益处，甚至具有批判社会、移风易俗的积极意义，也反映出梅兰芳是一个关注社会、关心民众的具有社会责任感的艺术家。

从辛亥革命后到“五四”运动前，中国京剧史上曾掀起过一次京剧改良运动，编排新戏是其主要内容。京剧改良运动发端于上海，代表人物有汪笑侬、王鸿寿、潘月樵、冯子和、欧阳予倩、夏月珊、夏月华、夏月润等人。而在北京，年轻的梅兰芳则是这次运动的代表人物。

梅兰芳的一个突出之处是他深深懂得个人之力难擎天、众人拾柴火焰高的道理，所以他总是虚心待人、从善如流，也正因为如此，他才迎来了排演时装新戏的天时、地利、人和，得到了包括戏班班主、同行、文人、舆论、观众在内的各方面的支持与帮助。《孽海波澜》是在翊文社班主田际云的帮助下诞生的，《一缕麻》、《宦海潮》、《邓霞姑》又得到双庆社班主俞振庭的支持。每一出时装戏，诸如贾洪林、程继先、路三宝、李敬山、陆杏林、刘景然、高四保、郝寿臣、李寿山等老艺人都热心参演，竭力促成。梅兰芳身边的一批文人，如吴震修、齐如山、李释戡等在编剧方面也都献计献策、各尽其力，陈彦衡更是热情地为他设计新腔。除此之外，观众的支持应该说是最重要的，当梅兰芳和谭鑫培分别在吉祥、丹桂演出时，是梅兰芳的时装新戏使“吉祥的观众挤不动，丹桂的座儿掉下去几成”。《童女斩蛇》上演时，“先后几场都满座”，而与此同时上演的梅兰芳的老戏《祭塔》、王凤卿、程继仙的《雄州关》和李寿峰的拿手戏昆曲《伏虎》仅“卖座不过六七成”。

从《孽海波澜》到《童女斩蛇》，梅兰芳共排演了五部时装新戏，他编演这些时装戏的目的十分明确，即“采取现实题材，意在警世砭俗”，“如《孽海波澜》揭露了娼寮黑暗，呼吁妇女解放；《宦海潮》反映官场的阴谋险诈，人面兽心；《邓霞姑》叙述女子为争取婚姻自由，与恶势力作斗争；《一缕麻》说明包办婚姻的悲惨后果；《童女斩蛇》的用意是为了破除迷信。”

梅兰芳排演新戏的良苦用心，在客观上也起了一定的教育观众、宣传新思想的作用。辛亥革命摧毁了延续了几千年的封建制度，带来了资产阶级民主新思想，人们在一贯保守落后且远离现实的京剧舞台上初次见到含有浓厚新思想、新意识的时装新戏，看到梅兰芳突然由他们熟悉的古代仕女模样一下转为“好像‘广生行’的‘双妹牌’的商标”，自然极感新鲜与好奇，欢迎喜爱也是自然的了。然而，人们头脑中根深蒂固的封建思想并不能仅仅依靠几部新戏或一次改良运动就彻底剔除。因受到时代的思想的局限，梅兰芳的这5部戏也就只能停留在对社会表层的揭露，而未能究其原因，探其本质。

从艺术上来看，梅兰芳承认“表演时装戏的时间最短，因此对它钻研的功夫也不够深入”。在他演完《童女斩蛇》后，他不再排演时装戏了，而转向古装歌舞剧的研究。论起原因，他在《舞台生活四十年》里这样说：

因为我觉得年龄一天天增加，时装戏里的少妇少女对我来说，已经不顶合适了。同时，我也感到京剧表现现代生活，由于内容与形式的矛盾，在艺术处理上受到局限。拿我前后演出的五个时装戏来说，虽然舆论不错，能够叫座，我们在这方面也摸索出一些经验，但有些问题，却没有得到好好解决，首先是音乐与动作的矛盾。京剧的组织，角色登场，穿扮夸张，长胡子、厚底靴、勾脸谱、吊眉眼、贴片子、长水袖、宽大的服装……，一举一动，都要跟着音乐节奏，做出舞蹈化身段，从规定的程式中表现剧中人的生活。时装戏一切都缩小了，于是缓慢的唱腔就不好安排，很自然地变成话多唱少。一些成套的锣鼓点、曲牌，使用起来，也显得生硬，甚至起"叫头"的锣鼓点都用不上，在大段对白进行中，有时只能停止打击乐。而演员离开音乐，手、眼、身、法、步和语气都要自己控制节奏，创造角色时，必须从现实生活中吸取各种类型人物的习惯语言、动作，加工组织成"有规则的自由动作"，才能保持京剧的风格。这些问题，都是值得不懈地向前探索深思的。

经验和认识水平都有个不断积累和逐渐加深的过程，梅兰芳在实践中意识到了内容与形式的矛盾，但他一时又找不到解决这一矛盾的办法，于是只好丢弃了时装新戏，将更多的精力转向"在京剧形式美的雕琢上"。当然，他最终在"京剧形式美的雕琢上"取得了巨大成功并影响了整个京剧界，但也许正如戏曲评论家马明捷先生所说："若是梅兰芳和周围的人不放弃对时装新戏的实践、钻研，京剧艺术在表现现实生活方面或许会走出一条路来。"

话好说，路却难行。梅兰芳的时装新戏未能解决"内容与形式的矛盾"，当时的京剧改良运动也未能解决这一矛盾。其实直到今天，这个问题仍然没有得到解决。从这个方面说，梅兰芳当时及时转向应该说是明智的。

与余叔岩的合作

北京的京剧票友自清末起日渐多了起来，票房也因之遍布各大城区，甚至地处市郊的海淀镇、朝阳门外也都有大小不一的票房，如雅贤共乐票房、善乐钧天票房等。春阳友会、东园雅集（后改名听涛社）、永言和声票房、燕居雅集、乐雅和韵社、研乐集票房、协和医院票房等都是"五四"前后北京城的著名票房。这个时期的票房的最大特点是各票房除票友活动之外还邀请了一些专业演员参加活动。如春阳友会，除了邀请陈德霖、王瑶卿等名角儿成为会员外，还聘请了梅兰芳、姜妙香、姚玉芙为名誉会员。

"春阳友会"由樊棣生创办，余叔岩也是创办人之一。樊棣生的父亲樊永培是清末巨商。樊棣生初时学老生，因嗓子欠佳，改学打鼓，得升平署供奉耿俊峰（耿五）亲传。1913年，樊棣生、王君直、陈彦衡、程继仙、金仲仁等常在李经畬、丙庵父子家聚会，还请王长林教他们唱《琼林宴》、《审头刺汤》、《群英会》等戏，余叔岩正值倒仓阶段，也常和他们在一起活动。"春阳友会"创立于1914年春，取"春阳明媚，生机旺盛"之意，票房地处崇文门外东晓市浙慈会馆，樊棣生亲任会长，聘李经畬为名誉会长。

1918年秋的一天，冯幼伟来找梅兰芳，对他说："前两天，李（经畬）先生来找我，和我商量叔岩搭班一事，他曾劝叔岩搭班，说是不能总是长此闲居，叔岩表示'只愿与兰弟挎刀'，所以，李先生来找我，让我来问问您的意思。"

⊙在国剧学会，梅兰芳操琴，余叔岩击鼓

梅兰芳久闻余叔岩的大名，也曾在义务堂会戏中看过他的戏，那是在民国初年，前清时曾任广东水师提督的四川人李准在家里办堂会，梅兰芳、余叔岩都在被邀之列。那天，梅兰芳的剧目是和王蕙芳合演二本《虹霓关》和《樊江关》，大轴是余叔岩的《失街亭·空城计·斩马谡》。梅兰芳这是第一次看余叔岩的戏，对他的演技及唱腔相当欣赏。

余叔岩比梅兰芳大4岁，名第祺，祖籍湖北罗田，出身于梨园世家，其祖父余三胜出身于湖北汉戏班，曾是汉戏著名末角演员，进京后搭徽班演唱，逐渐名声响起。晚清咸丰、同治年间，他与徽派代表程长庚、奎派代表张二奎并称“老生三杰”、“三鼎甲”。余叔岩的父亲余紫云是梅兰芳祖父梅巧玲的得意门生，被誉为“打开‘花衫’门路的先驱者”。余叔岩9岁时，家里请来姚增禄为他开蒙。叔岩师从姚增禄学习《乾元山》、《探庄》、《蜈蚣岭》等戏。11岁时，

师从吴联奎学习老生。少年时代，余叔岩就以“小小余三胜”的艺名，演出于天津下天仙戏院，红极一时，成为天津童伶中的红角，每月包银最高时达6元。由于他长期演唱重头戏，劳累过度，加上生活上不够检点，严重影响了嗓子，倒仓后回北京休养，嗓子始终恢复得不好。回京后，有人请他在“广德楼”试唱三天，但他因嗓子没有恢复，嗓音低暗，演出效果不好，只唱了两天。从此结束了“小小余三胜”时代。

余叔岩出名过早，少年得志，无论在台上还是在台下，身边总有一大群阿谀奉承之辈，耳边又总是叫好声喝彩声，特别是他早年生活演出于被称为染缸的租界，灯红酒绿，纸醉金迷，这对一个生活富足、事业如日中天的青年来说，是很难抵御这一切诱惑的，这固然有他主观上意志力薄弱的原因，更主要的还在于环境的复杂险恶。对年轻时的行为，余叔岩追悔莫及，他曾对梅兰芳感慨道：“咱们这一行，刚出门，红起来时，的确得有人看着，太自由了，就容易出岔儿。”

梅兰芳对余叔岩的“得有人看着”这句话深有体会，他虽是个本分之人，但与一般年轻人一样也不免喜欢时髦与刺激。有一阵子，社会上“有些浮滑少年在穿着衣饰的颜色、花样上带点‘匪气’，非常刺眼”。梅兰芳看见“有人腿上扎着五色丝线织的花带子”，觉得新奇好玩，便也买了一副绑在腿上，自己还觉得很好看。吴振修看见后，笑道：“好漂亮，你应该到大栅栏去遛弯，可以大出风头。”梅兰芳何等聪明，立即就听出吴振修话中含有讽刺，于是大窘，脸通红，他随即就改了装束。从此，他不再一味地模仿，而特别注意服饰穿戴，尽量使自己的衣饰稳重大方。

余叔岩在倒仓后嗓子一时难以恢复，这使他意识到生活的放纵已严重影响了他的事业。这时期，他结交了不少外行朋友，这些朋友中有的是父亲余紫云的故交，有的是自己的新朋，他们无不赞叹他在“小小余三胜”时代的辉煌，对他倒仓后嗓子的衰败无不惋惜万分，他们力劝他“钻研剧本文学，讲求声韵，辨别精粗美恶，注意生活作风”，他从此振作起来，开始学习谭派艺术。后更拜谭鑫培为师。

余叔岩经过八九年的刻苦锻炼，终于使嗓子有所恢复，也恢复了自信。当冯幼伟将余叔岩的愿望转告梅兰芳后，梅兰芳二话不说，表示很愿意和叔岩合作。在这之前的5月份，梅兰芳已搭入朱幼芬的翊群社，在三庆园演出。与此同时，他的内兄王毓楼和姚佩兰正酝酿组织“喜群社”，也邀他加入。实际上，不论是朱幼芬的“翊群社”，还是正筹划中的“喜群社”，都是为梅兰芳所设。梅兰芳小名“群子”，所以，这两个社名中都有一个“群”字。

梅兰芳提议让余叔岩也加入喜群社，起初受到过“喜群社”组织者的反对，他们认为翊群社里已有头牌老生王凤卿，再加入一个也唱老生的余叔岩，戏码不好分配，而且还要增加开支。但梅兰芳坚持说：“我已经答应了叔岩，你们务必把这件事办圆了。”他们看在梅兰芳的面子上，只好同意，但表示余叔岩的戏码排在倒三，戏份是王凤卿的一半。当时，梅兰芳戏份是每场80元，王凤卿是每场40元，这样，余叔岩只能拿到每场20元。梅兰芳认为给余叔岩的戏份过低，试图再为他争取一些。王毓楼、姚佩兰以余叔岩还要带钱金福、王长林等陪他唱的配角同时加入，这些人也要另开戏份，以负担过重为由拒绝了梅兰芳的要求。梅兰芳考虑到王毓楼、姚佩兰也存在着实际困难，便也不再坚持。他有些不好意思向余叔岩转告“喜群社”的条件，转托冯幼伟前去传达。

冯幼伟走后，梅兰芳暗自估计余叔岩未必会同意“喜群社”近于苛刻的条件，想当年，余叔岩也曾是红透半边天的角儿，如今却被人如此看低，他的自尊心能不受伤害？谁曾想，过不多久，冯幼伟便回来说叔岩满口答应。看来，余叔岩此番出山只为能为梅兰芳“挎刀”，而将名利置于了脑后。次日，余叔岩在介绍人冯幼伟、李经畬的陪伴下来到芦草园梅宅。李经畬关照梅兰芳道：

“叔岩二次出山，希望多多关照，戏码也要请您帮忙。”

梅兰芳接话道：“我和余三哥是老弟兄，老世交，他的事我必尽力而为，咱们先想几出对儿戏，就可以和我在后面唱了。”

梅兰芳的意思是想让余叔岩和他先合作几出戏，等余叔岩渐渐恢复了状态，恢复了在观众心目中的地位，再独立挑大梁。可是，要想选择几出能够合作的戏还真不容易，首先要避免和王凤卿合作的戏，不能因为余叔岩而放弃合作多年、已配合默契的王凤卿。其次，余叔岩的嗓子虽然有所恢复，但离他当年最辉煌的时候“又高又亮”的嗓音还相去甚远，所以，还得选一出适宜他嗓子的戏。

几天后，余叔岩来芦草园找梅兰芳，说他选中了一出戏，想听听梅兰芳的意见。他选择的是一出老戏，名《戏凤》（又名《游龙戏凤》、《梅龙镇》、《美龙镇》）。梅兰芳几乎没有多想便立刻表示同意。他早年向路三宝学过这出戏，但始终没有正式唱过。没有唱的原因有两个，一是调门问题，许多年来，他一直和王凤卿合作，《梅龙镇》的调门不适合他俩，如果顺着梅兰芳的调门，王凤卿“压得慌”，如果顺着王凤卿的调门，梅兰芳又嫌太高；另一个原因是这出戏属闺门旦，早期的演员演出这出戏时都是踩跷的，如余叔岩的父亲余紫云当年演出时就踩跷，而梅兰芳少时练功也练过踩跷，但他始终没有在台上踩过跷，他考虑到观众已经习惯看踩跷唱《梅龙镇》，如果他穿着双彩鞋唱《梅龙镇》，恐怕观众无法接受。

眼下，余叔岩提及《梅龙镇》，梅兰芳首先想到调门对他俩都合适，而余叔岩学的是谭派，《梅龙镇》是谭鑫培中年时常唱的一出戏，按余叔岩学谭的程度来看，他唱这出戏必能出彩。其次，梅兰芳认为，由他创造、排演的一批改良新戏一改老戏的传统面目，却始终为观众欢迎，这说明观众是能接受新事物的，而穿彩鞋唱《梅龙镇》未必不是一个新的尝试。

梅兰芳同意了余叔岩的提议，两人随即进行准备工作。梅兰芳提议请几位看过谭鑫培和余紫云演出《梅龙镇》的内外行朋友来看他俩排戏，随时给予指点。他们边排练，边听取大家的意见，边修改，如此排练了约一个多月。

“喜群社”还没有组织好，余叔岩便暂随梅兰芳搭朱幼芬的“翊群社”，他二次出山后的首场戏是《盗宗卷》，演出时间是1918年10月17日，在吉祥园。10月19日，梅兰芳、余叔岩首次合作的《梅龙镇》正式演出于吉祥园，那天场内几乎座无虚席，许多内行、票友都赶来要一睹梅余二人的初次合演。

在后台时，梅兰芳发现余叔岩有些紧张，摸摸他的手，果然是冰凉的，他知道余叔岩肯定在担心自己的嗓子在关键时刻出问题。虽然余叔岩前两天唱过一次《盗宗卷》，但那毕竟是他一个人唱的，唱好唱砸也都是他自己的事，况且观众都知道那是他重新出台后的第一出戏，多少有点演习的意味，即便唱砸了也易得到谅解，而现在就不一样了，这次是和梅兰芳合作，如果连累了梅兰芳，问题就严重了。要知道，当初是有人反对梅兰芳和他合作的。想得多，自然就紧张。梅兰芳安慰道：

“三哥，沉住了气，这出戏，我们下的功夫不少，大家都烂熟的了，您可别嘀咕嗓子。”

余叔岩怕梅兰芳因担心他而影响心情，便连忙挤出笑道：“我听您的。”说完，他故作镇静劝梅兰芳不必担心他，梅兰芳就回到了自己的扮戏房。

⊙《梅龙镇》，梅兰芳饰李凤姐

开锣后，余叔岩首先出场，梅兰芳在门帘边听到喝彩声，始终提着的一颗心才算慢慢放下来，但他仍听得出余叔岩因为还有些紧张，嗓音有些闷。梅兰芳出场后，余叔岩许是有了依靠，或者说得到了鼓励，他的心情这才慢慢得以平静，越唱越好，嗓子也随之唱开了、唱亮了。

《梅龙镇》的故事内容是：明朝正德皇帝假扮军官出游，当他行至山西大同府梅龙镇时，在一家酒店巧遇李凤姐，为她的美貌所诱，就用言语挑逗她，当他跟李凤姐进屋后，再不肯出来，又怕李凤姐喊叫而惊动当地官府，便吐露了自己的真实身份，并封李凤姐为妃子。山西大同当时还流传着关于正德和李凤姐的几种传说，一说正德后来将李凤姐带回北京，可走到居庸关时，李凤姐就病死了；另一说是正德后来离开李凤姐时，李凤姐已身怀有孕，而正德回京后，就把凤姐忘了，凤姐一直在大同附近以卖炸糕为生。

京剧《梅龙镇》是从梆子腔《戏凤》移植过来的，《戏凤》的作者虽然也讽刺了正德的好色风流，但因受时代和思想的局限，总的来说，仍以赞美为主。在作者看来，正德不是玩弄了民女李凤姐，而是因正德的风流造就了一段皇帝与民女之间的“佳话”。梅兰芳在排演这出戏时，已经意识到了这个问题，因而对以往戏中的一些庸俗琐碎的表演作了删改，如有一场戏，正德从下场门出来，走到李凤姐身后，搂抱住她的腰，梅兰芳觉得不雅，便删去了一些念白和身段。对此，梅兰芳在他的《舞台生活四十年》中这样说自己：“对于主要的根本性的问题，由于思想的局限，还没有正确的认识，因而这些修改整理还是从欣赏趣味的角度出发，结果是进一步美化了这个故事。”《舞台生活四十年》出版于50年代，梅兰芳如此说自己，应是迫于当时形势的自苛自责。即便我们站在当代来回看梅兰芳八十多年前对该戏的修改，也觉得无可挑剔。其当时的思想表现，所体现出的非但不是所谓的历史局限，反而恰恰是超越时代的。

在具体的表演上，梅兰芳也没有一味地照搬前人所演，在某些方面，他按照他自己的理解做了一些修改。当正德拿出一把银子叫李凤姐“拿去”时，李凤姐原来说的是“男女有别”，随后叫正德把银子就放在桌子上。梅兰芳将“男女有别”改成“男女授受不亲”，而将李凤姐拦住要跟着进卧室的正德所说“男女授受不亲”改成“男女有别”，也就是说，他将前后的“男女授受不亲”和“男女有别”做了颠倒，因为他认为李凤姐不愿直接从男人手里接过银子，说“授受不亲”比说“男女有别”更贴切，强调出了“授受”二字，而后一句，显然用“男女有别”更准确，因为正德要进的是女人的卧室。

另外一处，梅兰芳也做了前后颠倒的处理。当李凤姐去取银子时，以前的戏词是她诓正德去看老鼠，而演到后面，当正德要她斟酒时，她诓正德去看古画。梅兰芳认为“取银子”这场戏是在李凤姐刚认识正德不久，她诓正德去看古画更符合身份，而正德要她斟酒时，两人已经很熟了，此时，她再诓正德去看老鼠才符合剧情。

有一场正德上下打量李凤姐时两人的一段对话和表情，梅兰芳也做了一些修改，老的演法是当正德打量李凤姐时，李凤姐略带羞容，还不时闪避着。梅兰芳认为这样表演不符合李凤姐的性格和剧情，李凤姐独自开了个小酒店，每天迎送三教九流，早已练就成了“活泼娇憨”的性格，何况此时，她与“假军官”已经混熟，应该已没有了初见生人时的拘谨，所以，他改为：当李凤姐发现正德在看她时，便“双手掐腰，脸上略带怒容”，表示“我也不是好欺侮的”。

这些改动虽然很细微，但足以看出梅兰芳的细致与对表演艺术的精益求精，他和余叔岩分别学习的是余紫云和谭鑫培，但又不是一味地模仿，所以，姚玉芙说：“我断定叔岩演的并不是谭老的原样；畹华的表演，和紫云先生的关系也不太大。主要是他们二位认真排对了几十天，同时，旁边有几个朋友看着出主意，才把这出戏演成这样的，也可以说是梅、余二位的创造。”

首演结束后，余叔岩兴奋异常，梅兰芳明显感觉到余叔岩的心情与上台前完全不一样，他头上顶着一块热气腾腾的毛巾，满面春风，笑呵呵地对梅兰芳说：“今天的戏唱得痛快极了！”梅兰芳倒是很担心余叔岩因为演出时太投入而过于劳累，便劝他：“您累了，好好儿歇息一会儿吧！”情绪正处于亢奋的余叔岩哪里肯听，他急不可待地要和梅兰芳共同研究刚才演出时出现的几个问题。从此，他俩每演一次《梅龙镇》，就要加工修补一次，如此反复，两人的配合越发默契，余叔岩的表演也逐渐走向成熟。

接着，他们又用“边排边改边演”的办法排演了另一出戏《打渔杀家》。这出戏也是一出老戏，原是谭鑫培和王瑶卿的拿手戏。戏的内容来源于《水浒传》里的一段：萧恩原名阮小二，他与女儿桂英以打鱼为生。一日，萧恩与友人李俊、倪荣在船中饮酒，土豪丁自燮派西郎上门催讨鱼税，李俊、倪荣怒斥并赶走丁郎。丁自燮遂又派教师上门勒索，又被萧恩击败。丁自燮告到县衙，萧恩被杖责并被罚向丁自燮赔礼。萧恩忍无可忍，夜半三更和桂英过江以献“庆顶珠”之名，将丁自燮杀死。萧桂英在这出戏里原是个配角，自王瑶卿陪谭鑫培演出后，进行了一系列的研究和创新，逐渐使这个角色由配角转为举足轻重的人物。

梅兰芳和余叔岩虽然以谭鑫培、王瑶卿的演出作为范本，他俩都曾看过二老的演出，但按梅兰芳一贯做法，在排戏和演出时，他又根据剧情，在某些细节上做了必要的修改。同时，对某些台词也进行了仔细的推敲，做到先理解，再表演。

《打渔杀家》有一场戏说的是萧恩不要女儿桂英渔家打扮，当他发现桂英又是渔家打扮时，说："叫儿不要渔家打扮，怎么还是渔家打扮呢？"桂英撒娇道："儿生在渔家，长在渔船，不叫儿渔家打扮，要怎样打扮呢？"萧恩不悦道："不听父言，就为不孝。"桂英见父亲不高兴，便说："儿改过就是。"

梅兰芳、余叔岩初演时都觉得萧恩所说"不听父言，就为不孝"这句台词似有不妥，他们认为无非就是姑娘家如何打扮的问题，不是什么了不得的事，还远远够不上"孝"或"不孝"。于是，他们删去了这句词，改萧恩只"哼"了一声，既然删去了"不孝"二字，那么桂英再说"改过"就不合适了。他们便将"改过"二字改为"遵命"。

如此演出了几次后，他们却又逐渐发现原词的确是有道理的，而经他们改动后，反而不符合剧情了。丁自燮几次派人来催讨鱼税，萧恩其实早已看出丁自燮的真实用意，他不过是想借鱼税达到他欲霸占桂英的目的，一旦萧恩缴不出鱼税，他便可以堂而皇之提出以桂英来抵债了。萧恩既然看透了丁自燮，又想起他早已将女儿许配给了花逢春，于是便打算尽快将女儿嫁出去，所以，他叫桂英改换装束，但他又不能将真实情况告知女儿，而女儿也不知道父亲劝她改装束其实是有难言之隐的。在这种情况下，萧恩才会在一急之下说出"不听父言，就为不孝"。于是梅兰芳、余叔岩重又恢复了原来的台词。余叔岩在念"不听父言，就为不孝"时，加重了语气，显示萧恩的坚决。梅兰芳在念"儿改过就是"，声音柔和，显示她愿意服从。

⊙梅兰芳赴日时与夫人王明华在轮船上

从中我们可以看出，梅兰芳、余叔岩之所以有日后的巨大成功，与他们在排演每出戏时对剧本内容理解得透彻、对人物性格研究得深入、对人物心理分析得准确有很大关系。

首赴日本大获成功

1919年元月，“喜群社”成立，新明大戏院同时开幕，梅兰芳和余叔岩同时加入喜群社。从这年1月到4月中旬，梅兰芳主要在新明大戏院演出，主要剧目有：

《贵妃醉酒》(1月23日，与张彩林、李敬山合演)、《思凡》(2月9日)、《惊梦》(2月16日)、《三击掌》(2月20日，与余叔岩合演)、《琴挑》(2月25日)、《狮吼记》(3月8日，与王凤卿合演)、《六月雪》(3月12日)、《渔家乐》(3月13日，与姜妙香合演)、《千金一笑》(3月28日，与姜妙香合演)、《教子》(3月29日，与余叔岩合演)，另外，他还参加了第一舞台义务戏的演出，剧目是《天女散花》(1月27日)、《打渔杀家》(3月11日)。

这年年初，日本东京帝国剧场老板、大财阀大仓喜八郎和日本文学家龙居濑三到梅宅访问梅兰芳，想请梅兰芳到日本演出。梅兰芳未置可否。

邀请梅兰芳到日本去演出首先是龙居濑三的主意，他是文学家，对中国文化有很深的研究，当他看过梅兰芳的几出戏后，立即对中国戏剧产生了极大的兴趣，他还在日本的报纸上写过一篇评论梅兰芳的文章，大意是“梅兰芳的技术高妙不必谈，就他那面貌之美，倘到日本来出演一次，则日本之美人都成灰土了”。[①]这篇大有“长别人威风，灭自己志气”的文章立即遭到日本其他报纸的反驳，一时

①齐如山：《齐如山回忆录》。

间，几家大报为了中国的梅兰芳闹得沸沸扬扬，“梅兰芳”这个名字也因此引起日本人的无比好奇。

龙居濑三以后每到北京，必去看梅兰芳的演出。他和大仓喜八郎是好朋友。当他得知大仓喜八郎也到了北京后，便邀大仓喜八郎同去观看梅兰芳的演出。大仓喜八郎每次看过之后都赞不绝口。当他前几日看过梅兰芳的《天女散花》后，便同意了龙居濑三邀请梅兰芳赴日的主张。

两个日本人访问梅兰芳时，齐如山正好也在座，他听到大仓喜八郎的提议后，不禁怦然心动。于是等大仓喜八郎和龙居濑三走后，他便试探梅兰芳，问：

“你对他们的提议有什么看法？”

梅兰芳答：“出国演出当然好，我很愿意出国，但我觉得这事不会是想象中那么容易。”的确，梅兰芳很早就有“把中国古典戏剧介绍到国外去，听一听国外观众对我的看法”的愿望，②只是有些顾虑，加上他是个脚踏实地的人，从来不对他认为遥不可及的事抱奢望，这次也一样。

梅兰芳说罢，便去忙其他事了。齐如山得知梅兰芳有此意愿十分兴奋，便出面与大仓喜八郎联系。经过两次接洽，事情谈得很顺利。

与此同时，另外几个国家仿佛嗅到了什么气息，也派人来和梅兰芳接洽，许诺重金邀请他出国演出。我国早期刊物《春柳》在这年的第四期上报道说：“梅兰芳就日本之聘，言明一个月。出五万元之包银，在日本已成为破天荒之高价，而中国伶界得如此之重聘，亦

②梅兰芳：《日本人民珍贵的艺术结晶——歌舞伎》，《梅兰芳文集》。

未之前闻。已定议四月中旬前往。美国以为梅兰芳宜先到美国一行，来回约五个月，以三十万美金聘之。法国又以为兰芳不到法国，则以法国之剧艺美术论，不足以光荣。无论须银若干，法国不惜。一名优出洋小事也，外国当仁不让，亦可见矣。然而兰芳不肯做拍卖场之行为，仍按约先至日本。”

梅兰芳最终还是先去日本，除了“不肯做拍卖场之行为”外，他认为日本与中国相邻，日本受中国传统文化影响很深，中国古典戏剧可能更易被日本人所接受。同时，“他也想趁此机会研究一下日本的歌舞伎和谣曲”。[①]

经过一段时间的筹划，4 月 21 日，梅兰芳率团离京赴日。

随同梅兰芳一同前往日本的有他的夫人王明华，演员有姚玉芙、姜妙香、高庆奎、贯大元、芙蓉草（本名赵九龄，字桐珊，花旦演员）、陶玉芝、董玉林、何喜春、王毓楼、高连奎；场面有茹莱卿、陈嘉梁、马宝明、马宝柱、孙惠亭、何斌奎、傅荣斌、张世宽、曹深、唐春明；化装有韩佩亭、李德顺、宋增明、谢得霖、李树清；顾问有李道衡、许伯明、齐如山、赵晦之；秘书兼翻译是沈亮超。共同通讯社驻北京主任村田孜郎作为日方向导随团同行。

4 月 25 日晚 8 点半，梅兰芳一行抵达东京站，受到盛大欢迎。除了欢迎的人群外，还有许多人是慕名自发前来，想一睹名伶风采。而各社摄影记者更是蜂拥而至，为了抢一两个镜头，彼此挤得像在打架。以至于梅兰芳及其随行一度寸步难行。日本海关的例行检查给予了特别优待，许多行李都免检。梅兰芳夫妇和姚玉芙被安排住进帝国饭店，其他人住在帝国饭店所属的旧内务大臣官邸。

梅兰芳入住帝国饭店后，对前来采访的日本各大报刊记者坦陈了他来日本演出的目的和对日本的初步印象，他说：

①② （日）吉田登志子著，细井尚子译：《梅兰芳 1919、1924 来日公演报告》，《戏曲艺术》1987 年。

我这次来日本由于大仓男爵的斡旋，还有一个原因就是我妻老早就向往日本的风景，所以尽早地来日了。我看到初夏的田野，山河的清新颜色和很整齐的耕地，觉得很高兴。特别是今晚我看到富士山的时候，高兴得跳起来了。我非常喜欢鸽子，饲养了很多鸽子，当我从火车的窗户不时看见平和安详的鸽子，更使我感到亲切。……②

5月1日，梅兰芳正式在日本的帝国剧场演出，这是他第一次站在外国的舞台演出中国京剧。在到达东京后到正式演出前几天里，他拜访了中国驻日使馆，又在日方的安排下，在东京的一家名为“歌舞伎座”的剧场和一家名为“往明治座”的剧场看了日本歌舞伎。

当时的演出方式是中国戏剧演员与日本歌舞伎演员同台演出，中国京剧被安排在中间偏后。日本方面的演员主要有：松本幸四郎（七世）、守田勘弥（十三世）等。演出顺序基本上是：《本朝二十四考》（歌舞伎）；《五月的早晨》（现代剧），《咒》（阿拉伯古典剧），中国京剧，《娘狮子》（舞踊）。只有5月6日、11日、12日这三天，京剧被排在《五月的早晨》前演出。

从5月1日到5月12日，梅兰芳在东京帝国剧场演出的剧目是：5月1日—5日《天女散花》，5月6日—8日《御碑亭》，5月9日—10日《黛玉葬花》，5月11日《虹霓关》，5月12日《贵妃醉酒》。

梅兰芳原先准备在东京演出的剧目还有《春香闹学》、《游园惊梦》、《游龙戏凤》、《嫦娥奔月》、《奇双会》、《晴雯撕扇》（《千金一笑》），但实际上，梅兰芳在东京只演出了五出戏，这是因为日本剧场没有每天更换剧目的习惯，所以，另外几出戏未能在东京上演，而《天女散花》、《御碑亭》、《黛玉葬花》却分别演了五天、三天和两天。但梅兰芳很尊重日本剧场的习惯，未加埋怨，倒是有些日本人在报刊上发表文章对剧场不知变通的行为十分愤慨，而对梅兰芳的宽容大量则很钦佩。

有中国京剧参演的这段时期，东京帝国剧场的票价十分昂贵：特等10元、头等7元、二等5元、三等2元、四等1元，而这段时期，日本歌舞伎座的特等票价不过4.8元。尽管如此，剧场仍然天天满座，吸引了各个阶层的观众。演出时，每当开场的音乐响起，观众席中就会响起雷鸣般的欢呼喝彩声，梅兰芳一出场，常常又是一阵震耳欲聋的掌声。东京的《东京日日新闻》、《都新闻》、《万朝报》、《国民新闻》、《读卖新闻》、《东京朝日新闻》等报刊纷纷报道演出盛况并发表剧评。

这些评论文章以评论《天女散花》为主；日本观众似乎十分喜爱这出戏。然而，梅兰芳出国前，在研究具体演出剧目时，齐如山曾反对以《天女散花》作为重头戏，他认为给外国人看的戏还是应该以旧戏为主。那时，《天女散花》正广受欢迎，大仓喜八郎和龙居濑三也正是看了这出戏后才决定邀请梅兰芳赴日，所以，他们认为《天女散花》不能不演。梅兰芳此时也偏爱这出戏，加之周围其他人也都一致赞成，他是很想以这出戏作为号召的，但他觉得齐如山的意见不无道理。最后经协商决定，还是以旧戏《御碑亭》作为主要戏。

果然，《御碑亭》比《天女散花》更受日本人的欢迎，原因很简单，日本妇女和中国妇女同样深受封建制度的摧残，夫权至上使妇女在家庭中毫无地位可言。《御碑亭》的故事说的是明士王有道的妻子孟月华一次因避雨躲在碑亭之下，恰逢秀才柳生春也到碑亭避雨，两人虽同在碑亭之中，但未曾说过一句话。次日晨，雨停，两人各自离碑亭而去。孟月华回家后将此事告知小姑王淑英，夸赞柳生春是个知礼之人。王有道赴试回家后，从淑英嘴里得知妻子碑亭避雨之事，遂心生疑窦，执意认为妻子有不轨行为，愤而休妻。孟月华悲痛欲绝，差点走上绝路。故事虽以王有道从柳生春那里了解了真相后赶至岳父家赔罪，并与孟月华言归于好的大团圆作为结局，但孟月华的遭遇却引起日本妇女无限的同情。每当演到王有道休妻那场戏时，观众感同身受，纷纷一洒同情之泪。

除了各大报纸大量刊登评论文章外，各种杂志也不甘落后。《中央公论》1919年4月号上刊登了日本戏剧通福地信世的文章，题目为《支那戏剧的话》，他在文章中不仅介绍了中国京剧，还简要介绍了《虹霓关》、《玉堂春》、《空城记》、《朱砂痣》、《武家坡》、《黛玉葬花》等几出戏的内容梗概，特别介绍了梅兰芳这个人，他写道：

他还很年轻，但他的艺术，他的嗓子，足以说明他是第一流的演员，他红得跟中村歌右卫门（五世）的福助时代一样，除了我前面说过的梅兰芳在表演中国固有的剧目中没有缺点以外，他还发明了他个人独有的新艺术风格。剧本的题材是从他祖父所有的院本里把已经失传的剧目挑选出来的，有的则采自很古老的小说。他把唱词设计成清新悦耳的腔调，又把舞蹈身段加了点儿西洋舞姿，服装是按照当时古老的服饰样式设计的。他的表情不是已往的旧支常见的呆板，而是从内心自然显示出来的富有深情的表演。这好像已故的市川团十郎（九世）参酌旧剧来演出活历（一系列历史剧总称）一样，服装也是依照故事来设计的，但梅的演出方式比团十郎的活历新得多。这就是梅兰芳独有的东西。目前有人担心支那戏剧同当前的世界趋向不相适应，成为日本能乐那样一种艺术古董，远离现实社会，但是我觉得梅的新尝试能与正在进步的社会步调一致同它一起前进，将来是有希望的。我想，梅来到日本看了日本的戏剧、舞蹈，这对他来说，也许会有更多的吸收。

⊙《御碑亭》，梅兰芳饰孟月华

《演艺画报》、《新演艺》1919年6月号也分别发表文章，介绍梅兰芳和他演的剧目。

东京演出取得成功后，梅兰芳接受《大阪日报》社和《关西日报》社的邀请，5月17日晚上11点离开东京赴大阪，次日下午3点40分到达大阪梅田，住宿于大阪饭店，当晚，他在浪花座参观了日本歌舞伎跳舞练习会“浪花踊”，该活动每年只举行两次。散席后，他在后台与日本歌舞伎演员中村雀右卫门（三世）和中村雁治郎（初世）欢聚畅谈。

梅兰芳在大阪的演出时间是5月19日和20日，地点在大阪中之岛中央公会堂，剧目分别为：19日，《尼姑思凡》、《御碑亭》，另有老生戏《空城计》；20日，《琴挑》、《天女散花》，另有老生戏《乌龙院》。中国京剧在日本作专场演出，这是有史以来的第一次。两天的演出票价分别是一等7元、二等5元、三等3元，整个会堂同样座无虚席。

与观众的热情同步，评论家们也不惜笔墨纷纷撰写观后感，几乎一致认为“梅的容颜和柔软的身段同真正的女性几乎一样，充分吸引着观众”，还说他“仪态舞容艳异冶丽，简直就没有可说的了”，更夸赞他的“嗓音玲珑秀彻，音质和音量都很鲜明，连一点儿凝滞枯涩也没有”。当然，他们也有所挑剔，说《天女散花》的身段“劲头有点儿过火”，还说“唱腔、念白和音乐太高太尖，有点刺耳”，不过，从总体上看，他们还是感叹“梅的技艺是天斧神工”。

随后，梅兰芳又接到以马聘三和王敬祥为代表的中国旅日商人的邀请，赴神户为华侨兴办的中华戏校募捐举行义演。他结束在大阪的演出后，率团于5月21日离开大阪，当天下午4时40分抵达神户三宫，住宿于托阿大饭店。5月23日至25日，梅兰芳在神户聚乐馆演出了三场，共六出戏，即《游龙戏凤》、《嫦娥奔月》、《春香闹学 》、《游园惊梦》、《琴挑》、《天女散花》，占全部十三出戏近一半。这三场的票价分别是：特等10元、一等6元、二等4元、三等2元、四等70钱（即0.7元）。演出结束后，扣除演员的基本报酬外，梅兰芳将盈余全部捐给了中华戏校，受到华侨的盛赞。这次义演开创了中国演员在国外义演的先河。

梅兰芳在日本演出期间，无论是在东京还是在大阪和神户，无不受到日本观众的狂热欢迎，有人统计说至少有6千万日本人“为之疯狂”，除戏院场场爆满外，票价在黑市上连连“翻跟头”，达数倍或数十倍。据说，日本的皇后和公主特定下第一号包厢，每次看过梅兰芳的演出，她们都会因台上梅兰芳的扮相而自惭形秽。“他那悠扬悦耳的唱腔，袅娜多姿的舞态，庄雅恬静的台风，深深地感染了日本观众，一时间，许多日本演员竞相模仿他的扮相、手势、眼神和舞蹈动作。”日本著名的歌舞伎演员中村雀右卫门曾在浅草的“吾妻座”模仿梅兰芳上演过日文版《天女散花》。北京的报刊报道说：“彼都士女空巷争看，名公巨卿多有投稿相赠之雅。名优竟效其舞态，谓之梅舞。”①

就在这热气腾腾的追捧中，梅兰芳经受了一次政治上的考验。

①马少波主编：《中国京剧史》第二卷。

在他刚刚演出了三天之后的5月4日，北京学生的爱国运动震撼了全中国，著名的“五四”运动爆发。梅兰芳听到消息后感到异常振奋。不久，他收到几位中国留日学生的来信，提出他此时此刻仍逗留在日本、并为日本人演出不合时宜。他也感到不妥，但因有约在身，便决定缩短演出日程，并派人向剧场交涉，提出5月7日“国耻纪念日”这天停演，以此表明他鲜明的爱国主义立场。剧场负责人苦苦哀求说，戏票早已售出，若临时停演剧场就会砸锅，只同意拆除剧场悬挂写有“日支亲善”字样的牌子。

在与日方洽谈出国演出事宜时，就有中国人反对用“中日亲善”的口号，说：“日本倡言中日亲善是假的，不可相信。”当时，齐如山不以为然，他说：“这个无妨，如今两国相交，多数彼此利用，中日亲善四字，也可以彼此利用，倘能利用得法，于中国也不见得有什么损害。”[①]这样，日本帝国剧场便挂上了“日华亲善”的牌子。

牌子在梅兰芳的坚持下得以撤除，但演出合约他还得继续履行。其实他在这样的历史背景之下的演出，客观上也在“宣扬祖国文化和改善民族形象方面或多或少地都起了一点作用。”[②]正如《春柳》杂志当年第五期里的一篇题为《梅兰芳到日本后之影响》的文章所说：“甲午后，日本人心目中，未尝知有中国文明，每每发为言论，亦多轻侮之词。至于中国之美术，则更无所闻见。除老年人外，多不知中国之历史。学校中所讲授者，甲午之战也，台湾满洲之现状也，中国政治之腐败也，中国人之缠足、赌博、吸鸦片也。至于数千年中国之所以立国者，未有研究之。今番兰芳等前去，以演剧而为指导，现身说法，俾知中国文明于万一。”[③]

日本许多家戏院老板都想以重金聘请梅兰芳长期留日，当然一一遭到拒绝。在神户演出结束后，梅兰芳一行于次日离开神户，乘

①齐如山:《齐如山回忆录》。
②③马少波主编:《中国京剧史》第二卷。

关釜渡轮“高丽丸”归国。

梅兰芳的一大优点便是他善采众家之长，十分注重向他人学习，此番赴日，自然是一次采风的良机，梅兰芳焉能轻易放过！第一收获是他首次看到了日本的歌舞伎，他发现歌舞伎与中国古典戏剧尤其是京剧有很多共同点，包括取材与艺术加工及表演的手法。这使他感到亲切和欣喜，也使他得以从歌舞伎反观中国戏剧，提高了他对国剧的认识。

在日本除了看日本戏外，梅兰芳还很喜欢看日本的绘画、纺织和其他美术品，对“亭榭无多、疏落有致、垒石引水，都适得其妙”的日本园林，他也颇感兴趣。因为他此时已开始学习绘画，所以尤其喜欢观察盆景，在他眼里，每一盆景都是一幅山水画。从这一切当中，梅兰芳悟出日本古典戏剧和中国古典戏剧之所以存在着共同点的原因，那就是千年以来，两国之间始终有着千丝万缕的联系，“彼此声气相同，呼吸相通”。④这恐怕也是中国京剧在日本大受欢迎的主要原因吧。

“梅欧阁”里尽欢颜

1919年冬季，梅兰芳受汉口大舞台经理赵子安之约，赴汉口演出了一个月，同去的演员还有王凤卿、朱素云、姜妙香、李寿山、姚玉芙等人。在这一个多月时间里，梅兰芳的演出剧目仍然是老戏、昆曲、古装戏、时装戏四种。同在上海演出一样，古装戏最受观众欢迎。观众钟爱古装戏，或许也是梅兰芳放弃时装戏而致力于古装戏研究的原因之一。

④梅兰芳:《日本人民珍贵的艺术结晶——歌舞伎》,《梅兰芳文集》。

⊙ 1919年在南通与民族实业家张謇(右)

按照汉口方面的安排，陪梅兰芳唱生旦戏的有王凤卿和余叔岩。王凤卿唱上半月，余叔岩唱下半月，这样的安排应该说是很聪明的。梅兰芳和王凤卿合作多年，彼此配合极为默契，但越是默契越是失了新鲜感，虽说梅兰芳不至于因为总和一个人对戏而提不起精神，观众却是会厌倦的。梅兰芳与余叔岩合作不久，彼此还在磨合。余叔岩的风格不同于王凤卿，他师承谭派，王凤卿则是汪派传人，这样，梅余的合作也就大不同于梅王的合作。对于观众而言，换换口味是很必要的。

第二批赴汉口的除了余叔岩，还有陈德霖、王长林、李顺亭等几位老前辈，只可惜七十多岁高龄的李顺亭终未能经得住长途劳顿，在车上就得了急病，下车后不久就客死他乡了，令梅兰芳等人唏嘘不已。尽管如此，演员阵容还是很整齐的。梅兰芳与陈德霖、余叔岩、朱素云、姜妙香、姚玉芙合演了几回八本的《雁门关》，颇受观众欢迎。

在汉口演出期满后，除余叔岩继续留在汉口续演半个月外，梅兰芳与朱素云、姜妙香、姚玉芙、李寿山应张謇之邀赴江苏南通。

中国京剧史上曾有三件新事物发生在1919年的南通，这三件新事物就是“南通伶工学社”、“更俗剧场”、“梅欧阁”。这三件新事物的创始人就是被称为“办厂迷、办学迷”的张謇。

张謇，字季直，号啬庵，南通籍人士，清末状元，近代实业家、教育家。毛泽东于20世纪50年代曾说过：中国的民族工业，有四个人不能忘记，轻工业，不能忘记张謇。

张謇后来投资戏剧事业是因为他将戏剧看成是进行通俗教育的最好形式，是实现“教育救国”的一个重要组成部分。早在1916年，他在给梅兰芳的信中就说：“世界文明相见之幕方开，不自度量，欲广我国于世界，而以一县为之嚆矢；至于改良社会，文字不及戏曲之捷；提倡美术工艺，不及戏曲之便。”还说：“我国之社会不良极矣。社会苟不良，实业不倡，教育寡效，无可言者。而改良社会措手之处，以戏剧为近，欲从事于此已有年。”他在和欧阳予倩的一次谈话中也说：“实业可振兴经济，教育能启发民智，而戏剧不仅能繁荣经济，抑且补助教育之不足。”

张謇与梅兰芳相识于民国初年，他在经过四五年的筹划后决定创办戏校时，首先想到的就是请梅兰芳帮忙。他在1916—1919年四年间给梅兰芳的9封信中，数次提到自己的愿望。1916年的一封信里这样说：“兹南通地方拟建戏园。鄙意则先须养成正当之艺术人才，特开生面。都中年轻而习艺者，较多之他处。假如养成三十人，就曾学戏之子弟中，择其聪慧而安详者，合为一班，即在都中，加以训练，延聘一二人为之监督，岁由南通给费以资之。……其事是否易于组合，若何组合之法，吾友与奉卿（凤卿）诸君能为其事否？一切茫然。希晤奉卿、妙香时，讨论研究，见示要端。”1918年一封信里说：“顷闻都中本有富连成小班艺亦不劣之说，不知确否？如其不劣，此班可全行移动否？抑可择优延致否？使仅平平，另谋招练，是何方法？训练集合之地，教养主任之人，需用之费，养成之时，皆设计中应有之事，应计之秩序也。幸以艺暇与奉卿、妙香及老于此事者一商榷之。……吾友当知区区之意，与世所谓征歌选舞不同。可奋袂而起助我之成也。”

梅兰芳很感激张謇对他的信任，但他很婉转地谢绝了张謇，他在回信中说：“忆去年蒙谕，代组学校，本应勉效绵薄，只以知识短浅，未克如愿，实深愧歉。”其实，梅兰芳的知识并非“短浅”，只是他志不在此，办学校不是他的专长，如何提高京剧表演艺术才是他所要追求的。

不过，张謇很快找到了“意中人”，那就是欧阳予倩。梅兰芳收到张謇“近得欧阳予倩书，愿为我助”的信后，如释重负。在张謇没有找到合适的人之前，梅兰芳对张謇总有愧疚感，很担心因为自己的原因使张謇不能如愿，眼下，他听说欧阳予倩挺身而出，一块心病总算是消解了。他很高兴，高兴的倒不完全是他可以就此安心，而是替张謇高兴，他觉得办学校，欧阳予倩比他更合适。他在1919年初秋给张謇的一封信里这样说：

有予倩先生出来办理甚妙。久知予倩先生品学兼优，艺通中外，将来剧场、学校均必尽美尽善，较澜（这封信，梅兰芳署名梅澜）为之胜万倍矣。澜自日本归来有感触，亦拟办一精致剧场及学校。但人微言轻，未悉果能如愿否？蒙谕于九月间到通一节，闻命之下，欣幸无似，届时倘无他故，定当前往。

张謇是因为欧阳予倩于1918年发表的一篇《予之戏剧改良观》的文章发现这位人才的。这篇文章认为改良戏剧首先必须组织关于戏剧之文字，其次就是必须养成演剧之人才。看罢文章，张謇随即派人邀请欧阳予倩赴南通会晤。此时，欧阳予倩早已暂别了话剧，转到了京剧，自学成才，成为南派花旦的一流京剧演员。当梅兰芳在北京排演红楼戏时，听说上海也有一位排红楼戏的，这就是欧阳予倩。他俩一南一北，“对排红楼戏，十分有趣，旁人看了，还以为他们在比赛呢。”不过，两人排的红楼戏数量大不一样，梅兰芳只排了《黛玉葬花》、《千金一笑》、《俊袭人》三出；而欧阳予倩则排了九出之多，有《黛玉葬花》、《晴雯补裘》、《鸳鸯剪发》、《鸳鸯剑》、《王熙凤大闹宁国府》、《宝蟾送酒》、《馒头庵》、《黛玉焚稿》、《摔玉请罪》。

欧阳予倩接到张謇的邀请，随即来到南通，商议开办戏校的计划。当年9月，一所培养京剧演员的新型戏剧学校——“伶工学社”正式成立。几个月后，与伶校配套的新型戏曲剧场“更俗剧场”也拔地而起。

梅兰芳虽然婉拒了张謇的办学邀求，但对张欧办学却鼎力相助，当接到张謇为了让学生有观摩学习的机会并参加更俗剧场的开幕仪式的邀请时，便欣然应允。梅兰芳在汉口的演出期限快到时，张謇派了“大和”专轮赴汉迎接。梅兰芳夫妇、齐如山，以及演员、场面工作人员一行三十多人，乘专轮到达南通。为迎接梅兰芳的到来，张謇特别建了一所牌楼，取名“候亭”。候亭造在南通与外埠的交通必经之地的望江楼外的大道上，是砖造的。跨在路上，车辆、行人可以穿“亭”而过，里面两边设有石凳供行人歇脚。梅兰芳到后，张謇安排他们住在博物馆中的“濠南别业”。房子虽不大，但环境幽静，空气很好。当晚，张謇做东，邀请梅兰芳等人吃饭，南北闻名的昆曲专家俞粟庐也在座。时值梅兰芳学习昆曲最来劲的时候，偶遇昆曲专家，他哪肯放过，便就一些昆曲问题请教了俞粟庐。俞粟庐耐心细致地回答了梅兰芳的问题，俞认为梅兰芳的嗓子很宽，可以唱昆曲的正旦，便劝他学《烂柯山》的《痴梦》，《慈悲愿》的《认子》，《琵琶记》的《南浦》。梅兰芳欣然接受俞粟庐的建议，回北京后，即向谢昆泉学了《痴梦》，以后在上海向俞振飞、许伯遒学习了《认子》。

到南通后的次日，张謇安排梅兰芳等人参观伶工学校，欧阳予倩领他们看了课堂、校舍、操场……。学校新的教学方法、课程设置和管理体制都给梅兰芳留下深刻印象，他不由感叹：相比旧科班，伶校的确是进步得多。参观完伶工学校，欧阳予倩又带他们参观更俗剧场。剧场前台经理薛秉初热情地招待他们先到客厅休息。当梅兰芳随薛秉初跨入客厅门时，立即被客厅墙上高高悬挂着的一块横匾吸引住了。横匾上是“梅欧阁”三个大字，“笔法遒劲，气势雄健”，梅兰芳一看便知写者模仿的是翁松禅的笔法。横匾旁边还挂着一副对子，上书：“南派北派会通外，宛陵庐陵今古人”。

“这可是张四（即张謇）先生的书法？”梅兰芳问。

“是的。”薛秉初说，“这间屋子四先生说是为了纪念你们两位的艺术而设的。”

闻听此言，梅兰芳十分激动，却没有丝毫的得意，他是一个谦虚的人，因此倒还有些惶恐，自觉“年纪还轻，艺术上有什么成就可以值得纪念呢？”原来，张謇是借用梅圣俞（宛陵）和欧阳修（庐陵）这两位古人的名暗切梅兰芳和欧阳予倩的姓，因此取名“梅欧阁”。

张謇不愧是一位有眼光的教育家，“梅欧阁”的设立足见其良苦用心，他认为梅兰芳、欧阳予倩分别是北南派的代表人物，两位剧界泰斗同台演出于更俗剧场不仅值得纪念，更应当以一种特殊的方式使之流传。再者，他试图借梅、欧同台演出这一事实，暗示这样一种思想，即戏剧界的优秀人物只有团结合作，南北艺术互相学习、交流，才能谋求戏剧的改进和发展。

梅兰芳很理解张謇的用意，他将张謇设立“梅欧阁”视作“用这种方法来鼓励后辈，要我们为艺术而奋斗”。梅兰芳就是这样，善将他人对自己的美意当作一种鼓励，善将别人给予的哪怕是自己当

⊙南通戏院观众席

之无愧的赞誉也看作是一种鞭策，这不仅表现出他的优良品质，也惟其如此，他才会从不骄傲自满，不断进步，终于到达艺术的巅峰。

休息了一会儿后，薛秉初领梅兰芳参观了前台后台。梅兰芳很惊异于剧场设计，观众厅纵深只有二十几排座位，横向最宽处每排可坐四十多人，而且观众厅高于舞台，本可容纳1500位观众，却只安装了1200个座位。所以，整个剧场宽松而舒畅。另外，舞台上空有横向天桥三道，台底有三条纵向通道，无论是“上天”戏，还是“入地”戏都可在这个舞台上表演。梅兰芳觉得就算是开现代剧场先河的上海新舞台也无法与之媲美。

梅兰芳到南通的消息一传开，立即轰动了整个通（南通）、扬（扬州）、泰（泰州）地区，涌入更俗剧场等候买票的人来自四面八方，甚至有人特地从上海奔来，尽管票价较高，但仍不能稍稍阻遏观众的热情，许多人买不到票，纷纷要求加座。还有人每天聚在濠南别业和更俗剧场的门前，以期亲眼目睹梅兰芳的风采。

参观完伶工学校、更俗剧场当天下午，梅兰芳首演于更俗剧场，剧目是《玉堂春》。因为正值冬季，南通气温很低，白天达零下四五度，因此，剧场临时决定提前到下午3点开演，晚9点结束。

梅兰芳首次在南通共演出了十天左右，先后演出了《佳期》、《拷红》、《思凡》、《嫦娥奔月》、《木兰从军》、《千金一笑》。

在南通演出期间，梅兰芳留给南通人、特别是剧场工作人员及伶校学生印

象最深的是他的和蔼可亲，毫无名角架子。每天演出前、演出后，他上台下台见到工作人员、甚至跑龙套的都含笑点头招呼，伶校学生与之配戏结束后，他总是和每位学生握手道辛苦，还不时指正他们的表演，鼓励他们勤奋用功。每天戏完，他必谢幕并向观众致谢辞。梅兰芳的高超演艺及平易近人的态度赢得人们的爱戴，女红传习所全体师生日夜赶制了一条精致的淡青色绸制“守旧”赠送给他。

演出期满后，张謇、欧阳予倩亲自送梅兰芳到西门外候亭，并摄影留念。张謇本欲挽留梅兰芳在南通再待一段时日，无奈梅兰芳已接受上海许少卿的邀请，准备赴上海演出。不过，他答应张謇：“等我从上海回来后，一定再来南通。”

赴上海获赠诗画

1920年4月，梅兰芳第四次到上海演出，他虽然隔了近四年才又露面于上海滩，但上海戏迷却对他这几年的演艺活动了如指掌。此时出现于黄浦江畔的梅兰芳早已不是七年前跟在王凤卿身后的“第一青衣”了，他不仅于1918年继谭鑫培去世后被推为继起的“伶界大王”，更在1919年访问日本演出获得成功后，成了“中外共瞻”并“全球欢迎”的明星。因此，这次《申报》海报与往次不同，将“梅兰芳”排在了“王凤卿”的前面。

当报纸4月9日登出消息，说“梅兰芳、王凤卿已于今日到申，择日上台”后，每天都有一批戏迷徘徊在天蟾舞台门口，希望一睹梅兰芳“芳容”。4月12日，梅兰芳登台。傍晚，未到6时，闻风而至的戏迷已纷涌至“天蟾舞台”，只片刻工夫，场内已座无隙地，而戏馆门前，更是万头攒动。因为天蟾舞台前所未有的、高出其他戏馆二至五倍的票价阻碍了许多平民百姓，百余人因进不了场，只好

⊙梅兰芳演《上元夫人》戏单（1920年）

站在立于戏馆门前的写着巨幅“梅兰芳”大字的木牌前，好像“梅兰芳”三字也能解馋。还有些人并不是为看戏而来，而只想一见舞台下的、卸了装的梅兰芳。有一位青年，嗜梅成癖，为一饱眼福，每晚都徜徉于戏馆门前，当身着鼻烟色棉袍、外套玄缎马褂、头戴乌绒制西帽的梅兰芳和身着深灰色棉袍的王凤卿从他眼前经过，走进戏馆后，他这才心满意足而去，几乎夜夜如此，可见梅兰芳魅力之大。

梅兰芳、王凤卿此次赴申城演出，仍是应许少卿的邀请。梅兰芳的琴师仍由茹莱卿担当，王少卿则为乃父王凤卿操琴。许少卿是个精明的商人，所以也极为势利。梅兰芳、王凤卿第一次赴沪时，王凤卿的名气要大梅兰芳许多，许少卿自然极力巴结王凤卿，常悄悄单为王凤卿煮燕窝汤喝，而只给梅兰芳白开水。第三次赴沪，眼见梅兰芳势头渐健，受欢迎程度日增，许少卿的燕窝汤也端给了梅兰芳。到了第四次赴沪，燕窝汤又只给予梅兰芳，而轮到王凤卿独饮白开水了。不过，从许少卿的势利上，也可以看出梅兰芳的成长轨迹。

按照与许少卿的签约，梅兰芳此次演出达43天，共50场，26个剧目，除《彩楼配》、《玉堂春》、《樊江关》、《武家坡》、《贵妃醉酒》、《御碑亭》、《四郎探母》、《汾河湾》、《佳期》、《拷红》、《玉簪记》、《游园惊梦》、《贩马记》等传统戏他照演外，还增加了他的创作戏：《黛玉葬花》、《邓霞姑》、《千金一笑》、《嫦娥奔月》，而最令

⊙《上元夫人》舞台照

人瞩目的还是从未在上海舞台上演出过的几部新戏：《上元夫人》、《天女散花》、《麻姑献寿》、《木兰从军》、四本《春秋配》。演出次数最多的是《天女散花》，共演了6次，其次是《上元夫人》，演了4次，《嫦娥奔月》、《麻姑献寿》、《黛玉葬花》、《游园惊梦》、《贩马记》、《汾河湾》分别演了3次。

每演《天女散花》和《麻姑献寿》，沪上文化界名流如陈少石、王雪丞、况夔笙、朱晓岚等都必赶至天蟾舞台观看。大词宗朱古微从苏州赶到上海时，《天女散花》已演过多次，以为不再演，十分遗憾，但又不甘心，于是，他托况夔笙转告梅兰芳，央求梅兰芳为他破例再演一次，梅兰芳笑而应允。

与《天女散花》相似，《上元夫人》也是一出歌舞戏，故事说的是汉武帝求神仙、信方士，有一天王母和上元夫人带着伎乐侍从自空而降，武帝设筵款待，上元夫人当筵歌舞。这出戏，梅兰芳首演于这年的3月5日，其他演员有王凤卿（饰汉武帝）、陈德霖（饰王母），

⊙梅兰芳练习“拂尘舞”舞姿

另外还有程连喜、荣蝶仙、程砚秋、姚玉芙、朱桂芳、刘凤林、姜妙香、赵芝香等。上元夫人舞时手持“拂尘”，梅兰芳吸取传统的表演方法，在昆曲《琴挑》、《思凡》里拂尘舞蹈姿式的基础上为上元夫人创造了一套“拂尘舞”。这出戏场面大，歌舞服装设计都有独到之处，梅兰芳便也因此获得了排演大场面歌舞戏的经验。1923年秋，明新影片公司委托华北电影公司（联华影业公司前身）将“拂尘舞”搬上了银幕。1924年秋，美国一家电影公司也将“拂尘舞”拍成了电影。

梅兰芳在上海的演出拉开序幕后不久，戏迷们就每日引颈期盼以至望穿秋水，苦等“上元夫人”登台，一直等到演出日程过半，《上元夫人》才于5月15日首次亮相。梅兰芳迟迟不演这出戏，并不是想卖什么关子，而确实出于不得已。这出戏乃新编，诸多方面不够成熟与完美，比如唱词、舞姿等，还需不断完善修正，戏中又有五人同舞场面，不易排练，加上这是一出歌舞戏，灯光极为讲究。前几日，《天女散花》就因灯光问题受到批评，演员脸上应该呈红彩的脂粉全部变成了灰白色，极不雅观，究其原因，就是灯光调用不当，过多地使用了绿色，而欠紫色。梅兰芳及其管理人员很重视这个意见，“天蟾舞台”老板也积极配合，还重新增添了设备。

演出很成功，15日和16日，《上元夫人》连演两次，都是爆满，观众都认为“好看得不得了”。原因是梅兰芳“扮相既美，嗓子又好，舞的工架，又出神入化，花样很多，且有众位仙女同舞，其余配角，个个都精神抖擞，各尽其能，况而布景奇巧，灯彩鲜明，兼之龙凤莺鹤各彩头，别的舞台，从来没有这样好看的”，甚至有人发出这样的感慨：“怪不得京城里头的有名人物为他吟诗作赋，竭力的褒赞他。”可见，梅兰芳的成功不仅是他有一副好嗓子，更在于他打破传统青衣“抱着肚子死唱”的陈规，勇于创新，将歌舞融于京剧舞台，给观众带来全新的、美的感受。正因为《天女散花》、《上元夫人》从未在申城演出过，加上载歌载舞的古装新戏此时颇受观众青睐，因而这两出戏和另一出古装新戏《黛玉葬花》卖座最佳，每次演出可得三到五千元之多。

其次是《木兰从军》、《游园惊梦》、《嫦娥奔月》、《麻姑献寿》、《黛玉葬花》等戏。《麻姑献寿》也是新排的，与《上元夫人》有异曲同工之妙。《木兰从军》此次也是首演，同《天女散花》、《上元夫人》一样备受瞩目。有人说梅兰芳在《木兰从军》中所饰演的花木兰，“改男装后甲胄之佳，非言可喻，而动作说白时，往往有刚健含婀娜之态，尤为难于描述。”难怪陈伯严为得以与梅兰芳一晤，特地从南京赶到上海，刚下火车，就听说梅兰芳当晚上演《木兰从军》，二话不说，即与王雪丞、况夔笙、王病三、俞尧衢等人冒着倾盆大雨前去天蟾舞台。况夔笙更是因梅兰芳的《游园惊梦》而改了自己的号。况夔笙是著名词家，名周颐，号蕙风、阮，“夔笙”是他的字。有一天，友人忽然发现他将阮改成了秀，便问其故，他答：“前日观《游园惊梦》，杜丽娘倏见柳梦，梅仅道得一个‘秀’字传神，此际吾故曰秀。”

几部传统老戏，如《御碑亭》、《虹霓关》，或许是因为剧目太老，又没有赋予其新内容，被人演得过滥，所以卖座最差，每场不超过1600元。梅兰芳不禁有些感叹，想前一年去日本演出，《御碑亭》的卖座是超过《天女散花》的，而日本观众偏爱《御碑亭》，是因为《御碑亭》的故事内容引起了他们的共鸣。看多了这类几乎落入俗套的

⊙梅兰芳演《麻姑献寿》杯盘舞

传统戏的中国观众已经开始厌倦，而风格独特的古装新戏正符合了欣赏趣味变化了的中国观众，因而大受欢迎。梅兰芳从中得到启发：守旧就没有前途，创新才会赢得观众。

虽然古装新戏备受欢迎，但梅兰芳并没有只演古装新戏，而仍以多种戏目并存。有人对此不解而相问，他笑答：“新戏仅此数阕，留以号召，一时演完之，将何以为继耶。”显然，梅兰芳是想以古装新戏作为号召的，而用以作为号召的古装新戏恰是“梅派”艺术形成的最早标志，也正是因为古装新戏，著名剧评家张子才会说梅兰芳已成为“完全优美之新式旦角”，而非传统意义上的青衣或花旦。

有人说梅兰芳虽然被称为“新式旦角”，但“其精神、其品格，应当说是古典的、崇雅的”，这固然与他所受教育有关，更重要的原因应该是他所处的环境与受周围文化艺术界名流的影响。自六年前第二次赴沪演出，他就开始接触了吴昌硕、朱古微、沈子培等沪上文化界名流。在京时，也时与名流往来，此次赴沪，他与上海名流交往甚密。尽管他不喜抛头露面，在上海演出期间，深居简出，但至交的宴请，他是从来不驳的。

与故朋新友席间散谈固然让梅兰芳感觉亲切温馨，收益匪浅，而令他感觉不虚此行的不仅在于上海的观众接受并赞赏他的新戏，也不仅在于他在上海的知名度又提高了一个档次，还在于他在与名流的交往中，受赠诗词书画多达百余幅。能够获得名家真迹，况数量如此之众，不能不让梅兰芳欣喜。以画美人著称的画家赵安之特地为梅兰芳绘制了一幅奔月巨像，一幅散花像。《申报》副刊“自由谈”主编周瘦鹃在他的一篇题为“艺文谈屑”的文章中这样感叹：“畹华以歌舞闻天下，倾倒者自不乏人，芳躅所至，赠贻之作盈箧。畹华，畹华，殆赚尽才人心血矣！”

一日，梅兰芳见王凤卿手持两卷子，满面春风，双目充盈着压抑不住的笑意，便上前询问：

“何事惹得您这般开心？”

王凤卿有些神秘兮兮地打开卷子，得意得声音有些颤抖道：“瞧，这是吴昌老亲笔所书，亲笔所画。”

梅兰芳接过一看，果不其然。吴昌硕送给王凤卿的两幅书画，一幅书的是石鼓文，一幅画的是梅花，两幅画“各臻其妙”。

王凤卿面子还挺大，他开口向吴昌硕索书画时，吴昌硕起初以“眼力较逊，今岁不为人作尺页”为由婉拒。因为不是坚拒，而是婉拒，王凤卿觉得还有希望，便一再恳请。吴昌硕果真不再坚持，答应了。不几日，王凤卿便得到了这两幅墨宝。既是名人真迹，又得之不易，王凤卿的喜悦不言而喻，他将这两卷子视作拱璧而恋赏不已也就不奇怪了。

王凤卿的情绪感染了梅兰芳，他被这两卷子，特别是那幅梅花图撩拨得心痒痒的。他不禁想起六年前，吴昌老送给他的那幅着色红梅，他曾私下在姚玉芙面前盛赞“缶庐（吴昌硕别号）老人画梅之佳”。尽管姚玉芙说他得到的一幅“紫藤”图也“甚佳”，梅兰芳还是喜欢吴昌老的梅花图，能够拥有多种梅花图岂不乐哉？这样想来，梅兰芳决定也请吴昌硕再为他画一梅花图。吴昌硕平生的确酷爱梅花，因而最爱画梅，正如他自己在诗中所说：“苦铁道人梅知己”，他画了一辈子画，梅花是他作品中画得最多的题材之一。

吴昌硕自称“眼力较逊”，或许是为避免更多的人向他索书画而找的借口，而梅兰芳非同常人，因之，他毫不犹豫就答应了梅兰芳的要求。几天后，一幅长二尺、高八寸的梅兰花草图就归梅兰芳所有了。随后，他遍请上海名流为这幅图题跋，以作第四次赴沪演出之纪念。

能够得到王雪丞赠的画，梅兰芳得感谢罗瘿公和沈昆山。罗瘿公有一年到上海，应约拜见王雪丞。走入王宅客厅，罗瘿公一眼就盯上了墙上所悬挂着的两幅兰花图，他知道梅兰芳因为名字里有“梅”、“兰”二字，所以偏爱梅花、兰花，便恳求王雪丞道：

“雪老，您有两幅兰图，何不转赠一幅给兰芳？”

“这个主意不错。”王雪丞含笑允之道，“等他再来上海演出，我亲自送去给他。”

“那我先代兰芳向您致谢了。”罗瘿公向王雪丞作了个揖。

当时在座的还有沈昆山，虽已隔了不少时日，但他倒是没有忘记王雪丞的承诺。梅兰芳到上海后不久，沈昆山便向王雪丞提起这事。王雪丞朗声道：

“没有忘，没有忘，怎么会忘了呢？我除了送兰芳一幅兰花图外，还要再送他一幅梅花图，而且，我已经为这两幅图准备了两首诗。”

王雪丞所赠的两幅图，一为钱叔美的梅花，一为蒋予检的兰花。他为这两幅画分别题诗。

题兰花诗曰：

> 小谱宣南溯昔年，祖庭风义喜婵嫣。
> 幽香久未闻空谷，不觉情移海上弦。

题梅花诗曰：

化人游戏见天真，月影分明一证因。
何必罗浮更寻梦，亭亭元是此人身。

当王雪丞将两幅图和两首诗送到梅兰芳手上时，他雀跃不已。

无论是吴昌老的梅兰花草图，还是王雪丞的所赠诗，以及其他书画诗词家所赠的诗词书画，梅兰芳无一不将其视作至尊宝物，而更为珍贵的、被他称作“镇家之宝”的是由吴昌硕、何诗孙、汪鸥客、况夔笙等人集体创作的《香南雅集图》。

一日，惜阴主人赵惜阴宴请梅兰芳于惜阴堂，作陪的有吴昌硕、何诗孙、王雪丞、海藏楼主人郑海藏、况夔笙。席间，何诗孙应梅兰芳之请，答应也为他绘一图，不过，他提议，将他的画与吴昌硕所绘梅兰图并作一卷。他的提议得到在座各位的赞同，吴昌硕应况夔笙的请求，为该卷引首，题为《香南雅集图》。为何题“香南”二字，吴昌硕自有其解释。“香南”二字的含义源于内典，《五灯会元》内载：有人问西来祖师在何处？曰在香之南、雪之北。这里的“香南雪北”意即“梅萼梢头”。因此，以“香南”题梅兰芳，真是再恰当不过了。

不久，何诗孙精心绘制的《香南雅集图》中的其中一图完稿，所有看过此卷的人都惊叹：“乃神品也。”何诗孙以画山水画见长，从不画房屋和人，而在《香南雅集图》里，他画的人多达11个，有人不解他为何破例，他只道：“为梅郎。”可见梅兰芳在他的心里非常人所能比。以后，他又补了一幅“云山远思图”。

吴昌硕的梅兰横幅、何诗孙的两幅图和汪鸥客后来补绘的一幅图构成了《香南雅集图》。最先在《香南雅集图》上题词的是大词宗况夔笙，作《清平乐》二十一阕。以后，又有袁伯夔作《清平乐》十一阕，赵叔雍作《清平乐》四阕，朱疆村、赵惜阴、朱古微分别作《清平乐》一阕。题诗的有袁伯揆、王息存、沈子培、陈小石。陈散原作七绝四首、沈乙七绝三首。

吴昌硕题雅集图诗云：

明珠拂袖舞垂髫，嘘气如兰散九霄。
寄语词仙听仔细，导源乐府试吹箫。

堂登雀九依稀似，月演吴刚约略谙。
赢得梅华初写罢，陪君禅语立香南。

对诸名家所赠，梅兰芳自是感激不尽，作为回报，临离上海前，他以他的照片作为回赠，每张照片均亲笔署双款，上曰："某某先生留念，梅兰谨呈"。得到其照片的有吴昌硕、何诗孙、况夔笙、沈乙、王息存、郑海藏、沈子培、唐少川、赵惜阴、甘翰臣、潘明训、汪鸥客、周湘云等。

5月22日，梅兰芳开始了他在上海的临别纪念演出。22日至24日，三天中，他每天日夜两场，分别演出了《贩马记》、《上元夫人》、《游园惊梦》、《天女散花》、《辕门射戟》（反串小生）、《汾河湾》，演出再掀高潮，不仅场场爆满，观众所赠花篮亦陈列满台。在鲜花丛中，随着《汾河湾》最后一段唱结束，梅兰芳结束了他在上海的演出。

休息了一天，5月26日下午，梅兰芳在收拾妥行装后，到各处辞行。吴昌硕、何诗孙、王息存、沈乙、郑海藏、汪鸥客、况夔笙、朱疆村等人一一登门与梅兰芳话别。当晚，梅兰芳带着沪上名流所赠书画诗词，也带着他们的祝福，更带着上海观众对他的赞誉，登船而去。

梅兰芳赴沪演出，不但吸引了上海及周边城市观众的浓厚兴趣，也引起遥远的西方人关注。美国《密勒氏评论报》专门辟出专栏，转载梅兰芳南下演出盛况的消息，还发表评论，这些评论和报道使美国人了解到英国有个莎士比亚，在遥远的中国，还有一位威名直逼莎士比亚的梅兰芳，这为梅兰芳日后赴美国演出制造了先声。

为梅兰芳之名所折服，美国棕榄化妆品公司慷慨地捐赠给梅兰芳二箧香水香皂，并附英文函。函件大意是：在下虽没有渡海到东方去，就在敝国听到了您的盛誉，足见先生的名声盖世。想艺术名家都不免使用化妆名品，谨将敝公司最新产品奉上，望笑纳。虽然该公司此举不免有借梅兰芳做广告之嫌，但也可见梅兰芳受人尊敬的程度及其名声的传播久远。梅兰芳自然复函表示感谢。

为演戏之需，梅兰芳很喜欢如香水香皂之类的化妆品，但不偏爱。在台上，他饰演的女性婀娜多姿、妩媚动人；在台下，他是堂堂男儿，有着与许多小伙儿一样的爱好——机械学。许是受伯父梅雨田会修钟表的影响，梅兰芳自小就喜爱钟表，耳濡目染之下，他也能做些简单的维修工作。成名后，虽然忙于排演，但仍未丢弃这一爱好。闲暇之余，他喜欢将自己的、甚至家人的手表一一搜罗来，一一卸下表中机件，然后再一个零件一个零件地拼装起来，每只手表到了他的手中，犹如玩物。当然，若是谁的手表出了点问题，他更是急不可待地索来，不修好不罢手。除了能修钟表，家里的电灯、电话出了问题，他也能将它们捣鼓好。

因为有此爱好，所以，每当有人提议请他去参观工厂时，他总是兴致勃勃，从不推辞。在南通演出时，他就应有关人士的邀请，参观了数家工厂，对于工厂里的各种机器，他不但颇感兴趣，更细心研究。这次在上海也是如此，4 月底，5 月初，他分别应《申报》史量才和纺织大王穆藕初的邀请，参观了《申报》印刷厂和厚生纱厂。从报纸的排版制型、浇铅到印刷，从棉花到制成丝到制成布，他仔细观察了每个过程，颇以为乐。

从养鸽子、养牵牛花到爱好机械，梅兰芳真是一个兴趣广泛的人。在上海演出间隙，他甚至曾和朋友们一起悄悄去了一趟跑马场，在大家的怂恿下，他还买了10张马票，只可惜无一中奖。爱好虽多，只是因为身为艺人，他没有多少属于自己的时间，因而这些爱好也就再业余不过了。不过，这些爱好还真的很让他牵挂，春夏之交，正是下牵牛花种的好时机，而他却在上海演出，每每想及此，他便有些怅惘。

最让他操心的还是那些鸽子。虽然说植物也有生命，但比起动物来，还是有些微不足道，因为动物太接近人类了，所以，它们的生命也就难以让人们忽略。不论是在北京时，还是在上海，每有宴请，宴席上如有鸽肉的话，梅兰芳从来不去碰这道菜，无论别人如何渲染此肉之鲜美，他都不动心。想到活蹦乱跳、聪明且极富灵性的鸽子被人宰杀，再烹之，他就心痛不已。上海之行，梅兰芳一切顺利，生活愉快，心情也不错，只有一件事情让他伤心了好长一段时间，甚至暗暗地有些后悔离开北京，那就是因为他心爱的鸽子。他因为养的鸽子品种、数量都太多，实在无暇照料，便托专人为他照管。在他离开北京前，还特地关照此人要好生照顾鸽子。可是，梅兰芳走后不久，这人竟卖掉几只鸽子以换钱买酒喝。这人可能准备待梅兰芳回来后问起，就说病死了，或是放飞时放丢了等等。不曾想，他的这一行为被旁人所知。于是，一封告状信递到了正在上海的梅兰芳手里。这件事使他的情绪低落了好长一段时间。不过，他是个厚道人，回京后并没有兴师问罪，只将伤心埋藏在了心底。

观其所好，可知其人。由梅兰芳养鸽莳花摆弄钟表，可见他是一个热爱生活的人，一个热爱自然的人，一个充满情趣的人，一个做事认真的人。这些看似与演戏并无直接关系的种种方面，却都是成其为大家所不能或缺的“戏外”功夫。

第一次拍电影

梅兰芳自小就是戏迷，不过，那时，他看戏除了娱乐外，更是为了提高业务。自电影进入中国后，他也和许多中国人一样迷上了电影，成了影迷。与看戏不同的是，看电影更是为了满足好奇心。待好奇心逐渐过去，中国的自制电影也越来越多时，梅兰芳在京城已经有了点名气，他也就不能随心所欲地往他时常光顾的平安电影院跑了。因为有好几次，有观众发现了他，立即就召来众人将他团团围住，非要将他的台下真面目看个仔细不可。上影院因此而让他感到十分可怕，再也不敢去了，但又按捺不住对电影的强烈向往，于是，他只有在或风雪交加，或大雨倾盆的恶劣天气下悄悄去一趟影院。他知道在这样的天气情况下去看电影的人必定比往日少得多。

梅兰芳想拍电影的动机起初很单纯，只想能看到自己的表演。他和大多数京剧演员一样，自小走上舞台，演了一出又一出的戏，可永远只是演给别人看，而自己在表演中的神情、动作，自己始终看不见，至于在表演中的优缺点，他们就更无从知晓了。有一天，梅兰芳在北京“第一舞台”看戏，这天的大轴是刘鸿声的《打窦瑶》，杨小楼的《挑滑车》是倒二。《挑滑车》是出老戏，而《打窦瑶》是刘鸿声新排，大家原本都以为出彩的肯定是《打窦瑶》，谁想，那天，杨小楼的演出极为精彩，连观众都感到意外，《打窦瑶》因此逊色许多。次日，梅兰芳与杨小楼同在一次堂会中演出，在后台，两人谈及前日的演出，梅兰芳夸赞道：

“昨天看您的《挑滑车》，真过瘾，比哪一次都演得饱满精彩。”

杨小楼颇有些遗憾地说：“你们老说我的戏演得如何如何的好，可惜我自己看不见。”稍停片刻，他无限憧憬地补充道：“要是能够拍几部电影，让我自己也过过瘾，这多好呀！”

杨小楼的一番话使梅兰芳意识到：电影就好像一面特殊的镜子，能够照见自己的活动的全貌。由此，他对拍电影产生了兴趣。不过，他没有想到，赴沪演出成全了他拍电影的愿望。

自《申报》刊出梅兰芳即将到上海演出的消息后，上海商务印书馆电影部的同仁就不约而同地想到请梅兰芳拍几部电影。不过，他们并不知道梅兰芳对电影的真实想法，担心“伶界大王”不屑于此，所以，在得知梅兰芳已经到达上海后，始终不敢轻举妄动。隔了一段时间，他们托熟人将他们的想法转告给了梅兰芳，还找了一个他们认为梅兰芳因此而不会推却的理由，那就是，拍成的电影将送往国外播映，为梅兰芳以后出国演出作前期宣传。梅兰芳一听说请他拍电影，喜出望外，满口应允，道：

“不错，不错，咱们就干一回吧。”

后来双方商定拍两出戏，一是情节热闹、场子较多的《天女散花》，一是身段表情较多又能展现中国风俗的《春香闹学》。

与此同时，梅兰芳又应百代唱片公司之约，将录唱片9张。这样，他每天除了在天蟾舞台正常演戏外，还得录唱片、拍电影，外加必要的应酬，忙得更加没有空闲了，经常要到凌晨才能就寝。

《春香闹学》的拍摄地点在位于宝山路的商务印书馆印刷所附设照相部的大玻璃棚内，“春香假领‘出恭签’去逛花园”一场，是照相部借用一座私人花园——淞社拍摄的。《天女散花》则就在天蟾舞台拍摄，所有班底、服装、道具、布景等也都是向天蟾借用的。《春香闹学》分为上下二本，《天女散花》一本，共分七场，梅兰芳出演其中三场“众香国”、“云路”、“散花”。这两出戏都是无声片，唱词对白采用字幕插入方式。对于拍摄技术，梅兰芳认为“比较差”，他事后回忆说：“镜头大半用全景、远景，很少用近景，灯光照明的技术也未能掌握，片上时有模糊暗淡的景象。”对于布景的使用，梅兰芳觉得还可以，他说："布景用的都是软片，'云路'一场，叠印了天上云彩，象征着天女御风腾云的意境，在当时已经算是特技了。"

直到第二年的冬天，梅兰芳才在北京真光电影院先后看到了这两部片子。两部片子都不是单独放映，而是搭配了其他片子同时放映的。在这之前几个月，他分别接到上海两位朋友的信，一位说在9月25日在上海海宁路新爱伦电影院看到与商务印书馆的另一部片子《两难》同时放映的《春香闹学》；另一位说在11月中旬于上海西门方板桥共和电影院看到与《柴房》同时放映的《天女散花》。

时隔不久，梅兰芳从李拔可那里了解到，这两部片子不仅已在上海、北京和其他一些大中城市放映，很受观众赞誉，而且发行到了海外，在南洋一带颇受侨胞的欢迎。

梅兰芳在百代唱片公司录了9张唱片，包括《木兰从军》、《虹霓关》、《汾河湾》等，共得报酬3500元。当时他在接受商务馆的邀请时曾表示不受分文片酬，纯为满足多年想拍电影的愿望，同时也想为中国刚刚起步的电影做出些许贡献，因而，电影拍成后，他果然信守诺言，分文不取。

商务印书馆为梅兰芳这种精神所感动，特地给他写了一封致谢信，信云：

畹华仁兄青鉴：

敬启者，此次执事莅沪，声容益茂，中外欢迎，敝公司钦仰之余，商请扮演名剧，摄印借用天蟾伶工子弟，以及附录左右吹管诸郎，不可不薄有持赠，藉慰其劳，特奉菲仪，即希察人分致为荷。

雪北香南，偶纪因缘于胜地，西欧东亚，长瞻色相于诸天，远上白云，抑何足拟。敝公司曷胜荣幸之至，专此布谢，顺颂日佳。

商务印书馆有限公司谨启
九年五月二十二日[1]

对于初次涉猎影坛的这两部片子，梅兰芳总结说："虽然这两部片子在电影摄制的技术方面仍是启蒙时期，更谈不到古典戏曲的表演艺术如何与电影艺术相结合，但在拍摄戏曲片方面，继《定军山》之后，还是作了一些新的探索的。"[2]只可惜，梅兰芳最早拍摄的这两部片子在1932年"一·二八"事件中，因商务印书馆印刷所被日军飞机炸为平地，而随其他库存影片被熊熊大火烧毁。

与齐白石的交往

梅兰芳在上海演出期未满时，南通、汉口、杭州等地纷纷派人赴上海游说梅兰芳，希望他上海演出期满后能接受他们的邀请。梅兰芳最终选择先去南通，再去汉口。

5月26日晚，梅兰芳与齐如山、王凤卿、姜妙香、姚玉芙、李寿山等一行人离开了上海，登上由张謇派来接他们的大达公司专轮。次日晨9时，轮船抵达南通天生港码头。下船后，他们分乘汽车入城。梅兰芳这次仍住"濠南别业"，其他人住友益俱乐部。

梅兰芳抵达南通的当日下午就开始登台，在更俗剧场自下午3时一直演到晚8时。

与首次到南通不同的是，与梅兰芳同来的演员中少了朱素云，多了王凤卿。恰在这时，王蕙芳、郭仲衡、金仲仁、慈瑞泉、福小田等京角也在南通演出。梅、王两拨人马汇合于此，演员阵容十分强大。观众闻之，无不欣喜若狂。要知道，这样的阵容在北京，只

①《申报》1920年5月。
②梅兰芳：《我的电影生活》。

⊙梅兰芳与齐白石(左二)、汪蔼士(左一)、欧阳予倩(右一)

有在堂会上才得一见，在剧场中是难得遇见的。京角汇集，同台演出，令南通人士惊呼：“这等于上了北京了。”所以，那几日，更俗剧场的票价卖到最高——3元，卖座也极好，稍晚一点赶到剧场的观众连破例增加的加座都买不到，而只能“向隅叹之”。

梅兰芳二次赴通演出，只演了三天，剧目有《天女散花》、《玉簪记》、《黛玉葬花》、《嫦娥奔月》。最受欢迎的仍是《天女散花》，有人不仅因此而称梅兰芳为“资格最完全之青衣花旦”，而且惊叹他在《天女散花》中“容貌则如花似玉，扮相凝重端庄”，说他的唱“珠圆玉润，摇曳多姿”，评他的念白“极清脆甜劲”，感慨他的身段“已与前不同，及唱至二六板，叙述途中情景时，纯以昆腔之身段演之，变幻莫测”。春柳旧主观毕《天女散花》，特著文道：“梅郎之演《天女散花》，其第六场花舞一幕，用五色电光照耀，衣带时时变幻，真是五光十色，令人目眩神迷。”①

张謇还效时风，选辑许多人题咏梅兰芳的诗和梅兰芳的唱和诗出了本《梅欧阁诗录》，“诗录”中，收录了梅兰芳唱和诗共三首：

其一

积慕来登君子堂，花迎竹护当还乡。
老人故自矜年少，独愧唐朝李八郎。

其二

公子朝朝相见时，禺中日影到花枝。
轻车已了常行事，接座方惊睡起迟。

①②南通市文联戏剧资料整理组：《京剧改革的先驱》。

其三

人生难得自知己，烂贱黄金何足奇。
毕竟南通不虚到，归装满压啬公诗。②

这恐怕是梅兰芳作诗的开始，也有人说此时梅兰芳并不会作诗，这几首诗是请人捉刀的。其实梅兰芳早在清末民初就开始学习作诗了，当时，他结识了北京的著名词章家王壬秋（名湘绮）、易哭庵（号实甫），他们曾劝他："当艺人的不可无文墨，不可不懂得诗歌。"后来，"缀玉轩"幕僚之一李释戡也说："为艺不可不读诗，戏中若多诗美，则戏能美，人亦自美。"在这种情况下，梅兰芳下苦功学习诗词。

"诗录"中也收录了欧阳予倩赠梅兰芳的多首诗词，其中一首是："我是江南一顽铁，君如郑雪铸洪炉。不烦成败升沉感，许共瑜珈证果无。"但不知何故，欧阳予倩对张謇印行《梅欧阁诗录》颇不以为然，他曾劝张謇停止印行，但张謇没有听他的意见。其实，能将这些诗集中起来，广为流传，应该是件好事。

梅兰芳自4月上旬赴沪，再转至南通，离家已近两月，家人万分牵挂。特别是年届八旬的老祖母更是思孙心切，老是念叨爱孙在外是否平安，吃住是否安逸，演出是否劳顿，身体是否安好。当老人家听说梅兰芳结束在南通的演出后，还得去汉口时，说什么也不答应了。5月28日，张謇收到北京冯幼伟的来信，信中嘱其转告 梅兰芳，告其祖母甚思念，请他不必去汉，速归。第二天，程砚秋又自京师来电云：

张啬公转畹华：

令祖母思念成病，盼望速归，汉不必去，如必去，亦须回京后再去。

得知祖母“思念成病”，梅兰芳心急如焚，他立即决定暂不去汉口，次日结束演出后，即回北京。张謇也因此不再挽留，次日，将梅兰芳等人送上了轮船。

祖母的病因思念而生，因而也无大碍，见孙儿安然无恙平安到家后，她一直悬着的心放下了，病也因此好了。梅兰芳遂开始继续搭喜群社，每日在新明大戏院和吉祥园演出。从现存的这年九十两月的戏单上看，这段时间，他大都演大轴，戏目有时也排在倒二。比如：9月17日的大轴是梅兰芳的《贵妃醉酒》；10月2日的大轴是他和王凤卿的《牢狱鸳鸯》；10月17日，他的《奇双会》排在倒二，大轴是杨小楼、俞振庭的《八蜡庙》。

在北京搭班演出远没有外出演出那么繁忙，有了空闲，梅兰芳便继续学习绘画。这年秋天，他结识了国画大师齐白石。齐白石当时在画界地位与吴昌硕相当，有“南吴北齐，可以媲美”之誉，据他自己所说，他的画法除得力于徐青藤、石涛，也得力于吴昌硕，所以，两人的笔法确有相似。

齐白石与齐如山是老相识，从齐如山的嘴里，他自然也就认识了梅兰芳，知道梅兰芳的戏如何之好，如何受欢迎，但他因每日忙于绘画，加上凡有梅兰芳演出的戏票总不好买，所以也一直未能亲见梅兰芳。当他听说梅兰芳也在学画时，更想与之一见了。

学画者，无人不知齐白石，梅兰芳亦然，他不但想亲眼目睹齐白石作画，更想在绘画上得其指点。

好在两人之间有齐如山，见面也就不难了。

这年9月初的一天，在齐如山的陪伴下，齐白石来到了北芦草园梅宅。他在回忆录里这样描绘他对梅兰芳的初次印象："兰芳性情温和，礼貌周到，可以说是恂恂儒雅。"

二人寒暄过后，齐白石对梅兰芳说："听说你近来习画很用功，我看见你画的佛像，比以前进步了。"

梅兰芳画佛像是向画家陈师曾学习的。陈师曾是陈散原的儿子，诗、书、画都有很高的造诣，尤擅画北京风俗画。梅兰芳不但向他学习画佛，还学习画仕女。齐白石的夸赞倒使梅兰芳有些不好意思，他忙说：

"我是笨人，虽然有许多好老师，还是画不好。我喜欢您的草虫、游鱼、虾米，就像活的一样，但比活的更美，今天要请您画给我看，我要学您下笔的方法，我来替您磨墨。"

说着，梅兰芳就要动手磨墨。看着他急急的样子，齐白石笑了，他故意像提条件似地打趣道：

"我给你画草虫，你回头唱一段给我听，怎么样？"

"那现成。"梅兰芳不假思索道，"一会儿我的琴师来了，我准唱。"

齐白石坐在画案正面的座位上，梅兰芳坐在他的对面，墨磨好后 ，他又找出画纸，仔细地铺在齐白石的面前。齐白石从笔筒里挑出两支画笔，蘸了些墨，凝神默想片刻后，便画了起来。笔下似有神助，须臾间，一个毫须毕现、蠢蠢欲动的小虫便跃然纸上。一旁观看的梅兰芳忍不住要惊呼起来。齐白石画画的速度极快，下笔准确的程度也是惊人的。这些都让梅兰芳赞叹，而更让他惊奇的是齐白石“惜墨如金”，草虫鱼虾都画过了，笔洗里的水始终是清的。

梅兰芳这天的收获可谓大矣，他不但亲眼目睹了齐白石作画，且聆听了齐白石畅谈作画要诀。齐白石在为梅兰芳画每一幅时，都不停地将他的心得和窍门讲给梅兰芳听，画完后，他总结道：

“画，贵在似与不似之间。太实了，就俗媚，不能传神。”

“这与演戏一样。”梅兰芳说，“演员塑造形象也要讲究传神。”

梅兰芳学画的目的并不是要当个画家，而是“想从绘画中吸取一些对戏剧有帮助的养料”，能将学画的体会运用到演戏中，那要比他单纯地学会画某一样东西意义大得多。

画画好后，琴师茹莱卿正好也来了，梅兰芳便为齐白石引吭一曲。至于唱的是何曲目，目前有两种说法：梅兰芳在他的《舞台生活四十年》里说，“唱的是一段《刺汤》，唱好后，齐白石点头说：‘你把雪艳娘满腔怨愤的心情唱出来了’”。而齐白石在他的自述中说，梅兰芳当时唱的是《贵妃醉酒》，“非常动听”。[①]

不管唱的是什么曲子，总之，齐白石很为梅兰芳的唱所吸引，一直到梅兰芳回去后，动听悦耳之声还一直在耳畔回响，令他激动。激动之余，挥毫作诗云：

飞尘十丈暗燕京，缀玉轩中气独清。
难得善才看作画，殷勤磨就墨三升。
西风飕飕袅荒烟，正是京华秋暮天。

①齐白石口述、张次溪笔录：《白石老人自述》，岳麓书社，1986年版。

今日相逢闻此曲，他年君是李龟年。

次日一早，齐白石就将这两首写在画纸上的诗寄给了梅兰芳，令梅兰芳感动不已。从此，两人建立了深厚的友谊，梅兰芳也尊称齐白石为“老师”。

时隔不久，艺界流传着一段梅兰芳尊师佳话。这个“师”指的就是齐白石。事情发生的地点目前也有几种说法：《舞台生活四十年》里说在“一处堂会上”，至于是哪处，梅兰芳可能是记忆之故没有明说；齐白石说在“一个大官家”，至于是哪位大官，他也没有明说；还有一种说法是在艺界某人士家。姑且推测是在“一个大官家的堂会上”。

当时，梅兰芳、齐白石都在被邀之列。齐白石身穿深褐色布袍，布袍虽然干净，但洗得已有些发白，一看便知是旧的。如此穿着在满屋达官贵人的锦罗绸缎之间，实在不起眼，加上他又一时没有找到相熟之人，只能一个人孤伶伶地坐在角落，没有一人搭理他。正当他有些发窘，后悔不该来时，正被人如众星捧月般围着的梅兰芳突然从人缝中挤出，急步走到齐白石身边，恭恭敬敬地唤了一声：“老师！”寒暄了几句后，搀他走到前排，安排他坐下。他的行为使座客大为惊讶，大家交头接耳、窃窃私语、互相打探：“那是谁？”“梅兰芳怎么去招呼一个老头子？”“这老头和梅兰芳是什么关系？”有人大胆地直接问梅兰芳：

“这人是谁？”

梅兰芳颇有些自豪地大声说：“这是名画家齐白石先生，也是我的老师。”

大家这才恍然，纷纷上前与齐白石打招呼。

齐白石认为梅兰芳在关键时刻为他“圆了面子”，因此对梅兰芳十分感激，事后，很经意地画了一幅《雪中送炭图》，并配诗一首，送给梅兰芳。诗云：

曾见先朝享太平，布衣蔬食动公卿。①
而今沦落长安市，幸有梅郎识姓名。

梅兰芳看了《雪中送炭图》，读罢此诗，感慨万端，想学生尊敬师长乃天经地义，却蒙齐白石如此感激，心中颇觉不安，思量片刻，提笔给齐白石回写了一首诗：

师传画艺情谊深，学生怎能忘师恩。
世态炎凉虽如此，吾敬我师是本分。②

梅、齐二人相交，不只是梅兰芳受益匪浅，齐白石也有意外之喜。他在梅宅看到梅兰芳精心培育的上百种牵牛花，惊羡不已，更让他不可思议的是，有些牵牛花竟如碗口那么大，这是他从未见到过的。作为画家，他立即为它所吸引，并决定将它列为新的绘画对象。经过仔细观察，待将牵牛花的形态、色泽一一牢记于心后，他作了一幅《牵牛花图》，并在图上题词道："百本牵牛花碗大，三年无梦到梅家 "。

可笑的是，这幅画竟引来画家姚茫父的诘问："这牵牛花画得有点离奇，怎么会那么大呢？太夸张了吧？"

耳听为虚，眼见为实，齐白石也不多辩解，拉着姚茫父去了梅宅，见到梅兰芳，便说："我们是来解决一段公案的。"梅兰芳不解。齐白石也不解释，只将满院的牵牛花指给姚茫父看。姚茫父的眼睛

①此句另有一种说法，为："记得先朝享太平，草衣尊贵动公卿"。
②引自詹吴《梅兰芳尊师》，《爱我中华》1995.1.2。

睁得如铜铃般，天下真的有那么大的牵牛花！

这件事，齐白石特地作了记载。他在65岁时画的一幅牵牛花图上，题跋云："京华伶界梅兰芳，常种牵牛花百种，其花大者过于碗，曾求余写真藏之。姚华（茫父）见之以为怪，诽之。兰芳出活本，予观花大过于画本，姚华大惭，以为少所见也。"③

无论是唱戏的，还是画画的，凡是有点成就的，梅兰芳都爱拜他为师，目的是博取众长。自他从王梦白开始学画以来，先后又拜了陈师曾、金拱北、汪蔼士、陈半丁等名画家为师，又在齐如山的介绍下拜了齐白石。此时，齐白石又拉来了姚茫父。本来，齐、姚二人去梅宅是解决"公案"的。姚茫父不曾想，自己也被梅兰芳"抓了差"，当上了他的又一个绘画老师。

姚茫父与陈师曾共同教梅兰芳画佛，梅兰芳曾经画的一幅《达摩面壁图》，就是根据姚茫父摹金冬心的画本。在几位老师的精心指点下，他的佛画得越来越好。

和结交齐如山相仿，梅兰芳与画家冯缃碧也是因戏而识。某年，冯缃碧在上海观看梅兰芳的《霸王别姬》。有一场戏是梅兰芳饰演的虞姬掀开帘幕，唱倒板："可怜无定河边骨，犹是春闺梦里人。"宛转悲凉。起初冯缃碧觉得这词用在这里恰到好处，但细想之下，却发现这其实是唐朝某诗人的诗句。于是，他当即写了一便条："楚汉时不可能有此唐人诗！"然后署上名后托人递到后台。不想演出结束，梅兰芳托人来请冯缃碧到后台一叙。冯缃碧愕然，他想自己不过一时兴起，不曾想梅兰芳却认了真。两人在后台相见，这时梅兰芳已卸完装，他紧紧握住冯缃碧的手，连声道谢道："我在京津上演此戏不下数十场，从无一人指出此错，以至一错再错，若非先生一言，则将不知错到何时矣。"当晚，他欣然与冯缃碧一起吃夜宵，席

③《白石老人自述》。

间畅谈戏剧绘画，又力邀冯缃碧教他作画。

梅兰芳从绘画中获益匪浅，在他30岁那年，为庆祝他的生日，他的几位绘画老师王梦白、陈师曾、姚茫父、齐白石、凌植支等合作为他画了一幅画。这幅画是在梅宅书房里画的，第一个下笔的是凌植支先生，他画了一株枇杷。紧接着，姚茫父画了蔷薇、樱桃。陈师曾画了竹子、山石。王梦白在陈师曾的山石上画了一只八哥。由于凌植支的一株枇杷占去了大部分篇幅，加上后来的蔷薇、樱桃、竹子、山石等，轮到齐白石画时，画纸上已没有多余的地方了。齐白石对着画纸思量了片刻，然后，提笔在八哥那只半张着的嘴边画了一只蜜蜂，看上去，八哥好似正准备吞食飞到嘴边的猎物。一只小小蜜蜂却为整幅画增添了无限情趣，大家不禁交口称赞。梅兰芳更是在惊叹如此“画龙点睛之妙”之余，对舞台画面的对称问题有所顿悟。他体会到：“白石先生虽然只是画了一只蜜蜂，可是，布局、意境都变了，那几位画家画的繁复的花鸟和他画的小蜜蜂，构成了强烈的对称，这种大和小、简和繁的对称，与戏曲舞台上讲究对称的表现手法也是有相通之处的。画是静止的，戏是活动的；画有章法、布局，戏有部位、结构；画家对山水人物、翎毛花卉的观察，在一张平面的白纸上展才能，演员则是在戏剧的规定情境里，在那有空间的舞台上立体地显本领。艺术形式虽不同，但都有一个布局、构图的问题。中国画里那种虚与实、简与繁、疏与密的关系，和戏曲舞台的构图是有密切联系的，这是我们民族对美的一种艺术趣味和欣赏习惯。正因为如此，我们从事戏曲工作的人，钻研绘画，可以提高自己的艺术修养，变换气质，从画中去吸取养料，运用到戏曲舞台艺术中去。”①

梅兰芳从绘画中吸取的养料不仅有舞台布局构图的美化、演员

①梅兰芳：《舞台生活四十年》。

艺术修养的提高及气质的趋佳，还有舞台人物形象的设计等 ，比如《奔月》、《葬花》等戏里的服装样式和角色扮相，就是他从他临摹过的大量的古画中借来的。

《霸王别姬》费尽心血

1921年，在中国历史上是不平常的一年。这年7月，中国共产党在上海成立。在这之前的4月份，广州召开“非常国会”，孙中山被推选就任非常大总统。

戏曲界在这一年却未受政治太大影响，京剧仍按照它自身的发展规律，按部就班地向前发展着。这年对梅兰芳来说，既是普通的一年，又是非同寻常的一年，普通在于他仍像往年一样，穿梭于戏院、堂会，日复一日地重复着那些旧剧新戏，空闲时便继续学画、养鸽、养花、与朋友小聚；非同寻常在于有人将这年视作他成名的一年。梅兰芳是个典型的稳步发展的演员，他的一生，基本上没有大跨度的飞跃。在这年以前，他也没有因一部戏而一举成名的记载，他的成名完全是循序渐进的，一步一个脚印走出来的。如果非要论及他成名的具体时间，我们既可以说是1913年，也可以说是1916年，更可以说是1918年，还可以说是1919年。1913年，他因首赴上海演出成功，获得“寰球第一青衣”之美誉；1916年，他因排演了一批针砭时弊的时装戏而备受瞩目；1918年，他在谭鑫培后，继任“伶界大王”；1919年，他首赴日本演出成功，成为“全球瞩目”的明星。正因为如此，所以另有人将梅兰芳成名的具体时间定为1927年，因为那年，他因北京《顺天时报》的选举而成为“四大名旦”之首。

虽不能说1921年是梅兰芳成名的一年，但他在这一年里的确有

⊙《金山寺》，梅兰芳饰青儿、王慧芳饰白素贞

非同寻常的成绩，那就是与日后被称为“国剧宗师”的一代名武生杨小楼进行了第二次合作，并在这次合作中，创作了后来成为“梅派”名剧的《霸王别姬》。

生行演员中，除了谭鑫培，梅兰芳大概最佩服的就是杨小楼了，他极爱看杨小楼的代表作《铁笼山》、《挑滑车》、《青石山》、《长坂坡》。他说杨小楼是京剧界“一位出类拔萃，数一数二的典型人物”。

梅、杨首次合作是在1916年，那年，两人同时被朱幼芬的“桐馨社”所邀，搭“桐馨社”演出于吉祥园。在“桐馨社”时，梅兰芳创作了《木兰从军》和《春秋配》，杨小楼还曾经在《春秋配》里演过配角张衍行。梅兰芳在搭“桐馨社”的同时，兼搭俞振庭的“春合社”，不久，改搭俞振庭的“双庆社”，他搭“桐馨社”的时间很短，因而与杨小楼的合作也很短暂。

1920年冬，梅兰芳与杨小楼决定合组一个戏班，因两人的姓都是木字旁，两“木”合而为“林”，所以，取名“崇林社”。虽然，“崇林社”是由他二人组办的，但他俩并不任老板，而是请杨小楼的女婿刘砚芳和姚玉芙任老板，据梅兰芳自己说，那时因为他们“不知道怎么经营”。“崇林社”的头牌演员自然是梅兰芳和杨小楼，二牌是王凤卿。梅兰芳、杨小楼和其他演员一样，都算是搭班演出，每天散戏后结账拿“戏份”。与其他演员不同的是，他俩的戏份最多，而且每次都由老板亲自将戏份送到他们家里。至于像陈德霖、龚云甫等几位威望较高的老演员的戏份，是由老板派管事送到他们家里去的。因为演员都还是搭班演出，都拿戏份，所以，“崇林社”的性质并没有改变，仍然是“班主制”，而不是“明星制”。

1921年农历年时，“崇林社”在文明茶园开演，一段时间后，移至吉祥茶园演出。与首次合作一样，梅兰芳与杨小楼仍然是轮流唱大轴。更多的时候，两人合演大轴。

梅兰芳搭“崇林社”时，与杨小楼主要合作了《回荆州》、《金山寺》、《五花洞》、《长坂坡》和新排的《霸王别姬》。

在《回荆州》里，梅兰芳饰孙尚香，杨小楼饰赵云，王凤卿饰刘备，龚云甫饰吴国太，朱素云饰周瑜，钱金福饰张飞。杨小楼与别的武生在这出戏里不拿马鞭只持枪不同，不仅拿马鞭，而且持枪，动作非常好看。这出戏是他俩合作戏的保留剧目之一，以后在演义务戏时，又加入余叔岩的鲁肃，马连良的乔玄，因而更精彩。

据这年1月9日的“崇林社”戏单记载，梅兰芳和杨小楼曾经合演过《金山寺》。在这出戏里，梅兰芳饰白蛇，杨小楼饰伽蓝，姚玉芙饰青蛇。梅兰芳当初是向陈德霖学的这出戏，陈德霖在教他这出戏时，白蛇自始至终都是手持双剑。可一贯喜欢别出心裁的梅兰芳在以后的演出中，将双剑换成了双枪。论及原因，他说：“因为我喜欢看武戏，常常看朱桂芳、九阵风他们打‘快枪’、‘打出手’，打得花团锦簇，使我非常羡慕。‘打出手’我是学不了的，就想到如果在《金山寺》里和鹤童来一套‘大快枪’，打得风雨不透，也是很过瘾的。于是就这样做了。”[①]他这样的改变，并没有引得太多的闲言，似乎人们早已习惯于白蛇的双枪了，只有红豆馆主溥侗对梅兰芳说了句“还是用双剑好”。由于他当时的语气是轻描淡写的，加上他一贯喜欢说些反调，因而未引起梅兰芳的注意，他继续用他的双枪。随着年龄的增长、鉴赏力的提高，梅兰芳逐渐认识到他的这一改动其实是很“幼稚的”，且不说双剑是这出戏的特点，单说白娘娘这个角色并不是武旦，不用追求武旦打得风雨不透的效果，白娘娘持双剑反而更符合身份。从认识到实践，总是有一段距离的。梅兰芳虽说认识到了他的失误，但始终没有改过来。原因可能还是有点舍不得。杨小楼饰演的伽蓝很出彩，特别是伽蓝在台口把旋转的棍子抛

①梅兰芳:《舞台生活四十年》

向空中，再接住后的一个亮相，博得满堂喝彩，另外与鳖精的开打抛杈也很出色。

在《五花洞》这出戏里，梅兰芳饰假金莲，姚玉芙饰真金莲，杨小楼饰大法官，钱金福饰蜈蚣精。这出戏前半出是玩笑戏，梅兰芳演完前半出后，在后半出里只和大法官见个面，两人在台口做些相互不示弱的身段，亮一个相，就没有他什么事了，后半出大多是武戏，主要是杨小楼的大法官和钱金福的蜈蚣精打一套“大刀剑”，再和蝎虎精打一套“大刀双刀”，和青蛙精抛杈。

梅、杨在“崇林社”合作最多的是《长坂坡》，这出戏也是他俩的保留剧目之一。在这出戏里，梅兰芳的糜夫人是个配角，杨小楼的赵云是主角。尽管是个配角，梅兰芳说他仍然很喜欢演这出戏，而且特别珍爱他在这出戏里的一场重点戏“掩井”。

除了以上几出戏外，梅、杨还曾于这年 11 月 29 日，为庆祝好友冯幼伟 40 岁生日，合作过一出《镇潭州》，杨小楼饰演岳飞，梅兰芳反串杨再兴，这是他难得的反串角色之一。

“文革”时，“四人帮”曾讥讽说“梅兰芳不也只会八出戏吗”，言下之意是，八出样板戏已足够满足国人的精神文化需要了，这句话恰恰暴露了他们的无知。梅兰芳一生演出过三百多出戏，会演的戏更多，所谓“梅八出”不是指梅兰芳只会唱八出戏，而是指梅兰芳晚年常演出的代表剧目有八出戏。《霸王别姬》就是“梅八出”的一出。

早在 1918 年，齐如山就曾为梅兰芳编过《霸王别姬》，预备让他和李连仲合演，由李连仲饰霸王，梅兰芳饰虞姬，后因其他事缠身，一直没有机会排演这出戏。这年 3 月 9 日，杨小楼和尚小云的《楚汉争》在第一舞台隆重推出。这时，梅兰芳离开桐馨社不久，由于与之同离桐馨社的还有王凤卿、姜妙香、姚玉芙。所以，桐馨社的生旦，一度又邀回刘鸿升、王瑶卿、王蕙芳，不久，又改约老旦龚云甫、老生王又宸，青衣尚小云，花旦荀慧生，阵容重新为之一新。

尚小云，1899年出生于河北省南宫县一个官宦家庭，原名德泉，字绮霞，汉军旗籍人，他祖上尚可喜是在清初汉人中少数被封有王位者之一，祖父尚志铨曾任清远县令，父亲尚元照在光绪年间充任那王府总管。他6岁时，父亲病故，家道开始中落。迫于生计，他与三弟尚富霞一起投李春福（李洪春之父）门下，学京剧老生。四年后，他由李春福介绍，入由清末大太监李莲英之侄李继良和梆子生角薛固久、孙佩亭在北京创立的三乐科班坐科，取名尚三锡、尚三霞，与白牡丹等为同科学友。 在三乐科班时，尚小云先习武生，后因扮相俊美、嗓音畅朗而改习青衣，从此改名“尚小云”。他的青衣启蒙老师是吴顺林，后又师从孙怡云，并曾经得到陈德霖等人的指点，技艺大增。1914年秋，《国华日报》开童伶竞选大会，他有幸得领博士。同年12月，孙菊仙提出和他配戏，自此，他声名大噪。两年后，于1913年改名为正乐社的三乐班解散，尚小云经孙怡云的介绍，搭入俞振庭的春合社，与路三宝合演过《虹霓关》，与时慧宝合演过《四郎探母》。次年，他先后两次赴沪演出于天蟾舞台，受到上海观众的欢迎。当年底，他搭入桐馨社。在桐馨社，他得以与杨小楼、王瑶卿、许荫棠、王又宸、龚云甫、高庆奎、白牡丹等同台献艺，曾和杨小楼合作演出过《长坂坡》，饰糜夫人；《招贤镇》（即《八蜡庙》），饰小姐。

尚、杨合作的《楚汉争》取材于清逸居士编写的历史剧，全剧分四本，从刘邦、项羽鸿沟讲和起，到项羽乌江自刎，两天演完。前本演于3月9日，后本直到4月7日才推出。虽然这出戏由于场子过

⊙《霸王别姬》，梅兰芳饰虞姬，
杨小楼饰霸王剧照

多、数场开打、大段唱腔而显得有些瘟、不够紧凑，但由于是新编排的，且有杨小楼出演，所以，还是受到了观众的欢迎。

《楚汉争》上演后，梅兰芳更不愿意排演《霸王别姬》了，担心会落个“有意与人竞争”的把柄。这固然出于他的善良——不抢别人碗中的馍，但反过来也可以看到他性格中存在着的弱点，那就是凡事过于谨小慎微，这在他以后的生活中也时有反映。其实他是多虑的，艺术上恰恰需要竞争，只有竞争，才能促进发展。

最终使梅兰芳下定排演《霸王别姬》决心的，是尚小云在《楚汉争》中饰演的虞姬，其实是“高等零碎儿”（王瑶卿语），原因是整出《楚汉争》基本上都是项羽的事，虞姬的念白唱工都不过几句，完全是项羽身边的陪衬，是个典型的配角。而项羽的戏，毛病也不少，比如过场太多、唱腔前后本重复等。在这种情况下，梅兰芳终于重又翻出了《霸王别姬》的本子。

齐如山初次编写《霸王别姬》依据的是明代沈采所编的《千金记》传奇，梅兰芳决定排演《霸王别姬》后，齐如山在原作的基础上，又参考了《楚汉争》的剧本，对《霸王别姬》作了重新修订。初稿写出来后，场子仍然很多，也需分两天才能唱完。

1921年冬，正当梅兰芳准备撒“单头本子”排演时，吴震修来访，当他听说梅、杨二人准备排演《霸王别姬》，很兴奋，便要过剧本先睹为快。和以往一样，梅兰芳把剧本交给吴震修的同时，谦虚地说：

“您看了如有需要修改的地方，您告诉我们。”

看罢剧本，吴震修脸上的笑容消失殆尽，他直截了当地说：“我认为这个分头二本两天演还是不妥。”

梅兰芳一贯很重视别人的意见，他一听吴震修这么说，立即瞪大眼睛，凑过身子，准备仔细听听吴震修如何分析。不待吴震修说出他的理由，一旁的齐如山不高兴了。试想，辛辛苦苦的劳动轻易就被人否定，的确既尴尬又恼怒，何况是齐如山，他始终自命不凡、自视颇高，更难以容忍别人的否定。于是，他也毫不客气地反驳道：

"故事很复杂，一天挤不下，现在剧本已经定稿，正在写单本分给大家。"

吴震修并没有被齐如山难看的脸色所吓倒，他坚持自己的意见，以坚定不移的口气说："如果分两天演，怕站不住，杨、梅二位也枉费精力，我认为必须改成一天完。"

吴震修特别强调了"必须"二字，这更加激怒了齐如山，他阴着脸再次回敬道："我们弄这个戏已经不少日子，现在已经完工，你早不说话，现在突然要大拆大改，我没有这么大本事。"

说完，他将本子扔给吴震修，大有"你有本事你改"的味道。

事情到了这个地步，最不是滋味的是梅兰芳，他没有想到吴、齐二人会闹得如此不愉快。一时间，他也不知道该怎么办，一方面，他觉得齐如山的话有道理，故事的确不少，如果硬要挤在一天演完，也确有难度，不是故事交代不清，就是显得太匆忙；另一方面，他认为吴震修的话也不无道理，《楚汉争》不就是因为不必要的场子过多，而有些瘟么，眼下这个本子也有松散的毛病。那么要想解决问题，就应该将吴、齐二人的意见结合起来考虑剧情。可是如何说服眼前都在火头上的人呢？

就在梅兰芳有些为难之际，吴震修却一改先前的严肃表情，笑眯眯地拿起齐如山扔在自己面前的本子，说：

"我没写过戏，来试试看，给我两天工夫，我在家琢磨琢磨，后天一准交卷。"

吴震修的姿态缓和了紧张气氛，使梅兰芳松了一口气，但他转念又担起心来，吴震修虽然爱看戏，也懂戏，能指出一出戏的优劣，经常为梅兰芳的戏提些可行的建议，但的确如他自己所说他没写过戏，说和写是两个完全不同的概念，会写的人多半会说，而会说的不一定会写。在梅兰芳心里，他当然希望还是由齐如山来写，齐如山不仅是他的专职编剧，更是编剧高手。他回头看看齐如山，齐如山刚才唬着的一张脸虽然已渐趋平和，但仍有些微不屑，似有“看你交出的是什么卷”之意。见此，梅兰芳也就不好再说什么了，只好在心里祈盼吴震修能如期完成。

梅兰芳的担心又是多余的了，吴震修果真没有食言，两天后，他拿着改过的本子来到梅家，正好齐如山也在场，或者说齐如山就是为了等吴震修，才到梅家的。几人坐定，吴震修将本子递给齐如山，态度极为诚恳地说：

“我已经勾掉不少场子，这些场子，我认为对剧情的重要关子还没有什么影响。但我毕竟是外行，衔接润色还需大家帮忙。我这样做固然为听戏的演戏的着想，同时也为你这个写本子的人打算，如果戏演出来不好，岂不是‘可怜无益费工夫’吗？”

这番话足见吴震修够精明，他很有自知之明，他先承认自己是外行，再请齐如山“衔接润色”就名正言顺了。

齐如山果真无话可说，再看吴震修勾掉的场子的确对大局无碍，也就接受了吴震修的意见，和大家“衔接润色”去了。

“衔接润色”好的《霸王别姬》终于删繁就简，一天演完。梅兰芳、杨小楼首演这出戏是在1922年2月15日，演出地点是第一舞台。杨小楼饰霸王项羽、梅兰芳饰虞姬。

首场演下来，梅兰芳、杨小楼发现虽然全剧已从二十多场减为不足二十场，但过场还是多，有的场子也太长。最让杨小楼吃力的恐怕要算“九里山大战”一场戏了，这场纯武戏打得时间既长，套子又很多，打得杨小楼筋疲力尽。下了场，他未及喘定粗气，就“央求”梅兰芳说：

“兰芳，我累啦，今天咱们就打住吧。”

杨小楼大概是想，演不完也不妨，后半截明天接着演，当这出戏分头、二本就是了。他恰恰忘了当天的报纸为这出戏的首演作了广泛宣传，并特别强调说它是一天演完的。因而，梅兰芳一听杨小楼要“打住”，顿时急得浑身冒汗，要知道，他无论穿着多么厚实的戏衣，在台上无论是唱还是做，都是从来不出汗的。眼下，他真的是急了。他连劝带安慰道：

“大叔！咱们出的报纸是一天演完，要是半腰打住，咱们可就成了谎报纸啦，我知道您累了，这场戏打得太多了，好在这下边就是文的了，您对付着还是唱完了吧，以后再慢慢改，这个戏还是太大了。”

杨小楼没有坚持，或许他刚才这么一说并不是真的想撂挑子不干，只是因为太累了而顺嘴说说而已。

这以后，《霸王别姬》在场次上又作了些删改，当他们白天在吉祥园再演时，已减到十四五场。尽管如此，打戏仍然很多。到1936年再演时，已减为十二场。解放后，更减为八场。反复删减的原因一是因为减少不必要的场子、武打和唱段，使全剧愈加精炼集中；二是因为自1938年，杨小楼去世后，梅兰芳不得不和其他人合作这出戏，由于配合方面的原因，有些场次也不得不做了删减。

但也正是经过不断删减，剩下的便是精华。《霸王别姬》最终成为梅派最具代表性的优秀剧目之一。

梅兰芳在这出戏里，倾注了大量心血，无论是在唱腔、舞蹈、服装和舞台灯光设计等方面，都下了很大功夫，因此“成功地塑造了一

①②许姬传、刘松岩、董元申：《梅兰芳》。

位幼娴书剑、随夫征战、厌恶战争、颇有远见的巾帼英雄”形象，不仅使这出戏成为梅派代表剧目，在表演上更是“后人学习的典范。”[①]

在唱腔方面，梅兰芳运用了他在《嫦娥奔月》中首次创用的新腔〔南梆子〕，声调哀婉悲凉，“充分抒发了虞姬的心情，也衬托了古战场的清秋夜景。”[②]如在项羽安歇，虞姬出帐巡营一场中，虞姬唱的〔南梆子〕中的第二句“我这里出帐外且散愁情”，每唱至此，必获掌声一片。论及原因，有评论家分析道：“这句要发挥梅派‘音堂相聚’的特点——歌唱时使高音、中音、低音衔接无痕，腔圆动听，不露出压迫声带的痕迹，也听不到提气的准备，要唱得自然、沉稳，这样就会使虞姬的感情很自然地流露出来。”特别是最后一场诀别歌：“汉兵已略地，四面楚歌声，君王意气尽，贱妾何聊生！”梅兰芳更是将“音堂相聚”的特点发挥得淋漓尽致，凄婉动听的唱将全剧推向了高潮。当唱到最后一句时，他一面掩脸而泣，一面向后仰去，最后一个字唱完，霸王也正好揽住了他的腰。全剧在这样悲凉的气氛中落幕，让观众不由自主沉浸于此而久久喘不过气来。在安排其他唱腔时，梅兰芳不是盲目的，而是将剧情的发展和人物思想感情的变化充分结合。项羽败阵回营前，虞姬原本有四句〔西皮慢板〕，唱词是：“我自从，随大王，东征西战。受风霜与劳碌，年复年年。恨只恨，无道秦，把生灵涂炭。思想起，不由人，珠泪涟涟。”梅兰芳后来改为四句〔摇板〕，原因是他“觉得在这个场合慢条斯理地歌唱，不大合乎剧情”，改为四句〔摇板〕后，他觉得“使气氛凝聚，紧凑无间”，而且人也省力多了。

梅兰芳当年演《嫦娥奔月》时，有人讥讽说他“花锄抡如虹霓之枪”，意思是说他在动作方面并无创新，仍然沿袭老的一套。当《霸王别姬》出笼后，有人以同样的意思说“虞姬宝剑舞如叔宝之锏”。“虞姬舞剑”是《霸王别姬》的特色之一，为了演好虞姬舞剑，梅兰芳曾特地请了一位武术教师，教他太极拳和太极剑。在表演舞剑时，他又结合《群英会》里周瑜舞剑的身段，和《卖马》里的耍锏。尽管他学了太极拳和太极剑，但由于他认为“戏曲里的舞剑，是从古人生活中沿袭下来的一种表演性质的器舞”，所以，“武术的东西用得比重很少，主要还是京戏舞蹈的东西”。话是这么说，实际上，虞姬的剑舞仍是多方结合的产物，其中既有京剧《鸿门宴》和《群英会》的舞剑，又有《卖马》里的耍锏，同时也有中国传统武术的剑法。虞姬舞剑前，对霸王说：“大王慷慨悲歌令人泪下，待妾身歌舞一回，聊以解忧如何。”这说明，这段剑舞是在霸王大势已去的情形下舞的，在这种情形之下，虞姬的心情可想而知，他舞的不可能欢快，但他的目的又是为霸王“解忧”，因此又不可能过于哀伤。于是，梅兰芳在选择为这段剑舞伴奏的曲牌时，颇费踌躇，最终创造了“庄重激越”的〔夜深沉〕曲牌。这曲牌与虞姬强颜欢笑的剑舞相配，恰如其分地表现了虞姬当时的凄凉心境，将悲壮气氛推向极至。

至于舞剑的基本程式，梅兰芳曾这样说：“其实并不难，首先记住舞步的方法大体是一个‘十’字，一个‘×’字，就像英国国旗那个图案，便不会乱了。”就舞剑的位置，他又说：“是环绕在四个犄角和中央，成为一朵梅花式的图案，假使你的舞蹈步法不够准确和严整，就会给观众一种残缺支离的感受。”

虞姬舞剑时有一段唱，其中两句台词是“自古常言不欺我，富贵穷通一刹那”。梅兰芳一直都是这么唱的，直到解放后，他在拍摄电影艺术片时，有人指出这两句不符合剧情，“不能准确表达项羽志在天下的雄心抱负”后，他虚心接受意见，经反复斟酌后，将这两句词改为“自古常言不欺我，成败兴亡一刹那”，如此，使该剧更近完美。

1924年，民新影片公司委托华北电影公司（两者为联华影业公司前身）将“剑舞”拍成电影，用的是舞台上的背景，因为只拍“舞”，

⊙《霸王别姬》，梅兰芳饰虞姬

所以，项羽这个人物没有出现，演员只有饰虞姬的梅兰芳。

在服饰设计方面，梅兰芳为虞姬设计的是头戴如意冠、穿鱼鳞甲的古装形象。其实，他在早期演《霸王别姬》时，虞姬并没有穿鱼鳞甲，头上戴的如意冠也很低，“不如以后梳得高”，“舞剑时所着小腰裙和云肩是五色杂陈以亮片做成的飘带”。经过不断修整，最终，他将飘带改为鱼鳞甲，将如意冠增高。抗战胜利后，他重又出山，再演《霸王别姬》，虽然仍是头戴如意冠、穿鱼鳞甲，但“在色彩、装饰上加重了分量”。上海戏装师谢杏生曾这样说：“每次梅先生来上海，总是要添置、定制一批戏装，例如鱼鳞甲，他就一而再，再而三地改了许多次，每次都要求有所创新。”如此精益求精、追求尽善尽美的精神的确令人叹服。

京剧表演有“千斤道白四两唱”一说，可见道白的重要。一般人多重视唱，而时常忽略道白。与别的剧不同的是，《霸王别姬》这出戏恰恰正是“念重于做”，人物的性格和当时的心理，多是通过“念”来体现的，如虞姬念：“看大王醉卧帐中，我不免去到帐外闲步一回。”“大王呵大王，只恐大势去矣！”梅兰芳的念白十分到位，丝毫没有敷衍，就剧情的变化时而关切，时而心痛，时而悲凄，句句深含感情。该剧第十二场，即“项羽败阵醉卧帐中”一场是全剧的精华所在，也是全剧的高潮部分。梅兰芳在这场的表演难的正是念白，虞姬在这场中有一段念白共有四句“如何”，一句紧跟一句，每句需要表达的感情都不尽相同。第一句是“今日出战，胜负如何？”充满关切；第二句“大王身子乏了，到帐中歇息片时如何？”充满关爱；第三句“备得有酒，与大王消愁解闷如何？”充满体贴；第四句“大王慷慨悲歌，令人泪下，待贱妾曼舞一回，聊以解忧如何？”这时，虞姬为安慰项羽，忍住内心悲痛，强颜欢笑。四个“如何”所表达的意思不同，气氛不同，语气也就不同。梅兰芳处理得恰如其分，他曾就《霸王别姬》里的念白这样教授弟子杜近芳说：“念‘明火蟾光’要加重语气，渲染气氛，读得比较高昂、饱满。‘鼓角凄凉’这句表示虞姬和广大的老百姓的厌战情绪，他们希望和平，不愿意打仗，所以情绪较低，语调亦随之发生变化。因此，念白要表现出特定环境中人物的独特感受，就要念出感情和人物的心理活动来。”

早期的《霸王别姬》是演到项羽乌江自刎为止的，早期的观众对虞姬自刎以后，接下去的一场打戏也还饶有兴趣，那毕竟是名武生杨小楼的拿手好戏。随着时间的推移，观众欣赏水平的提高，他们更喜欢看演员如何刻画人物性格，如何表达人物思想感情，而对单纯的开打已渐失兴趣，加之时代的变化，京剧界生行、旦行的位置也发生了变化，由早年的生行为主发展为生旦并重再到旦行为主，观众看旦行表演的兴趣要高于看生行的。在这种情况下，观众看到虞姬自刎后，便纷纷“起堂”(退场)，不愿意再往下看杨小楼的开打了。这种冷遇使已有“国剧宗师”之美誉的杨小楼颇为尴尬，情绪大受影响，无法淋漓尽致地完成最后一场打戏。匆匆敷衍过后，下得台来，以颇为复杂的口吻说：“这哪儿像是霸王别姬，倒有点儿像姬别霸王了。”梅兰芳是个深谙观众心理的大师，从观众的反应，他意识到，戏到该结束的地方就一定要结束，决不能拖泥带水，当断不断，否则会引起观众的反感。于是，他决定尊重观众的选择，删掉最后一场打戏，全剧就演到虞姬自刎为止。杨小楼虽然心有不甘，但不得不接受观众"起堂"的事实，便同意了梅兰芳的提议。

梅兰芳除了与杨小楼演过《霸王别姬》外，以后还和金少山、周瑞安、刘连荣配合过这出戏，而只有与杨小楼合作，他才真正感到过瘾，其他几位无论是在名望上还是在表演上都稍逊杨小楼一筹。杨小楼也曾说："我们俩唱惯了，抽冷子跟别人一唱，敢情是铆不上劲，也怪事，我们俩一块唱，我也不知道哪儿来的一股子劲。"所以有人说："只有梅兰芳与杨小楼合演的别姬，才是真正的霸王别姬。"

虽然谭鑫培、杨小楼是生行演员，梅兰芳是旦行演员，但梅兰芳始终认为这二位对他的帮助最大，他从他们身上学习到的东西最多。他曾借用张彦远在《历代名画记》里所说"顾恺之之迹，紧劲联绵循环超忽，调格逸易，风趋电疾，意在笔先，画尽意在"来形容谭鑫培和杨小楼的艺术境界，他说："谭、杨的表演显示着中国戏曲表演体系，谭鑫培、杨小楼的名字就代表着中国戏曲。"有人曾经问梅兰芳，他最佩服的人是谁，他毫不犹豫地回答说："杨小楼"，再问他具体佩服杨小楼什么，他说："佩服他对于艺术的忠实，对于观众的忠实。无论什么地点，什么场合，什么观众，他自己什么心情，什么环境，他在台上都是一样的卖力，从不泡汤（即偷懒），从不阴人。加之他的玩意儿地道，手眼身法步讲究尺寸。"①

所谓"深慕人者，必成己质。"即你喜欢什么样的人，你就会成为什么样的人。杨小楼身上的这些优点，也正是梅兰芳的品质。

娶福芝芳

1921年对于梅兰芳来说的确值得纪念。这年冬天，他二次结婚，新夫人是坤伶福芝芳。

①梅兰芳:《舞台生活四十年》。

梅兰芳的元配王明华是个精明强干的女人，善于治家。她与梅兰芳结婚时，梅兰芳还没有出道，梅家当时生活比较困难，梅兰芳仅有的一件御寒皮袍还破旧不堪。王明华为了这件皮袍经常在天寒地冻的雪夜，坐在被窝里一针一线地缝补。不久，梅雨田将财政大权交与王明华，在她的安排下，梅家虽然清贫，但很安逸，日子过得井井有条。梅兰芳逐渐走红后，王明华在事业上也尽心尽力帮助丈夫。一个演员有了名气后，便免不了被闲杂人等打扰，王明华因负责为梅兰芳梳头、化妆，得以打破不允许女人去后台的陈规，也使梅兰芳身边清静了许多。梅兰芳第一次去日本演出时，王明华也伴随在身边。

王明华在与梅兰芳生了一双儿女之后，为了支持丈夫事业，跟随左右，照料他的生活，听从娘家的建议，做了绝育手术。不料因为当时的医疗卫生条件太差，两个孩子先后夭折。

梅兰芳对此很伤心，一是丧子之痛，二是作为儿子，对家庭负有传宗接代的责任，何况他肩祧两房。但伤心归伤心，他并没有立即再娶。后来有一天，他的启蒙老师吴菱仙带着他的徒弟福芝芳到梅家来借本子《王宝钏》，梅家见福芝芳是个漂亮又文静的小姑娘，便转了念头 。

福芝芳1905年出生于北京一个满族旗人家庭，父亲早亡，与母亲相依为命，自幼喜好京剧，与梅兰芳一样，师从吴菱仙学习青衣。梅家即请吴菱仙去说媒，福老太太说，我虽贫寒，但我女儿不做姨太太。梅家以梅兰芳肩祧两房相告，答应将对福芝芳以另一房太太相待，福老太太遂首肯了这门亲事。对于梅兰芳再娶，王明华情知乃由自己不育而起，于是也豁达地同意，而且对福芝芳也颇友善。新婚之夜，梅兰芳先在王明华房里陪她说了会话，而后说："你歇着，我过去了。"王明华说："那快去吧，别让人等着。"很通情达理，尽管她心里未免难受。福芝芳对王明华也很尊重与体贴，当她生下大儿子后，便抱给王明华作儿子。王明华亲手给婴儿缝了顶帽子，又将他还回，对福芝芳道："我身体不好，还请妹妹多费心，照顾好梅家后代。"两人互敬互谅情景可以想见。

后来王明华在天津病逝，福芝芳叫儿子赴津迎回其灵柩。

福芝芳本来识字不多，嫁了梅兰芳后，梅家给她请了两位老师，后来她的文化提高到可以读古文的程度。

赴港演出

1922年夏，由梅兰芳亲任老板的"承华社"在京成立。崇林社实则就是该社的前身，由于杨小楼自上海回京后一直患病，故而脱离了崇林社。

承华社成立后的头等大事，就是远赴香港，进行为期一个月的演出。

1922年10月15日，应香港太平戏院的邀请，梅兰芳率"承华社"剧团140余人，分别从天津、上海两路乘船前往香港。其中主要演员有老生郭仲衡、武生沈华轩、武旦朱桂芳、小生姜妙香、以及姚玉芙、诸如香、李寿山、张春彦、小荷华、福小田、贾多才和曹二庚等人。郭仲衡原和余叔岩一起同为"春阳友会"的票友，宗谭也宗汪；沈华轩是旗人，虽原是梆子戏演员，但昆曲底子却很厚，后改唱京戏，曾走红于上海。梅兰芳特地请沈华轩同行，是因为杨小楼从上海回京后就病倒了，无法同赴香港演出《霸王别姬》。沈华轩正是顶杨小楼，在《霸王别姬》里饰霸王。与杨小楼一样，梅兰芳的琴师茹莱卿也因病未能同行，改由梅兰芳的姨父徐兰沅为之操琴。

梅兰芳到香港演出的消息早就传遍了香港的各个角落，消息灵通人士甚至知道梅兰芳所乘的邮轮号,因此早早地等候在九龙码头。消息一传十、十传百，过不多久，九龙码头已是万头攒动。

当梅兰芳乘坐的“南京号”邮轮于早晨8时缓缓驶入九龙码头时，周围许多小轮划艇竞相围拢过来，小轮、划艇上的人全都踮着脚尖，伸长脖颈朝“南京号”探头，争睹梅之风采。开着小轮、划艇前来欢迎的是港中百余位绅商士女。这种欢迎方式别具一格，令梅兰芳既感新鲜，又深受感动。“南京号”停稳后，岸上围观的市民也骚动起来，人流不由自主地朝前滚动，拥向“南京号”。港九之间的轮渡交通因此而被阻，暂停轮渡达4个小时之久。

接到香港太平戏院的演出邀请，梅兰芳很是兴奋，他几乎没有犹豫就应允了。他之所以如此爽快，是因为他很想把自己的艺术介绍给港粤同胞，同时也想看看南方的观众能否接受北方的剧种。眼下他的戏还未上演，他的人就受到如此欢迎，这很令梅兰芳高兴。

梅兰芳到香港后,偕妻福芝芳初住于友人邓昆山家。与几番赴沪演出一样，他在香港也受到当地社会名流的热情接待，收到三四十人的赠诗。又是茶会，又是宴会，又是各界代表前来晤谈，梅兰芳足足忙了两天。

早在梅兰芳赴港之前，香港总督司徒拔爵士就接到与梅兰芳素有交往的英国驻华公使艾斯顿的一封信。艾斯顿在信中特别就梅兰芳赴港演出一事关照总督对梅兰芳要多加照拂，理由是梅兰芳“平时对于促进中英两国之间的友谊多有尽力”。司徒拔接信后,不敢怠慢，立即下命令给警察署。警察署在梅兰芳抵港后，便特地为其配备了五名警官,不分昼夜,日夜保护,甚至连梅兰芳出入上下车,都由他们为其开关车门。正式演出时,他们不仅陪梅兰芳出入戏院,连梅兰芳在后台化妆，他们都高度警惕地守候在化妆室门口，随时注意一切来往之人。当梅兰芳收到一封索诈五万英镑的恐吓信后，警

⊙赴港时街头欢迎梅兰芳所搭的彩牌楼（1922年）

察署除派人侦查此案外，更对梅兰芳加强了保护。为防止负责保护的警察工作懈怠，他们通知梅兰芳说：“如所派警员有所疏惰，一接电话，即可调换。”与此同时，警方出于安全考虑，为出入剧场的工作人员配制了两种襟章，演员为绿色，其余办事人员为红色，都用梅兰芳的相片作为标记，以便稽查。警方的安全保卫工作可谓细致周到。

为感谢香港警方竭诚尽力的保护，梅兰芳于10月17日特地拜会了总督司徒拔。二人的会见轻松而愉快。司徒拔除对梅兰芳的到港极表欢迎外，毫不掩饰自己能有机会欣赏到梅兰芳的艺术的喜悦之情。会谈中，他建议梅兰芳两年后在英国举办博览会时能赴英国一游，到那时，他可以借回国述职之机，亲自为之导游。梅兰芳笑着表示，若有可能届时一定前往。司徒拔有着西方人特有的幽默，他颇有些神秘地对梅兰芳说他自小也喜好演剧，且偏好饰女角，“和梅先生堪称同行”，他如此说，惹得梅兰芳和在座的一起哄堂大笑。后来，司徒拔曾亲赴戏院，观看了梅兰芳的《天女散花》和《嫦娥奔月》。11月8日，梅兰芳首演《天女散花》，司徒拔前去观赏，将一个大银鼎赠送给梅兰芳，银鼎雕镂极为精细。鼎镌中英两种文字，中文上款为“兰芳先生惠存”，当中为“善歌移俗”四字，跋语为“梅君兰芳于一千九百二十二年十一月南游来港，因君素具改良戏剧、转移风俗宏愿，特赠此以留纪念”等语，下款为“护理香港总督施云（司徒拔又名）赠”。在看《嫦娥奔月》时，梅兰芳手持花镰的形象令司徒拔吃惊不小，他悄声问身旁的同伴：“密斯特梅也会高尔夫球吗？”原来他把梅兰芳手中的花镰当成了高尔夫球棒了。他这傻傻一问，问得同伴忍俊不禁。外国人看中国京剧有时真是雾里看花。[①]

梅兰芳赴港演出，考虑到地域文化的不同及由此带来的南北观众戏剧欣赏口味的差异，对南国观众究竟能否接受他的艺术，并不敢抱太大的奢望。让他始料不及的是，对于他的艺术，港粤同胞不仅喜欢，而且痴迷。这令他既感动又兴奋，因而将原定只演10到15天的计划变更，增演至一个月。从10月24日正式演出起，到11月22日最后一场演出止。梅兰芳首赴香港演了整整30天，共33场，包括两场义务戏，即最后两天11月21日和11月22日分别演出的《天河配》和《春香闹学》、《水漫金山寺》和《辕门射戟》（反串小生）。这30天中，10月29日、11月5日、11月12日，分日夜两场。为不辜负港人的盛情，梅兰芳共演了29个剧目，几乎每天更换。其中既有传统戏，又有时装戏，还有古装新戏，可谓丰富多彩。

在正式演出前几天，太平戏院就广为宣传，并刻意将戏院布置得富丽堂皇。首场演出那天，“戏院门口以五色电灯缀着‘梅兰芳’三个大字，院内通道直达台前都用彩布鲜花点缀。台上悬挂着南洋

①引文均出自梅绍武《我的父亲梅兰芳》。

烟草公司所赠的绉纱大幕，并有横衽各一幅；台口和包厢栏外以及前座上空均用绉纱结彩电灯，五光十色，照耀全场。香港各界知名人士周寿臣、伍汉墀、周少岐、何棣生、何世光、刘德谱、张冠卿、邓昆山等诸位先生，以及同乐会同人均赠花篮列置台前，蔚为大观”。

无论是首场，还是以后各场，前去太平戏院的观众无以计数，若不早早排队，根本无法买到戏票，在这种情况下，戏院不得不打破以往一贯的严禁加座的限制。上演《上元夫人》、《虹霓关》、《嫦娥奔月》时，戏院站立观剧者多达数百人。上演《霸王别姬》时，竟有两三人合坐一个座位的奇特情景出现。因观剧者众多，每次戏散后，退场时因拥挤而造成多人被撞倒，失物者也因此逐日增多。戏院便自11月11日起，在梅兰芳的大轴戏后面加演一出由粤伶陈少五等人的演出，让一部分戏迷继续滞留在戏院，以此达到使人流分两次出场的目的。这种情况在香港是从来没有过的。除香港文艺界名流和普通百姓常赴戏院外，香港政界如港督、市府官员和港议会议员都曾赴戏院看过梅兰芳的戏，连在港的外籍人士都被这空前盛况所吸引，一改过去着便服去中国戏院看戏的习惯，特地换上礼服前去观剧。港方不仅打破严禁加座的限制，对演戏时间也有所放宽，经港督咨询议会的特别许可，允许不受演戏至夜间12点钟为止的限制，特许太平戏院在梅兰芳演出期间，可以延长至12点半为止。

11月5日，梅兰芳因演出《回龙阁》时，服装厚实而受热，经香港名医唐天如医治，并未影响他第二天《贵妃醉酒》的演出，但身体有些疲乏。因此某报称：“扶病登场，愈形其美，而精神亦毫不少懈。是夕上座既盛，彩声尤多。”

《大光报》从声、色、艺三方面总结道：

其声色艺之佳可称三绝。以色论，洵可称天仙化人。以声论，则

⊙《辕门射戟》，梅兰芳反串饰吕布

婉转滑烈，近于流莺，吐音之际，一字百折，有如柔丝一缕，摇漾晴空，且忽然扬之使高，则其高可上九天，忽然抑之使低，则其低可达重泉，上如抗，下如堕，可谓极其能事。及曲终之际，则余韵悠然，古所谓余音绕梁三日者，斯为得之。以艺论，则喜怒哀乐处处传神，能令观者忽然而喜，忽而悠然以思，忽而穆然以会于剧场之上如亲见古人，出其性情而与之相接；至于舞蹈之际，则端庄婀娜兼而有之，容貌之间，则幽闲贞静之气达于面目。

港人在欣赏了梅兰芳的演出后，更想一睹卸了装的梅兰芳的形象。就在梅兰芳拜见香港总督后的当晚，他应几位友人之邀，前往太平戏院观看著名花旦千里驹主演的粤剧。当有观众发现梅兰芳出现在他们中间时，场内秩序一时大乱，场外的观众听说后，居然临时购票进场，不是为的看粤剧，而是看梅兰芳。梅兰芳本来是去看别人的，现在却不得不被别人看，心里不免有些不安，感到如此场面有些对不起台上正演出的同行。在众目睽睽下和众人窃窃议论中，他将一场戏勉强看完，然后匆匆离开，从此再也不敢堂而皇之地出现在公共场合了。11月4日，梅兰芳和友人乘车游历，午后在一家西餐馆午餐，周围群众闻讯后，从四面八方拥来，只片刻工夫，餐馆四周围观者达三四千人。最让人惊心动魄的是，在餐馆对面有几幢高约十丈的九层住宅楼，不少人为占领有利地形，以便清晰地目睹梅兰芳真容而不顾危险且不听警察劝阻，竟攀援而上。有人因此调侃道："真是舍命探梅哟！"11月12日，是农历九月二十四，正是梅兰芳28岁生

日。虽然他在这之前密而不宣，但仍然被众人知晓。香港名流何棣生、何汉墀、周寿臣、周少岐等人，以及报界和同乐会，连续几天在颐和酒楼设宴庆祝梅兰芳的生日，每次应邀参加宴会的多达三四百人，宴厅遍布鲜花，并燃放烟花爆竹，热闹非凡。酒楼门口聚集着众多群众，“翘首仰瞩，拍掌欢呼”。

香港各报对梅兰芳的演剧和人品除了赞誉就是褒扬，这与他们以往的做法截然不同。缘于竞争之故，以往各报对同一事件的评论总是相左，若一方极力捧，另一方必定狠命杀，捧有捧的原因，杀有杀的理由。对于梅兰芳的艺术，则各报一致予以好评。特别是对于梅兰芳的人品，各报更是赞不绝口。梅兰芳最后两天的义务戏应的是东华医院、潮汕赈灾会等单位的邀请，他在演义务戏时，依然如演营业戏一般认真，一丝不苟，甚至某些方面比演营业戏时还要卖力。对于他这种行为，各报都一致夸赞他有高尚的艺德。

梅兰芳首赴香港演出，可谓圆满，不仅使港人见识了北方古老的传统剧种，而且使他们狂热地爱上了这一剧种。离港那天，“沿岸鸣放爆竹”，自发前往码头“欢送的群众不下万人，码头放炮悬旗，各小轮鸣笛致敬”。一位近八旬的老人见此情景，感慨道：“住香港一世，还有睇过咁样热闹格欢送！”①

又排新戏

从1923年夏到1928年秋这五年多时间里，梅兰芳在他的“智囊团”的帮助下，连续编排了八部新戏，分别是《西施》、《洛神》、《廉锦枫》、四本《太真外传》、《俊袭人》、全本《宇宙锋》、《凤还巢》、《春灯谜》。其中《太真外传》在1927年《顺天时报》举办的“五大

①此节引文均出自梅绍武《我的父亲梅兰芳》。

⊙携子葆琪练习《西施》中的“佾舞”(左下)

名伶新剧评比”中，一举夺魁。《洛神》是他所有创编的古装戏中惟一在解放后还演出过的一出戏。这八出戏，几乎每出都有创新，或唱腔、或舞蹈、或装束、或伴奏。

《西施》

《西施》创编于1923年夏，分前后两本。故事取材于昆腔《浣纱记》传奇，由罗瘿公执笔改编。与《霸王别姬》一样，初编写成的《西施》剧本需两天才能演完。比较《浣纱记》，梅兰芳等人认为改编得不甚理想，有些重点场子或者被删掉了，或者比重减轻了。王瑶卿自告奋勇，将本子带回去，用三天的时间，将本子重新作了修改，二次改成的本子一天就可演完。9月8日，《西施》首次在真光剧场与观众见面。演员阵容相当整齐：梅兰芳饰西施，王凤卿饰范蠡，姜妙香饰文种，郝寿臣饰吴王夫差，萧长华饰伯嚭，姚玉芙饰旋婆。

西施是古代四大美女之一，要表现她的美与柔除了委婉动听的唱以外，不可不舞，同时，要表现吴王夫差沉迷于酒色、流连于歌舞，也不可不舞。为此，梅兰芳特地到当时的京师图书馆（现国家图书馆）借了一本《大清会典图》，研究了书上开列的许多舞蹈姿势，结合剧情与西施这个人物形象，决定借鉴古代的一种名为“佾舞”的舞蹈形式。这种舞分文舞和武舞两种：武舞是一

⊙梅兰芳与琴师徐兰沅（右）、王少卿(左)合影（共同研究增加了二胡伴奏）

手执“干”(类似于长枪的兵器)，一手执“戚”(斧形兵器)；文舞是一手执“羽”(即雉尾，就是戏台 上周瑜、吕布、梁红玉、穆桂英等人头上插的翎子)，一手执“籥”(六孔的竹管，类似笛子)，“舞者分立两边，基本不变换位置，只变换一些手势”。文舞、武舞都是古代祭祀大典时用的乐舞，梅兰芳称其为“地道的庙堂之舞”。显然，西施的这段舞不能采取武舞，只能文舞。从《大清会典图》，梅兰芳了解到“佾舞”的动作是非常庄严肃穆的，如果照搬这“庙堂之舞”，不仅呆板，而且难看，更不符合舞台上西施为吴王歌舞的环境。因为考虑到“羽”和“籥”都是以前从来没有用过的舞器，所以，梅兰芳还是舍不得放弃，于是，他采用折中的办法，只借用“佾舞”的手势，另外设计了一些动作，使之与饰旋婆的姚玉芙在舞台上能够对舞起来，这样，这段“佾舞”不仅舞在手势上，更舞在身段上。于是，人们看到在“羽舞”这场戏里，西施和旋婆在舞台上对舞而构成一组优美的舞蹈。1924年秋，民新影片公司委托华北电影公司（联华影业公司前身）在真光剧场临时搭成的摄影棚内将这段“羽舞”拍成了电影，背景用的是宫殿内景的画片，也就是梅兰芳在舞台上演出时所用的，演员只有梅兰芳与姚玉芙，吴王、宫娥、太监等均未出场。

梅兰芳在《西施》里为丰富音乐的表现力，首次在京剧伴奏乐器中增加了一把二胡，由王凤卿的儿子、琴师王少卿担任二胡伴奏。梅派唱腔在梅派艺术中占有重要地位，而梅派唱腔的最终形成，得力于梅兰芳的几位琴师的努力，特别是徐兰沅和王少卿。王少卿幼年唱老生，后改习文场拉胡琴，因得到许多名家指点，因而年纪轻轻就成为一位才华出众的琴师。梅兰芳曾说：“我每排新戏，编制新腔，少卿对我帮助最大。”

梅兰芳无论是创编新戏，还是改编旧戏，每出戏里几乎都有一些新的改革尝试，但每次创新的步子都不很大。这样做表面上看仿佛是他谨小慎微的性格使然，其实恰是他的聪明所在。他无论是在出名前还是在出名后，对演员与观众的依存关系始终保持清醒的认识，这使他一直把观众置于高位，于是他的一切创新，都以观众能否接受为出发点，以观众的接受程度为度。他之所以每次创新的步幅不大，正是抱着尊重观众的态度，给观众一个认识、接受他的改革的过程。当他的改革在得到观众认可后，他就保留下来，若是遭大多数人的反对，他就及时修正。因而，在他的一生中，从来没有在一出戏里，让观众突然看到一个面目全非的梅兰芳。而这无数的“不大”累积起来，使梅兰芳逐渐“大”了起来。

《西施》里增加一把二胡，梅兰芳起初也是抱着“试试看”的心态，谁想，这一改不仅立即就为观众所接受，而且一直延续至今。

《洛神》

自1915年起，梅兰芳创编了古装歌舞剧《嫦娥奔月》、《黛玉葬花》、《千金一笑》，将青衣、花旦、闺门旦、贴旦、刀马旦等几种表演有机地结合在一起，在表演、舞蹈、唱腔、念白、音乐、服装、化妆方面均有创新，首创了一系列新的妇女形象。在此基础上，他于1923年10月编排了又一出古装歌舞神话剧《洛神》。1923年11月21日，《洛神》在真光剧场首次上演，与之配戏的演员有姜妙香、姚玉芙、朱桂芳等。这出戏是根据曹植的《洛神赋》（又名《感甄赋》），又参考了明代汪南溟的《洛水悲》杂剧、宋人所摹晋代大画家顾恺之的《洛神赋图》改编而成，成为梅派代表作之一。

曹植为何要咏洛川之神呢？这与他的经历有关。甄氏貌美才高，原是袁绍的儿媳，被魏文帝曹丕所俘，纳入后宫。甄后对曹丕并无

⊙《洛神》，梅兰芳饰洛神

情感，只是迫于权势。在见到曹丕的弟弟曹植（子建）后，为他的才华所吸引，子建也羡她美丽、聪明，两人产生了感情，彼此默默相恋。不久，子建被调到远郡，甄后也被郭后害死。又数年，子建入宫朝见，曹丕命子把甄后遗物——玉镂金带枕赠给子建，子建见物伤情，在返郡途中路过洛川，夜宿驿站，抱着玉镂金带枕进入梦乡，梦中与洛神（即甄后）在川上相遇并互诉衷肠，最后互道珍重而别。曹子建就是假托洛神为对象而写就《洛神赋》，倾诉了他对甄后的一往情深。

《洛神赋》是汉赋中的文学名著，但洛神的形象从来没有在京剧舞台上出现过。主要原因恐怕因为该剧不仅是“一部凄惶、伤感的、集歌舞剧、诗剧于一体的悲剧”，而且剧情不够曲折，人物单调，所以不是“光靠唱或单纯的腰腿功夫”就能胜任此戏的。况且要演出洛神、子建的“诗中仙、画中人”的意境更非易事，这需要演员不仅要具有一定的表演才能，更须具备一定的艺术修养。考虑到这些因素，梅兰芳为慎重起见，特地将“智囊团”成员包括剧作家齐如山、李释戡、诗人罗瘿公和诸画家请到无量大人胡同的缀玉轩里，共同创作《洛神》，最终确定台词多用《洛神赋》里的句子，服饰参考《洛神赋图》，唱腔由梅兰芳、琴师徐兰沅和王少卿共同创造。

在曹子建的笔下，洛神的身材是“得衷，修短合度，肩如削成，腰如束素”；面貌是“丹

唇外朗，皓齿内鲜，明眸善睐，靥辅承权”；形象是“翩落惊鸿，婉若游龙。……仿佛兮若轻云之蔽月，飘飖兮若流风之回雪。”“远而望之，皎若太阳升朝霞，迫而察之，灼若芙蕖出绿波”；她的衣饰是“披罗衣之璀粲兮，珥瑶碧之华琚。戴金翠之首饰，缀明珠以耀躯。践远游之文履，曳雾绡之轻裾”。根据这番描绘，结合《洛神赋图》，梅兰芳设计出洛神的服装、道具、布景。至于他的身段、台步、眼神、手势、舞步、唱腔以及音乐、灯光等配合，是经过多次舞台实践和集思广益，最终确定下来的，而非一蹴而就。

这出戏具有浓厚的浪漫主义色彩，梅兰芳、徐兰沅、王少卿因此将唱腔设计为：前大半部分是二黄散板和二黄摇板，为的是烘托曹子建睹物伤情的悲切心情；后半部分是西皮倒板转慢板、原板、二六、快板，目的是让观众沉浸在如诗如画的氛围中，共同感受仙、人之间纯美的感情。

身段的安排是齐如山设计的，他认为“洛神与曹植梦中相晤，不能一点表情也没有，这种表情，倒相当的难，因为表现稍一过火，则近于真人，未免烟火气太重，且不似仙；倘作的太雅淡，则大众不容易明了，若想作的不即不离，而观众又能明了，则确非易事。”

区别于《天女散花》、《黛玉葬花》、《嫦娥奔月》以舞蹈来营造、烘托气氛，《洛神》里的舞蹈与《上元夫人》、《霸王别姬》、《西施》一样，是为表现剧情、塑造人物的。最后一场，甄后在天上与众仙女边舞边唱就非可有可无，甄后的舞，舞出了她内心与曹子建“别也难”的复杂心情，从舞中，也可看到曹子建的离愁别绪。观众也在这舞中产生怅然若失之感。

舞蹈与布景、舞蹈与歌唱有机结合是这出戏的重要特点。最后一场，云童、云女、汉滨游女、湘水神妃及洛神全站在用桌子搭成的“牌楼坊”似的仙山云端上，载歌载舞，使观众如临仙境。舞蹈与歌唱也结合得非常紧密，舞蹈丰富了歌唱的感情，歌唱又使舞蹈更加优美。

在音乐方面，梅兰芳也有创新。由于这出戏的重点在最后一场，所以，他在设计唱腔时，也把重点放在这一场，在曲调方面通过采用多种节奏舒缓、流畅抒情的曲牌穿插结合，使音乐柔美，唱腔别致。

有人曾说："洛神这个戏，只有梅兰芳能演"，话虽说得有些极端，但梅兰芳塑造的洛神形象的确非一般人能比，他饰演的洛神超凡脱俗，十分符合洛神仙女身份。同时，他不仅演出了洛神的娇媚，也演出了她的冷艳，既演出了她的"若有情"，也演出了"似无情"，达到了"欲笑还颦，最断人肠"的境界。

《廉锦枫》

《廉锦枫》是梅兰芳根据李汝珍的《镜花缘》小说第十三回"孝女廉锦枫"一章编写的。故事大意是：武则天称帝时，落第举子唐敖偕林之洋、多九公飘洋来到君子国巧遇廉锦枫。廉锦枫是一孝女，因母亲染阴虚之症，需要海参疗治，所以常去海滨猎取海参。某天，她在入海采参时不慎被青丘士公夫妇擒入网中。夫妻俩将锦枫缚于船头，欲将其转卖，幸遇唐敖出资赎救。锦枫感激万分。为报救命之恩，锦枫跃入海中，在为母亲采参的同时，刺中一巨蚌，得到一颗屹度珠。她便将这颗宝珠送给了唐敖。剧中廉锦枫由梅兰芳饰演，吴士公由萧长华饰演。

这出戏的最大特点是服装华美。梅兰芳在戏里还新创了廉锦枫刺蚌的水中剑舞，唱腔方面也有创新，首创了以前旦角从来不唱的〔反二黄原板〕。〔反二黄原板〕是在"刺蚌"一场里，廉锦枫在海底潜行时所唱。在梅剧中，这恐怕是惟一的一段反二黄原板了。

1924年，梅兰芳二次访日时，应日本"宝冢"电影公司邀请，将

⊙《廉锦枫》，梅兰芳演“刺蚌”舞

这出戏里的“刺蚌”片断拍成了电影。梅兰芳饰廉锦枫，朱桂芳饰“蚌形”。

《太真外传》

提起梅派名剧，大多数人都会说是《霸王别姬》、《洛神》、《宇宙锋》、《贵妃醉酒》等，很少人提及《太真外传》，其实，无论是从内容还是从形式看，《太真外传》都毫不逊色于其他几部代表剧。

1927年，北京《顺天时报》主办“五大名伶名剧”评选，群众投票踊跃。根据最终得票数，梅兰芳以《太真外传》荣登榜首。其次是尚小云的《摩登伽女》、程砚秋的《红拂传》、荀慧生的《丹青引》、徐碧云的《绿珠坠楼》。这五出戏并称“五大名剧”。或许是随着时代的进步，梅兰芳演艺的逐步提高，梅派剧目的不断丰富，人们淡忘了《太真外传》，但《太真外传》毕竟是为梅兰芳带来巨大荣誉的一出戏，梅兰芳在这出戏里的多处创新使它理所当然地应该成为梅派的代表剧目之一。

头二本《太真外传》编排于1925年10月，三四本编排于次年。其实早在1924年，梅兰芳等人就开始酝酿了。当时，他们的目的无非还是想编新戏，李释戡提出以杨贵妃为题。梅兰芳起初有些犹豫，

⊙梅兰芳演《太真外传》舞台照

觉得杨贵妃在大众心目中已是耳熟能详的人物，先入之见已定，创作余地既不大，也易吃力不讨好。但转念京剧里杨贵妃的戏，在台上常演的只有一出《醉酒》，何不编演全本《长生殿》，一来可以补《醉酒》以外的缺；二来可以京剧舞台上少有的“连台本戏”[①]这种形式出现，岂不新鲜。遂与“缀玉轩”诸友商定，根据白居易的《长恨歌》编排四本《太真外传》，由齐如山提纲挈领并草拟剧情及分场，情节主干完全依照《长恨歌》。唱词和念白由李释戡和“缀玉轩”另一成员黄秋岳等合作。服装、道具、布景、音乐由“缀玉轩”诸成员及“承华社”演员共同研究而成。梅兰芳为了演好这出戏，不仅将《长生殿》传奇看得烂熟，还仔细阅读《长恨歌》原文及陈鸿的《长恨歌传》。

《太真外传》无论是内容的丰富多彩还是形式的变化之多、场面之大对于梅戏乃至京戏都是空前的，其于唱腔、舞蹈、服饰、布景、道具等方面不仅人力物力财力投入巨大，堪称大制作，而且多有创新。上演之后，盛况空前。

《俊袭人》

1915年，梅兰芳曾经编排过两部红楼戏，分别是《黛玉葬花》和《千金一笑》。

时隔十来年后，他于1927年冬编排了第三部红楼戏——《俊袭人》。这部戏是根据《红楼梦》第二十一回

①连日接演的整本大戏。

“俊袭人娇嗔箴宝玉、俏平儿软语救贾琏”的题材编写的。这一回的故事内容大致是：宝玉头一天晚间送黛玉和史湘云回到潇湘馆，已经是二更多的时候了。第二天一清早，很早就又跑到黛玉的房里，等黛玉和湘云起床梳洗完毕之后，宝玉就用她们洗完的残水洗了脸，又用青盐擦了牙，再三恳请湘云替他梳好了头，一直到袭人来请他，看到他已经梳洗过了，他还是不走，袭人只好一人回到怡红院，正好宝钗来找宝玉，袭人一肚子的怨气，就向宝小姐申诉一番。等宝玉回来，袭人便用冷言冷语来磕打他，宝玉一怒而去睡了。第二天二人又闹个不欢而散。晚饭后，宝玉一人无聊，便命四儿剪烛烹茶，看了南华经又自续了一段，写完就寝。第二天清晨发现袭人和衣睡在身旁，醒后二人把昨日的前嫌尽释，复言归于好。改编后的《俊袭人》与原文有些差异，剧中人物除保留袭人（梅兰芳饰）、宝玉（姜妙香饰）、麝月（姚玉芙饰）、四儿（由梅兰芳刚收的弟子魏莲芳饰）外，宝钗和湘云均没有出现。该剧故事为：宝玉终日与众姐妹嬉戏，丫环袭人欲制止，宝玉反唇相讥，袭人故作娇嗔以试其心。

与前两出红楼戏不同，这出戏不分场，“可称国剧中第一出独幕剧”。1928年1月26日《顺天时报》刊有署名“云梦”的文章，归纳了梅兰芳《俊袭人》的五大优点：“(一)布景新奇 ；(二)陈设富丽而清雅，且完全是真品；(三)角色只有四人，而个个各得其用，俏丽简洁非常；(四)台上一洗场面及捡场之积习；(五)梅氏说白伶俐，唱腔新奇。”可梅派名票齐崧却认为这出戏是失败的，有意味的是，戏里的一些被云梦看作长处的地方，恰被齐崧视为短处。齐崧列出了三点：“第一，用真实布景即失去了国剧的风格，且以独幕剧方式演出，更限制了剧情的发展，先天已经注定了失败的命运；第二，编剧者不能深入刻画袭人的个性，而意欲借她的台词来劝说一般沉醉的青年，用意固佳，但失去原著的神髓，令人有隔靴搔痒之感；第三，场子冷得可以，始终找不到一个高潮，既无缠绵凄恻的情节，又无轻歌曼舞的场面，只有空洞的对话和肤浅的表演。”①

《宇宙锋》与《春灯谜》

宇宙锋是一把宝剑的名称，由秦二世胡亥赐给大臣匡洪。秦朝权臣赵高为扩大自己的势力，欲拉拢匡洪，便将女儿赵艳容嫁给了匡洪的儿子匡扶。尽管如此，匡洪父子仍不趋附于赵高的权势，令赵高怀恨在心，一直伺机报复。有一天，有刺客欲行刺秦二世，未得逞，被当场打死。秦二世根据刺客行刺使用的宇宙锋宝剑，判定刺客为匡洪所指使，下令将匡家全家逮捕入狱。实际上，刺客是赵高所派，刺客按照他的安排，先到匡家偷出宇宙锋宝剑，再用该剑刺杀秦二世，以嫁祸匡洪。赵高的奸计果然得逞，只是不知道匡扶已经在女儿赵艳容的帮助下脱逃。当时，匡家忠仆赵忠化妆成匡扶被校尉误杀，赵艳容假装大哭一场，使外人都以为匡扶已死。婆家已被抄，赵艳容只好回到娘家。某日，秦二世夜访赵府，见艳容貌美，想纳她为妃，命赵高次日将女送入宫。赵高为能攀上这门亲而高兴异常，但赵艳容坚决不答应。在哑丫环的暗示下，赵艳容装疯。次日，赵女随赵高来到金殿，嬉笑怒骂，临危不惧，秦二世以为她真的疯了，终于放她回去。

《宇宙锋》是一出老戏，并不是一出历史剧，赵女是原作者编造出来的人物，欲借这样一个女子来反映古代贵族家庭里的女性虽然出身豪门，但仍无人身自由。长期以来，这出戏一直属于冷戏，因为它是一出唱工戏，身段、表情都很简单，自然不易叫座，但演赵艳容的梅兰芳却偏爱这出戏。他对赵艳容的反抗精神十分欣赏。众所周知，梅兰芳个性温和似乎并不具有反抗精神，其实这只是表面

①齐崧：《谈梅兰芳》。

现象。一个在舞台上充满激情的人，在生活中一定不乏激情；一个对生活有激情的人，多半不失血性。这我们不仅可从他的寻常生活中偶尔发现，更可在后来他对日本侵略者的态度上看得清楚。也许赵艳容的叛逆性格与他心底的反抗性合拍，而他也正可通过赵艳容这个角色在舞台上尽情宣泄，所以他才这么偏爱这出戏的。因为偏爱，所以他“并不因为叫座成绩不够理想，就对它心灰意懒，放弃了不唱”，而是不断研究、不断体会、不断修正，越唱越来劲，渐渐地居然“唱上了瘾”。30岁以后，每逢演出，管事给他派戏码，其他的戏可以随便派，只有《宇宙锋》这出戏是他亲自指定要派进去的，“好让自己过过戏瘾”。

《宇宙锋》之所以成为梅兰芳从青年到晚年最有代表性的保留剧目之一，同时是“冷变热”的典型剧目之一，其原因是他为这出戏下的功夫最深。这出戏原是一出典型的青衣戏，重唱工而不重做表。梅兰芳认为，如果“抱着肚子死唱”，不能恰当地表现赵艳容性格中坚强一面，他在细心揣摩、认真分析赵艳容的性格和心理状态后，重新创造了这个形象。

1928年秋，梅兰芳根据明代《春灯谜》传奇编排了《春灯谜》，该剧说的是：明朝韦节度的女儿韦影娘，一日扮成男装和母亲到黄陵庙观灯。在灯会上，她与少年宇文彦相识并一见钟情，私下里悄悄订了终身。一场狂风吹散了观灯客，影娘与母亲、宇文彦失散。巧的是，影娘于慌乱中误上了宇文彦的船，而宇文彦正巧误上了影娘的船。后来，影娘被宇母收为义女。宇文彦的命运就不太好了，他被韦父从怀里搜出影娘诗笺，而被怀疑是小偷。韦父在宇背上书“獭皮军贼”，然后将其投入水中。宇大难不死，被缉私所救。可缉私见其背上的字，便要将其问斩。幸巡按查明事实后，将其释放。最后，影娘与宇文彦完婚。

该戏虽经梅兰芳在唱腔上有创新，但仍然场次繁杂、情节平冗。虽然它与《宇宙锋》一样，都是从开台一直唱到散场的戏，但《春灯谜》的情节远不如《宇宙锋》曲折生动。所以，这两出戏的结局不同，《宇宙锋》后来成为梅派代表剧目之一，而《春灯谜》则演出次数渐少，以至后来不拿出来演了。

《凤还巢》

京剧向以历史题材为主，且多是悲剧，喜剧偏少。有喜剧色彩的戏多是以三小（即小生、小旦、小丑）应工的玩笑戏，而闺门旦应工的喜剧就少之甚少了。梅派代表剧目之一《凤还巢》就是一出闺门旦应工的喜剧。该剧情节曲折，妙趣横生，执笔者仍是齐如山。

《凤还巢》故事脱胎于昆曲《风筝误》，剧情主要是：明朝退休的兵部侍郎程浦有两个女儿，长女程雪雁，次女程雪娥。雪雁为嫡出，相貌奇丑，性格憨直；雪娥系庶出，貌美聪颖。一日，程浦于郊游途中遇故友儿子穆居易，见其年少英俊，遂有意将次女雪娥许配给他，便嘱其在他寿诞之期去程家做客。程浦回家后将想法告知夫人，夫人欲将女儿雪雁许配给穆，为此，夫妻二人争吵不休。程浦寿诞之日，穆居易如约来访，程浦事先让雪娥暗中相看。这时，朱千岁也到程家贺寿，见雪娥貌美，便欲娶之。同时，雪雁见穆，也起爱慕之心。程浦向穆居易提及小女婚事，穆当即允婚。当晚，穆住在程府。深夜时，雪雁冒充雪娥之名到穆的房间拜访。穆见其相貌丑陋，且胆大而无女子羞怯之心，疑是程浦欺骗了他，遂愤而出走。不久，程浦重新被朝廷起用，奉旨带兵平乱，临行，他嘱夫人择日将雪娥嫁入穆家。朱千岁以为即将嫁入穆家的是雪娥，便假冒穆居易之名前来迎娶。程夫人以为前来迎娶的是穆居易，便将雪雁冒雪娥之名嫁了过去。洞房里，朱千岁喜滋滋地掀开新娘盖头，方知误娶。雪雁也方知误嫁，二人后悔不已。穆居易离家后，巧遇程浦，便也随军征战，因平乱有功，受封为镇威将军。这时，雪娥避难到军中寻父。经周监军、洪元帅作媒，使他俩在军中完婚。穆以为新娘是曾深夜到其房中的丑陋姑娘，故坚决不愿成亲，雪娥很是伤心。直至洞房掀去盖头，穆居易方知自己错了，方百般赔不是，误会才得平息。

梅兰芳在《凤还巢》中饰演雪娥，整出戏的唱腔由他和琴师徐兰沅、王少卿合作设计，费了不少心血。为了不使喜剧变成闹剧，梅兰芳还精心设计了身段、表情、眼神。

关于《凤还巢》，还有一桩公案未结，此即所谓教育总长刘哲禁演《凤还巢》风波。《舞台生活四十年》的执笔者许姬传在该书的按语里这样写道：

《凤还巢》就是在中和园首次上演的。当时正是张作霖当大元帅的时期，奉系人物因“奉”、“凤”同音，忌讳这出戏，当时的教育总长刘哲曾托人带话最好不演《凤还巢》。

而80年代中期许姬传在与他人合著的《梅兰芳》一书里又这样写道：

1928年4月6日，《凤还巢》在北京中和园上演。当时奉系军阀们因《凤还巢》剧名与“奉还巢”同音，竟由奉系教育总长刘哲出面，以所谓“有伤风化”的罪名禁演了这出戏。喜剧变成了禁戏。后来《凤还巢》在人民的支持下，终于恢复了演出，风趣的剧情和优美的唱腔，也才得以在群众中广为流传，成为各剧种竞相移植的喜剧剧目。

以上两种说法看似只是程度的不同，实则有质的区别：前者是加以劝阻，后者是加罪禁止。《凤还巢》曾遭禁演之说部分来自于此，至少它对此传说起了证实作用。风起青萍之末，最早的恐怕还是《北洋画报》1928年5月2日的一则消息，该消息称“梅兰芳新排之《凤还巢》，教育总长刘哲认为有伤风化，有实行取缔说”。这则消息不是独立存在的，而是与其他几条消息并列，其他几条消息分别是“袁寒云被张宗昌、孙传芳委任‘河南安辑使’”、“著名建筑家关颂声远赴美国”、“南开女中举行春季游艺会”，这四条消息的总标题为《据说……》。很清楚，总标题之所以为《据说……》，是因为这四条消息都没有得到证实，只是“据说”。所以，《凤还巢》问题也只是“据说”，“有实行取缔说”，却并没有明确告知已被取缔或被禁演。当然，所谓无风不起浪，既然有此说，那么的确有这种可能。如果人们只看到这《据说……》就作“被取缔或被禁演”的推断，倒也无可厚非。问题在于仅隔了一周时间，《北洋画报》于5月9日发表了署名朱弦、题目为《〈凤还巢〉问题》的文章，明确说明教育部对《凤还巢》取缔之说不是事实。文章还详细写了事情的原委。

《凤还巢》初演时，北洋政府教育总长刘哲的确亲临中和戏院，观看该剧。戏过半时，他突然询问身边的教育部某司长：“这出新戏我们审查过否？”司长说：“尚未。”刘哲便说：“可调取原本来略加修正。”在当时，新戏上演是要经教育部审查的。次日，司长命“通俗教育会”给梅兰芳发去一函，要求将原剧本尽快送至“教育会”审查。“通俗教育会”是教育部的一个分组织，司长兼任该会会长。函发出十日，“教育会”并未收到梅兰芳的回复，更不见剧本，便有些恼火，遂将原函全文刊登在报纸上。这时，半路上又杀出个程咬金，一位熟悉北京梨园界的日本人(名听花，又名辻剑堂，戏曲评论家)撰文指责教育会以审查为名，行取缔之实，而教育部又反驳说审查与取缔是两回事。如此热热闹闹的辩来争去，传言便纷纷而起，说梅兰芳有意抗教育部之命，教育部因而将取缔《凤还巢》，甚而取缔《思凡》、《琴挑》等剧。梅兰芳没有回复，并非他致教育部之命于不顾，就他的性格与处事原则，他也绝不会有意那么做。根本原因是他压根儿就没有收到“教育会”的函。当他在报纸上看到此函后，大惊失色，忙叫人四下找寻，却在中和戏院找到了原函。原来此函被误投到中和戏院，谁也没有注意到这样一封公函，而梅兰芳此时已移师开明剧场演出，所以没有及时收到该函。梅兰芳找到公函后，立即回复“教育会”，说明原因，并表示道歉。同时，他声明他在“承华社”的地位不过是一个演员而已，“承华社”另有老板，尽管如此，他还是出面让人将剧本送到了教育会。仅三天后，“教育会”就将审查过的《凤还巢》剧本交还给了“承华社”，上面只对程雪雁的台词作了小小的修正，其余均未加改动。

有人由《北洋画报》的主持人是冯幼伟的侄子冯武越，而猜想该文乃是该报为袒护梅兰芳而请人辟谣，其实《北洋画报》的经济资助人是奉系的张学良将军。正因该画报存在这种双重关系，所以它对双方都不会过分偏倚，而更可能做和事佬。事实上，该文起的是消除误会、达成和解的作用。加之梅兰芳在当年已非等闲之辈，具有相当实力与名望，与各界都保持着良好的关系，他这样一个名人，教育总长刘哲不会轻易冒犯而随随便便地就禁了他的戏。当然，“凤”与“奉”的确是谐音，奉军在北京的军纪也的确很坏，北京人的确是很想让他们“还巢”，即退回到关外去。从这个角度看，刘哲也可能的确有取缔、禁演的想法，但也仅此而已，要说禁演，到底没有真凭实据。

如此看来，倒还是《舞台生活四十年》中刘哲托人带话劝阻的说法更合情理，更可信。

早在1919年，梅兰芳初次访日时，就从日本评论界听到不少有关中国戏的布景问题的议论，当时，他们分为两派，一派说“中国戏没有布景道具，比较原始”；另一派则指责对方“一点鉴赏艺术的资格也没有”，言下之意是中国戏与日本戏剧不一样，并不需要布景道具，没有布景道具反而是中国戏的特点。梅兰芳的头脑很冷静，他并没有因为前一派人说中国戏比较原始就气愤而生逆反心理，也没有因为后一派人的支持就沾沾自喜，特别没有因为支持的多是日本权威人士，如青木正儿、内藤虎次郎、神田鬯盦等就盲目相信。他认为比较适中的做法就是既不能盲目使用布景道具，也不能完全摒弃布景道具。

有了自己的剧团“承华社”后，梅兰芳开始试验如何使用布景。他在新编的《西施》、《洛神》、《太真外传》、《俊袭人》的某些场景中都不同程度地使用了布景道具，有的的确起了很好的作用。

梅兰芳在戏里安排布景并不是随心所欲的，而是根据剧情及人物的动作需要设置的，他遵守“宁缺勿滥”的原则，该置景的地方尽量置，不该置景的地方，决不画蛇添足。“当剧情的时间地点固定在一个景上”时，他才认为可以置景，这时，“歌舞表演和布景道具才没有矛盾，才能收到较好的效果”。当然，他不是一开始在戏里使用布景时就有这番总结的，他也是在有过失败后才逐渐摸索出这番经验的。他在《木兰从军》里使用布景时曾遭到反对，原因就是人物的动作与景不符。当时，他在“走边”一场使用了山景，而这场戏的内容是木兰拿着枪和马鞭，唱着“……一路行来风餐露宿，戴月披星……行来行去，不知行了多少路程……正是万里赴戎机，关山渡若飞……”，很显然，木兰始终是在行路，“不知行了多少路程”，布景此时显示的仍是原来那个地方。所以，画家张孟嘉看后，就对梅兰芳开玩笑道：“你说，行来行去不知行了多少路程，简直睁眼说瞎话，连蹦带跳，折腾半天，你回头看看根本没离那块地。”梅兰芳恍然大悟，从此，他每次置景都很慎重，“选择用景的场子时，一定注意选择没有矛盾的”。《洛神》一剧，之所以只有最后一场有景，就是因为前几场均无法达到时间、地点、舞蹈、动作都固定在一个景上。如第三场，这场叙述的是曹子建在馆驿，梦见了洛神，如果在这场里搭一个馆驿的室内景，那么洛神就无法出现，因为在馆驿中的只有曹子建。矛盾虽然很容易避免，但要做到使用布景恰当并优美则不易。印度著名诗人泰戈尔于1924年访华时，在观看了《洛神》后，认为该戏的布景“一般而平凡”，他向梅兰芳建议说：“这个美丽的神话诗剧，应从各方面来体现伟大诗人的想像力，所以，色彩宜用红、绿、黄、黑、紫等重色，应创造出人间不经见的奇峰、怪石、瑶草、琪花，并勾金银线框来烘托神话气氛。”梅兰芳认为泰翁言之有理，虚心地接受了建议，后来又请人重新设计了布景。虽然不断改进，但他认为“还没有达到最理想的程度”。

一出戏多数分为好多场，每场叙述的内容不同。因此，一出戏不可能只有一个景，每场的内容也很少是发生在一个景里。所以，一场有一个景的情况也很少。梅派剧目中，只有《俊袭人》是整出戏都有布景，原因就是这出戏是独幕剧，故事情节只在一个地点展开，人物也只在一个地点进行活动。该剧与其他剧不同，“没有守旧，也没有桌围椅帔”。舞台上宝玉的书房和起居室里的布置全部用实物，“台中间是一张紫檀烟榻，上面是大红拼金绣枕和绣垫，榻旁是两个紫檀雕花花架，架上各陈一盆兰花，架前是高足的痰桶，榻右靠上场门外是斜摆的一张红木书案，上面摆的是文房四宝和一些书籍，榻左是一张紫檀大理石的圆桌，外面有四个圆凳，后面是四扇屏风，也是紫檀雕花镶玉石配件的。屏风的两侧都可以出入，后面有两个大窗，窗内靠墙是一张红木长条案，隔窗可见怡红院里的景致，其实

⊙《俊袭人》是一出以《红楼梦》为题材的独幕剧。只有此剧用完整的布景，全剧的情节不变，表演和布景没有丝毫矛盾

那是一幅画。案上摆的座钟、古瓷瓶、帽架、撣瓶等物，案前是大八仙桌，两旁是红木雕花罗垫椅子，右面靠墙是两个红木多宝格和书架，上面陈列的都是些名贵珍品和书籍。”梅兰芳每演此剧时，总是将自家的红木家具及摆设搬到台上，充当道具。有一次到天津演出，他不可能将红木家具及珍贵摆设悉数搬运至天津，所以，他一到天津，立即四处寻觅可借之处，最后总算在齐菘家借到紫檀家具及书房中所摆用的大理石桌凳及书架。然而，因为使用真实的布景而“失去了国剧的风格”，这反而是这出戏最终失败的原因之一。

就布景问题，经过多次实践，梅兰芳总结道：“我看不仅是京剧，而是中国戏曲不宜于都用布景。在某一出的某一场，布景道具和表演不发生根本矛盾时，如同传统使用砌末性质一样，灵活地使用布景道具是可以的。当然完全不用布景也可以的。如果每一出戏都要始终使用布景道具就必定为此自困。”

太妃生日入宫唱戏

梅兰芳29岁那年，经历了一次入宫演戏。历史就常常有令人匪夷所思的现象存在：此时已是民国12年，可前清皇帝溥仪仍居故宫，保持着皇帝的尊号，享受着民国政府每年四百万元的供俸及待以外国君主之礼，宫廷的一切机构及皇室生活一如既往。于是当陈太妃整寿之日来临，宫内便照例传班演戏。梅兰芳和杨小楼、姚玉芙、姜妙香、马连良、王凤卿、尚小云、余叔岩、时惠宝等人一同被传进宫。梅兰芳对当年进宫演戏的情形有相当生动而详细的回忆，不妨录在这里：

到了唱戏的那天，我们进的是神武门，有内务府的司官和太监带着我们顺着大戏墙往西走，进一个随墙门，门上有铁皮，进了这个门又走了几个过道，在一个院子里的东厢房里坐下。这个院子里都是我们几个戏班的人，有好几个太监在这里照料着，有一个有顶戴的太监，陈老夫子（陈德霖）称他为王总管，这个王总管和陈老夫子很熟的，并且告诉他：“你多少年没在里头吃饭了吧，回头你尝尝，咱们一切还是照旧。”陈老夫子立刻喜形于色地告诉我们：“你们没吃过，跟外头的味不一样。”后来吃的时候我觉得也不过如此，没什么特别，倒是一些小菜如熏野鸡、熏鱼、熏鹿肉倒是不错，烙的小火烧很好，还有甜点心也很好。陈老夫子还嘱咐我和玉芙：“待会儿你们在台上可不许往台下胡看哪！”后来玉芙说：“到了新鲜地方不看还行呀。”当时我和玉芙小声说：“皇宫里的事真是特别，娶媳妇是夜里娶，可唱戏早晨就开台。”等我们到了后台看见桌上摆着大红漆插屏架上一个大水牌，上面写着“辰正开台大吉”，底下列着戏码。陈老夫子说：“这是老规矩，早晨开戏，下午申时散戏。”……

开场戏是一出昆腔叫作《连福迎祥》。据凤二爷（王凤卿）说："这叫承应戏，照例是昆腔的吉祥戏文。"是原来南府太监唱的，云童用得很多，是由"富连成"小孩现排的，好在走的是熟套子。开场后第二出刚唱完，有太监到后台传旨："迎请！"立刻场上有很多唢呐吹〔一枝花〕。原来这也是老规矩，皇帝皇后来入座听戏，就有这么一套，待一会儿戏又打住，又吹〔一枝花〕，是老太妃来了。…………

我和玉芙的《游园惊梦》，姜妙香的柳梦梅。我出场以后慢慢地迈步，顺便看一看周围，只见北面五间正房有廊檐正中悬着红边贴金蓝的金字竖匾，"漱芳斋"三个楷书，并排三个满文，堂屋中间隐约地看见三个老太太同坐在一个小榻上，东间靠近窗户侧身坐着一个戴眼镜的青年，一看便知这就是溥仪先生。我唱完"梦回莺啭……"一段，看见从屋里缓缓走出一个十几岁小姐气派的丽人，梳着两把头，穿着大红刻丝氅衣，花盆底鞋。在这个局面里敢于随便走动看戏，这当然就是皇后婉容了。她看了一会儿又进屋，坐在西一间靠窗的地方。廊檐上满挂着大圆牛角灯，有红寿字的圆泡子，上面是金色镂花的毗卢帽，灯泡子下面一圈很长的红丝穗子。院子里空空落落并没有听戏的人，只在东游廊拐角上，和东边门罩子下以及南廊檐上站着些人，都穿着袍褂，有的有顶翎，有的有顶无翎，也有无顶无翎空帽梁的，这些人大概有些是内务府的司官，有些是太监。西厢房窗户里有穿着官衣，坐着看戏的，据说那是被"赏入座听戏的"。

对这次演出，宫中也有记载存档，可与梅兰芳的回忆参照补充。演出日期，梅兰芳说是在溥仪婚礼(1922年冬)后几天，而档案记为农历八月二十八日；演出时间，梅兰芳说《霸王别姬》是第二天唱的，而档案上看似为两出戏当日唱完。档案还记载了给梅兰芳的奖赏，包括钱三百元及“袋料”、“文玩”各四件。

就在梅兰芳入宫演戏的次年，冯玉祥发动“北京政变”，将溥仪及其他皇室成员赶出故宫，梅兰芳的这次奇特的经历因此而成为生平中惟一的一次了。

与泰戈尔欢聚

1924年初夏，为促进中印文化交流，印度著名作家、诗人泰戈尔应邀访华。在中国诗人徐志摩的陪同下，他先后在上海、南京、济南和北京进行讲学，每到一处，他和他热情洋溢的演讲都受到中国人民的热烈欢迎。

5月8日是泰戈尔63岁生日，他有意识地选择这天来到了北京。北京文化界、戏剧界人士为欢迎他的到来和为他庆祝生日，于10日晚在东单三条协和医学院礼堂举行特别的欢迎仪式。之所以说其特别，是因为仪式非常见的酒会、餐会形式，而是由徐志摩为首的新月社成员用英文演出了泰翁的话剧《齐德拉》。

⊙泰戈尔在纨扇上题词

梅兰芳也参加了这天的欢迎仪式，他就坐在泰翁的身边——第三排中间。

演出结束后，泰戈尔对梅兰芳说：“在中国能看到自己的戏很高兴，可我希望在离开北京前还能看你的戏。”

能看到梅兰芳的戏是当年每个首次到京的中国人或外国人的强烈愿望，梅兰芳自然已经习惯这种要求，于是，他笑道："因为您的演讲日程已经排定，我定于五月十九日请您看我新排的神话剧《洛神》，这个戏是根据我国古代诗人曹子建所作《洛神赋》改编的，希望得到您的指教。"

5月19日夜，梅兰芳如期在开明剧场为泰翁和随行人员专场演出了《洛神》。泰翁虽然听不懂台词，但他始终看得聚精会神。他给《洛神》的布景提建议不是在当晚，当晚戏毕后，他到后台向梅兰芳道谢，只说了句："我看了这出戏，很愉快，有些感想，明天见面再谈。"

次日中午，梅兰芳一半是为了听泰翁对《洛神》的意见，一半是为泰翁饯行。当晚，泰翁将启程去太原。梅兰芳和梁启超、姚茫父来到泰翁的住处。泰翁在对《洛神》的布景提出意见后，有人问他对《洛神》的音乐歌唱有何感想，他笑着说："如外国莅吾印土之人，初食芒果，不敢云知味也。"意思是说"中国的音乐歌唱很美，但初次接触，还不能细辨滋味"。梅兰芳很赞赏泰翁的态度，有意见就提，没有感觉就说，而不是盲目恭维、刻意奉承。然后，梅兰芳与泰翁交换了各自绘画的体会。

陪同泰翁访华的国际大学艺术学院院长难达婆薮是印度名画家，梅兰芳向他求画，他当即挥毫，用中国毛笔画了一幅水墨画，"内容是古树林中，一佛趺坐蒲团，淡墨轻烟，气韵沉古"。后来，梅兰芳"在画上以意为之题作《如来成道图》，世袭珍藏"。中国科学院文学研究所的吴晓铃先生于1982年12月访印回来后，撰文说："难达婆薮在访华之后，画法突变，尽染华风，特别是晚年所作大都追步云林小品，其弟子辈糅合中印笔法，蔚为一代新的流派，沟通之功不能不记在梅先生和泰翁的账上。这才是真正的文化交流。"

临别前，梅兰芳、泰戈尔互赠礼物，梅兰芳送给泰戈尔的是他在百代唱片公司灌录的几张唱片，计有《嫦娥奔月》、《汾河湾》、《虹霓关》、《木兰从军》。这几张唱片和谭鑫培、刘鸿声、刘寿峰、俞粟庐等人的唱片一直为泰翁所珍藏，直到他于1941年8月去世后，这些唱片才和1929年他二次访华时由宋庆龄赠送的京剧脸谱模型一起藏于国际大学艺术学院的博物院里。

泰翁送给梅兰芳的礼物是一柄纨扇，他在扇上用毛笔以孟加拉文写了一首短诗，然后又自译成英文。写罢，他分别用两种语言将诗朗诵给大家听，英文诗云：

You are veiled, my beloved,
in a language I do not know,
A sa bill that appears like a cloud
behind its mask of mist.

诗人林长民当即将这首诗译成古汉语骚体诗，一并写在纨扇上，并写了短跋。

1961年，在纪念泰戈尔诞辰一百周年之际，梅兰芳将珍藏了30余年的这柄纨扇取出，请吴晓铃、石真夫妇共同推敲泰翁孟加拉文原诗的涵义。石真曾在泰翁创办的印度国际大学泰戈尔研究所里工作过五年，精通孟加拉文和泰戈尔文学。她看过诗后，首先对泰翁的书法赞赏不已，说："泰翁的书法，为印度现代书法别创了一格，他的用笔有时看似古拙，特别是转折笔路趋于劲直，但他却能用迂回婉约之法来调剂，寓婀娜秀隽于刚健之中，给人以峰回路转，柳暗花明的感觉，而整体章法又是那么匀称有力，充分表现出诗人的气质。"对那首诗，她觉得"原诗比英译文还要精彩，格律极为严谨。"

听石真如此说，梅兰芳迫切要求石真将原诗直接译成白话体诗，诗云：

亲爱的，你用我不懂的
语言的面纱
遮盖着你的容颜；
正像那遥望如同一脉
缥缈的云霞
被水雾笼罩着的峰峦。

石真还给梅兰芳解释说："这是一首极为精湛的孟加拉语的即兴短诗，这类的短诗，格律甚严，每首只限两句，每句又只能使用十九个音缀，这十九个音缀还必须以七、五、七的节奏分别排成六行。"

通过石真的翻译和解释，梅兰芳更加怀念已逝去多年的泰翁，为此，他写了一首题为《追忆印度诗人泰戈尔》的诗，刊登在当年5月13日的《光明日报》上，全文如下：

1924年春，泰戈尔先生来游中国，论交于北京，谈艺甚欢。余为之演《洛神》一剧，泰翁观后赋诗相赠，复以中国笔墨书之纨扇。日月不居，忽忽三十余载矣。兹值诗人诞生百年纪念，回忆泰翁热爱中华，往往情见乎词，文采长存，诗以记之。

诗翁昔东来，矍铄霜髯叟。
高誉无骄矜，虚怀广求友。
当日盍簪始，叨承期勖厚。
欢赏我薄艺，赠诗吐琼玖。
影声描绘深，格律谨严守。
紫毫书纨扇，笔势蛟蛇走。
微才何足论，鼓舞乃身受。

百岁逢诞生，人琴怅回首。
纪念谈轶事，肤词埽以帚。
惟君恋震旦，称说不去口。
愿偕中国人，相倚臂连手。
文章与美术，探讨皆不苟。
如忘言语隔，务使菁华剖。
忆听升讲坛，响作龙虎吼。
黑暗必消亡，光明判先后。
反帝兴邦意，忧时见抱负。
寰球时代新，孤立果群丑。
惜君难目击，远识诚哉有。
中印金兰谊，绵延千载久。
交流文化勤，义最团结取。
泰翁早烛照，正气堪不朽。
谁与背道驰，路绝知之否。

谁也不会想到，这首诗竟成了梅兰芳最后的遗墨。这年8月8日，他因心疾而去世。梅夫人率子女将梅家历代收藏的文物和纪念品，包括泰戈尔赠送的那柄纨扇和难达婆薮赠送的那幅水墨画悉数交给了国家，以供后人鉴赏。

再一次征服日本

1923年9月1日，日本关东发生大地震，继而东京、横滨和附近城市发生大火，出现海啸和反复的地震，死亡人数达20万之多，经济损失超十亿美元。世界各国闻知此消息，纷纷给日方送去救灾物资。一向乐善好施的中国人自不例外，也加入到救灾行列。当梅兰芳听说东京各大剧场几乎全部被毁的消息后，心急如焚，立即发起组织了几场义演，然后将义演全部收入一万余元悉数捐给日本红十字会。

次年春末夏初，美国废除君子协定，开始全面排日，日本国民群情激愤，举行示威游行以抵制美货。5月10日，日本大选后，清浦内阁失败，加藤友三郎再任首相（首任于1922年6月—1923年12月）。加藤内阁在对华问题上采取了和解政策，中日民间往来复又增多。在这种政治背景下，出于对梅兰芳义演捐资之善举的感激之情，日本东京帝国剧场经理大仓喜八郎于这年10月剧场修复后，二次盛邀梅兰芳赴日演出。

梅兰芳接受了邀请，10月9日率部分承华社演员四十余人在日方向导波多野乾一（《北京新闻》社主任）的陪同下，于当日晨5点30分从天津搭邮船“南岭丸”赴日。

齐如山这次没有同去，他自己说是因为“那完全是演庆寿的堂会，与第一次的性质完全不同，论其精神价值，则差多了”。[①]此言差矣！“庆寿”只是梅兰芳此次赴日演出的目的之一，除了在10月20—23日为庆贺大仓喜八郎88岁寿辰演了四场内部戏外，他还为帝国剧场重新修复公开演出了11天，然后，又率团在大阪、京都演出了几天。与首次赴日一样，他的演出深受日本国民的欢迎，日新闻界、评论界也像上次一样，就他的演出剧目发表了大量介绍与评论，他们一致认为“梅兰芳的表演最为精彩”。

梅兰芳一行于10月12日早抵达门司。在门司，梅兰芳对新闻界发表了简要谈话，谈到他此次赴日的目的：“为了庆贺大仓男的米寿，我早就接受了邀请，另外我希望再到帝剧演出。我也想看看大地震灾害以后贵国首都的情况……”两天后，当他辗转抵达东京，

①齐如山：《齐如山回忆录》

⊙梅兰芳(中)与日本歌舞伎演员中村歌右卫门(五世)及其子合影

驱车来到帝国饭店，又向新闻界发表谈话说：

五年前我来过日本，对地震的东京有所了解，今天我看到受灾后的东京，不禁感慨万端。地震受灾以后，我对贵国尽了点儿小意思，芳泽公使却给了我恳切的感谢状，我倒觉得不好意思了。当时我未能十分地尽力，所以这一次我是带着向日本各方面致歉的心意前来演出的。[①]

10月20—23日，梅兰芳虽然就在帝国剧场演出，但因为是庆贺大仓的生日，故不对外售票，算是堂会性质。四天剧目分别是《麻姑献寿》、《廉锦枫》、《红线盗盒》、《贵妃醉酒》。演出方式与前次略有不同，虽然仍与日本歌舞伎演员同台演出，但中国京剧不再夹在中间，而是改在大轴。参加这四天演出的日本歌舞伎演员有尾上梅幸、松本幸四郎、泽村宗十郎（七世）、衬田勘弥、尾上松助（四世）等，主要剧目有《神风》、《源氏十二段》等。

虽然这四天的演出属堂会性质，但仍引起了广大市民的关注，原因是警方戒备过于森严竟派出了八十余名警察，以至《东京朝日新闻》发表了一篇文章，对此颇有微辞。警视厅警务部长川渊随即又在该报发表谈话作解释，说警方因接到首相以及各部大臣、各国大使、公使都要与会的通知才决定加强警戒的云云。

批评也好，解释也罢，自然都与梅兰芳无关。只是从当时出席寿诞堂会的既有高官要员、又有东京、横滨一带的一千二百名知名人士来看，也可略窥该次盛会的规格与规模了。而如此规格规模的

①吉田登志子著，细井尚子译《梅兰芳1919、1924年来日公演报告》，《戏曲艺术》1995.5。

盛会首邀梅兰芳，也可略窥梅兰芳名闻遐迩及其艺术在异国的地位。

从10月25日到11月4日，梅兰芳为庆祝帝国剧场重新修复，在帝国剧场公开演出，剧目分别是25日《麻姑献寿》、26日《奇双会》、27日《审头刺汤》、28日《贵妃醉酒》、29日头本《虹霓关》、30日《红线盗盒》、31日《廉锦枫》、11月1日《审头刺汤》、2日《御碑亭》、3日头本《虹霓关》、4日《黛玉葬花》。帝剧方面的剧目分别是《神风》、《红叶宴卫士白浪》、《雨国巷谈》等，演员仍然 是参加堂会的那些人。每天演出既有中方剧目，也有日方剧目，中方剧目仍为大轴。帝国剧场这11天的对外票价分别是一等10元、二等3元、三等1元，都比平日高出一些。

从公开演出的第一天起，东京各大报纸几乎每天都有关于梅兰芳演剧的评论。因是中日演员同台演出，无形之中便有比赛的意味在内。梅兰芳高超的演技使日本演员相形见绌，报刊评论在盛赞梅兰芳的同时对本国演员不免讽刺挖苦，使他们受尽了委屈。

于一片赞誉声中，梅兰芳结束了在帝剧的演出。在帝剧演出期间，梅兰芳看过几场日本歌舞伎团的演出，其中在本乡座观看了歌舞伎中上演次数最多的剧目之一《劝进帐》，由市村羽左卫门（十五世）主演。另外在市村座剧场观看了尾上菊五郎（六世）的舞踊《鹭娘》、《渔师》、《供奴》等。

11月5日下午7时左右，梅兰芳率团离开东京，次日上午8时抵达大阪梅田，随即赶往奈良，在奈良饭店闭门好好地休息了一天后，于11月7日下午赶回大阪，开始了他在大阪为期五天的演出。从7日到11日，承华社在大阪宝冢大歌剧院演出了五场，梅兰芳每场都唱压轴。

11月13日，梅兰芳一行又赶到京都，在冈崎市公会礼堂演出了一场，但《大阪朝日新闻》和《京都附刊》等报均未报道这仅有的一场演的究竟是何戏。有人据所附的戏照，估猜为《红线盗盒》。

总结梅兰芳此次赴日演出，有这样几个特点："一，因为有大仓喜八郎米寿堂会和帝剧改建纪念演出这样的喜事，所以首场演了喜庆剧《麻姑献寿》；二、鉴于对上次演出的评论，在制订计划时便相应做了些调整，如装置了专门演京剧的舞台，挑选京剧味很浓的剧目，演出时完全不用布景；三、选择一些能体现梅兰芳戏路子宽的戏，发挥他青衣、花旦、刀马旦等各个行当的本领；四，按照北京演出的形式，每天都换戏。"

梅兰芳在东京演出时，日本帝国电影公司的董事立石、吉田为招聘新演员从大阪也来到东京。当他们听说梅兰芳在东京时，立即到梅兰芳下榻处帝国饭店，邀请梅兰芳拍摄几部戏的片断。经双方几次磋商，于11月5日签订了合同。

在宝冢大歌剧院的演出结束后，11月12日，按合同约定，梅兰芳在帝国电影公司小阪电影制片厂开始拍摄。导演为枝正义郎氏等；技师为下村绿甫氏等。据梅兰芳本人回忆，当时，他们拍了《虹霓关》里的"对枪"，是无声黑白片，由他饰东方氏，姜妙香饰王伯党，还拍了《廉锦枫》的"刺蚌"。但据当年日本报纸和杂志的记载，梅兰芳除拍摄了以上两部戏外，还拍摄了《红线盗盒》里的片断。从1924年11月24日至27日《都新闻》上刊登的上野铃木电影院的广告，也可以推断梅兰芳的确是拍了三部片子，而非两部。广告语是："放映——梅兰芳支那戏曲三种；大侠奔塔比；罗宾·福多的梦（由高木新平主演）"。显然，梅兰芳的这三部电影当时是在上野铃木电影院与日本高木新平的滑稽影片同时放映的。

在日本影院放映的除了以上三部新拍的影片外，梅兰芳在上海、北京拍摄的其他影片，如《上元夫人》、《霸王别姬》、《西施》、《木兰从军》、《天女散花》等也传到了日本，分别在道顿堀松竹座、道顿堀朝日座、新世界日本俱乐部、九条第二住吉馆等处放映。

12日晚，拍了整整一天戏的梅兰芳劳累至极，一天也没有好好吃东西，所以当晚日本朋友请吃“鸡素烧”时，因为过于饥饿，不免多吃了几盘牛肉，当晚即感胃部不适，但他次日仍坚持赶往京都公会礼堂。戏散后，他回到京都都会饭店休息。半夜，他被严重的胃痉挛痛醒，急按铃叫饭店服务员为他请医生。服务员见梅兰芳病势凶猛，便叫来梅兰芳的日本朋友、市议员久保田。梅兰芳在日本期间，久保田一直伴随左右。久保田闻讯赶到梅兰芳的房间时，见梅兰芳已处半昏迷状态，不禁吓出一身冷汗，急请京都名医今井泰藏先生。今井还未赶到饭店，梅兰芳已经昏迷。经今井诊断，系前一天吃坏了。日本“鸡素烧”的吃法是将牛肉、鸡肉、粉条等放在油锅里现炸了吃，日本人吃惯了生鱼片，又爱吃嫩的牛肉、鸡肉，所以也不炸透，而是半生不熟时就端给客人吃。梅兰芳当时因为饿，吃了大量的油炸肉食，回去后又喝了大量的茶水，造成消化不良，得了胃肠炎，又没有及时休息治疗，加之劳累过度终致病情加重。这场急病让梅兰芳不得不延迟返国。承华社其他成员已于11月17日按计划乘大阪商轮“何南丸”先行回国。

在今井昼夜不停的细心治疗与护理下，十几天以后，梅兰芳得以康复，两人由此结下了深厚的友谊。今井不仅拒绝接受梅兰芳付的医疗护理费，还邀请梅兰芳到他家做客。为表示对今井的感激之情，当梅兰芳听今井在闲谈时提到“中国用翡翠做衬衫的扣子很美观”后，立即说以后一定送他一副。

11月22日上午10点，梅兰芳一行四人乘“长沙丸”回国。

梅兰芳始终记得他对今井的承诺，但因为中日关系日趋恶化，他一直没有机会再去日本，去给今井送一副翡翠扣子。三十多年后，一直到1956年，他在随中国京剧团再访日本时，仍然没有忘记带上一副翡翠扣子。可是，今井终于没能见到这副迟到的扣子，他早在1943年抗日战争时就因病去世了。梅兰芳感到万分遗憾，他在今井家今井的遗像前三鞠躬后，将那副扣子献在遗像前，了却了一桩心愿。从这副不起眼的小小的扣子，可以看到梅兰芳的卓越品质，难怪日本人将他誉为“品德高尚的蔼然仁者”。

梅兰芳二次访日，不仅在帝剧、宝冢和京都冈崎演出了共21场戏，拍了三部电影，还应日本蓄音器商会的邀请，录制了五张唱片，包括《红线盗盒》、《御碑亭》、《天女散花》、《廉锦枫》、《贵妃醉酒》，以及《六月雪》的唱段。这些唱片后来都曾在日本出售，每张价1元50钱。

前后两次访日，梅兰芳的名字在日本已经家喻户晓，日本人一改过去用日语的念法拼音称呼中国人的名字（如称李鸿章LiHongzhang为LiGonchin），而用北京音称他为MeiLanfang，这在日本是非常罕见的。他带去日本的剧目更是影响了日本剧坛。在此以后，日本剧坛曾多次移植、改编中国京剧上演，如1925年2月，宝冢少女歌剧团在宝冢歌剧院演出《贵妃醉酒》，由酷似梅兰芳的秋田露子饰主角杨贵妃，其他剧目如《天女散花》、《思凡》等也先后由日本演员演出过。

梅宅成了外交场所

两次访日演出取得圆满成功后，梅兰芳的声誉播及到了海外，更多的外国友人知道并认识了他。从1924到1926年间，他与国际友人有过频繁交往。1924年，印度诗人泰戈尔访华时观看了他的演出。1925 年 11 月，美国著名舞蹈家罗丝 · 丹尼丝、泰德 · 萧恩夫妇访华，与他在真光剧场同台演出。1926 年，他不但接待了意大利、美国、西班牙、瑞典大使及夫人，还与守田勘弥（十三世）、村田嘉久子等五十多位日本歌舞伎名伶同台献艺，更与瑞典王储夫妇“赠石订交”。

1926 年 6 月，意大利驻华公使维多里里奥.赛鲁蒂将回国述职，临行，他托人向梅兰芳致意，希望能相约一见。梅兰芳爽快地答应了。约定那天，赛鲁蒂因急事缠身，无法如约前往梅宅，便让夫人作为代表。梅兰芳在无量大人胡同梅宅接待了同意大利公使夫人一同前来的美国、西班牙、瑞典大使及夫人子女等 18 人。他们畅谈戏剧，气氛十分热烈。意公使夫人是一位音乐戏剧的爱好者，年轻时还曾登台串戏，对梅兰芳所演各剧都很欣赏，尤其对他那在舞台上变化多端的手势更叹为中外无二。告辞前，梅兰芳与来客合影留念，并赠送给他们每人一张剧照。

不久，英国公使蓝博森爵士偕夫人、女儿、参赞等，和其他几国公使及夫人、子女等，也到无量大人胡同拜访过梅兰芳。日本著名画家渡边氏访华时，还特地拜访梅兰芳，畅谈艺事绘画，交流心得。

早在1924年，日本著名演员左团次受梅兰芳两次赴日演出获得成功启发，组团赴中国演出。行至半道，因北洋军阀正在京津一带混战，交通受阻，无法继续前行，全团只得折返，只左团次一人到达北京，与梅兰芳有过短暂的会晤。1926 年 8 月，东京别一舞台经理山森三九郎组织了一个赴中国演出剧团，著名歌舞伎演员守田勘弥和村田嘉久子是该团的主要演员。

当梅兰芳从先行到京的山森手中接过东京帝国剧场社长大仓男爵的介绍信，得知他在日本演出时结交的守田等人将到京演出时，异常兴奋。8 月 20 日晚 7 点半，梅兰芳、尚小云、老十三旦（侯俊

山)、姜妙香、姚玉芙等人到车站迎来了日本客人。次日下午，梅兰芳召开茶话会欢迎守田等全体演员，中方参加茶话会的还有杨小楼、余叔岩和尚小云。梅兰芳亲致欢迎词，说中日艺术有相同相通之处，这为两国的艺术交流提供了基础，相信守田所率艺术家的来访，必将增进两国之间的艺术交流。守田勘弥在致答谢词中称赞“梅兰芳是‘东方艺术的卓越表演家’”，他还说“从梅兰芳1919年首次到东京演出后，日本人民便深知中国艺术自有其渊源，大有研究价值”，又说“当时日本人无事不称赞欧美，仿佛要模仿西方才具号召力，可是我们深信东方艺术固有其特征，不必仿效欧美，故而这次专程访问贵国，亦在于发扬东方艺术，使世人认识它的真正价值”。

山森在与梅兰芳洽商演出事宜时，邀请梅兰芳与日本演员同台献艺，“以示赞助”，并允诺“四六分账”。梅兰芳却考虑到，如果是“四六分账”，“日方当不敷开支，有碍守田先生的声誉”，于是，他向山森表示，既是赞助，那么就不取分文，“剧场其他开销仅营业收入的百分之二十五就足以支配，其他余数悉数归日方”。①闻听此言，山森感激不已，当下双方议定合演三日。为节省开支，梅兰芳选定三出角色比较少的戏，即《战蒲关》(与王凤卿、刘景然合演)、《金山寺》(与朱桂芳合演)、《六月雪》(与龚云甫合演)。守田的三出戏分别是《镰仓三代记》、《宫岛默斗》、《六歌仙》。在守田的坚持下，大轴仍由梅兰芳出演。

三天演出结束后，日本演员即将启程回国，梅兰芳特嘱咐夫人福芝芳在大栅栏谦祥益绸缎庄购置了衣料，为日方全体演员每人赶制了一套中国服装，送给他们以作纪念。启程那天，守田、村田等全体演员穿上梅兰芳送的中国服装，与特地赶到车站送行的梅兰芳依依惜别，他们感谢梅兰芳的一片深情厚意，更感谢梅兰芳为日中

①梅绍武:《我的父亲梅兰芳》。

⊙这是梅兰芳在北京无量大人胡同寓所的客厅，梅兰芳经常在此处接待外宾（左）
⊙梅兰芳在寓所庭院内（右）

友好和中日文化交流所作的努力。为表感激之情，8月25日和26日，他们在《顺天时报》上连登了两天感谢启事。

回国后不久，梅兰芳又接到东京俳优组合(即戏剧家协会)会长中村歌右卫门和副会长尾上梅幸寄来的一封亲笔签署的感谢信。

1926年10月，瑞典王储古斯达夫斯·阿多尔甫斯偕其王妃路易丝·亚力桑德拉，并大礼官、女礼官、武官、侍从各一人，来到北京，预定访华15天。王储夫妇的到来，让北洋政府外交人员忙得天昏地暗，他们特别印制了一种十分漂亮的“王储及妃来华游历日程表”，自从到北京那天起，直到出京之日止，一天天的和他们排定日期，把应逛的名胜一概列入。王储是位考古大家，闲时喜欢到古玩店转转，坐着插有标志“特别保护之意”的小黄旗汽车，在各大小胡同中穿行，访寻古迹。

王储此次来华，是以私人名义，所以抵京后即声明不受任何官方招待。虽然官方接待单位因此而没有通知已赴济南演出的梅兰芳返京，但王储却自己提出要见见梅兰芳。他说：“在瑞典的时候，早耳其名，今番来华，必须一观芳容，一顾妙曲，然后快心”。梅兰芳是王储访华要见的三人之一，另两位是顾维钧和张学良。王储的话传到了顾维钧的耳朵里，他立刻去电济南，请梅兰芳迅速回京。

梅兰芳回京后，按照王储的意思，以个人名义筹备一切，邀请王储夫妇到无量大人胡同作客，王储夫妇欣然接受了邀请。

虽然是私人访问，但王储毕竟不是普通人，10月27日晚，当局仍然动用了大量警察，守候在梅宅周围，以防不测。这天，无量大人胡同5号

梅宅被布置得十分辉煌华贵。走进大门，“曲折的走廊上，满挂着些纱灯，十分的壮观”。王储夫妇在瑞典大使的陪同下来到梅宅，对梅宅华贵、壮观的布景大加赞赏。梅兰芳亲自出来迎接，然后将客人领入客厅。在客厅，“王储就中国的戏剧和艺术问题同梅兰芳会晤良久”，翻译是陶益生。

在梅宅“上房屋中临时搭了小小的戏台，那个‘池子’，仅仅容下三十个人，座后预备了冷西餐的陈设”。梅兰芳就在那小小的戏台上为王储演出了《琴挑》（与姜妙香合演）和《霸王别姬》中的“舞剑”（与周瑞安合演）一场。《琴挑》演毕，演员和客人共用冷食，只有王储仍然站在台前，凝神欣赏由徐兰沅、王少卿、杨宝忠、高连贵、霍文元合奏的中国民族乐曲《柳摇金》和《雁落梅花》。在梅兰芳等人的再三邀请下，他才恍然入席。

散戏后，宾主共入客厅，乘梅兰芳卸装时，王储浏览室内陈设的古物，对案头的一方古印颇感兴趣，此印上刻着如下几个字：“辣长剑兮拥幼艾”。王储拿在手中把玩良久，他对人说：“此石为田黄，最可宝贵，余连日访购未得见类此之精品”。此时，卸装后的梅兰芳来到客厅，见王储对这块田黄兽头图章爱不释手，便表示愿意将这块珍藏多年、重达二两的古章赠送给王储，以作纪念。王储闻知，大喜过望，一再表示感激，说他将以此物，传之子孙，永作纪念。

王储与梅兰芳刚见面时，送给梅兰芳二帧亲笔签名照片，但未题上款。经大家共同商议，便想请王储就当晚观梅剧后的感想题字在照片上。王储身边的大礼官插话道：“王太子素不题他人上款。”不过，他又补充说：“若特志数语，当无不可。”于是王储书“为此极乐之夜，志我最佳之谢悃”于照片之下。

此次友好的会晤一直持续到午夜一时，王储临别前，还与梅兰芳等合影留念。

30年后，已是瑞典国王的古斯达夫斯六世偕王后在瑞典首都斯德哥尔摩皇家剧院观看了中国古典歌舞剧团的演出，当他听说梅兰芳的女儿梅葆玥也随团来到斯德哥尔摩时，立即要求见见她。在皇家剧院的休息室里，国王握着梅葆玥的手，“愉快地回忆起当年和梅兰芳会晤时的情景，还提到了那块田黄图章，说已经把它和自己的其他文物全部捐赠给皇家博物馆妥善收藏以供瑞典人民欣赏。他还叮嘱梅葆玥回国后转达他对梅兰芳的亲切问候”。

梅葆玥回国后，将国王的问候转达给了父亲，梅兰芳听后十分激动，不由翻出旧相簿，找出当年他与王储的合影照片，又想起了那次愉快的会晤……

梅兰芳那些年接待过国外包括文艺界、政界、实业界、教育界等各界人士多达六七千，由于当时的北洋政府不愿意支付外交交际费，梅兰芳每次接待外国友人就都是自掏腰包。难怪梅家女佣张妈曾对梅夫人福芝芳开玩笑说:“梅大爷每次要花那么多钱开茶会招待洋人，我看早晚会让他们给吃穷了！”

自始至终，却未闻梅兰芳对此有一句怨言。他是这样的胸怀宽广，无私地为国家、为民族作贡献，不计较个人得失，堪称品德高尚。当年的美国驻华商务参赞裘林·阿诺德于1926年11月29日撰文概括了梅兰芳那时期的外交活动，文章说:“那些在过去十年或廿年旅居北京的外籍人士，满意地注意到梅兰芳乐于尽力在外国观众当中推广中国的戏剧。他把自己的艺术献给祖国人民，使他们得到愉快的享受。与此同时，他在教育外国观众如何更好地欣赏中国戏剧表演这方面所尽的力量，也许同样可以使他感到自豪。我们祝愿他诸事成功，因为他在帮助西方人士如何更好地欣赏中国文化艺术方面所尽的一切力量，都有助于东西方之间的相互了解。”

与孟小冬的恋情

1926年，梅兰芳的感情生活中还出现了个插曲。这便是社会议论颇多的“梅孟之恋”，女主角是当时名满京华的老生演员孟小冬。

孟小冬比梅兰芳小13岁，祖父孟七是与谭鑫培同时代的著名文武老生兼武净演员，后从北方迁至上海。父亲孟鸿群工文武老生，她生在上海，受家庭熏陶，自小喜好唱戏，父亲看准她的天赋，打小就让她拜师学艺。她因聪慧，又下过苦功，年仅7岁就两次搭班去无锡演出。9岁时，正式拜舅父（一说姑父）仇月祥学习孙（菊仙）派老生，12岁时在无锡新世界登台，14岁时在上海乾坤大剧场演出。这期间，她不但应工老生，连武生也唱。18岁到北京后，拜陈秀华为师，专攻余派老生戏。至于拜余叔岩为师，得其亲授，那是后话，1938年的事了。

1925年，北京第一舞台有一场盛大的义务戏，大轴是梅兰芳、杨小楼的《霸王别姬》，倒二是余叔岩、尚小云的《打渔杀家》，倒三就是孟小冬和裘桂仙的《上天台》，连马连良、荀慧生等名角的戏都排在前面，可以说这场演出对孟小冬来说意义重大。从此，她在京城声名鹊起，以后的营业戏卖座几乎与梅兰芳、杨小楼、余叔岩相持平。

因为梅兰芳与孟小冬都是名伶，所以他俩的恋情广受关注，传说也多。关于这场恋爱是如何发生的，有的说是梅兰芳身边的朋友为了某种目的撮合的，有的说是梅太太福芝芳因身患沉疴，而预先安排。如此等等，并无实据。其实最有可能的原因即是两人同台演戏，配合默契；台下互相倾慕对方的才华，经常交流艺术，日久生情。

1926年8月28日的《北洋画报》上有署名“傲翁”者撰文说“小

冬听从记者意见，决定嫁，新郎不是阔老，也不是督军省长之类，而是梅兰芳。”当天的《北洋画报》上还刊发了梅、孟各一张照片，照片下的文字介绍分别是“将娶孟小冬之梅兰芳（戏装）”、“将嫁梅兰芳之孟小冬（旗装）”。这可能是媒体最早一次对梅孟恋情作肯定报道。次年2月，梅孟双双从上海返回北京，梅孟关系似乎更得到了证实。总之，梅兰芳与孟小冬的新屋设于东城内务部街的一条小巷内。

梅孟之恋虽因他二人在世人眼中特别般配而被称颂一时，却终未能长久。两人分手的原因也是众说纷纭，有些说法迹近小说情节，甚为可笑。如“曾与梅兰芳、周信芳等人交谊甚厚”的吴性栽（笔名槛外人）所说：

当时梅跟孟小冬恋爱上了，许多人都认为非常理想，但梅太太福芝芳不同意，跟梅共事的朋友们亦不同意。后来梅的祖老太太去世，孟小冬要回来戴孝，结果办不到，小冬觉得非常丢脸，从此不愿再见梅。有一天夜里，正下大雨，梅赶到小冬家，小冬竟不肯开门，梅在雨中站立了一夜，才怅然离去。所以梅孟二人断绝来往，主动在孟。①

梅孟之恋发生于1926年。1929年春，《北洋画报》还有关于他俩相伴从上海回京的消息，分手至少应该在1929年以后，而梅兰芳的祖母早在1924年就去世了。老太太去世后不久，梅兰芳应邀赴日，在抵达门司后曾经公开发表谈话，讲了来日演出的目的，其中一句话是：“今年夏天，我祖母去世了，目前我还在服丧期间，但我还是特地到日本来了。”因而，孟小冬不可能因梅家不让她“回来戴孝，

①吴性栽（槛外人）：《在〈舞台生活四十年〉以外谈梅兰芳》，《京剧见闻录》第53页。

觉得丢脸”而与梅兰芳分手的，时间也完全不对。另外，梅兰芳当时已不是一般人，像他这样一个有身份的人就算再痴情，也绝不会做出如少男少女般“在雨中站立一夜”的让人痴笑的傻事。

还在梅孟相恋中，发生了一桩震惊整个京城的“血案”，梅兰芳差点丢了性命，事情经过是这样的：

纨袴子弟王惟琛一直单恋孟小冬，始终得不到小冬回报，正在百般愁苦之际，听说小冬已被梅兰芳“抢了去”，一时想不开，一天突然闯入梅宅，欲找梅兰芳理论。当时已近正午，梅兰芳和冯幼伟等几个朋友正在吃午饭，佣人进来通报，说有一个“身穿浅色西装，文质彬彬，年约20岁左右，一看就是个大学生模样的人”要见梅大爷。在座的北京《大陆晚报》经理张汉举自告奋勇，对梅兰芳说他先出去看看那人有什么事，说完，便离座随佣人走出餐厅往客厅走去。

张汉举矮矮胖胖，由于记者出身，颇善词令，平时热衷于交际，喜欢管三管四 ，所以有“夜壶张三”的绰号。他来到客厅，以为找几句托词就可以把王惟琛打发掉，谁知还未等他开口，就见王惟琛从口袋里掏出一把手枪，抵住张汉举，叫道：“你叫梅兰芳出来见我！”张汉举到底也是见过世面的人，他很快就稳定了情绪，回说梅兰芳出去了。王惟琛自己也很紧张，听说梅兰芳不在家，便颤声要求张汉举转告梅家，要梅家先掏出五万块钱，赔偿他失去女朋友的精神损失。枪口下的张汉举大声呼唤佣人，让他们转告冯幼伟，赶快去筹款。

其实，早在王惟琛掏出手枪的那一刻，就有佣人忙不迭地奔到餐厅通知了梅兰芳、冯幼伟。此时，听王惟琛说要钱，冯幼伟一面打电话通知军警督察处，一面通知银行迅速提出五万元现款。

钱送到时，军警也已包围了梅宅。当佣人将钱扔进客厅后，王惟琛将张汉举挟作人质，好使他安全离开梅家。走到大门外，王惟琛这才发现军警不仅包围了梅宅，连周围屋顶上都有荷枪实弹的军警，因为过于紧张，他手中的枪响了，张汉举重重地倒在了地上。一见人质已死，军警们众枪齐发，顷刻间，王惟琛被打成了蜂窝状，当场毙命。

次日，大栅栏附近的一根电线杆上，高悬着一个木笼，木笼里放着的正是王惟琛的血淋淋的头颅。这颗人头在电线杆上晃荡了整整三天。当年，最重的刑罚也不过是示众三天，可见“军警处”是将“王案”作为大案来处理的。

王惟琛的死算是咎由自取，张汉举却死得冤枉。梅兰芳对张汉举之死深感歉疚，他不仅包揽了张汉举的后事，而且还赠送给张家位于麻草园的房屋一幢，现金二千元。

后来梅孟分手，有人便将这两件事说为因果——梅兰芳受“血案”的刺激而离开孟小冬。其实这又是人们的猜想。

人的感情是复杂的，故不应简单视之。梅孟分手未必只有一个原因，但直接原因只有一个，那就是梅兰芳听说在他访美期间，孟小冬身边另有感情介入。梅兰芳对孟小冬并未明媒正娶，孟小冬对梅兰芳也就不负有婚姻意义上的责任，这段感情遂告终结。

有史料说，1931年，在孟小冬聘请的郑毓秀律师和上海的杜月笙的调停下，梅兰芳付给孟小冬4万块钱为赡养费。

其实是梅兰芳访美的次年回到北平时，得知孟小冬在天津欠了债，于是给了她几万块钱。由此可见梅兰芳为人的厚道及情义。

孟小冬后来嫁给了上海闻人杜月笙，1949年5月随杜去了香港。杜月笙去世后，孟小冬在家收徒教戏。1967年秋移居台北，10年后并发肺气肿与心脏病去世。

第三章　名闻遐迩

梅兰芳归国后在上海与京剧界人士合影（1931年6月）
前排左起：荀慧生、梅兰芳、王又宸、雪艳舫、雪艳琴、杨小楼、龚云甫、李吉瑞、谭小培、言菊朋、马连良、谭富英、尚小云、程砚秋；
后排左起：(8)马富禄、(9)张春彦、(11)贯大元、(13)徐碧云、(20)郭仲衡、(21)高庆奎、(22)王少楼、(23)芙蓉草、(24)金仲仁、(25)李万春、(26)蓝月春、(27)刘宗杨、(34)姚玉芙、(35)姜妙香

为访美精心准备

《中国大百科全书·戏曲曲艺》卷将梅兰芳的舞台活动分为三个时期：

从他从事舞台活动开始，到1915年前后，是他艺术活动的早期。这一时期以继承传统为主，演出剧目多为传统的唱工戏，如《祭江》、《二进宫》、《三娘教子》等。这时梅兰芳在艺术上虽还不曾有自己的独特创造，但却是一个很重要的准备阶段。

自1915年起至抗日战争前夕，是他艺术活动的中期，此期创造精力最为旺盛。他先后排演了时装新戏和古装新戏，又致力于传统剧目的整理加工。在此时期，他完成了京剧旦角表演艺术上的重大革新，完成了前辈旦角演员特别是王瑶卿的未竟之功。

从抗日战争结束恢复舞台生活起，直至逝世，是梅兰芳艺术活动的晚期。此期上演剧目戏少，经常演出的是《宇宙锋》、《贵妃醉酒》、《断桥》、《奇双会》、《霸王别姬》等最具有梅派特色的剧目。《穆桂英挂帅》是他晚期惟一的一部新戏。此期艺术风格也不似中期那样色彩深艳，而趋于清淡含蓄，更富于内在的魅力，这标志梅兰芳的艺术已达炉火纯青的境界。

在这三个时期中，每个时期都有一次飞跃。第一个时期的飞跃是在1913年，他首赴上海演出，不仅开阔了眼界，接受了新思想，还产生了编排时装新戏的念头，为日后梅派艺术的形成奠定了基础；第二个时期的飞跃分别是在1930年和1935年。1930年，他赴美演出，不仅成为中国戏曲史上第一个获得博士学位的京剧艺术家，更使美国观众倾倒于原本异常陌生的中国戏剧，为祖国赢得了荣誉。

1935年，他赴苏演出，戏剧界将他与苏联的斯坦尼斯拉夫斯基、德国的布莱希特并称为“世界三大戏剧体系”的代表；第三个时期的飞跃是在解放后，实践了其“少、多、少”的艺术理论。

1930年访美演出对梅兰芳来说意义尤为重大，通过他的努力，不仅将中国戏剧引入世界戏剧之林，也使他个人获得殊荣，从而跻身于世界文化名人之列。

梅兰芳于1930年1月18日动身离沪赴美。实际上，早在七八年前，他和齐如山、冯幼伟等“缀玉轩”诸成员就开始了漫长而艰苦的筹划准备。

1919年与1924年两次访日成功，让梅兰芳产生了访美的念头。1926年，美国驻华公使约翰·麦克慕雷在随意大利公使夫人及西班牙、瑞典大使夫人到无量大人胡同拜访梅兰芳时，就建议梅兰芳去美国演出，他说“如果能够成行，则可使美国人民增进对中国戏剧艺术的了解，更可促进两国人民之间的友谊”。同时，他表示他愿意尽全力协助促成此事。日本与美国不同，日本、中国同属亚洲，文化背景相近，中国戏剧与日本歌舞伎有很多相似的地方；对于美国人来说，中国则是一个完全陌生的国度，要让美国人接受陌生中国的陌生戏剧并非易事。所以，梅兰芳不愿贸然行事，不过，他还是很感激公使的盛情，特在端午节那天邀请在京的美国使团观看了他演出的《金针刺红莽》。

让梅兰芳下定赴美决心的是另一位美国公使保尔·芮恩施，他卸任回国前，在被段祺瑞的安福国会选为总统的徐世昌为其举行的饯别酒会上，他说：“要想使中美人民彼此的感情益加深厚，最好是请梅兰芳往美国去一次，并且表演他的艺术，让美国人看看，必得良好的结果。”芮恩施所说并非心血来潮，他与梅兰芳彼此并不陌生。早在梅兰芳初演《嫦娥奔月》时，一次，留美同学会在当时的外交大楼公宴芮恩施，梅兰芳应邀演出《嫦娥奔月》。芮恩施对梅兰芳的表演大加赞赏，次日还特地到梅宅拜访梅兰芳，与梅兰芳有过相当愉快的会晤，此后他又陆续看过几次梅兰芳的表演。

芮恩施担心在座的人有疑虑，于是补充说："这话并非无稽之谈，我深信用毫无国界思想的艺术来沟通两国的友谊，是最容易的，并且最近有实例可证：从前美意两国人民有不十分融洽的地方，后来意国有一大艺术家到美国演剧，竟博得全美人士的同情，因此两国国民的感情亲善了许多。所以我感觉到以艺术来融会感情是最好的一个方法，何况中美国民的感情本来就好，再用艺术来常常沟通，必更加亲善无疑。"

当齐如山、梅兰芳从交通总长叶玉虎（恭绰）那里得知芮恩施所说后，异常振奋，联想到约翰公使曾有的提议，以及这几年的外交活动，已有相当的在华美国人熟知了梅兰芳与中国戏剧，他们预感到赴美计划必能实现。于是着手开始筹备。

该取何种方式赴美，比较可行的办法是由对方来邀请，就像两次赴日演出一样。对方邀请又为两种方式，一为由官方发出邀请，这里由外交部承接；一为由民间团体发出邀请。官方邀请当然比较麻烦，特别是北洋政府外交部官员并非愿意倾力支持，所以，由民间团体发出邀请是最为合适的。

1932 年，北平出版了由齐如山撰写的《梅兰芳游美记》，较详细地介绍了梅兰芳在美演出情况。在谈到梅兰芳赴美得以成行原因时，说"确因与哈布钦斯君有约，否则赴美的心愿，还不知何年何月才能达到呢"。哈布钦斯是美国的剧作家，在纽约有一家剧场，当他从司徒雷登那里得知中国名伶梅兰芳想到美国演出时，当即表示"梅兰芳到美国来，可以在我的剧场里出演"。虽然哈氏对梅兰芳赴美表现得很积极，但梅兰芳最终能赴美接受的并不是他的邀请，而是“华美协进社”最终促成的。

1926年，由胡适、张伯苓、梅贻琦、杜威（John Dewey）等几位中美学者共同发起的“华美协进社”在美成立。这是一个以促进中美文化交流为主旨的非牟利性团体，其资金来源为联邦政府教育部门拨款与基金会资助。“华美协进社”成立后的首件大事，就是邀请梅兰芳访美。

1981年，“华美协进社”在纽约出版了一本题为《六十年之追求》的回忆录，该书作者就是“华美协进社”原社长孟治博士，当年就是他代表“华美协进社”亲自到北平邀请梅兰芳访美的。他在回忆录中详细谈到“华美协进社”之所以向梅兰芳发出邀请的原因：

二十年代的美国人，对中国人是友善多于尊敬。他们中的大多数，都为这个遭受异族掠夺的弱国慨叹。为了拯救不信基督的中国人的灵魂，众多的基督徒还愿意解囊相助。但是每当涉及中国的文化，即使是从我自己的同胞那里，往往也只能得到这样的回答：什么中国文化？我们何必自找麻烦？如果中国文化当真还有一些价值，中国现在怎么会陷入如此悲惨的困境？

在那时的纽约城，中国人是以经营手工操作的洗衣作坊和供应“杂碎”式中国菜的小餐馆闻名的。为着猎奇而去唐人街参观的旅游者，总是耸人听闻地传播关于鸦片烟馆和赌窟的神话。对绝大多数美国人，杂碎和杂碎炒面是他们所能品尝到的中国烹饪艺术。至于谈到他们毫无所知的中国戏剧和音乐，则被视为取笑中国人的机会。他们认为花钱欣赏如此喧嚣的打击乐和刺耳的假嗓音，真是有点莫名其妙。正是因此，我们希望“华美协进社”能够通过演出一台既有艺术魅力，也有教育意义的中国戏剧，改变许多美国人对中国文化根深蒂固的传统偏见。

当时，百老汇从未听说过梅兰芳，梅兰芳也毫不了解百老汇。但披·西·张（P.C.Chang—张彭春）对二者都能如数家珍。……他始终相信美国观众能够接受真正熔歌、舞、剧于一炉的京剧艺术。他向梅和齐建议由华美协进社主办访美演出。早就盼望能到美国观光的梅立刻欣然同意。[①]

正如孟治博士所说，对于大多数美国人来说，他们只是从“手工操作的洗衣作坊和经营‘杂碎’的小餐馆”里了解中国，而从来不知道中国还有悠久的历史和灿烂的文化，对于从没接触过的中国戏剧，他们不可能仅通过从中国归来的美国人的口头表述或简单的文字图片就能“想象出它特有的表演方法或演出形式”。况且，有些看过中 国戏剧的西方人，对京剧的印象也很成问题，有位伦伯先生就认为中国人完全缺乏艺术美感，原因是所有演员的吐字都是单音节的，没有一个音不是从肺部挣扎吐出的，听起来就像是遭到惨杀时所发出的痛苦尖叫。另一位法国海军军人在中国观剧后，如此形容唱腔:“高到刺耳以至无法忍受的程度，那尖锐的声音如同一只坏了喉咙的猫叫声”。鉴于此，加上两国语言的不同，欣赏口味的差异都使梅兰芳、齐如山等人对赴美演出的前景不敢乐观。

凡事只要做，虽有失败的可能，但同时也就有成功的希望。既然已有组织发出了邀请，梅兰芳决定不论能否成功，美国还是要去的，哪怕只做一块“试金石”也是值得的，至少先让美国人了解、认识中国戏剧，为将来上升到欣赏打下基础。

由于是以私人名义出访，所以一切经费都得自筹。当外人听说梅兰芳准备借钱时都大为吃惊，他们不相信享有盛名的梅兰芳居然

①马明:《论张彭春与梅兰芳的合作及其影响》,《戏剧艺术》1988.3.

拿不出游美的旅费来。其实，了解了梅兰芳的经济及生活状况，也就不难理解他为何会囊中羞涩。他并非出身豪门，没有祖产，一大家人还曾靠小小年纪的他登台唱戏挣钱维生。出名后，他的经济状况有所好转，但除了养家的日用开销外，他还付出了高昂的外交费，加上他和祖父梅巧玲一样乐善好施，常常接济贫寒的同业人士，所以，尽管挣得多，花费也多。此番为了赴美而“与各方接洽，招待外宾，在美国的宣传，以至改制行头，添置箱笼，到美国用的舞台布景等，他已经花去了四五万元”，口袋里再也没有多余的钱了。

既然自己拿不出这许多钱来，惟一的办法也就是借了。梅兰芳起初打算先借一笔钱，在美国挣了钱后回来再还上，演出成绩好的话，兴许还能有节余，如果有节余的话，他就能实现他在日本演出时许下的愿望：开办一家戏剧学校，开一间戏剧图书馆，建一座新式剧场。

或许是所借数目过于巨大，或许是对他们赴美能否成功、是否能挣到钱表示怀疑，尽管他们竭尽全力，东借西借，最终还是一无所获。当时的燕京大学校长司徒雷登闻讯后，问齐如山：

“大约需多少钱才够呢？”

齐如山说：“大约在 10 万元左右吧。”

司徒雷登沉思片刻后，答应校方可以出借这笔巨款。齐如山立即将这好消息告诉梅兰芳，他们非常高兴，以为事情就此解决了。可是事与愿违，后来因他人反对，希望又成泡影。

在筹款初期，齐如山的亲戚兼世交李石曾也曾表示愿意出面帮梅兰芳一把，当时，他因政治原因正在东交民巷法国医院里避难，以后又离北平去了上海，再由上海去了法国。从法国回到北平时，已是1929年的春天了，当他听说梅兰芳仍然在为钱犯愁时，异常惊讶。于是，他联合银行界友人，与齐如山、周作民、司徒雷登、王绍贤、溥泾波等人四处奔走，最终在北平募捐到5万元。同时，钱新之、冯幼伟、吴震修等人在上海募捐到5万元。至此，10万元旅资总算是筹齐了。

好事多磨，就在梅剧团动身前两天，已到达上海、住在上海大华饭店的齐如山将先期赴美的司徒雷登的秘书溥泾波从美国打来的两份电报一并交给冯幼伟。两份电报内容分别是："美国正值经济危机，市面不振，请缓来。""如果来则要多带钱。"看日期，第一封电报是一个星期前打来的。冯幼伟问齐如山：

"你怎么不早拿出来？"

齐如山回答说："我怕涣散军心，所以没有给你们看。"

其实，齐如山是另有想法的，他并不太在乎经济上的问题，不管怎么说，他们身后有冯幼伟这棵大树可以依靠。姚玉芙就曾对许姬传说过，齐如山当时的"心理是，如果在美国赔了钱，冯六爷一定会筹款把我们接回来。"①

冯幼伟拿着电报，思量片刻，还是来到梅兰芳的房间，将电报交给了他。看罢电报，梅兰芳一时说不出话来。冯幼伟对他说：

"这件事的行止，你自己拿主意，因为如果不上座，你就破产了。"

梅兰芳手拿两份电报，靠在壁炉边，沉思良久后，对冯幼伟说："欢送会已开过，船票已买好，倘若不走，在国内外的声誉必然一落千丈，而我的情绪也一蹶不振。我决定按原计划上船，走！当然这是一次冒险，但我必须冒这次险。"说罢，他将手中的两份电报撕碎，随手扔进了壁炉。他的坚决感动了冯幼伟，冯幼伟以中国银行董事的身份，在上海又筹到5万元。

这样，梅兰芳怀揣从南北两地筹集来的15万元，按计划登上了

①许姬传：《梅兰芳访美二三事》，《人民戏剧》1982.7.

开往美国的英国“加拿大皇后号”轮船。

考虑到大多数美国人对中国戏剧连一点基本认识都没有，所以，在四处筹款的同时，大范围地宣传广告就已开始了。这项工作主要是由齐如山负责的。

从美国驻华商务参赞裘林·阿诺德于1926年9月8日给美国西雅图第五街大戏院的一封信中可以看出，齐如山的宣传方式不仅是和美国的新闻界、杂志社联系，给他们寄图片与照片，更通过在华的美国上层人士给美国的戏院、剧场寄照片并作介绍。裘林·阿诺德原信内容如下：

道格拉斯先生：

兹送上中国第一名演员梅兰芳照片五张。梅君是中国人民心目中所认为的第一位名人，而且能化装成为绝代佳人。

第一张是梅氏便装小影。右边题“恭贺第五街大戏院开幕之喜”，左书九月十五日，其下签名盖章。

第二张是《天女散花》剧照。梅氏饰天女，此剧轰动一时，久已脍炙人口，为梅君杰作之一。签名与第一张同。

第三张是《麻姑献寿》剧照。梅君饰一长寿仙女，以酒敬献仙姥王母和诸仙之影。这是一出中国历史神话剧。签名与上同。

第四张是《霸王别姬》剧照。梅君饰虞姬，为楚项王宠姬，知项王将败，在帐中拔剑起舞，遂复自刎，是一出描写历史上的英雄和美人慷慨悲歌之剧。事情发生在公元前三百年。签题同前。

第五张是《黛玉葬花》剧照。梅君饰林黛玉，为中国著名

小说《红楼梦》中的闺秀，内才外貌冠绝一时，每当春暮秋深，哀怜落花飘泊，便将残花埋于土中。右边所书为梅君题词，称赞戏院建筑华丽，设备精良，并希望美国人民观察与了解中国戏剧艺术和结构，从而对它发生兴趣，知其大有价值。

上述五张照片，我建议可用大镜框装置，加以说明，标明为中国第一名演员梅兰芳所赠，并致贺忱等语。

………

尊处开幕之期为九月二十四日，深望此件能即时到达，并于尊处举行开幕典礼时得以悬挂，以使美国人民得以见到中国第一名演员，并且可见中国戏剧之一斑，从而对它发生兴趣。

裘林·阿诺德　启

1926年9月8日于上海

(美国驻华商务参赞处印)①

在给美方寄图片、照片的同时，在国内，他们总是不放过任何一个宣传机会，遇有美国使团来访，他们就尽可能安排观看梅兰芳演出；每逢有美国人参加的宴会时，他们就将有关梅兰芳及中国戏剧的图画、图书、照片陈列在宴会厅；在和美国人同座吃饭或喝茶时，他们不失时机地、极为巧妙地说到舞台上的吃饭喝茶姿势，再引出舞台上的一切，使对方在不知不觉中上了一堂中国戏剧课，由此对中国戏剧产生了些许兴趣。除此，他们还时时给官绅、留美学生及热心人士写信，提供材料，请他们四处宣传。这些方法的确取得了一些效果，

①梅绍武：《我的父亲梅兰芳》。

⊙梅兰芳在美国演出的剧院

很多美国人从被动地接受材料和照片到主动写信联系索要照片。在短短的两年间，美国以个人名义写信要照片的信就达几百封。齐如山等人就是这样使越来越多的美国人开始注意到梅兰芳这个人的。

有人又向齐如山等人建议："从前的宣传固然要紧，临时的宣传更是重要。"于是，在临近赴美的一段日子里，由齐如山执笔，编撰了几本书以加大宣传力度。

第一本书是《中国剧之组织》，全书约六七万字，共八章，分别是"唱白"、"动作"、"衣服"、"盔帽"、"胡须"、"脸谱"、"切末"、"音乐"。齐如山花了四五个月的时间将中国京剧作了详细介绍。

第二本书是专门介绍梅兰芳个人的，由齐如山与黄秋岳共同商议而写成。全书约四万余字，共七章，分别是：梅兰芳之家族及历史，旦角之由来及其地位，梅兰芳之创造品，梅剧在中国剧之地位，梅兰芳之国际酬酢，梅兰芳之国内欢迎与批评，外人眼光中之梅兰芳。

第三本书是《梅兰芳歌曲谱》。相对于排场、行头、表情、动作，更难被外国人欣赏的是京剧的唱。要便于他们理解，让他们熟悉中国音乐，至少要能将唱腔曲谱印在纸上，使人有谱可视。可是京剧惯用的是我国传统的工尺谱②，外国读者哪里能读得懂!如果能改为世界通行的五线谱就好了。梅兰芳他们自然想起了致力于借用五线谱改进工尺谱的国乐大师刘天华。刘天华欣然承担了这个十分艰巨繁难的工作。

于是先由梅兰芳的琴师徐兰沅与笛师马宝明将梅剧各戏唱腔谱成工尺谱，再由刘天华翻成五线谱。可因工尺谱记谱法颇为简陋，许多地方与五线谱无法直接对应，当时又无录音机这样的设备，所以只能由徐、马二人一遍遍地吹拉，刘天华一遍遍地细听，同时不停地修改。待改得差不多了，再由刘天华用小提琴反复拉给徐、马等

②**工尺谱**：记谱法之一。简谱中的1234567 分别由七个汉字对应；高八度是在该汉字边加单人旁；低八度则或改用其他字，或将原字变形；节奏以△、·、×等符号表示。

人听，发现有出入再加修改。最后又请梅兰芳清唱几遍，刘天华听了再改。就是这样，众人前后忙了三个多月，才将这件事情忙定下来。

后来梅兰芳在《曲谱》的序里说刘天华“试辨工尺，常至夜分。反复推求，不厌其屑……”可见当时辛苦。刘天华也确实“为伊消得人憔悴”，所以毕功之时也就特别高兴。为了庆祝，同时也算是为梅兰芳赴美饯行，刘天华还在寓所设家宴请客。赴宴的除梅兰芳等人外，刘天华的长兄刘半农、语言学家兼作曲家赵元任也都出席，宾主尽欢而散。

第四本是《说明书》，将梅兰芳准备演出的戏逐一进行说明，既介绍该戏故事情节，又讲明该出戏在全本中的位置，还注明每段唱、每句台词是什么意思，每个演员的动作有何用意。全书共约三四万字，完成后还请人翻成英文，因而这项工作极为繁琐，耗时耗力，但对外国观众来说帮助极大。

除了以上几本书，齐如山和黄秋岳还分别撰写了一百多篇打算随时送给各报馆宣传的文字及几十篇梅兰芳沿途接待新闻记者时将要发表的谈话，同样请人翻成英文，印了许多份备用。

为节省开支，每本书都不敢多印，所以能看到这些书的毕竟只是少数。如何让更多的人了解梅兰芳及梅剧呢？齐如山、黄秋岳等

⊙《梅兰芳歌曲谱》书影（音乐大师刘天华首次为梅兰芳演出唱词用五线谱谱曲）
⊙梅兰芳演《洛神》服装

人经研究决定再将书中内容编成画。他们起初预备只画几幅，用以在公共场合张贴，谁知一画就画了两百幅，共分十五类：

第一类 **剧场** 画了6幅，12个图，包括元明以来，城里、乡间、山野等地方的剧场，只是没有南方的剧场。每个图下都有简单的中英文说明。

第二类 **行头** 画了12幅，168个图，几乎囊括了戏台上所有的行头。

第三类 **古装衣** 画了4幅，48个图，既有古代仕女装，也有梅兰芳自己创制的古装。

第四类 **冠巾** 画了8幅，144个图。

第五类 **胡须** 画了1幅，40个图。

第六类 **扮相** 画了10幅，50个图，基本上都是按照从前清宫里的图样画成，同时将脸谱、冠巾、胡须、行头一并画上，给人以一个整体概念。

第七类 **脸谱** 画了16幅，256个图。

第八类 **舞谱** 画了26幅，166个图。

第九类 **舞目** 画了8幅，只有名称，没有图画，其名词有328个。

第十类 **切末** 画了10幅，119个图。

第十一类 **兵械** 画了6幅，192个图。

第十二类 **器乐** 画了66幅，388个图。

1.金属的 12幅， 71个图。
2.石属的 4幅， 23个图。
3.丝属的 12幅， 71个图。
4.竹属的 14幅， 83个图。
5.匏属的 4幅， 23个图。
6.土属的 3幅，17个图。

7. 革属的 14 幅，83 个图。

8. 木属的 3 幅，17 个图。

第十三类 **钟** 画了 8 幅，124 个图。

第十四类 **宫谱** 画了 8 幅，25 个图。

第十五类 **脚色** 画了 2 幅，93 个名词。

齐如山负责的宣传工作可以说做得相当细致。但要想彻底改变西方人士对中国戏剧的偏见，单靠几本书、几百幅画、一些照片是难以做到的。尽管齐如山在他的《梅兰芳游美记》里颇为得意地宣称，他们的宣传是“颇生效力”的，事实未必如此。梅兰芳访美前一年，即1929年，一位名叫雪顿·切尼的美国戏剧家还在他的题为《戏剧三千年》一书中如此评说中国戏剧：“它虽然有儿童似的神仙故事的清新，却又是种四不像的诗的戏剧，中国戏剧内容过于简单，缺乏深度，表现了中国人无知的天真。这种天真只能使西方人视之为可笑的幽默。”这位戏剧史家固然无知，但也从侧面反映了齐如山的宣传所起的作用并非显而易见。

如果对齐如山抱着宽容的态度，那么，可以将他的“颇生效力”理解为这些宣传虽然没有起到质的作用，但至少已使相当多的美国人知道中国有个梅兰芳。可是，知道有什么用？难道梅兰芳赴美演出只是为了让美国人知道中国有个男扮女装的梅兰芳吗？显然不是。

反过来说，宣传其实只是一种策略，是赢得观众的手段之一，并不直接影响到演出的最终成败。要想取得成功，惟有靠戏本身，让西方人在亲眼所见之下改变对中国戏剧的偏见。

有了钱，又作了大量的宣传，演员的角色也分配好了，筹备工作还没有完，接下来还要准备行头、乐器和到美后用作送礼的物品。

行头方面，不但是梅兰芳的行头，其他演员的行头都是新制的，全部按照中国传统方式制成，质料采用中国绣花绸缎，式样也是中国式的，没有丝毫现代气息，为的就是纯为中国国粹。

乐器方面，作了一些小改革，新定制的堂鼓、小鼓、唢呐、胡琴，材料用的是象牙、牛角、黄杨、紫檀。制好后，加上旧式描金，使它们不仅音质上乘，而且十分美观。又请人制作了几件旧式乐器，如大小忽雷、琵琶阮咸等。各种铜器都是四处求购的旧货。装乐器的盒子是用楠木制成的，配上红锦缎里子，中国味非常地道。

准备送礼的物品有：画有梅兰芳相片、并有一枝梅花，一枝兰花的十件磁器；刻着梅兰芳名字及相片的十盒笔墨；绣有梅兰芳名字的各种绣品；两百多张中国戏剧图画及梅兰芳亲自画的两百多张写意花卉；由梅兰芳画扇面并配上雕漆刻竹的骨子的扇子；五六千张梅兰芳戏装照；几十件象牙品。

临行前，剧团又请人赶制了团体徽章、标识、旗帜。

对于如何布置剧场和舞台，有人提议："非把剧场完全改成中国式不可。"他们认为"如果不改成中国式，看完戏以后，他们总要拿中国戏和外国戏比较比较，结果必定有很大的隔膜。如果把剧场完全改成中国式的，一开幕，会使他们精神一新，就要用另一副眼光来看它，自然没有和外国戏比较的思想了，既然用另一种精神来研究中国戏，就比较容易听进去了。"[①]此话言之有理，于是，齐如山在用纸板比划了几十次后，最后决定采用故宫里的戏台模式，另对戏台做了些装饰，比如在戏台两边有龙头挂穗，朱红描金；在戏台前做两根柱子，上挂一副由黄秋岳书写的对联：

四方王会夙具威仪五千年文物雍容茂启元音辉此日
三世伶官早扬俊采九万里舟轺历聘全凭雅乐畅宗风

①齐如山：《梅兰芳游美记》

舞台布置完全具中国特色：第一层用本剧场的旧幕，第二层是中国红缎幕，第三层是中国戏台式的外帘，第四层是天花板式的垂檐，第五层是旧式宫灯四对，第六层是旧式戏台隔扇。台上的桌椅都是特制的，可以根据各地剧场的大小宽窄任意放大缩小。

剧场门口，满挂宫灯、几十张画片以及梅剧团特有的旗帜。剧场内也挂了许多纱灯，上面画了人物故事、花卉、翎毛，壁上挂了介绍中国戏剧的图画。除了为剧场检场人员及乐队成员定做了统一的制服外，还为剧场里的美国服务员做了十几身颇具中国传统特色的服装。

除此，赴美成员还接受了一些国外规矩训练。光为吃西餐时，如何拿刀叉、怎样吃面包，各种菜怎么吃，汤怎么喝等，他们就排练了几十次，一会儿到德国饭店、一会儿到英国菜馆。

至此，筹备工作基本完成。时间，也已到了1929年10月。

暂时息演前，梅兰芳在开明剧场加演三个白天戏，作为赴美临别纪念。三天的剧目分别是《穆柯寨·穆天王》、《春香闹学》加演反串小生戏《辕门射戟》、《天女散花》；其他演员的戏有朱桂芳的《泗州城》、诸如香的《变羊计》、尚和玉的《英雄义》、王凤卿的《战长

⊙梅兰芳访美时所乘轮船由沪离开码头
⊙梅兰芳在“加拿大皇后号”轮船上

沙》。三天戏演完后，他就暂停了演出，集中全部精力去做赴美准备。

11月，梅剧团正式向外发布赴美消息。消息一传开，立即得到各界人士的热烈响应：李石曾约请商学界在北平齐化门大街世界社举行公宴，对梅兰芳赴美表示勉励；美国大学同学会在天津召开欢送会，各国领事和绅商参加了该会，天津市长崔廷献及同学会会员颜俊人在会上发表了演说，很赞赏梅兰芳赴美的目的，并号召“全国人对这种举动，都应该帮助”；河北省政府举行宴会，政府委员和北平市政府委员会及李石曾、周作民、李服膺、楚清波等五十多人参加，省政府主席徐次辰在训词中说“有人说这次出去怕要失败，但就我个人想来，只要能够出去，就是成功，无所谓失败！”刘天华、郑颖孙、杨仲子、韩权华及教授学者五六十人也组织了一次欢送会，会上，刘半农、刘天华、郑颖孙都发表了演说，对梅兰芳寄予厚望。

各式欢送会开过，1930年元月初，梅兰芳率梅剧团离京赴沪。成员包括：

演员：梅兰芳、王少亭（老生）、刘连荣（花脸）、朱桂芳（武旦）、姚玉芙、李斐叔（二旦兼秘书）

乐队：徐兰沅（胡琴）、孙惠亭（月琴）、马宝明（吹笛）、霍文元（三弦）马宝柱（吹笙）、何增福（司鼓）、唐锡光（小锣）、罗文田（大锣）

化妆：韩佩亭

管箱：雷俊、李德顺

顾问：齐如山

翻译：张禹九

庶务：龚作霖

会计：黄子美（有可能是后来加的）

由于人员少，好些人要身兼数职，如琴师徐兰沅还要在《打渔杀家》里串演教师爷；姚玉芙有时还要扮演《打渔杀家》中混江龙李俊；化妆师韩佩亭、雷俊有时还要跑跑龙套。

在上海，于百忙之中，梅兰芳还抽时间为韦廉士医药局生产的韦廉士红色补丸做了“广告”，说是广告，实则是他在服用了该药物后，感觉精力体力都有所增强。所以，特地致书药局，“申其谢忱”。原文如下：

敬启者，鄙人年来致力歌舞，屡上氍毹，因艺术之研求，感心身而交瘁，时撄小疾，殊觉愁予。凡在知友名医均劝鄙人速服贵局所制韦廉士红色补丸，藉期调摄。自经服用之后，精神日振，体力健强，前者病魔驱逐遂绝。旦知红色补丸之功用，匪独补血强身，百病皆可调治，刀圭圣品实为世界药中之王。用陈短简，聊表谢忱。专颂台安

梅兰芳（印）

该信于这年4月10日刊登在《戏剧月刊》第二卷第八期封底。此信原本只是一般的感谢信，但一经公开，就有了广告的成分，这或许就是早期明星为产品做广告的主要形式吧。

在上海登船前，曾有大规模的欢送会，胡适、蒋揖之、张群、熊式辉、褚民谊、卢湘泉、袁履登、史量才、陈蔼士、潘志诠、李拔可、狄平子、胡伯平、赵叔雍、徐超侯、杜月笙、张啸林、黄金荣、王晓籁、郑毓秀、钱新之、叶玉虎、虞洽卿等社会名流都亲临码头送行。

在众人的欢呼声中，梅兰芳乘坐的英国“加拿大皇后”号轮船缓缓驶离了江岸，驶向遥远的大洋彼岸。

在美演出倾倒观众

席卷整个资本主义世界的经济大危机，从1929年10月24日美国证券市场的“黑色星期四”开始，很快由美国蔓延到加拿大、日本和西欧，在这场空前的危机中，美国始终处于风暴中心，损失最为惨重，大批银行倒闭，企业破产，生产大大缩减，造成无数人失业。在这样的大气候下，尽管七八年来的筹备工作细致而周全，但梅兰芳心里仍然没底，因而将此番赴美视为一次冒险，如美籍华裔历史学家唐德刚教授所说：“这一次是兰芳有生以来第一次没有把握的演出，他自己当然是如履薄冰。”

梅兰芳一行，经过14天的航行，“加拿大皇后”号抵达加拿大的维多利亚。在维多利亚稍作停留后，梅兰芳等人又换乘小船，约5个小时后抵达西雅图，再换乘大北铁路公司的火车，车行3天多后抵达芝加哥，再换中央铁路公司的火车，27小时后到达被称为“五洋杂处”的世界第一大城纽约。在纽约车站等候迎接的是已故总统威尔逊的夫人领衔组成的“赞助委员会”。

梅兰芳等人多是第一次去欧美，对西洋的生活方式不很了解，因此闹出些笑话也就难免了。在开往纽约的火车上，吃饭时，梅兰芳等4人坐一桌，侍者来问：“吃什么菜？”梅兰芳说：“我想吃牛排。”其余人便都说：“那么我们都要一样的，岂不省事！”谁知4份牛排端上来，已将桌面占满。原来做一份牛排要用一磅半生肉。4个人面面相觑，梅兰芳说：“这仿佛是动物园里喂老虎的东西了。”大家闻言大笑。结果4人总共只吃了一份，其余3份都剩下了。

梅兰芳甫到纽约，美国就有很多政要向中国驻美公使伍朝枢打听梅兰芳的消息。于是，伍朝枢就约梅兰芳到华盛顿演一场。2月14日，梅兰芳转赴华盛顿，参加伍朝枢特为梅剧团安排的演出招待会。

当晚，被邀前来参加招待会的有除总统外的政府全体官员、各国大使、地方官绅、社会名流。可以说，美国上层的头头脑脑们能去的几乎都去了，约五百多人，济济一堂，居然一个个看得津津有味。可惜的是，胡佛总统因有公务当时不在华盛顿，没捞上看戏，过后又听众人不断地说戏如何如何好看，直觉得遗憾，特嘱外交部与伍朝枢商量，希望梅兰芳能在华盛顿多待几天，再演两天戏，让他有机会表示敬意，并看一看大艺术家的表演。梅兰芳因有合同在身，无法满足胡佛总统的要求，只能给胡佛写了一封信表示歉意。不过，梅兰芳对此也一直深感遗憾。

在华盛顿的招待演出，梅兰芳的剧目是《晴雯撕扇》。演出结束后，南开大学教授张彭春到后台看望梅兰芳。梅兰芳问他：

“今天的戏，美国人看得懂吗？”

张彭春明确说：“他们看不懂。”

“为什么呢？”梅兰芳不解。

张彭春解释道：“《晴雯撕扇》的故事，发生在端阳节，外国没

⊙梅兰芳在美国檀香山表演“剑舞”

有这个节日，由此发生的细节，也无法理解。”

梅兰芳恍然，他忽然觉得如果身边有这样一个既懂中国又了解美国的人，那该多好。于是，他很诚恳地对张彭春说：“张先生，您要帮我的忙，挑选剧目。如果我失败了，中国文艺界也没有光彩。”

这个张彭春到底是什么人？梅兰芳为什么如此信赖他呢？

在初版《雷雨》的扉页上，曹禺这样写道：“献给我的导师张彭春先生”。这位张彭春正是孟治博士在他的回忆录里提到的邀请梅兰芳赴美的关键人物，他为梅兰芳在美国演出取得成功所作的贡献是巨大的，所起的作用丝毫不亚于齐如山。

无论宣传工作如何普及，选择什么样的戏才是筹备阶段中最重要的工作。起先齐如山根据留美学生、在华美国人的意见，草拟了一份戏单，后来张彭春去见梅兰芳，建议多用旧剧，他的理由是：“外国人对中国戏的要求，希望看到传统的东西，因此必须选择他们能够理解的故事。中国戏的表演手段唱、做、念、打，都要为剧情服务，外国人虽听不懂中国语言，如表情动作做得好，可以使他们了解剧情。”遂主张“每次演出 剧目要多样化，如同一桌菜肴具备不同的色香味，才能引人入胜，所以应以传统戏为主，武打、古装戏作为片断，服装、化妆要搭配。帔、褶、蟒、靠、厚底靴、长胡子、大头、贴片、彩鞋、花脸等要注意色彩图案的调和。”

梅兰芳听了，很以为然，于是即请他与齐如山一同议定剧目。张彭春便提议增加了《刺虎》等。《刺虎》后来成为最受美国观众欢迎的一出戏，有的人甚至连看四五遍。经张彭春与齐如山拟定的几套剧目为：

第一剧目：《汾河湾》、《青石山》、“剑舞”、《刺虎》；

第二剧目：《贵妃醉酒》、《芦花荡》、“羽舞”、《打渔杀家》；

第三剧目：《汾河湾》、《青石山》、《霸王别姬》、“杯盘舞”。

以后到旧金山演出时，因为旧金山的华侨多，他们要求看《天女散花》、《霸王别姬》等新剧，所以，剧目又做了部分调整：

第一剧目：《春香闹学》、《青石山》、“杯盘舞”、《刺虎》；

第二剧目：《汾河湾》、《青石山》、“神舞”、《霸王别姬》；

第三剧目：《贵妃醉酒》、《芦花荡》、“羽舞”、《打渔杀家》；

第四剧目：《春香闹学》、《青石山》、“拂舞”、《天女散花》。

至此，有关在美演出的剧目方最终确定。

当时，与梅剧团同时访美的还有日本一个戏班，他们打出的广告是：“我们这是极合于美国人眼光的日本戏”。只此广告就注定了他们失败的命运，美国人要看的是纯粹的日本戏，如要看“合于美国人眼光的戏”，那还不如就看美国戏，岂不纯粹？张彭春、齐如山在选定剧目时，恰恰避免了“合于美国人眼光”的问题，而最终选定的是那些纯粹的中国戏。这恐怕也就是梅兰芳访美取得成功的原因。

如果只看《梅兰芳游美记》，人们一定会误以为张彭春对梅兰芳赴美演出的贡献，不过是在剧目问题上提出过个把建议而已。然而，事实并非如此。

张彭春，字仲述，1892年出生于天津，1957年客死于美国新泽西州。其父名张云藻，不喜功名，尤喜戏曲，且是音律专家，与清末著名京剧演员孙菊仙相交后，曾多次应孙菊仙之邀，为其“司鼓”；其兄乃大名鼎鼎的天津南开中学、南开大学的创办人、原校长张伯苓。张伯苓虽然立志教育，但因为与著名京剧演员郝寿臣往来频繁，故对戏曲也颇有研究。在父、兄的影响下，张彭春自幼便爱好京剧。

1908年，16岁的张彭春自南开中学毕业，两年后，与赵元任、胡适等“清国留学生”同船赴美留学，先后就读于克拉克大学和哥

⊙梅兰芳在美国与同行人员：（左起）张彭春、齐如山、黄子美、梅兰芳、杨秀（翻译）

伦比亚大学，获得文学硕士和哲学博士学位。尽管他从事的是文学和哲学研究，但如胡适所说，他给人的印象是“喜剧曲文学”。其实这并不奇怪，哥伦比亚大学与著名的百老汇剧场相邻，这给张彭春提供了极好的观剧机会，于是，这位哥伦比亚大学的学生同时成为百老汇的常客。由于偏爱戏剧，他于哥伦比亚大学毕业后，即入耶鲁大学专修戏剧。

1916年，张彭春回国，应聘担任清华大学教务长，同时兼任南开中学主任和南开大学教授。南开素有排新剧之风，提倡演新剧者即乃兄张伯苓，他提倡的“目的在于练习演讲、改良社会”。曹禺、周恩来、黄宗江等都曾是“南开新剧社”的成员。张彭春回国之初，即被推选为“南开新剧社”副团长兼导演。

早年有中国京剧底子，以后又看熟了西方戏剧，如今又增加了导演话剧的经验，张彭春这位哲学博士开始了比较戏剧的研究，成为中西戏剧交流的使者。自1916年起，他穿梭于中美之间，利用应聘在南开和清华任教的机会，开设西方戏剧课，又在美国开设中国戏剧课，他向美国人介绍中国戏剧，向中国人介绍西方戏剧。通过研究，他不同意英国著名作家吉卜琳的“风行西方”的名句：“东方是东方，西方是西方，这对孪生子从未相遇”，而是坚定不移地相信：“东方戏剧和西方戏剧只要相遇，非

但不会相互排斥，必然是从相遇、相知乃至相辅相成”。或许正是有此信心，张彭春才会建议“华美协进社”邀请梅兰芳访美。

筹划赴美之初，梅兰芳遍访在华美国人及曾留学美国的中国学者以作可行性研究，对比他只大两岁、兼通中西戏剧的张彭春自然十分尊重。张彭春也果然不负梅兰芳厚望，不仅为梅兰芳赴美架起了“华美协进社”这座桥梁，还实际承担了梅剧团艺术顾问、总导演的工作。梅兰芳在美期间，张彭春更兼做了梅兰芳的发言人，在各种场合向各界做了大量的宣传工作，正如哥伦比亚大学出版社1967年出版的《中华民国名人传记辞典》所说“他向完全不懂中国戏剧传统及技巧之美国观众，解释梅剧之意义”。因此可以说，梅兰芳赴美演出取得成功，与张彭春的努力有着直接的关系。

张彭春又是一个谦谦君子，1935年，他在用英文为《MeiLanFang in American Reviews and Criticisms》（美国评论中的梅兰芳）一书所作的“序言”中，也只是客观地介绍了梅兰芳在美活动情况及感谢各界对中国京剧的盛赞，而没有提及自己所起 的作用。长期以来，就因为张彭春如此低调，人们始终将齐如山的《梅兰芳游美记》当作梅兰芳访美的权威资料，而忽视了张彭春。

那么，齐如山在《梅兰芳游美记》里有意无意回避张彭春的原因是什么呢？戏剧评论家马明这样写道：

> 几位熟悉情况的前辈指出，由于生活、教养、艺术见解的不同，齐如山和张彭春对于剧本加工、舞台调度、身段表情，各个方面的意见常常是不同的，有时甚至是对立的，更是由于当他们出现分歧的时候，梅兰芳最后都是采纳张彭春的意见，一一作了改进，对此，一向以“京剧权威”、梅的知己自居的齐如山，当然并不愉快。

张彭春之所以没有像齐如山那样也写一本回忆录，详细谈他对梅兰芳游美所作的贡献。一则因为他忙于他的本职；二则“避免与齐唱对台”，否则他觉得既有损他的教授身份，也会让梅兰芳为难。在美期间，梅兰芳倾向张彭春，同时又不得不时时调和张、齐感情，实在是很辛苦。

尽管齐如山在他的《回忆录》和《梅兰芳游美记》里一再强调他只是叙述事情原委而并不想往自己脸上贴金，但他喜欢说“自始至终，都是我一人经手办理的”等诸如此类的话，容易给人造成抬高自己的印象。曹聚仁先生就曾这样说过：“在齐如山先生的回忆录中，当然不免过于夸张他自己对梅氏的助力。”[①]当然，齐如山在梅兰芳身边许多年，的确给梅兰芳帮助很大。或许就是因为梅兰芳过于器重他、信赖他，所以当梅兰芳身边突然又出现另一“翼”时，他担忧自己会因此失掉梅兰芳对他的倚重。

如果是这样的话，齐如山是多虑，正因为他与张彭春有着“生活、教养、艺术见解”的不同，所以，梅兰芳不可能在有了张彭春后舍弃他。恰恰相反，梅兰芳既需要具有现代戏剧知识的张彭春，也需要有着深厚的传统戏剧底蕴的齐如山，这也正是梅兰芳的聪明所在。他在齐如山的帮助下，继承传统；在张彭春的影响下，吸取西方戏剧养料，并接受导演制，开创京剧导演的先河，如此，他才能处理好继承与革新的关系，才能使传统戏剧走出封闭，走向世界。

梅兰芳并不是只请张彭春挑选几个剧目，他的意思是想让张彭春就此留在梅剧团，至少是在访美期间。张彭春明白了梅兰芳的意思后，笑着对他说：

“那就请您给张伯苓打个电报，如他同意讲学延期，我就跟您走。”

张伯苓“同意”的回电很快就来了，梅兰芳欣喜不已。张彭春

①曹聚仁：《听涛室剧话》。

被聘为总顾问、总导演，随梅剧团转征美国各地。要说齐如山实际担负了导演的职责的话，张彭春则应该算是第一位真正意义上的京剧导演。京剧导演制由此建立。

从华盛顿回到纽约，梅兰芳、齐如山等四五人下榻于开办年代最久的“普拉莎旅馆”，其他演员住进“索美斯旅馆”。

访美的首场公演即将在纽约百老汇第四十九街大戏院举行，而此时的纽约，仍然以一种怀疑的眼光注视着梅兰芳。唐德刚在他的《梅兰芳传稿》中这样写道：

在这纸醉金迷的纽约，这一考验真是世界瞩目，除却巫山不是云，纽约人所见者多，一般居民的眼光，都吊得比天还高。好多美国亲华人士，在兰芳上演前，都替他捏把汗。在出演前两天，那一向自认为是一言九鼎的《纽约时报》，对兰芳的报道便吞吞吐吐。时报的两位剧评家厄根生和麦梭士对兰芳在远东的成就曾加推崇，至于将来在纽约的前途，他人都不敢预测。时报并以半瞧不起的口吻告诉纽约市民说，你们要看东方的戏剧，就要不怕烦躁，看躁了，朋友，你就出去吸几口新鲜空气……云云，又说梅氏扮成个女人，但是全身只有脸和两只手露在外面。这显然是说看了纵横在海滩上几万只大腿过瘾的纽约人，能对这位姓梅的有胃口吗？哼……

看这味儿，梅氏还未出台，这纽约的第一大报，似乎就已在喝倒彩。

在这样的舆论氛围中，梅兰芳自然更感压力巨大，但此时，他已不是十七年前那个怀着忐忑不安的心情首登上海舞台的年方双十、名未大著的雏凤了。这么多年的舞台实践，这么多年的艺术砥砺，这么多年的理论修养，此刻都一并成了他的底气，使他充满自信地从容地在美国舞台上亮相。

2月16日，梅兰芳在纽约四十九街戏院招待试演。

2月17日，还是在纽约四十九街戏院，梅兰芳首次公开演出。演出次序是：开演之前先由张彭春用英文作总说明，说明中国剧的组织、特点、风格以及一切动作所代表的意义。在每出戏之前，又有梅剧团到美后邀请来的华侨杨秀女士用英文作剧情介绍、说明，接着便正式开演。所有介绍、说明先由齐如山写成中文，由杨秀译成英文，再由张彭春最后审定。考虑到美国人的时间观念较强，根据张彭春的提议，每场演出的每出戏包括音乐、张彭春的说明、杨秀的剧情介绍等都严格限定了时间，如《汾河湾》27分钟、《青石山》9分钟、《红线盗盒》中的"剑舞"5分钟、《刺虎》31分钟，全场演出共用整整两个小时。时间之准，甚至连美国剧院也不常见。

首场演出情况，唐德刚在《梅兰芳传稿》中有较详细的介绍，他写道：

这天还好算是卖了个满堂。第一幕即由兰芳亲自出马。那是一出由《汾河湾》改编的《可疑的鞋子》，是薛仁贵还窑后看见柳迎春床下一只男人的鞋子而疑窦丛生的故事。在那中国女译员杨秀报告了剧情之后，观众好奇的笑了一阵。

…………

戏院中灯光逐渐暗下来，一阵也还悦耳可听的东方管弦乐声之后，台上舞幕揭开了，里面露出个光彩夺目的中国绣幕来。许多观众为这一幅丝织品暗暗叫好。他们知道哥伦布就为寻找这类奢侈品，才发现美洲的。

绣幕又卷上去了，台上灯光大亮，那全以湘绣作三壁而毫无布景的舞台，在灯光下，显得十分辉煌。这时乐声忽一停，后帘内蓦

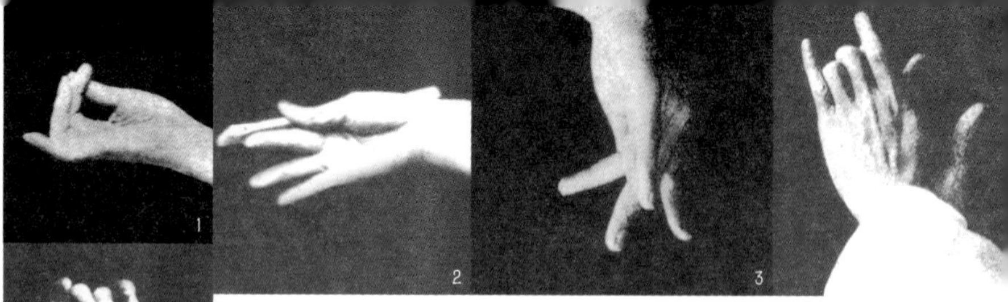

地闪出个东方女子来，她那蓝色丝织品的长裙，不是个布口袋，在细微的乐声里，她在台上缓缓地兜了个圈子，台下好奇的目光开始注视她。

只见她又兜了个圈子到了台口。那在变幻灯光下飘飘走动的她，忽地随着乐声的突变在台口来一个Pause（亮相），接着又是一个反身指。这一个姿势以后，台下才像触了电似的逐渐紧张起来。

…………

音乐在台上悠悠扬扬地播出。“儿的父，去投军……”，他们是不懂，但是声调则是一样的好听。她那长裙拂地的古装，他们也从未见过，但是在电灯下，益发显得华贵。

…………

随着剧情的演进，台下观众也随之一阵阵紧张下去，紧张得忘记了拍手，他们似乎每人都随着马可波罗到了北平，神魂无主，又似乎在做着“仲夏夜之梦”。

直等到一阵锣声，台上绣幕忽然垂下，大家才苏醒过来，疯狂地鼓起掌来，人声嘈杂，戏院内顿时变成了棒球场。

这晚的压轴戏是《刺虎》。这一出更非同凡响，因为这时台上的贞娥是个东方新娘，她衣饰之华丽、身段之美好，非第一出可比。

曲终之后，灯光大亮，为时已是夜深，但是台下

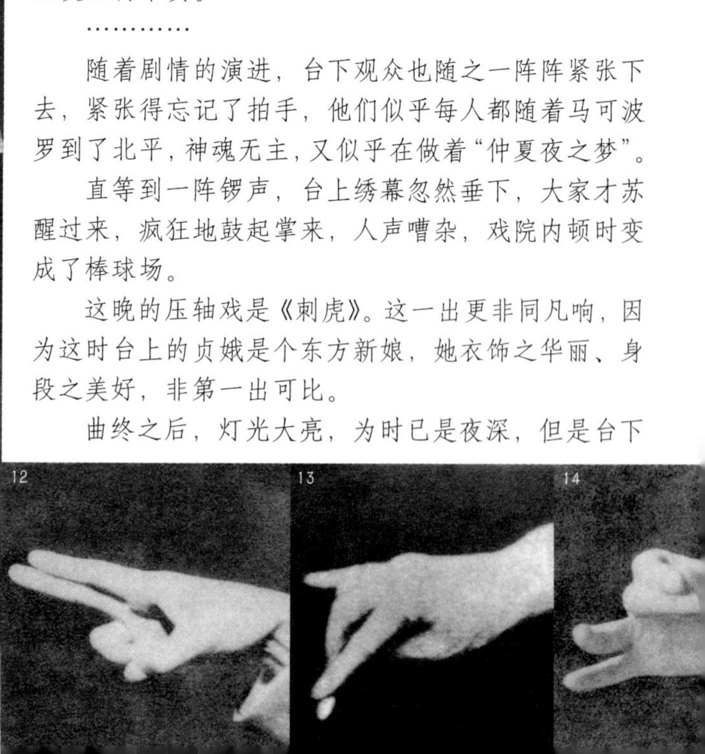

⊙表演示范（左起）：1.醉红、2.聚头、3.垂丝、4.含笑、5.翻莲、6.伸萼、7.双双、8.含苞、9.倒影、10.露滋、11.斗芳、12.怒发、13.避日、14.蝶损、15.雨润、16.散馥、17.挹翠、18.蝶损、19.陨霜

15

没有一个人离开座位去“吸口新鲜空气”的，相反的他们在这儿赖着不肯走，同时没命地鼓掌。

虽说是第一场，但的确如唐德刚所描绘的那样，观众场面十分火爆。每出戏梅兰芳都不得不谢幕多次，最后一出《刺虎》谢幕竟达十五次之多，这在国内也是罕见的，起初他穿着贞娥的剧装，跑向台前，低身道个“万福”，卸装后，观众仍然掌声不断，他只得穿着长袍马褂再次出来谢幕。当不知情的观众发现台上柔声细语、婀娜多姿的美女果真就是由男人装扮时，更加疯狂，蜂拥上台，向他献花，仅花篮就有五十多个，花束梅兰芳抱了二十多个，还是不断地有人往他怀里送。拘于礼节，他又不得不接，结果是拿了这个，掉了那个，引得台下乐得不得了。

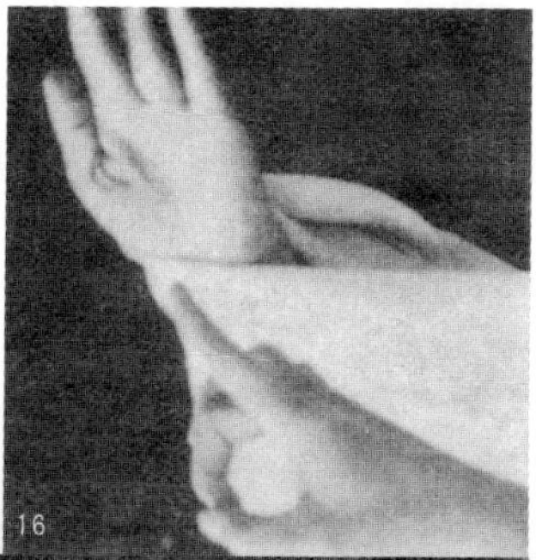

16

尽管如此，梅兰芳始终提着的一颗心还是没有完全放下，他很清楚美国剧坛的情况，一个新的剧团的新的剧目，

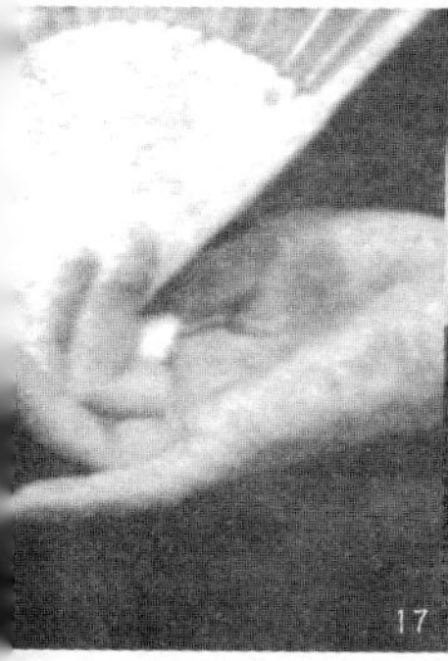

17

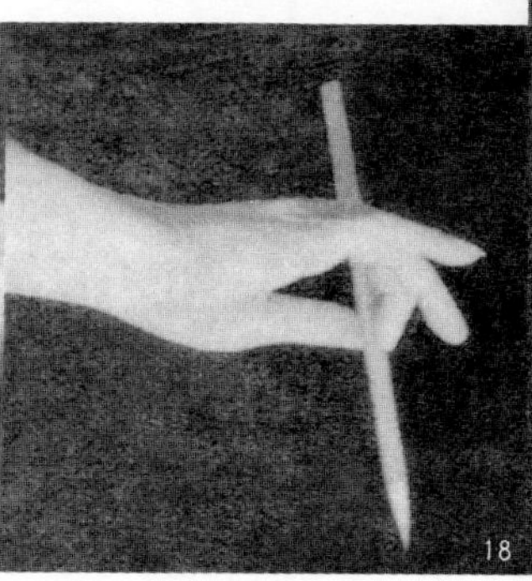

18

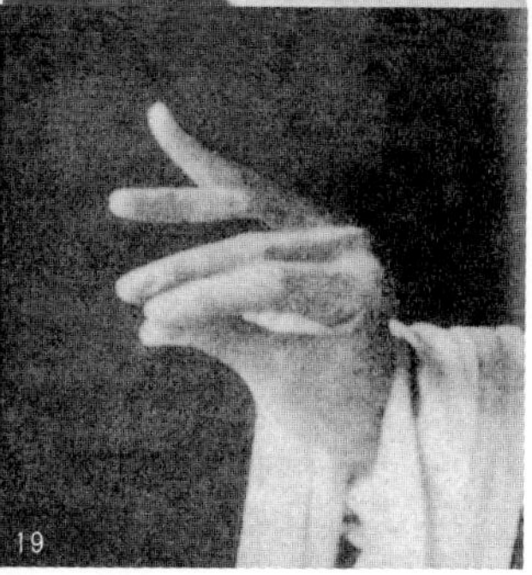

19

如果想赢得全美甚或整个西方的青睐，首先必须征服百老汇，而要想征服百老汇，必须先获得新闻界、剧评人的首肯。在新闻界、剧评人没有点头之前，梅兰芳不能高兴得太早。

次日，当纽约各大报纸的盛赞、美誉铺天盖地而来时，梅兰芳这才舒了一口气，喜悦涌上心来。

罗勃特·里特尔在2月17日的《纽约世界报》上这样写道：

“这是我看戏生活中最美妙也最兴奋的一个夜晚。梅兰芳在舞台上出现三分钟，你就会承认他是你所见到的一位最杰出的表演艺术家之一，他集演员、歌唱家和舞蹈家三位于一身，而又水乳交融，你简直看不出这三种艺术相互之间存在什么界限……”

评论家吉尔伯特·赛尔迪斯在《纽约晚会报》上撰文说：“美国观众欣赏到的是梅兰芳这位演员特殊的体质，他对身躯绝对有把握的掌握和控制能力，他那对异常敏感的眼睛和一双灵巧的手，他那完整的表演特色，和他那一直深入角色的情绪。”

《纽约晚邮报》上刊载的评论家约翰·梅逊·布朗的评论文章写道：“你不需要花多大功夫就能认识到梅兰芳是一位多么罕见的风格大师，他作为一名演员，天赋是多么的非凡。他以变化多端的表演方式揭示他那炉火纯青的艺术，这表现在他所完成的各种手势的方式上，表现在他用极其优美的手势摆弄行头而出现每个新位置时手指的细纤的姿势上，表现在他运用身躯的准确性上，同时也表现在他的一切动作都显然流露出美丽的图案上。”

媒体的褒扬就是最好的宣传，一夜之间，梅兰芳的名字风靡全纽约。第二天，赶到剧院排队买票的观众数以千计。三天后，剧院就将两个星期的戏票全部预售一空，当时的最高票价6美元，据说黑市炒到18美元。姚玉芙曾对许姬传回忆说：“有一天，我走过剧

⊙表演示范：泛波

场，门口正在排队售票，一位外国老太太端了一把凳子坐在售票处窗口。打开小窗后，她买了一把好票，就坐在剧场门口卖黑市，据一位华侨对我说：'美国卖黑市票是没人管的，但高到两三倍，却也是罕见的。'”

但毕竟是完全陌生的中国京剧，总有观众一时不能接受，于是在第一场演出中，还有人退场。虽然这不奇怪，也无所谓，但梅兰芳此番演出非同寻常，张彭春等人也就不敢掉以轻心，他们担心退场者既可能影响其他观众的兴致，又可能影响台上演员的情绪，于是在第二天演出前，张彭春在作中国剧说明时话中有话地强调说：“中国京剧是古典戏剧的精华，只有最聪明而有修养者才能欣赏。愚蠢者听不懂，他们是难以久坐的。”他不过是借用了《皇帝的新装》里的土办法，却真的起了效用。谁也不愿做“愚蠢者”，谁都愿做“最聪明而有修养者”，第二天的演出果然没有一人退场，当然主要还是评论家的评论起了作用，以后的演出一天比一天火爆。

在这样的情况下，原本在纽约只演两星期的计划不得不延迟。两星期后，梅剧团移师纽约国家剧院，加演三星期，仍然场场爆满。这段时期，纽约出现“梅兰芳热”：一些商店将京剧的华丽行头摆在橱窗里展览；在鲜花展览会上，有一种花被命名为“梅兰芳花”。

在纽约演最后一场的那晚，谢幕时有人提出，今后不再有机会看梅兰芳演戏了，能否让大家跟梅兰芳握握手，表示表示对梅兰芳的谢意？梅兰芳愉快地答应了。于是在台上摆了两张桌子，梅兰芳在桌子里面，观众顺序上台来从桌子外面走，一边走一边与梅兰芳握手，由右边上来，从左边下去，秩序很好。可是一直握了几十分钟，却不见观众减少，还是有许多人挤在那里排队，起初演职员们很纳闷，细一看，却发现原来是很多人握过一次手，下去后转一圈又上来握一次。

最有趣的是那些观戏的美国老太太们，她们不仅看懂了剧情，还不由自主地想要参与剧情，戏后还常常为戏或人物的命运担心。正因为戏太使她们投入了，她们有时竟会分不清现实与演戏，她们对梅兰芳谈的一些话常令他忍俊不禁。

一位老太太说："你生得这样好看，薛仁贵一定非常爱你，他赔礼的时候，就是你再多一会儿不理他，他一定还得想法子来央告你，你往后最好不要轻易地就回心转意答应了他！——非难难他不可。"

另一位老太太看了《贵妃醉酒》以后说："皇帝约会下在一处饮酒，等人家把地方也打扫干净了，酒菜也预备好了，可他一去不回来，杨贵妃怎能不难过，不闷得慌呢？心里难受发闷，就要备酒消愁，可是也就最容易醉，这是一定的，我也替你怪有气的。不过我想若是你派人去请皇帝，他一定会来的，既然他平常那么爱你，你为什么不派人去请他呢？"

又一位老太太看了《打渔杀家》后，跑到后台来问："可惜这么一位可爱、孝顺的小姑娘，闹了这么大的乱子，就逃跑了，她后来跑到哪里去了呢？我很想知道知道。"当被告知"小姑娘后来到了一个城市，恰巧遇到她的未婚夫——也是一位既勇敢又英俊的少年英雄，以后两人就结婚了，生活得非常幸福"时，老太太这才心满意足地走了。

还有一位老太太被梅兰芳的手迷住了，她对他说："我看了好几回戏，总没有看见你的手，直到今天看了《打渔杀家》，才见到了，我简直没见过这么美的手！ 可是你为什么把这么好看的手，一直用袖子遮起来呢？我盼望你以后演戏务必穿短袖，好让你那美丽的手永远露在外面，让人可以看见。”

纽约有一位沃佛兰女士，是当地交际界的重要人物，她在三星期之内，共看了16场梅兰芳的演出，犹嫌不足，又托人介绍，在后台与梅兰芳见了一面，次日又请梅兰芳等人到她家作客。那天，她还请了三十多位知名人士作陪。那年，梅兰芳整36岁，沃佛兰女士特地买了36株梅树，在她家的大园子里辟出一块地专种梅树，请梅兰芳破土，并把那块地命名为“梅兰芳花园”。

普通老百姓以朴实的方式表达了对梅兰芳演剧的热爱，而评论界则以内行的眼光，从各个角度对中国京剧和梅兰芳的表演进行了充分评论。

许多评论家因为对中国京剧完全陌生，所以在评论时，便不约而同地都将它与自己熟悉的戏剧及其他艺术形式作比较。这一比较，就使他们不仅惊讶京剧与希腊古剧及伊丽莎白时代的戏剧十分相似，就连梅兰芳舞台上的手也与意大利著名画家菩蒂切利、西蒙·马蒂及其他15世纪美术大师笔下的手奇妙地相似；他们更吃惊地发现，他们的戏剧界正争相仿效的被当作新颖手法的美国著名剧作家尤金·奥尼尔两年前创作的名剧《奇妙的插曲》里运用的“旁白”，却在京剧里已存在几百年了！且是一种常用的基本手法。至此，他们无法不汗颜了。

除此以外，对于西方戏剧与东方戏剧的差距，他们还有其他发现。罗勃特·里特尔写道：京剧“是一种以令人迷惑而撩人的方式使之臻于完美的、古老而正规的艺术，相比之下，我们的表演似乎没有传统，根本没有旧有的根基。”布鲁克斯·阿特金逊也说：“我们自己的戏剧形式尽管非常鲜明，却显得僵硬刻板，在想像力方面从来没有像京剧那样驰骋自由。”

⊙梅兰芳在纽约设宴答谢各界人士的场面

结束在纽约五个星期的演出后，梅剧团于4月上旬抵达芝加哥，在公主戏院演出了两个星期，再到旧金山。先在提瓦利戏园试演一天，然后移至自由戏院演了5天，又移到喀皮他尔戏院演了7天。离开旧金山，他们转赴洛杉矶，在联音戏院演了12天。最后到达檀香山，在美术戏院演了12天。

他们无论走到哪里，都受到当地政界、学界、商界、新闻界、戏剧界、艺术界及侨胞的热烈欢迎。

在纽约时，同时有两位商界太太开茶话会欢迎梅兰芳。一位请有批评家、新闻记者、大资本家等一百多人，另一位请有戏剧界、美术界、新闻界六七十位。两家相距不远，又都争着请梅兰芳先赴自己的茶会，梅兰芳既不能得罪这位，也不能惹恼那位，因而左右为难，不知如何是好。后电请总领事熊崇志，在熊崇志和郭秉文博士的调停下，采用了一种折中的办法，即先到一家停5分钟，再到另一家盘桓半个钟头，以后再回来。这样，大家满意。

纽约的美术界，音乐界也分别开茶话会欢迎梅兰芳，参加者有美术家、戏剧家、音乐家、歌唱家几百号人。纽约大戏剧家贝拉司克，齐如山称其为“纽约戏剧界的全才”，在梅兰芳到达纽约的第二天，就因身体不适不能

前往观剧而深感遗憾，特给梅兰芳去信表示歉意。梅兰芳即将结束在纽约的演出前，贝拉司克抱病前去看戏，戏罢，他还到后台向梅兰芳问候，并邀他去家里做客。一位名叫卡瓦尔的大导演对舞台上的灯光颇有研究，当他听说梅剧团没有预备灯光时，主动请缨，详细了解了各戏各场中段的剧情、唱词的意思、身段的动作后，一一配制灯光，令梅兰芳感激不尽。

梅兰芳将抵旧金山的时候，市长本来要外出公干去，可是一听说梅兰芳将要到达，立即与警察局长、商会会长、中国总领事和各界代表及三班乐队赶到火车站欢迎。梅兰芳下车后，市长亲自致欢迎词。欢迎仪式结束，演员和各界要员分乘十几辆车，梅兰芳与市长共乘一辆车，每辆车上都插着中美两国国旗。车队在道路两旁群众的欢迎声中、在六辆警车开道下，浩浩荡荡地驶离车站，向大中华戏院驶去。大中华戏院门口，高悬着两面大旗，上写“欢迎大艺术家梅兰芳大会”。在欢迎大会上，市长、总领事、商会代表都有精彩演说，梅兰芳致了谢词。

第二天，梅兰芳到市政府回访市长，恰巧市长正在召开市政会议，忽听来报：“梅兰芳来访！”立刻将市政会议中止，改作梅兰芳的欢迎会。当时就借市政会议厅作会场，请梅兰芳坐在主席位子上，并请他演说。梅兰芳即兴发挥，说了不少话，立即就被翻译出来，作为议案，永远存在市政府的档案里面。

以后，梅兰芳到檀香山时，也是由市长会同警察局长、商会会长、太平洋联合会主任迎接出站的。他还在旧金山的时候，就接到洛杉矶市长波耳泰的电报，电报内容是“极欢迎并且极盼望梅先生到洛杉矶来演几天戏”。梅兰芳到达洛杉矶时，波耳泰因公事无法脱身，便特派代表前往车站迎接，还派了三辆警车护送他们。

拥有会员五千人的旧金山妇女会派了五位代表对梅兰芳的到来

表示欢迎。她们对梅兰芳说："旧金山这些日子裁缝太忙了！""为什么呢？"梅兰芳等人问。答曰："因为听说梅兰芳要到这里来演戏，有许多妇女都想特制时髦衣服去看戏，所以裁缝特别忙。这真是从来没有的现象。"

妇女们热衷于看梅兰芳的戏，自然是梅兰芳在舞台上饰演的各种中国妇女形象深深打动了她们，使她们看到了与她们一贯所想的不一样的中国妇女。正如4月25日，加州全省妇女会主席在公请梅兰芳的茶会上所说："从前常听说：'中国女子不作什么事，整天只是在家里伺候她的丈夫，倚靠她的丈夫生活。'谁知现在一看梅先生的戏，才知中国女子，并不像人们传说的那样无能！原来有本领，有道德的极多！比如《汾河湾》的柳迎春，是那样苦苦的守节，等候着她的丈夫，《刺虎》里的费贞娥，是那样忠烈，那样有机谋，来替君父报仇。《木兰从军》里的花木兰是那样有本领，有勇气，以一个小小年纪的女子，竟能大战沙场，竟能支配一国的胜负，真令人钦佩爱慕！《打渔杀家》里的萧桂英是那样孝顺，勇敢，帮着她的父亲办事，还尽力服侍安慰他。《廉锦枫》里的廉锦枫这个女子，又是那样的孝，竟敢身入深海，替母亲摸参。只看了这短短的几天戏，就知道许多有道德、有本领、又可爱的女子，连我们看戏的都爱极了她们，恨不得立刻和她们见一面才好。由此可知从前所听的话，都是不实在的，所以我们非常感谢梅先生。"

梅兰芳没想到因为他的表演而使美国人了解了中国妇女，这使他感到意外。或许可以这样说，他此次赴美演出的意义不仅在于将京剧艺术引向世界，更使美国人认识了古老的中国。

旧金山的商会开了一个极大的欢迎会，正会长因有公事不在旧金山，一直等梅兰芳到洛杉矶后，他才回来。为表示歉意，他同前任会长特带着徽章赶到洛杉矶，代表全体会员赠给梅兰芳一个非常

⊙梅兰芳在旧金山市市长小卢尔夫陪同乘车时，受到群众夹道欢迎的场面

精致的银质纪念牌，令梅兰芳感动不已。

在洛杉矶演出期间，5 月 27 日，前任总统威尔逊的女婿、曾任财政总长的麦克杜与梅兰芳亲切交谈，并将一套美国各届总统的铜制纪念章共 24 枚赠给梅兰芳以作纪念。

洛杉矶有一个由本地绅商学各界名人创办的“早餐会”，为的是勉励各界名人早起。因为入会的都是名人，所以该会的声誉很高，如果有名的人到洛杉矶来，也往往请他们入会，英国首相也曾入过该会。这次梅兰芳到洛杉矶，自然也作为名人被邀请入会，并与该会名人共吃早点，那天到会的有两百多人。

梅兰芳到达檀香山当天即参加了由本地总督育德开的一个欢迎茶会，所请的都是本地交际界的重要人物，虽然只有一百多人，但在檀香山已属罕见。

檀香山有一个土人歌舞会，该会是由政府特别提倡组织的，为

⊙在檀香山演出后呼啦舞演员上台献花
⊙《贞娥刺虎》舞台照，梅兰芳饰贞娥，
刘连荣饰一只虎，李斐叔、姚玉芙饰两宫女

的是不让土人歌舞流失。外国人到了檀香山，一定要看这种具有特别风味的歌舞。梅兰芳到达次日，该会就派人来请。那天，梅兰芳一到该会，全体会员高唱欢迎歌。按照该会规矩，凡来看歌舞的人都应该与会里的舞女合舞，各人可以随意动作，不管舞艺的好坏。与

梅兰芳共舞的是会里公推的一位美女。舞后，另一位女会员，用土语创作了一首“欢祝 梅兰芳成功歌”，当着观众歌舞了一次。离开檀香山那天，全体会员将梅兰芳送到船上，给梅兰芳套了许多花环，并载歌载舞，用特制“梅兰芳歌”欢送。轮船在歌舞声中缓缓远行。

拍摄有声电影

电影界人士也以特有的方式表示了对梅兰芳访美的欢迎。梅兰芳到达纽约次日，就接受派拉蒙电影公司驻纽约代表的邀请，参观了电影厂。公司代表原本邀请梅兰芳拍几部片子，只因梅兰芳白天应酬、参观，晚上演戏，实在无暇抽身，加上机器设备不及好莱坞总厂，因而只好作罢。不过，他们还是在征得梅兰芳同意后，将机器运抵剧场，在梅兰芳演出《刺虎》后，为他拍了其中贞娥向罗虎将军敬酒的片断。这是梅兰芳首次拍摄有声片。

那时，中国电影市场完全被美国电影所垄断。梅兰芳人还在美国，《刺虎》片 断就已经在北京真光电影院放映了。报纸还在显著位置打出广告，并附有照片。这是首次由中国演员出演的有声影片

在国内放映，因此尽管该片只有短短的几分钟，且是放在正片前放映的，但还是吸引了大批观众。

到达旧金山的第二天，梅兰芳就接到电影明星范朋克的电报，电报说："如果梅先生到洛城演剧，定来别墅小住数日，以便略尽地主之谊。"梅兰芳考虑到随行人员太多，并且每天要对戏，住在别人家有诸多不便，况且他只看过范朋克的电影，从未见过他本人，更谈不上有深交情，便觉得不好贸然相扰，于是给范朋克回了封电报，谢绝了他的好意。可范朋克不罢休，很快又打来第二封电报，说："我 已经把房子和一切的事情都预备妥当了，无论如何非请住在我家不可！就是排戏也不要紧，我家的房子，足可供贵剧团排戏之用，我有自己所用的电车，现在完全归您使用。"言辞恳切，盛情难却，梅兰芳惟有答应。不久，他又收到范朋克的第三封电报，内称："梅先生此次到美，本想多聚几天，以了心愿。无奈有要事须往英伦，两日后便起程。又拟飞机一至旧金山，便去见面，而案头待理的公事太多，又不能如愿，十分抱歉。"原来范朋克早有计划要到伦敦去，只因为担心事先告诉 梅兰芳，梅兰芳就更不肯住到他的别墅去了，所以等梅兰芳应承下来，这才告诉他。可能是怕梅兰芳知道了他要去伦敦而改变主意，他的夫人玛丽 · 璧克福也给梅兰芳拍了电报，说："我的丈夫临行时，再三叮嘱，妥为招待，务请惠临舍间，勿却是幸。"这样的情况下，梅兰芳就是想拒绝也是不可能的了。

道格拉斯·范朋克和玛丽·璧克福都是当年美国最受欢迎的电影明星。范朋克以演武侠片而著名，玛丽·璧克福则以扮演天真无邪的小姑娘而被誉为"美国的大众情人"。他俩 1920 年结婚，1929 年第 7 次出国旅行时到达中国上海。当时，远在北平的梅兰芳闻讯后，立即打电报给范朋克夫妇，对他们的访华表示欢迎，并希望他们有机会到北平一游，借机彼此可以交流艺术。因他俩下一站要去日本，行期已定，无法北上，便致电梅兰芳，表示歉意，答应下次访华一定赴约。

他们没能在中国相聚，却在美国相逢了。5 月 12 日，梅兰芳率团抵达洛杉矶，玛丽特派了两名代表前去接站。欢迎仪式过后，梅兰芳乘范朋克提供的汽车在市府特派警车的护卫下，先到市政府拜访市长波耳泰，然后驶向位于加利弗尼亚圣他·莫尼卡市的范氏夫妇的别墅。别墅用两人的姓和名取名为"Fairford"（"飞来福别庄"，"范朋克"是上海译音，北京译音为"飞来伯"）。由于范氏夫妇热情好客，别庄曾先后接待过英国作家毛姆、英国戏剧家诺埃尔·考沃德、西班牙大提琴家卡萨斯、科学家爱因斯坦、美国棒球手巴贝·罗斯等人。曾有人说"白宫"和"飞来福别庄"是 20 年代美国的两个最有名望之家。

别庄的房子是一座小楼，玛丽·璧克福将整个小楼的钥匙都交给了梅兰芳和齐如山，说这段时间小楼就归他俩居住，她自己住到另一所房子里去了。梅兰芳住在楼上，楼上每个房间显然都被精心布置过，房内的家具陈设都不一样，"有的新颖别致，有的古朴淡雅，据说是主人从数十年拍电影的布景道具中选择而来，看得出是煞费苦心的"。玛丽·璧克福不仅提供住处，还精心安排饮食，特别嘱咐厨师每天变换花样，虽然西式菜肴都差不多，但梅兰芳每天面对的都是不同国家的风味，有美国菜、德国菜、法国菜等等，足见主人的一片情意。

别庄因面临太平洋，风景宜人，空气清爽，加上每天新颖别致的饮食，梅兰芳在这样的环境下顿觉疲劳尽释。只因为别庄离剧场太远，梅兰芳在别庄休息了一段时间后，迁至剧场附近的比尔特谟旅馆。

到达洛杉矶次日，他接受玛丽·璧克福的邀请，前去电影厂摄影棚，观看她拍戏。正式开拍前，梅兰芳在化妆室的小沙发上第一次近距离地观看外国电影演员化妆，学到了不少化妆知识。戏拍完，他又在玛丽·璧克福的陪伴下参观电影厂以及她与丈夫和卓别林合办的联艺公司。在电影厂，玛丽·璧克福为梅兰芳详细介绍了新发明的录音设备，还亲自为梅兰芳戴上耳机，让他试听。这个场景被梅兰芳秘书李斐叔用家庭摄影机拍了下来，成为相当珍贵的资料。

玛丽·璧克福还多次举行宴会，将许多电影人介绍给梅兰芳认识，其中有墨西哥著名演员桃乐丝·德里奥、法国影星摩里斯·希佛莱等。他们在一起畅谈艺术并合影留念。

将要离开洛杉矶时，范朋克从伦敦回来，与夫人在住宅举行茶会欢送梅兰芳。范朋克见到梅兰芳后的第一句话就问:“我妻的招待还满意吗？”

梅兰芳答:“很满意，但尊夫人在百忙中这样关心我们的饮食起居，却使我们大为不安，我不知道什么时候有机会报答贤伉俪的盛意。”

听梅兰芳这么说，范朋克这才放了心，笑道:“这个机会也许不会太远。”

餐后，大家到花园里打高尔夫球，范朋克亲自教梅兰芳如何挥杆，

大家玩得很开心，并拍摄了纪录电影。

离开洛杉矶转赴檀香山那天，范氏夫妇亲自到码头送行。梅兰芳一再邀请他们 过一段时间到北京，让他也有机会尽地主之谊。果然，第二年年初，梅兰芳在北平家中接待了范朋克。

会卓别林

当时，范氏夫妇和卓别林被称为“影坛三杰”，他们三人的关系非同一般。1954年，当卓别林被右翼专栏作家威斯特布洛克·佩格莱指控为“共产党同情者”而受到审讯时，玛丽·璧克福曾勇敢地站出来为卓别林辩护，说“他不应当由于别人的道听途说而受到谴责”。

梅兰芳到达洛杉矶的当晚，应剧场经理的邀请到一家夜总会参加一个酒会。在这个酒会上，他见到了许多文艺界知名人士，其中就有大明星卓别林。那晚，当身穿蓝缎团花长袍，黑缎马褂的梅兰芳一走进会场，乐声立即停止，从广播里传来的声音是：“东方的艺术家梅兰芳先生降临敝地，表示欢迎。”这时，掌声和着欢迎曲一起响起。刚坐下，梅兰芳就发现正迎面走来的一个人似曾相识，此人“穿着深色服装，身材不胖不瘦，修短正度，神采奕奕”。正想着，经理走过来对他介绍说 ：“这位是卓别林先生。”又对卓别林介绍说：“这位是梅兰芳先生。”

梅兰芳立即伸出手与卓别林紧紧相握，他还未来得及开口，就听卓别林说：“我早就听到您的名字，今日可称幸会。啊！想不到您这么年轻，就享这样大名，真可 算世界上第一个可羡慕的人了。”

卓别林在他的影片里，演的角色多为下层贫民，他那令人捧腹的滑稽的扮相及老鸭般行走的动作，成为他舞台形象的著名特征而

⊙在纽约与著名戏剧家贝拉斯考合影

深入人心。就因为给观众留下的印象过于深刻，以至于人们有时很难将舞台上的他与现实生活中的他区别开来。

所以，梅兰芳对卓别林说的第一句话就是：“十几年前我就在银幕上看见您。您的手杖、礼帽、大皮鞋、小胡子真有意思。刚才看见您，我简直认不出来，因为您的翩翩风度和舞台上判若两人了。”

两位艺术家都是靠个人奋斗而成就了大名，因此共同语言颇多。他们一边呷着酒，一边畅谈东西方艺术的相同与不同之处以及各人的表演心得。梅兰芳向卓别林表达了自己对他的艺术的喜爱。梅兰芳所说并非客套，因为卓别林在无声电影里如何依靠动作与表情来表现人物内心活动、展现剧情、使观众理解并被打动，这也正是京剧演员所面临的课题。卓别林对梅兰芳了解并欣赏他的表演感到异常高兴，因为那时他的哑剧正受到有声电影的冲击，如何回应挑战，使哑剧不因观众流失而衰落，是他正在苦苦思索的问题。这时有一两个朋友(何况是梅兰芳这种身份地位的朋友)对他表示欣赏与支持，自然被引为知己。最后，他俩又谈到京剧艺术中的丑角，这是卓别林关心的话题，因为他的表演和丑角表演有着相近之处，都含有喜剧色彩。可惜在梅兰芳这次带去的剧目中，只有《打渔杀家》中的教师爷是丑角。卓别林听了不免遗憾，梅兰芳便希望卓别林有机会到中国访问，那时一定能看到许多名丑的精彩表演。卓别林愉快地颔首答应。6年后，卓别林果然踏上了中国的土地，与梅兰芳把酒言欢，这是后话 。

两人就像老相识，无拘无束地畅谈良久，临分手前，还合影留念。

⊙美国雕塑家恩斯特·杜立格和克洛·杜立格在为梅兰芳塑像

在好莱坞，多家电影公司邀请梅兰芳前去参观，有“廿世纪”、“米高梅”、“华纳兄弟”、“派拉蒙”、“雷电华”、“哥伦比亚”等，这些公司虽有大有小，设备也有好有差，但每家公司对梅兰芳都是一样热情。他每到一家公司，该公司上到经理、厂长，下到电影师、电光师、布景师、各部门的主任以及明星、普通演员等无一不热心招待，耐心介绍。每有梅兰芳演出，各公司的经理、厂长、主任不但亲自赶到剧场观看，还怂恿甚至要求其他人员和演员前往观看。好莱坞的电影人尤爱看梅剧是有原因的，当时无声电影正向有声电影过渡，有声电影里因有对白、表情和歌舞而与京剧颇为相似，由于有声电影刚刚起步，对白、表情、歌舞如何组织得巧妙不露痕迹让当时的好莱坞电影人大伤脑筋，京剧里安排得“既巧妙又高超”的唱念做打则能给他们以很多启示。正如某导演对梅兰芳所说：“现在有声电影的趋势，有很多地方变得很像中国戏了。”因此，前往观梅剧的电影人络绎不绝。有一位电影演员对梅兰芳说：“有几个电影界的同人曾专程到纽约去看您的戏，回来后互相谈论说，梅先生这次到美国来演戏，在表演艺术上对我们电影界有极大影响，益处很多。当时大家听了这种议论，还将信将疑，现在看了您的戏，方知他们的话一点也不错。”当梅兰芳问他们能否看得懂戏里的“象征性动作”时，这位演员说：“我们除了唱词和说白听不懂，其余都懂，这种表演方法是我们电影界极可宝贵的参考。”

其他艺术界人士也如电影界人士一样，对梅兰芳充满敬仰之情。有一位罗马尼亚籍的画家曾在巴黎旅居多年，为好几国的君主、皇后画过像。因为名气大，这位画家平时轻易不为人作画，若画的话，收费高达五百美金。梅兰芳到达纽约时，这位画家正在纽约开画展。当纽约各地到处是关于梅兰芳的议论后，他对梅兰芳也有了兴趣，忍不住到剧场看过两回。不看不知道，一看才明了梅兰芳为什么会有那么大的名气，不禁感叹道："梅兰芳实在配称是世界的大艺术家！"为不辜负来纽约这一遭，他主动提出为梅兰芳画一幅高约2.74米、宽约1.83米的像，并声明分文不取。梅兰芳自然欣然应允，让这位画家画了一幅《刺虎》里费贞娥的像。以后，梅兰芳到芝加哥演出时，就将此像挂在一家美术馆的门口，引来不少围观者。

还有一位很有名的雕塑家，也主动提出为梅兰芳塑像，最后也是分文未收。据说这具塑像后来被陈列在意大利美术馆。

纽约一位摄影师，平时为人照一张一尺的相片就收费一百多美金，但他为梅兰芳照了几十张相片，未要任何酬劳。

有一位专门研究手的美术家在看了梅兰芳的演出后，出于职业习惯，对梅兰芳的手产生了浓厚兴趣。第一次他是为了看戏，以后几次再去剧场，则是专门看梅兰芳手的，越看越觉得梅兰芳的这双手美不可言。于是，他托人介绍，为梅兰芳的手照了相，赞叹道："我见过很多美人的手，但是比起来，要算梅先生的最好看，因为女子的手，无论怎样美，总不及梅先生的长，所以梅先生的手，在戏台上可以说是世界第一美丽的女子的手了！"

还有洛杉矶的一位雕塑家用打石膏的方法，为梅兰芳的手留了模型。

被授予博士荣誉学位

学界的欢迎对梅兰芳访美最终取得成功起着很重要的作用。众所周知，学界人士都是既具才识又头脑冷静的人。因为他们具有才识，因而能分辨优劣；因为他们头脑冷静，所以不至于"跟风"，不会人云亦云。他们的态度在相当程度上起着决定作用。

被齐如山誉为"大文豪"的斯达克·杨亲自到梅兰芳下榻处与梅兰芳亲切会谈，并以轻易不动的笔撰写了《梅兰芳》一文及一些评剧文章，这就已经不露声色地奠定了对梅兰芳此番访美的评价基调：他不是来淘金的，而是作为国民大使来交流中西文化的。这也证实了梅兰芳自己所说："我这次来的目的，是要吸取新大陆的新文化，是求学的性质，完全是学生的资格。"

梅兰芳阐明的访美目的，以及他处处以"学生"自谦的态度，受到各地学者们 的欢迎。

纽约有一位煤油大王出资建筑了一所房子，专门租赁给各国留学生居住。住在那里的各国留学生们自发组织了一个"万国学生会"，该会有一个可容纳二千余人的大剧场，用来给学生平时演剧或开展其他活动。梅兰芳到达纽约后，"万国学生会"特地召开由全体会员参加的欢迎梅兰芳大会。会后，他们又邀请梅兰芳参观剧场，并请梅兰芳演说。梅兰芳在演说中再次重申了访美目的"是要吸收新文化，是要求学，与一个学生没有什么大分别"。他的话引来学生们的热烈掌声。

哥伦比亚大学教授公会，大学教授、导演、光学建筑家卑尔格得博士，光学家威尔佛雷德，大学教授杜威博士等还分别或以茶会方式，或以请客吃饭的方式邀请梅兰芳参加欢迎会或座谈会。在芝加哥全体教授公请茶会上，一位教授对梅兰芳说："芝加哥一埠，本算是内地，与纽约海口的地势不同，所以风俗习惯也稍有分别。本地居民，看见的外国戏较少，见过中国戏的人更是寥寥无几，这次梅先生来表演，使本地人得看中国极高超的文化，大家非常感激。并且本地人也极能领略戏里的意味，同声赞美。这足见这次梅先生沟通文化的成功。我们真该为中美两国国民庆幸，代表两国国民向梅先生道谢！"旧金山大学校长在请梅兰芳吃午饭时说："梅先生这次到美国来，用自己极高深的学问和技能，表演中国极高尚的美术，使美国国民得以瞻仰东方的优美的文化，大家都快乐的了不得！比如昨天晚上有许多学生去看梅先生表演《春香闹学》，回来非常满意高兴。滔滔不断的评论剧情的有趣，梅先生表情的活泼。我对他们说：‘你们不但要快乐，并且极应该感谢梅先生呢！不然，那里有这样优美的戏剧给你们看！’”梅兰芳听罢，开玩笑道：“学生看了《闹学》，恐怕于学风有碍罢！”校长说：“这里学生扰乱的情形，恐怕比春香还要厉害呢！”校长的幽默惹得梅兰芳和在座的教授们大笑不止。

除了参加茶会、宴请，夏威夷大学校长请梅兰芳参观了学校图书馆，芝加哥美术博物院院长乐佛尔请他参观博物院的收藏。

最让梅兰芳激动的是被洛杉矶波摩那学院和南加州大学分别授予他文学博士头衔。当时，国内有些人对此颇有微词，“觉得自己寒窗多年，满腹经纶，尚且没有获得这一荣衔，而一名青年演员却赢得这一称号”，①因而心理有些不平衡。然而，波摩拿学院和南加州大学此举并不是一时冲动之下的产物，而是十分审慎的。他们是在梅兰芳的声誉从美东（纽约）一直漫延到美西（洛杉矶）的情况下，充分感受了梅兰芳的高超技艺之后做出的决定。这个决定奖励的不仅是梅兰芳个人，更是对中国京剧的褒扬。

梅兰芳是在5月中旬到达洛杉矶的，该市波摩拿学院院长晏文士博士在全体校董教授会议上，鉴于梅兰芳的艺术成就，提议“授予梅兰芳文学博士”荣誉学位。他的提议几乎没有引起争议，立即得到大家的赞同。经研究决定，学位将于6月16日在举行学生毕业典礼时颁发。

晏文士随后将此消息通过他的学生司徒宽告知齐如山，并征询他的意见，问他同不同意。齐如山当即道：“我当然同意。”

可当征求梅兰芳的意见时，梅兰芳却谢绝了，他说：

“贵校的美意，我感激不尽，但是我实在不敢当！”

①齐如山：《梅兰芳游美记》。

梅兰芳如此说完全是因为谦虚，绝无不屑之意。据台湾学者、作家陈纪滢所著《齐如老与梅兰芳》一书中说，当时有人坚决反对梅兰芳接受此项荣誉，原因就是嫌“波摩拿学院”太小、不著名。陈纪滢在书中这样写道：

……那位姓黄的就说“不能接受这么一个不著名的小学院所赠的虚名”。另有一二人附合，劝梅兰芳婉言谢绝。梅当时似乎也颇以为是。

齐如山似乎很反感这位姓黄的，他在回忆录中写到梅兰芳游美一段时，也提到“姓黄的”，他写道：

没有想到，又有一位姓黄的同去，把此事（指鼓动司徒雷登在美募捐一事——引者注）搅了稀溜花拉，他的道德不必谈，在美国出乎法律的事情，就不知有多少，他是发了点小财，可是这样一来，司徒雷登先生再不肯帮助捐款了。

看这段文字，我们无法了解“姓黄的”如何“搅了稀溜花拉”，如何做“出乎法律的事情”，但从“又有一位姓黄的同去”这句话中，我们似乎可以这样推断：当时赴美成员中至少后来又加入了一个“姓黄的”。而梅兰芳身边人且能说上话的又有几个姓黄的？加上很多资料都说梅兰芳虽然访美取得极大成功，但因会计工作失误，梅兰芳非但没有赚到钱，反而赔了七八万。随梅兰芳赴美的只有一个姓黄的，名子美，是剧团会计。齐如山和陈纪滢所说的“姓黄的”，是否就是黄子美呢？

显然，齐如山与“姓黄的”在对待梅兰芳是否接受博士头衔的问题上是有分歧的。当下齐如山言辞恳切地劝梅兰芳说："千万不能拒绝，拒绝当然是对晏院长的不礼貌，同时也是对该院整个教授会的不敬。这个学校虽然不是顶出名的，然而它既有资格颁授学位，总是有相当高的学术水准。"此言也有一定的道理。不过，他认为这还不足以说动梅兰芳，于是又进一步由中国政学界一向看轻戏曲演员说开去，说到称呼问题时，梅兰芳也深有感触。比如戏界人士常被别人称呼的"小友"，其中就有轻侮的含义。所以，戏界人士一直痛恨并忌讳这个称呼。传说有人赠送给谭鑫培和陈德霖书画，只要书画上有"小友"称呼，他俩当即撕毁，以表明自己坚决不接受这个不恭敬的称呼。樊樊山与梅兰芳交情不错，但他在赠给梅兰芳的诗文书画上也不愿称兄道弟，更不愿称呼先生，却又知道戏界忌讳"伶人"等称呼，权衡之下，他便使用了"艺士"这个称呼。所以，齐如山又对梅兰芳说："如今你有了博士衔，则大家当然都称博士，既自然又大方，这是我使你接受的本意。"①

当然，梅兰芳接受博士衔并不单是为了称呼方便，更以为它是一种标志，这标志着西方人士接受了中国京剧，标志着他个人已不仅是个京剧演员，而已跻身于文化名人行列，这不但是为自己、为京剧，更为祖国争得了荣誉。同时，它也会给其他演员带去自信，让他们明白，京剧演员一样能以自己高超的技艺赢得世界性的荣誉。

晏文士院长也知道梅兰芳谢绝是因为谦虚，便再次说明他们此举的原因以说服梅兰芳，他说："您这次访美演出，宣传东方艺术，联络美中人民之间的感情，沟通世界文化，这样伟大的功绩几十年来还没有过，所以本校才议决把这个荣衔赠给您。您不敢当，谁敢当呢？"

这次，梅兰芳没有再推辞。

梅兰芳因有合约，6月16日必须在檀香山演出，不能如期参加

①齐如山：《梅兰芳游美记》。

典礼，而该校又有“倘本人不到，则不便授予”的规章。这年春，该校就准备授予施肇基法学博士学位，只因为施前往欧洲无法亲自参加颁礼而放弃。司徒宽以梅兰芳“檀岛行期已定，不能变更”之事征询晏文士院长意见。晏文士思量片刻后，想出了一个变通办 法，他说：“十多年前，英国工党首相访美，某大学就是提前开一特别大会赠给他荣衔的，既有此先例，我们自可仿照。”于是次日先开校董教授全体大会讨论，晏文士此“议案”获全体通过，改为5月28日提前颁奖。此举虽不是第一次，但在波摩拿学院历史上还是破例之举。

5月28日下午二时，梅兰芳在波摩拿学院院长室换上博士礼服，然后由堪尼斯·邓肯博士和徐璋博士陪伴来到礼堂。波摩拿学院师生和来宾共约千余人已端坐 礼堂。梅兰芳、院长晏文士、邓肯博士、徐璋博士坐在主席台第一排座位上，第二排座位坐的是学院校董和部分教授。

会议开始，先由院长致开会词，然后奏乐，着学士服的二百多学生齐唱“庆贺歌”。歌毕，卢瑟·弗里曼博士代表全体教授演讲，题目是《青年人之义务及责任》。演讲结尾时，他说：“现在从中国来了一位青年，很值得我们学习，他是谁呢?就是梅兰芳先生。我第一次所看的梅先生的戏是《春香闹学》，见她滑稽活泼的样子，笑得合不拢嘴。可是过后到后台一见，却见他满面静穆。他待人又很谦恭和善，不愧为大艺术家风范。他虽然名传世界，见了年长的人仍然恭恭敬敬，这是我美国青年最缺乏的道德，所以我们要以他为榜样!”

接下来由邓肯致词，他说：“兹有中国大艺术家梅兰芳先生，艺术之高，世界公认，无待赘述。但人只知其为大艺术家，而不知他也是一位大文学家。梅先生除了演剧，更竭力于戏剧的理论，研究剧学二十余年，创作很多，贡献于社会者亦极多，家中藏书甚富，关于戏剧图书尤多。梅先生不但有功于艺术，且有功于社会，更有功

于世界，兹特介绍于校长之前，请校长赠予梅先生文学博士荣衔。梅先生对于社会的贡献与校中赠予荣衔的规章完全相符合！”

说完，晏文士和梅兰芳起立。晏文士说：“邓肯博士所言，君之贡献社会之成绩，本校长早有所闻，兹代表本教授公会，赠君文学博士荣衔。”接着，他将证书赠予梅兰芳，又有两位博士将“博士带”戴在梅兰芳的肩上。此刻，全场掌声雷动。

身穿“博士服”、肩披“博士带”的梅兰芳异常激动，他定了定神，开始致答谢词。梅兰芳在答谢词中将他获荣衔称作校方对中国人民的深厚的国际友谊，又说他此次访美的大目的是要促进人类和平，其中自然又说了很多谦虚和感谢的话。

梅兰芳的这篇演讲稿虽是由张彭春起草的，但从内容中可以看出它是梅兰芳的心声，符合他 一贯的做人原则和风格。定稿也一定有梅兰芳本人的意见。晏文士院长盛赞梅兰芳的演说词命意非常之高，是该大学赠予荣衔以来最好的一次演说。梅兰芳用中文演说后，由梅其驹用英语复述。说毕，全场掌声雷动达数分钟之久。

数日后，梅兰芳到南加利弗尼亚大学，接受了由该校颁发的文

⊙梅兰芳博士持学位证书照

学博士学位。那天正值该校成立五十周年纪念，与梅兰芳同时受博士衔的另有五六十位，还有百余名学生接受毕业文凭。参加典礼的约有三千余人，仪式十分隆重，气氛热烈。特别是当校长将证书颁给梅兰芳时，全场掌声更是经久不息。

20年代末，梅兰芳这个名字在北平已极具号召力，谁人不知梅兰芳，谁人不晓梅兰芳！无论是上层名流，还是普通百姓都以观看梅剧为最高享受。尽管他此时已经跻身上流社会，与上层人物、社会名流接触频繁，但戏剧演员长期以来几乎被固定了的卑微的社会地位又使他只能是一个受欢迎的“名角”，而无法作为一个“艺术家”被承认。多少年来，他一直竭力想改变这种不合理的社会局面，为他自己，更为广大的普通演员。美国驻华使节裘林·阿诺德在1926年曾说过这样的话：“我们赞扬梅兰芳，首先由于他那卓越的表演天才，其次由于他在提高中国戏剧和演员在社会上的地位所做出的重要贡献。”此番梅兰芳被授予博士学位，从客观上提高了京剧演员的社会地位。

梅兰芳这一次赴美演出，历时半年，先后访问了西雅图、纽约、芝加哥、华盛顿、旧金山、洛杉矶、檀香山等城市，共演出七十多场，大多数满座，其余上座率也有七八成，可见其盛况。他与美国各界的文化交流更是频繁，因此，有美国观众说“梅兰芳这次演出是1930年美国‘戏剧季’的最高峰，也是自意大利著名演员爱丽奥诺拉·杜丝的演出、莫斯科艺术剧院演出契柯夫戏剧以来，任何一个‘戏剧季’的最高峰”。所以说，梅兰芳的这次访美取得了巨大的成功。论及原因，张彭春曾对许姬传概括了几点：

一、梅兰芳卓越的表演艺术迷住了美国的观众，美国文艺界有些人为了研究中国戏剧的组织和简练的表现手法，以及舞台的调度，他们接连看了好几场戏。

二、梅剧团赴美前作了相当充分的准备。

三、美国报刊发表了大量评介文章，进行了热情的宣传。美国著名戏剧评论家斯达克·杨正是抱着研究中国古典戏剧的愿望，梅剧团在剧场排练时，他来观看；演出前，他撰文在报纸上介绍中国戏的特点；演出后，他又写长文多次热情评论梅剧团的演出，使美国观众对中国戏有了初步认识，激起他们观看中国戏的兴趣。

四、美国有个风气，外国来的艺术表演团体，只要在纽约打响第一炮，就算立定了脚跟。梅剧团在纽约第一场就轰动了，为中国京剧赢得了声誉，赢得了观众。①

中国戏剧长期被西方人误解或轻视，很重要的一个原因便是彼此隔阂，缺乏通过交流而了解的渠道。而自梅兰芳演出后，情况则发生了巨变，美国人因此对中国戏剧有了真切的认识，这在美国人大多对中国还一无所知的时代里尤其显示出巨大意义。

因此可以这么说：梅兰芳此次出访对于增进中美两国人民互相了解，特别是让美国人民了解中国艺术、了解中国社会具有重大价值。

与美国影星合拍电影片断

结束在檀香山的演出后，这年7月，梅兰芳一行乘“浅间丸”号轮船回到上海。一来为了答谢上海各界朋友对他这次访美的支持与帮助；二来也是为了休养。毕竟在美奔波数月，既要演出又要会见各界人士，实在是疲惫不堪。所以，他没有及时返回北平，而是在上海逗留了一段时间。直到次年初，北平西单旧刑部街奉天会馆改建为“哈尔飞”戏院，力邀他前往剪彩并演出，他才回到北京。

①许姬传：《梅兰芳访美散记》，《戏剧论丛》1984.2.

在“哈尔飞”的演出是他回国后首次登台，演出剧目是《贵妃醉酒》。由于他访美取得成功，为中国人争得了荣誉而深受国人爱戴，而且观众太长时间没有见到他了，所谓久别重逢分外亲，所以，观众对他的欢迎近于狂热。前几出戏演完后，有短短的10分钟休息时间，接下来就将是梅兰芳登场。观众们好像连10分钟也等不及，不知不觉地鼓起掌来，鼓掌的人越来越多，掌声也越来越响。许姬传在《舞台生活四十年》“按”里说：“从前著名的演员出场时总有一个全场的喝彩声，北京话叫作‘碰头好’，但从来没有在休息时就全场鼓掌的情况。”受热烈的掌声所感染，后台提前重新开戏。随着帘内一声“摆驾”，掌声重又响起，等梅兰芳一亮相，戏院里气氛更是热烈，掌声、叫好声响成一片。观众如此厚爱令梅兰芳激动万分。

恢复演出后，梅兰芳的演出次数略有减少，只每周五、六、日三天轮流在开明戏院和中和戏院登台，其他时间主要用于接待朋友、筹建国剧学会等。

梅兰芳访美期间，与范朋克夫妇结下了深厚的友谊，他始终念念不忘范氏夫妇对他的热情招待，回国后即给他们写去一函表示感谢，并再次邀请他们有机会到中国来访问。

次年元月，他收到范朋克的电报，说他与导演维克多·佛莱明和摄影师亨利·夏泼为拍摄纪录片《八十分钟遨游世界》，即将赴东南亚、中国和日本游历。梅兰芳不禁欣喜万分，他一方面复电范朋克表示由衷地欢迎，一方面立即着手准备接待事宜。

2月4日晚，一列从秦皇岛开往北京的火车缓缓进入前门站，范朋克刚从车里走下来，梅兰芳立即就迎了上去，老朋友的手再一次紧紧相握。和前来欢迎的人一一打过招呼后，范朋克在梅兰芳的陪伴下，同乘一辆车，驶往大方家胡同李宅。这是一所典型的老北京建筑风格的房子，是梅兰芳事先特为范朋克向房主人借的。为了让范朋克住得舒适，梅兰芳还请人重新布置了一番，客厅、书房里的陈设，“都是明清两代紫檀雕刻的家具，墙上挂着的缂丝花鸟以及明清的书画，‘多宝格’（一种专门陈设古玩的架格）里摆的是清代康熙、雍正、乾隆三朝的彩色和一道釉的磁器”，同时，他还请了一位专做福建菜的厨师陈依泗，让他每天为范朋克做中国菜。

第二天下午，梅兰芳在无量大人胡同住宅举行欢迎范朋克茶会，杨小楼、余叔岩、程砚秋、尚小云、荀慧生等人作陪，他们都想亲眼目睹这位“外国武生”的风采。

5点钟，范朋克和派拉蒙电影公司导演佛莱明来到梅宅，梅兰芳将夫人福芝芳和两个儿子介绍给范朋克后，范朋克说：“我妻玛丽·璧克福因事不能同来，托我向您和您的夫人致候。”这时，有摄影师为他们五人照了相。然后，梅兰芳又将杨小楼等人介绍给范朋克，对他说：“今天我邀请的大半是同行，他们对您在电影里所表演的惊险武技很感兴趣。”范朋克以美国人特有的幽默说：“我在影片中的武艺，有许多是摄影师弄的玄虚，您在好莱坞住过一个月，对于拍电影的秘密，总该知道了吧？”一句话说得大家哈哈大笑。

在美国洛杉矶演出时，梅兰芳虽然住在范朋克的别庄里，但范朋克因人不在洛杉矶而始终没有看过梅兰芳的演出。6日晚，梅兰芳在开明戏院演出《刺虎》时，特别请范朋克前去观看。戏毕，范朋克上台和梅兰芳握手祝贺演出成功，还向观众致词，观众回以热烈掌声。

又一日，在佛莱明的导演下，拍摄了一段梅兰芳、范朋克合演的有声电影。电影有两组镜头，第一组是两人见面的情形，由梅兰芳先用英语说了几句欢迎词，再由范朋克用中文说：“梅先生，北平很好，我们明年还要来。”第二组镜头是范朋克穿上梅兰芳送的戏服，装扮成《蜈蚣岭》里的行者武松，“头戴金箍蓬头，身穿青缎打衣打裤，外罩和尚穿的长背心，脚登厚底缎靴，佩着腰刀，手拿拂尘”，做了几个梅兰芳临时教的身段动作和亮相姿势，居然做得有板有眼。梅兰芳笑道：“我看您大概是有史以来头一名外国武生扮演一名中国武生！”

当晚，梅兰芳在大方家胡同预备了一席东兴楼的山东菜为范朋克饯行。席间，范朋克畅谈了他此次访华对中国的美好印象。他说看过梅兰芳演出后，得到艺术上的极大满足，并认为“中国的古典戏剧可以与莎士比亚和希腊古典戏剧媲美”。参观过故宫后，他从“三千年以上的青铜器的精细雕刻和唐宋以来的名瓷名画”中体会到“中国的文化对人类所作出的伟大贡献”。对中国的美食，他也是赞不绝口，指着手中的一杯杏仁茶，感慨道：“像这种美味，在中国以外是吃不到的。”给他留下深刻印象的还有中国医生完全不同西医的独特的诊疗方法。当他在梅兰芳的安排下住进大方家胡同李宅后，发现房间里的陈设十足的中国化，甚至连取暖也没有用西方的水汀和火炉，而用的是硬煤烧地炕。房间里温暖如春，范朋克一时兴起，居然从床上拖下绒毯，就在光可鉴人的地板上睡了一夜。次日起床后感到头晕，请专门照顾他 的郑河先大夫诊治。郑大夫看了看后，认为是受了热，便对他说：“这不是病，用不着吃药，只要到户外吸点冷空气就会好的。”他还在疑惑时，被郑大夫拉到了门外，在院子里跑了30圈，发了一身汗，病居然就好了，他不禁对这种别致的治疗方法感到万分新奇。

离京前，梅兰芳赠送给范朋克一些中国土产、文房用品、一套中国式的黑缎团花马褂、蓝缎团花夹袍及《蜈蚣岭》里武松的全套行头，另外还送给玛丽 · 璧克福两套旦角服装，一套是“上下身的蓝色锦缎古装，一套是花团锦簇、杏黄色长帔”、一件粉缎绣花的浴衣、一条湘绣百子图的被面。

⊙梅兰芳与美国默片影后玛丽·璧克福

七十年代初，在好莱坞的一次电影界宴会上，当身着中国古装的玛丽·璧克福出现时，立即吸引了众多人的目光，人人对这套服装称赞不已。玛丽颇为自豪的宣称：“这套古装还是当年中国大戏剧家梅博士送给我的呐！”听说是梅兰芳送的，华裔影星卢燕女士便跟玛丽攀谈起来，两人结下友谊。不久，卢燕应玛丽之邀去她家作客，在楼梯壁上发现一幅画着红梅和青鸟的中国画，便凑近前去看署名，不禁惊叫起来：“这是我义父梅兰芳画的啊！”当玛丽得知卢燕是梅兰芳的义女时，惊讶之余，对卢燕更是宠爱有加。1974年，玛丽考虑到自己年事已高，恐不久于人世，便将珍藏了几十年的梅兰芳送的那幅中国画和两套京剧戏装作为礼物转赠给了卢燕。

范朋克回国后，与梅兰芳一直保持着联系。“九一八”事变后，梅兰芳举家迁往上海，还收到过范朋克寄来的相片和刻着名字的香烟盒。但两位艺术家未能再见一面。1934年，梅兰芳听说范朋克离了婚，1935年，他在上海南京大戏院看到范朋克主演的《美人心》（又译《唐璜的私生活》）。范朋克因这部片子拍的不甚理想，舆论反映也不是很好，心情一直很郁闷，其实那时美国风行歌舞片，像他这样的“武生”演员自然英雄无用武之地，因而风光不再也是自然的，内心的苦闷也是不可避免的。但他还是向往着“东山再起”，于是，为了保持体形加强了锻炼，却因而伤及心脏，于1939年过早地离开了人世。

⊙梅兰芳与美国影星范朋克在北京合影

创办“国剧学会”

众所周知，新文化运动是“五四”运动的主要组成部分，在新文化运动的背景下，曾经爆发过一场有关戏曲问题的大论战，论战的焦点是全盘否定旧剧还是全面继承旧剧。

针对辛亥革命后出现的尊孔复古逆流，以陈独秀、刘半农、钱玄同、郑振铎等为代表的一些人在对封建礼教、封建道德猛烈抨击的同时，对戏曲也进行了全面批判。郑振铎说“旧戏曲不是‘色情迷’，就是‘帝王梦’，就是‘封建欲’，且多颂圣之语”，对旧戏曲的形式，他们也颇多微词。在这种情况下，民族虚无主义冒了头，以胡适、周作人、傅斯年等人为代表的一些人对旧戏曲从内容到形式，主张全盘否定。周作人在《人的文学》一文中将戏曲列入“非人的文学”，认为“没有丝毫继承的价值”；傅斯年在《戏曲改良各面观》一文中说戏曲“实在毫无美学之价值，不能不推翻”；刘半农在《我之文学改良观》一文中说“均当一扫而空”；钱玄同在《寄陈独秀》一文中说戏曲“无一足以动人感情”，在《随感录（十八）》一文中提出要“全数扫尽，尽情推翻”。在全盘否定的基础上，他们主张应该“全盘西化”，胡适“把西洋戏剧看成是惟一先进的戏剧”，钱玄同则说“其要中国有真戏，这真戏自然是西洋派的戏，决不是‘脸谱’派的戏。”全盘西化的结果就是“引进西方戏剧理论与舞台艺术方式以研究戏剧艺术，从而建立一种新的‘国剧’取而代之”。这一论点甫一出笼，立即遭到反对派的反驳，他们认为所谓“国剧”指的就是“上自院本、杂剧、传奇、下至昆曲、皮黄、秦腔等中国旧有戏剧”，对国剧应当“全盘继承，完全保存”。

“国剧”一词由此而来。

余上沅、张嘉铸、熊佛西、闻一多、赵太侔等留美学生在美国提出过“国剧运动”的口号。1925年，余上沅、闻一多、赵太侔回国后，在徐志摩的支持下，在北京国立艺术专门学校开办戏剧系，创立“中国戏剧社”，次年又在北京《晨报》副刊开办专门讨论国剧问题的《剧刊》。《剧刊》虽然只维持了三个多月，但在《剧刊》上发表的文章后来被新月社汇编成《国剧运动》一书出版，书名是由胡适题写的。

但这一系列有关“国剧”的运动并未引起社会关注，直到1931年，北平“国剧学会”成立，才将国剧运动推向一个新的阶段。而这时的“国剧”与当初反对全盘西化人士提出的“国剧”是两个概念，即不再是保持原状的国剧，而是以京剧为主兼及昆曲的旧剧。梅兰芳更是进一步将“国剧”界定为“代表中国最好的水准的戏剧”，实际上指的就是“京剧”。“国剧运动”也就是“要走一条以旧剧为基础使它适应时代潮流而进行不断革新的道路”。[①]

正如梅兰芳曾对收藏家、诗词家、书画家、著名票友张伯驹所说，他们的上一代和他们这一代的戏曲演员多半没有文化，学戏完全靠死记硬背，有的连唱词是何意思都搞不清楚。针对这一现象，继1919年张謇、欧阳予倩在南通成立南通伶工学社后，1930年，又一所专门培养京剧演员的新型学校——中华戏曲专科学校成立。这所学校隶属于中华戏曲音乐院南京分院（院址在北平），程砚秋任院长、金钟荪任副院长。中华戏曲音乐院是国民政府利用法国退回的“庚子赔款”所创办的，当时国民政府指定这笔赔款必须专用于文化事业。国民党文化派人士李石曾便用此款建设温泉村，开办温泉中学、农工银行和中华戏曲音乐院。该院分北平戏曲音乐分院、南京戏曲音乐分院。北平分院院长是梅兰芳，副院长是齐如山。南京分院附设中华戏曲专科学校，学校培养出“德、和、金、玉、永”五科学

①梅绍武:《梅兰芳与国剧学会》,《大地》1997.2.

生，其中享名于世的有宋德珠、傅德威、王和霖、李和曾、王金璐、赵金蓉、李金鸿、李玉茹、白玉薇等，首任校长是焦菊隐，后由金钟荪兼。与南通伶工学社不同的是男女生合校，这 是个创举；而与之相近的则是以教授京剧为主，兼教文、史、算术、英文等文化课。京剧教师有迟月亭、高庆奎、王瑶卿、朱桂芳、郭春山、曹心泉等；文化课教师有著名学者华粹深、吴晓铃、剧作家翁偶虹等。

相比较而言，北平分院“实徒具空名”，[②]仅成立了一个院务委员会，由冯幼伟任主任委员，梅兰芳、余叔岩、李石曾、张伯驹、齐如山、王绍贤为委员。因而有人觉得程砚秋“有凌驾其师而上之势”，[③]便很替梅兰芳鸣不平，于是鼓动张伯驹约梅兰芳、余叔岩合作，发起组织了北平国剧学会。学会经费主要由银行家私人资助，包括金城银行经理周作民、中南银行经理王孟钟、盐业银行经理王绍贤、交通银行经理吴震修等。这是之所以成立国剧学会的原因说法之一。

两所分院皆隶属中华戏曲音乐院，为什么李石曾控制的庚款独流向程砚秋，而梅兰芳却分文不得呢？有人就此问李石曾，李石曾苦笑道：“非我之故！乃张公权之所托耳！”张公权是国民政府交通部部长，他在冯幼伟任中国银行总裁时，任副总裁，素与冯幼伟不和。宋子文入股中国银行八千万元并任董事长后，支持张公权任中国银行总裁，冯幼伟因此被排挤。冯幼伟是梅兰芳身后的坚强经济后盾，素年来积极支持梅兰芳。为打击冯幼伟，张公权便暗托李石曾支持程砚秋。

就算是为了不落后于学生而成立国剧学会也并没有什么大了不得，有益的竞争反而能促进发展，何况梅兰芳本人也并没有刻意防范自己的学生超过自己，至于说到为什么要成立国剧学会，以他和余叔岩名义发表的《国剧学会缘起》一文有详细论述，其核心总在

②③张伯驹:《回忆与梅兰芳合办国剧学会》,《戏文》1981.3.

研究整理国剧，使其发扬光大，并为有志学习国剧而未窥门径的人传授入门之道。

据梅绍武先生回忆，为创立国剧学会，梅兰芳曾一连三次分批宴请各界人士，征求意见，集思广益，当他向张伯驹商议该请哪些人来主持会务活动时，张伯驹以自己和余叔岩均不善于经营为由主张另请办事认真、又老成持重的人来做，是这样，梅兰芳才又邀请了齐如山、傅芸子（又名青夫，即红豆馆主）等人共同商议。而齐如山在他的《回忆录》里却说创立国剧学会是他起意的，而得到梅兰芳的赞成。办学会需要经费，非借助人缘好、名气大的人的力量筹不到款，齐如山于是约梅兰芳、余叔岩二人出面组织。

“国剧学会”这个名称到底是由谁提出的，是由张伯驹约梅兰芳、余叔岩出面组织的，还是由齐如山约他俩的，现在已经无法得到证实。但可以说，国剧学会的创办人应该包括梅兰芳、余叔岩、张伯驹、齐如山、傅芸子等。经过大家商议，学会下设四个组：

教导组：由梅兰芳和余叔岩负责主持教学工作；

编辑组：由齐如山、傅芸子负责主持文字整理和印刷工作；

审查组：由张伯驹和王孟钟负责主持研究提高工作；

总务组：由陈鹤孙、陈亦侯（一说白寿之）负责主持联络工作。

经过一番筹备，国剧学会于1931年12月21日在北平虎坊桥45号（现晋阳饭店原址）正式成立。这是所很大的房子，内建戏台一座，四周墙上挂着梅兰芳收藏的数十幅清廷升平署扮像谱。那天，到会祝贺的有李石曾、胡适、袁守和、于学忠、溥西园、刘半农、刘天华、梁思成、焦菊隐、王泊生、王梦白、管翼贤、徐凌霄等各界人士数十人。成立大会选出梅兰芳、余叔岩、齐如山、张伯驹、李石曾、冯幼伟、周作民、王绍贤、陈亦侯、王孟钟、陈鹤荪、白寿之、吴震修、段子均、陈半丁、傅芸子为理事，王绍贤为主任。

为祝贺学会成立，当天有一场别开生面的演出。剧目有《庆顶珠》、《捉放曹》、《芦花荡》、《阳平关》、《铁笼山》、《女起解》，大轴是《大八蜡庙》。在《大八蜡庙》里，诸角皆反串，梅兰芳戴上白胡子，反串武老生，饰老英雄褚彪，这是他首次戴髯口。张伯驹饰黄天霸，朱桂芳饰费德功，程继仙饰朱光祖，徐兰沅饰关泰，钱宝森饰张桂兰，王惠芳饰贾兴，姚玉芙饰院子，刘连荣饰施士伦，票友朱作舟（作过张作霖的财政次长）饰小姐，姜妙香饰王栋，老生陈霭如饰老妈，唱铜锤花脸的陈香雪饰老道。演出虽然很轰动，但也招来非议，有人责问梅兰芳："你们闹什么？都是反串，学会成立第一天，不严肃。"梅兰芳很平静地解释了他们的初衷："一来是为学会成立助兴，大家一乐；二来是从反串中可以看出，一个角儿并非单会本行，对各行当的基本功都掌握了，可以为后学者做个榜样。"

的确，"反串戏"虽不常在营业戏上露面，只在义务戏或堂会戏中演出，但却是考验演员是否功底深厚、戏路宽的极好办法，演员只有具备多方面艺术，才能在本行演出时得心应手。梅兰芳虽是旦行演员，但也擅演小生、武小生，武生、武老生甚至花脸。他首次公开演反串戏是在《木兰从军》里饰男装木兰，扎硬靠、着厚底靴，一手执马鞭，一手拿长枪。以后，他经常在堂会或义务戏里反串。在他祖母80寿辰举行的堂会上，他共演三出戏，一为旦角本工戏《麻姑献寿》，二在全体旦角反串喜剧《打面缸》里反串小生张才，王蕙芳反串丑角大老爷，三在大轴《艳阳楼》里反串武生呼延豹，与反串武花脸高登的余叔岩在"醉打"一场中打得酣畅淋漓。在1919年9月余叔岩老母60华诞的盛大堂会上，他在《辕门射戟》中反串小生吕布。1921年10月，在冯幼伟40岁生日堂会上，他与杨小楼合演《镇潭州》，反串杨再兴。年末，在北京梨园界为救济同业人士的义务戏中，反串《八蜡庙》里 的黄天霸。1923年3月，为冯幼伟母亲70寿辰的堂会中，反串《黄鹤楼》带《三江口》里的小生周瑜。20年代末，在傅芸子家的堂会上，反串架子花脸戏《清风寨》里的李逵，这是他一生惟一一次反串过的净角戏。30年代末，四大名旦一次合作演出头二本《虹霓关》，一向演东方夫人或丫环的他又反串小生王伯党。

果然，一次反串戏给国剧学会带来了好名声，大家议论说："国剧学会是提倡练真功夫的，连票友都功底不错。"

梅兰芳早在1919年初次访日后，就定下三个心愿：创办学校、建立新剧场、编演新戏。有齐如山等"智囊团"成员的鼎力帮助，编演新戏于他是不成问题的，惟创办学校、建立剧场的愿望非轻易能实现，这不仅有精力所限，更有财力方面的困扰。当程砚秋任院长的中华戏曲专科学校成立后，梅兰芳意识到自己已经落后于自己的学生了。所以，筹备成立国剧学会时，他就提出国剧学会附设一所教学机构。起初，他们想办一个科班，但因为办科班费用昂贵且班期时间太长，于是作罢；又想办一间票房，但考虑到票房虽也请人教戏，但总归是朋友聚会消遣的性质，不能达到培养下一代的目的。思量再三后，他们决定设立一所介于科班和票房之间的教学组织。国剧传习所由此诞生。

国剧传习所是国剧学会里教导组的一部分，招收的学员有一定的演戏基础，年龄在十六七岁以上且过了倒仓期。传习所主任由徐兰沅担任。1932年5月12日，国剧传习所举行开学典礼，梅兰芳致开幕词，王搏沙、徐凌霄、陈子衡、余上沅分别作了《戏剧救国》、《戏剧与观众》、《戏剧之革命》、《国剧传习所的意义》等讲演，当时正访华的法国戏剧家铎尔孟也参加了开学典礼并发了言。最后，梅兰芳作总结发言，鼓励学员"一要敬业乐群、二要活泼严肃、三要勇猛精进"。

国剧传习所共收了70名学员，分：

老生组：余叔岩、徐兰沅负责。余叔岩因抽大烟，白天经常起不来，所以唱工身段另请人教授，重要的大段唱工，则有时由徐兰沅代说，好在徐兰沅曾经为谭鑫培拉过胡琴，对谭腔很熟悉。

青衣组：由梅兰芳、孙怡云负责。

小生组：由程继先负责。

丑行：由萧长华负责。

净行：由胜庆玉负责。

音乐组：由汪子良负责。

梅兰芳亲自参加教学。据后来成为上海夏声戏剧学校骨干的郭建英先生当年所记笔记可以看出，梅兰芳当时讲课内容不仅丰富而且细致，细到每一个细节都不放过，大到身段，小到眼神、手指、脚跟，他都一一讲解，毫不保留。不仅如此，他在讲授每一个具体动作时，都亲自示范，并逐一纠正学员姿势 。当讲到旦角如何走一字形路时，他领着学生一遍遍地走，足足走了数十遍；当讲到双手的各种表示时，也是领着学员练习多次。如此一节课讲下来，他已大汗淋漓，衬衫都被湿透了。

这个时期的梅兰芳刚从美国载誉归来，头顶“大艺术家”、“风格大师”、“世界名人”之衔，正是春风得意，踌躇满志之时。然而他并没有被既往的荣誉冲昏头脑，也没有躺在成就簿上沾沾自喜，他的内心仍然被追求、理想、向往所充实。此时，他的追求已不单是为他个人的艺术事业更上一层楼，还要为使京剧能真正代表国剧而努力，还要为有更多的接班人将国剧继承下去并发扬光大而努力。

为贯彻国剧学会的“以纯学者之态度、科学方法为系统的整理与研究，期发挥吾国原有之剧学”的宗旨，以达到“阐扬吾国戏剧学术”的目的，国剧学会编辑出版了《戏剧丛刊》和《国剧画报》。

《戏剧丛刊》的发起人有梅兰芳、齐如山、胡伯平、段子君、黄秋岳、傅芸子、傅惜华。该刊主要内容包括：

一、有关戏曲历史的研究与考证；

二、戏曲表演艺术及服装、脸谱、切末等方面的系统研究；

三、翻译介绍欧美各国研究中国戏曲的文章。

另外，有时还刊登珍稀剧本、根据善本勘校旧籍剧本、评介与戏曲有关的著作和刊物等。主要撰稿人有张伯驹、齐如山、傅惜华等。

《戏剧丛刊》原定每年出四期，可始终没有按期出过。论及原因，齐如山说：“一是写这种文章的人太少，很难得写一篇；二是订的办法太讲究，必须用连史纸，且用线装，因此用钱较多，经费更难筹划。”因此，该刊陆陆续续一共出了四期后就停了。

考虑到《戏剧丛刊》虽然也有些图片，但主要还是以文字为主，因此，国剧学会又编辑出版了《国剧画报》，以“刊登有研究价值的戏曲文献资料图片为主，附以戏曲评论文章”。评论文章“不但不登捧角骂角的文字，连观剧记，戏评等，倘没什么意义，也不采录。而所登文章都要有研究性，间乎有游戏小品也与文学有关”。据此，在《国剧画报》上刊登的文章有齐如山的《京剧之变迁》、懒公的《谭剧杂记》、清逸居士的《票友之艺术》、岫云的《鞠部轶闻》等，以及余叔岩撰写的总结自己表演经验的文章。

既然是画报，自然以刊登图片为主，《国剧画报》上刊登的图片有：齐如山拍摄的“北平精忠庙梨园会所壁画”、余叔岩收藏的沈蓉圃所绘程长庚、徐小香、卢胜奎之《群英会》、朱遏云搜集的升平署文献、梅兰芳珍藏的明清脸谱以及清宫和各省的戏台、与戏剧有关的风景、戏界人士的纪念物、各代名伶相片、清宫内各种旧行头、清宫演戏所用之切末等等，其中有许多是相当珍贵的资料。

“九一八”后，形势日紧，次年春，梅兰芳被迫南下，迁往上海，国剧学会因而停止活动，只在虎坊桥会址陈列一些戏剧资料。国剧学会虽然只维持了短短一年多时间，但对戏剧理论研究工作的推动是毋庸置疑的。

荣膺“四大名旦”之首

梅兰芳、程砚秋、尚小云、荀慧生为京剧“四大名旦”。那么，“四大名旦”这个称谓到底是何时而来，由谁提出的？目前说法不一。有人说是由天津《大风报》社长沙大风于1921年在《大风报》创刊号上首提的；也有人说是自1927年，《顺天时报》举办“五大名伶新剧评比”后确立的。

沙大风(1900—1973)，原名沙厚烈，笔名沙游天，他1921年创办《大风报》，任社长。当时，北京城内称直系军阀曹锟的内阁大臣程克等四人为“四大金刚”，而梅兰芳、尚小云、朱琴心、程砚秋的名气不亚于“四大金刚”，所以人称“伶界四大金刚”。后荀慧生取代了朱琴心，“伶界四大金刚”又指梅、尚、程、荀四人。沙大风认为“金刚”之名不大好听，便在《大风报》上提出“四大名旦”这一称谓。传说孟小冬“冬皇”之称也是由沙大风首先在平津的一些大报上提出的，后被上海《申报》等接受。

1927年6月20日，北京《顺天时报》第5版上有这样一则启事：“为鼓吹新剧、奖励艺员，现举行征集五大名伶新剧夺魁投票活动”。此五大名伶指的是梅兰芳、程砚秋、尚小云、荀慧生，徐碧云。启事要求投票者从这五人所演新剧中选出最佳剧目各一出。为缩小范围使选票相对集中，启事从五人所演新剧中各选出五出作为候选：

梅兰芳的《洛神》、《太真外传》、《廉锦枫》、《西施》、《上元夫

人》；程砚秋的《花舫缘》、《红拂传》、《聂隐娘》、《青霜剑》、《碧玉簪》；尚小云的《林四娘》、《五龙祚》、《摩登伽女》、《秦良玉》、《谢小娥》；荀慧生的《元宵谜》、《丹青引》、《红梨记》、《绣襦记》、《香罗带》；徐碧云的《丽珠梦》、《褒姒》、《二乔》、《绿珠》、《薛琼英》。

一个月后，投票活动结束。7月23日，《顺天时报》揭晓了投票结果，这次活动观众投票踊跃，共收到选票14091张，五大名伶的最佳剧目分别是：

梅兰芳的《太真外传》，得票总计1774张。

程砚秋的《红拂传》，得票总计4785张。

尚小云的《摩登伽女》，得票总计6628张。

荀慧生的《丹青引》，得票总计1254张。

徐碧云的《绿珠》，得票总计1709张。

看此项活动的启事，我们发现它没有用“五大名旦”之称，而用的是“五大名伶”，如果“四大名旦”早在1921年就由沙大风提出的话，那么，此次活动不大可能仍然用“五大名伶”之称。总不至于因为多了一个徐碧云就不敢称“名旦”了吧，“伶”与“旦”只是外延不同罢了，能称“名伶”更可以称“名旦”，这惟一的解释应该就是此活动前，“四大名旦”的称谓还没有确立。因而，最早的时候，应该是“五大名旦”，后来，徐碧云过早地离开了舞台，这才改称“四大名旦”。

⊙四大名旦合影：梅兰芳(左三)、程砚秋(左一)、尚小云(左二)、荀慧生(左四)

1930年8月，上海的《戏剧月刊》以“四大名旦”之名再次举行了一次有关梅、程、尚、荀的征文活动，此活动名为“现代四大名旦之比较”。

刘豁公主编的《戏剧月刊》是当时全国惟一一家以京剧为主要内容的杂志，它因容量大（每期平均约70万字）、内容丰富（有轶闻、掌故、戏园变迁、演员生平、剧评、剧论、词曲、脸谱、剧本等）、发行范围广（除上海外，还发往广州、梧州、汕头、香港、汉口、长沙、北平、沈阳等地）、出版时间长（1928——1931）、撰稿人比较有名（有上海漱石生、红豆馆主、郑过宜、刘豁公、吴我尊、姚民哀、周剑云、梅花馆主、周瘦鹃等）及评论文章简练精辟而影响颇大。论及该刊创办目的及宗旨，主编刘豁公这样说：“我以为戏剧这样东西，从表面上看来，好像只能供给人们的娱乐，而其实它的力量确能够赞扬文化，提倡艺术，补助社会教育的不足，反之也能增进社会的恶德。因此，对于戏剧的细胞和性能，当然就有缜密研究的必要。”

也许正是出于研究之需，刘豁公才决定搞一次征文活动，他在《戏剧月刊》第2卷第12期的“卷头语”中发了这样一则启事：

谁都知道梅、尚、程、荀是现代四大名旦，究竟他们的声色技艺，比较的谁弱谁强？我们惭愧没有判断的能力，为此悬赏征求“现代四大名旦的比较”！请诸君用最精确的法眼，作最忠实的批评！就题发挥，适可而止！每篇限定三千字到一万字，在一个月内寄来，我们当请上海的评剧名流，共同评定名次，第一名奉酬现金四十元，第二名二十元，第三名十元，第四名五元，并赠本刊……

此活动历时数月，共收到参评稿件70多篇。1931年1月，《戏剧月刊》第3卷第4期公布了征文结果：前10名分别是苏少卿、张肖伧、苏老蚕、丁成之、朱子卿、王之礼、朱家宝、陈少梅、张容卿、黄子英。刘豁公说前三名之三篇征文因“言论持平、文笔老练为最”，他在这期的“卷头语”中说：“梅、程、荀、尚四大名旦的声色技艺，究竟高下若何，那是一般的顾曲周郎都很愿意知道的。我们编者本可以按着平时观剧的心得，做一个忠实的报告，但恐个人的见解，不能代表群众的心理，为此悬赏征文，应集诸家的评论，择优刊布，以示大公。本期刊布的共计三篇，著作者是苏少卿、张肖伧、苏老蚕三位。他们对于剧学，都有深刻的研究，并且持论维平，不偏私于一方，确能代表群众的心理。诸君不信，一看便知。”

“四大名旦之比较”说穿了，其实就是一个座次问题。有关四大名旦的座次，早在1928年，舒舍予就曾在《戏剧月刊》上以《梅荀尚程之我见》之题有所论述，他在文章中说：

(梅荀尚程）此名次，系就四伶年龄之长幼而定。若以享名先后为序，则应为“梅尚荀程”；倘就今日之声誉而论，则“程”非但不能在“荀”下，且宜居“尚”之上矣。

显然，舒舍予采取的是具体情况具体分析的方法，他按照年龄、享名先后、今日之声誉的不同，使四大名旦有不同的座次。

苏少卿、张肖伧、苏老蚕三位的征文采用的也是此方法，与舒舍予不同的是，他们的分类细致些，更有详细地分析评论。

苏少卿的征文从唱工、做工、扮相、白口、武工、新剧、成名先后、辅佐人才之盛等方面对四大名旦进行了全面评述：

一、唱工

梅兰芳：嗓音属宫宽亮，纯正如击玉盘，温润可爱，唱工无懈可击，无疵可寻。然其性温和缺少刚音，能使人爱不能使人惊警，是如冬日而不能为夏日。夫唱须刚柔相济，犹之治军须恩威并用。优柔寡断，固胜于刻薄寡恩而不能兼全，亦一憾也。

尚小云：嗓音亦属宫宽亮，高圆上下无碍，惜刚多柔少，咬字归韵颇欠研究。

荀慧生：嗓音属羽若玉笙，清而且润，柔而无刚，舍短取长，刻意于柔媚用工，其唱似弱不胜衣，别有风神，京音白口效法瑶卿之爽脆，不及其刚反觉恰到好处。

程砚秋：嗓音微涩，属商如闻胡笳，凄清动人，沉着异常，低音柔活，高音劲细，亦其特色，为他人所无，兼德霖、瑶卿之长而又独创新调，就嗓行腔，打破成法，自成一格，其咬字归韵颇为考究，能刚柔相济，强弱分明，唱法一门可称冠军。

二、做工

梅兰芳：揣摩工深，其身段自然若女子，表情细腻，无孔不入，不但脸上有戏，其情绪直从心坎中发出，神科技矣。惟能柔婉而不能泼辣，做如其唱宜喜不宜嗔，宜艳不宜哀，盖其性冲和不知嗔怒为何物，拈花微笑，大地皆春，真有消释烦闷之功。

荀慧生：表情之细次推生，盖不但细腻，其柔媚处且过于兰芳，咬唇低头风骚异常，但是小家碧玉身份，兰芳则大家风范，华贵天成，不假做作。

程砚秋：表情细腻不及兰芳、慧生，而哀情过之，悲时双锁眉峰；怒时，冷若冰霜，一笑一颦，纯是青衣动作，花旦姿态也。

尚小云：如天真烂漫之小女子，面带春风，和气一团，最宜喜剧且时对下憨笑，哀怨表情殊不能至。

三、扮相

梅兰芳：如春兰王者之香。

荀慧生：如牡丹占尽春光。

尚小云：如芙蕖映日鲜红。

程砚秋：如菊花霜天挺秀。

四、白口

梅兰芳：明爽第一。

荀慧生：柔婉次之。

程砚秋、尚小云：伯仲之间。

五、武工

梅兰芳、程观秋：以舞剑生色。

荀慧生：刀马见长，跷工独擅。

尚小云：喜刀马剧而功夫不及慧生。

……

结论：之四子者，嗓音纯正首推兰芳，次则小云；唱工得法则首推砚秋，而次兰芳；扮相美丽应推兰芳，次慧生；做工细腻推兰芳，次慧生；刀马娴熟当推慧生，次小云；白口爽朗则推兰芳，次慧生；新剧之多首兰芳，次慧生；成名之早首兰芳，次小云；辅佐人才之盛则首兰芳，次慧生。核算总分，梅冠军无异议，亚军似慧生，但须让砚秋也，盖以青衣为正，砚秋专长之戏以唱工为主，故慧生第三，小云第四。

张肖伧在从天资、嗓音、字眼、唱腔、台容、身段、台步、表情做作、武艺、新剧本戏、旧剧本戏、昆戏、品格方面进行理论评

⊙《西厢记》剧照，梅兰芳饰红娘（左）、程砚秋饰崔莺莺（中）、尚小云饰张生（右）

述后，又以图表论之：

	梅	尚	程	荀
【天资】	上	中	上	上
【嗓音】	上上	上上	中	上
【字眼】	上上	上	中	上
【唱腔】	上上	上	上上	上
【台容】	上上	上上	上	上
【身段】	上上	上	上上	上上
【台步】	上上	下	上上	上上
【表情】	上上	上上	上上	上上
【武艺】	中	中	中	上上
【新剧】	上	中	上上	中
【旧剧】	上上	上上	上上	上上
【昆戏】	中	中	中	中
【品格】	上	中	上上	上

在“备注”一栏中，张肖伧注明“上上”为100分、“上”为90分、“中”为80分、“下”为70分。这样统计结果，梅兰芳总分为1230分，尚小云总分为1140分，程砚秋总分为1200分，荀慧生总分为1200。程、荀总分虽然相同，但张肖伧认为程“上上”多于荀，因而程应

该排在荀之前。他的最后排名是梅、程、荀、尚。似乎略嫌不够，他又以“青衣为主位而予以批评”，认为顺序应为梅、尚、程、荀；以“艺术之宽薄而论”，又认为顺序应该为荀、梅、程、尚。

苏老蚕也列了一份“四大名旦比较分数表”：

	梅	程	荀	尚
【扮相】	90	80	85	80
【嗓音】	95	85	80	90
【表情】	110	90	90	80
【身段】	95	85	90	80
【唱工】	90	100	85	90
【新剧】	95	90	100	85

统计结果：梅兰芳总分575、程砚秋总分530、荀慧生总分530、尚小云总分505。苏老蚕与张肖伧的打分方式不尽相同，但巧的是，最终结果却是一样的，那就是，梅兰芳排名第一，程砚秋与荀慧生分数相同，尚小云分数最低。张肖伧以所得“上上”的多少将程砚秋排在了第二位，而苏老蚕则似乎不愿意勉强而分之，他说：“程之唱工绝佳，哀情独步；荀之多才多艺，新剧优，平衡论之不可轩轾，好在第二第三差别有限，姑作悬案可也。”

无论是舒舍予的评论，还是张肖伧、苏老蚕的分类打分，结果总是梅兰芳排在四大名旦之首，正如苏老蚕所说：“兰芳成名最早，享名最大，才艺最平均，开新派之先河，为后起旦角之前辈，列为第一应无疑义。”

从以上分析中可知，四大名旦均有良好的先天条件，尽管先天条件各有长短，但他们都能扬长避短，发挥自己的特长，因而都取得了骄人的成绩。但是，一个人的成功光靠天赋是远远不够的，正如王通讯在《协调成才规律》一文中所说："人才的成长，处在一个受多因素制约和影响的开放系统中，需要主客观的协调一致，即在锤炼内在成才因素的同时，不断认识环境，反馈调节，适应环境，改造环境才能作出创造。"[①]也就是说，四大名旦的成功除了天赋条件外，还同自身的努力、环境（包括社会大环境、周围小环境）、际遇分不开。撇开他们的天赋与努力不谈，从社会大背景来说，他们成长于辛亥革命、五四运动的社会变革时期，社会的发展也使京剧发生了微妙的变化，大量女看客被容许进戏院而使一直领衔的老生行逐步走向衰微取而代之是旦行的盛行，旦角演员因而备受瞩目；加之以梅兰芳为代表的旦角演员锐意改革以往青衣行"抱着肚子死唱"的传统，发展了"花衫"这一行当，使原本在舞台上只做老生陪衬的旦角一跃而成主角。那么，如此众多的旦角演员为什么只有四大名旦脱颖而出呢？这就引申出周围小环境的问题。四大名旦都有自己的班社及强大的演员阵容予以配合，更有"智囊团"加以辅佐，特别是梅兰芳，他身边既有师友如王瑶卿、王凤卿、乔蕙兰、陈德霖等，更有齐如山、李释戡、黄秋岳、吴震修、冯幼伟等策划、编剧大师，还有茹莱卿、徐兰沅、王少卿等著名琴师。程砚秋身边也有如罗瘿公、金悔庐、翁偶虹等剧作家，穆铁芬、周长华、钟世章等琴师。正如曲六乙在一篇文章中所说："'四大名旦'在成名的前后，都有一批深谙戏曲'三昧'的文人或智囊团围绕在身边。他们用自己的政治思想、艺术思想不断地影响着艺术家。而艺术家们通过他们的手笔来表达自己的政治见解和审美理想。"[②]因为有"深谙戏曲'三昧'的文人或智囊团围绕在身边"，才有梅兰芳的《天女散花》、《黛玉葬花》、《嫦娥奔月》、《宇宙锋》、《凤还巢》、《霸王别姬》、《西

①②齐建昌：《四大名旦成才浅析》，《戏曲研究》1983.9.

施》、《太真外传》、《洛神》等名剧；才有程砚秋的《荒山泪》、《金锁记》、《春闺梦》、《鸳鸯冢》、《青霜剑》等；才有尚小云的《祭江》、《战金山》、《峨嵋剑》、《秦良玉》等；才有荀慧生的《金玉奴》、《红娘》、《元宵谜》等。也正因为他们各有拿手戏与代表作，才能够形成自己独特的艺术流派和艺术个性。除此，舆论宣传对他们的成功也起到推波助澜的作用，比如对梅兰芳的宣传，不仅在报刊杂志上连篇累牍地刊登有关他的消息和照片（包括生活照、剧照），甚至将他的剧照印到年画上、脸盆上、牙膏袋上、毛巾上、挂历上、商店的橱窗上等等。因而，几乎无人不知梅兰芳之大名，可见宣传作用之大。

《戏剧月刊》的“现代四大名旦之比较”的征文活动之后，“四大名旦”之称谓更加深入人心。这年，为庆祝杜月笙的杜氏祠堂建成，四大名旦应上海长城唱片公司老板张啸林特约，在北平共同灌制了一张唱片《四五花洞》，这是四大名旦惟一的一次合作。有关这次合作，还有一段传说。传说沙大风应唱片公司之邀为这次灌片作主持人并排定四人演唱顺序。四人排名除了梅兰芳排首位，其余三位的先后一直有争议，因此，沙大风预感到在谁唱首句，谁唱末句的问题上会有一场争执。那天，他与荀慧生一同前往录制地，途中，他说服荀慧生唱第三句。到了现场，梅兰芳唱首句应该是理所当然的，尚小云提出唱第二句，这使沙大风有些为难，正不知如何处理时，程砚秋主动提出唱末句，这才解决了问题。众人不禁都十分钦佩程砚秋的宽宏大度。

迁居上海“抗金兵”

1931年9月18日，这一天对每个中国人来说都是刻骨难忘的。当夜，日本关东军自行炸毁南满铁路沈阳北郊柳条沟附近的一段路轨，却诬蔑说中国军队破坏铁路并袭击日本守备队，以此为借口向中国东北军驻地北大营发起炮击，南满铁路沿线的日军也同时向沈阳发起攻击。

这个时候，东北军年轻的少帅张学良在哪里呢？不久，有关张学良在“九一八”国难之时，与当红影星胡蝶翩翩起舞于北平六国饭店的传言弥漫开了。

先是几家报纸登出此类消息，国人本就对“九一八”事变感到震惊，对东北军副总司令张学良不抵抗日寇、将东北大好河山葬送而群情激愤，此时便似乎找到了张学良无心抗日的原因——沉湎于女色，于是舆论不仅纷纷指责张学良，更把矛头对准了“红粉祸水”胡蝶。广西大学校长马君武于义愤中，写了两首讽刺诗，登在当年11月20日的上海《时事新报》上。

两天之后，胡蝶和她所在的明星公司在《申报》上郑重辟谣，言明根本没有跳舞一事，且认为造谣生事者的“目的盖欲毁坏副司令之名誉，冀阻止其回辽反攻”。

把“跳舞”一事归结于日本人策划的阴谋，说是日本人企图以此把张学良在国人心目中搞臭，以达到整垮张学良的目的，这种说法有点牵强，“搞臭”了怎么样？“整垮”了又怎么样呢？本来张学良就不折不扣地执行着蒋介石不准抵抗的命令，这才有“九一八”中兵溃如决堤的结果。如果情况相反，张学良不听蒋介石的指挥，积极抗日，那么日本人如此陷害他倒还有可能。

在不能完全肯定“跳舞”一事是造谣的情况下，要搞清的问题就是张学良与胡蝶这一舞究竟是发生在“九一八”当晚，还是以后。虽然胡蝶等人登在《申报》上的“辟谣”、“启事”义正辞严，可是并没有拿出很铁的证据证明胡蝶清白。而全体演职员以所谓人格保证也并不可靠——不是其人格不可靠，而是他们不一定知情。胡蝶与张学良舞了一回，总不至向每一位同仁都说一遍或当众宣布。胡蝶随剧组去北平是拍外景的，在到达北平尚未开拍的几天内，胡蝶四处探亲访友，并未如《启事》所称与同人“三五成群往返与偕”，实际上同行者仅其姥姥一人，同人既未跟随左右，还“保证”得了什么呢？

但是，同人能够为胡蝶证明的是剧组在抵达天津时，就看到大批从东北南撤的军队，说是沈阳失守了，也就是说，“九一八”爆发时，胡蝶随剧组还没有到北平呢，自然也就不可能发生在“九一八”之夜与张少帅跳舞一事。

所以说，张学良与胡蝶可能确实舞过一回，但应该不是在“九一八”之夜，到底是什么时候，至今仍是个谜。不要说舞在何时，就连当年胡蝶到底有没有与张学良见过面，目前都是众说纷纭

那么，“九一八”那晚，张学良究竟在哪里？在干什么呢？有人说他正在戏院看戏。在国难之夜，身为陆海空副司令兼东北边防司令长官，与胡蝶相拥而舞自然会遭到人谴责，看戏自然也不是好事，于是，立即有人为其辩解说他当时发高烧达38.6度，有协和医院病志可查，所以根本不可能离医院去看戏。但确有人证明他正与赵四小姐在北平前门外中和戏院观看梅兰芳的《宇宙锋》。

据张学良的弟弟张学铭回忆，一向爱听梅戏的张学良因伤寒症住协和医院已久，心情烦闷，“九一八”当晚，因病情好转，且为了招待宋哲元等将领，便离开医院赶至中和戏院观看梅剧《宇宙锋》，随行人员有护士、警卫等，因此，他订了三个包厢。

梅夫人福芝芳也证实，“九一八”当晚，梅兰芳的确在中和戏院上演全本《宇宙锋》，她是在长安街的平安电影院看完一场电影后才赶到中和戏院去的。在戏院，她看见张学良和赵四小姐坐在一间包厢里看戏。

台上的梅兰芳也看到了张学良，当他演到赵女在金殿装疯时，

瞥见有个人匆匆走进包厢，伏在张学良耳边嘀咕了几句，他不知道那人是张学良的侍卫副官长谭海。因为隔得远，梅兰芳无法看到张学良的表情，只看到张学良呼地站起身来，大踏步走出包厢，随后，他的随行人员、陪同他看戏的人陆续离开了戏院。

戏还未演完，却突然一下子走了二三十人，这不仅使其他观众纳闷，也让台上的梅兰芳有所不解。不过，他断定一定是出了什么大事。就张学良的身份和地位，他若不是突遇政治上或军事上的大事，绝不会放弃他一向喜爱的梅剧，特别是他最爱看的戏就是《宇宙锋》，而“金殿装疯”又是此戏的高潮，早在几分钟前，他还随着梅兰芳的唱腔，很陶醉地轻打着拍子呢。

第二天的新闻证实了梅兰芳的猜测。他意识到，此时他已经和所有中国人一道站在了国家民族存亡的十字路口。蒋介石奉行的“不抵抗政策”更让他痛心不已，他预感到日本在侵吞了东三省后，华北大平原很快就将成为第二块蚕食对象。如此，北平是待不下去了。1932年春，他为淞沪抗战受伤战士筹集医药费而在北平义演了三天后，离京迁居上海。

中国向有“杀身成仁”、“舍生取义”之说，因而不乏仁人志士、民族英雄。在中国古典戏曲里，不仅有“杀身成仁”、“舍生取义”的思想反映，也有仁人志士、民族英雄的形象塑造，更有爱国精神的集中体现。梅兰芳早年的《木兰从军》就是一例，他不仅成功地塑造了花木兰的巾帼英雄形象，更深刻地揭示了爱国主义思想主题。

如果说当年梅兰芳排演《木兰从军》，只是单纯地想把花木兰抵抗侵略的精神和爱国思想通过舞台表现出来的话，那么，他在“九一八”后编演的《抗金兵》则是有目的地以古喻今，以期起到鼓舞民心的作用。

梅兰芳是个爱国主义者，这是他编演《抗金兵》的主要原因。同时，他也是个欲借舞台反映现实、针砭时弊的改革者。早在民国初年，他受京剧改良运动的影响，积极编演了一批时装新戏，目的很明确，就是想反映现实，以起到警世教育作用。在爱国思想的基础上，在要反映现实、提高京剧的社会作用的思想意识下，《抗金兵》的出台也就自然而然了。

初抵上海时，梅兰芳没有及时找房子住下，而是暂住在沧州饭店，或许他以为可能有一天会重返北平，也或许是在“一·二八”日本飞机轰炸上海后，他感到上海也不可能久待之故。有一天，几位朋友叶玉虎、许姬传等上沧州饭店看望梅兰芳，几个人商议着想编一出有抗敌意义的新戏。在选择什么样的题材问题上，大家“卡了壳”。叶玉虎对梅兰芳说：

“你想刺激观众，大可以编梁红玉的故事，这对当前的时事，再切合也没有了，我想了一个韩世忠在黄天荡围困金兀术的历史题材，突出梁红玉擂鼓助战，由你演梁红玉，不知合适否？”

一句话提醒了梅兰芳，他想起梁红玉的故事，以前舞台上也演过，但情节简单，只演梁红玉擂鼓战金山的一段，如今完全可以将内容扩充，成为一出比较完整的新戏。大家一听梅兰芳的分析，立即来了精神，叶玉虎更是将剧名都想好了，他说：“就叫‘抗金兵’如何？”

⊙《抗金兵》，梅兰芳饰梁红玉，
刘连荣饰金兀术

演的虽是抗金兵，实则号召民众抵抗日军，这个剧名自然再贴切不过了，大家纷纷赞成，便由叶玉虎去搜集资料。编排《抗金兵》时，梅兰芳一改过去先选定题材，由齐如山写出初稿，再由他自己和李释戡、吴震修等人共同商榷进行修改，再分单本设计唱腔、研究服装、道具、布景、串排的创作模式，而是成立了以他自己为主的创作组，由剧作者、音乐工作者、主要演员共同参与编排。大致分工是许姬传负责执笔改编，徐兰沅、王少卿负责设计唱腔、板式，最后由梅兰芳修改审定。三四个月后，《抗金兵》在集体智慧下脱稿，这是梅兰芳因离开北平而不得不离开编戏高手齐如山后编演的第一出戏。

这出戏的主要内容是：金兀术兴兵犯境，张邦昌卖国求荣。韩世忠与金兵交战，夫人梁红玉亲执桴鼓助威，八千人在黄天荡包围金兀术的十万大军达48天之久，迫使金兀术仓皇逃走，再不敢渡江南犯。

《抗金兵》初次上演是在上海天蟾舞台，主要角色分配：梅兰芳饰韩世忠夫人梁红玉，韩世忠由林树森扮演，姜妙香饰周邦彦，金少山饰牛皋，萧长华饰朱贵，刘连荣饰金兀术，朱桂芳、高雪樵分饰韩世忠的两个儿子尚德和彦直，王少亭饰岳飞。演员阵容强大，演出效果极好，确如林印在《梅兰芳》一文中所说“对当时人民的抗战情绪起了很大的鼓舞作用”。

《抗金兵》成功后，梅兰芳和许姬传及梅剧团部分演员组成的编剧小组着手改编《生死恨》，由许姬传执笔。当时，梅兰芳已经迁入马思南路新居，书斋由“缀玉轩”改名为“梅花诗屋”。《生死恨》就是在梅花诗屋内完成的。这出戏的“前身”是《易鞋记》，是早几年由齐如山根据明代传奇《易鞋记》改编的，为大团圆结局。梅兰芳认为：“编演这个戏的目的，意在描写俘虏的惨痛遭遇，激发斗志，要摆脱大团圆旧套，改为悲剧。”根据这个意见，许姬传便改名为《生死梦》，在姚玉芙的提议下最后确定为《生死恨》，其主要内容是：宋金交战时，士人程鹏举与韩玉娘同被金将张万户掳为奴隶，并令二人婚配，玉娘劝鹏举逃归故国，张万户怒而将玉娘转卖给商人，临别鹏举遗鞋一只，为玉娘拾去留作纪念。后鹏举归宋，立功为官，令家丁赵寻持另一只鞋寻访玉娘。玉娘颠沛流离，寄住李妪家，遇赵寻，见鞋伤感不已，因而得病，鹏举闻讯赶至，夫妻抱头痛哭，玉娘一恸而终。全戏由梅兰芳、徐兰沅、王少卿共同商定唱腔；由许姬传、李释戡等编排唱词。在念白方面，梅兰芳也提出不少好的建议，如他提议："在韩玉娘的念白中选择几句能说明她悲惨境遇的台词，重述一遍，这种表演，在我排的戏里，似乎还没有用过，既新颖，又沉痛。"于是，他和许姬传挑灯夜战，整整忙活了三个通宵，终于完成。果如他所说，如此安排加强渲染了韩玉娘的悲惨境遇，极能引得观众共鸣。

1936年2月26日，《生死恨》在上海天蟾舞台首演。角色分配是梅兰芳饰韩玉娘、姜妙香饰程鹏举、刘连荣饰张万户。连演三天，场场爆满，收到了预期的效果，却也因此得罪了上海社会局日本顾问黑木，他通过社会局长以非常时期上演剧目要经社会局批准为由，通知梅兰芳不准再演，但梅兰芳却以观众不同意停演为理由坚持演出。三天后，该戏移至南京大华戏院又演三天，仍然火爆异常，排队购票的观众居然将票房的门窗玻璃都挤碎了。

在民族存亡的关键时刻，梅兰芳已不仅是个京剧演员，更是个鼓舞者、抗争者、爱国者。在他身上，人们看到了一个正直的中国人应有的民族气节和爱国品质。他以《抗金兵》表达了他的抗日主张，以《生死恨》反映沦陷区人民的痛苦生活，激励民众斗志，更身体力行以拒唱并当面痛斥了日本走狗的无耻卖国行径。这年秋，伪"满洲国"在日本军国主义的扶植下成立。为了庆祝，他们多次派一个旗人去游

⊙《生死恨》，梅兰芳饰韩玉娘化装照

说梅兰芳，请他去演几天戏，均遭梅兰芳严辞拒绝。要说梅兰芳性格中确有“无可无不可”的成分的话，那么，他只是在一般问题上表现出“无可无不可”。那旗人一次次被拒绝，仍心有所不甘，最后摆出一副清朝遗老架势，再次试图说服梅兰芳，起初他的态度还算诚恳，很有些耐心地对梅兰芳说：

“你们梅府三辈受过大清朝的恩典，樊樊山且有‘天子亲呼胖巧玲’这样的诗句，而今大清国再次复兴，你理应前去庆祝一番，况且这跟演一次堂会戏又有何区别？我真纳闷你为何不能前去？”

梅兰芳回绝道：“这话可不能这么说，清朝已经被推翻，溥仪先生现在不过是个普通老百姓罢了，如果他以中国国民资格祝寿演戏，我可以考虑参加，而现在他受到日本人的操纵，要另外成立一个伪政府，同我们处于敌对地位，我怎么能去给他演戏，而让天下人耻笑我呢？”

来人有些耐不住了，他有些气急地追问梅兰芳：“如此一说，大清朝的恩惠就此一笔勾销了吗？”

梅兰芳反驳说：“这话不能这样说，过去清朝宫里找我们艺人演戏，是唱一次开一次份儿，也完全是买卖性质，谈不上什么恩惠。就说当差，像中堂尚书一类官，也许可以说受过皇恩宠惠，一般当小差使的人多了，都能算受恩吗？我们卖艺的还不及当差使的人，何所谓恩惠二字呢？”

见梅兰芳言辞强硬，来人只能灰溜溜而去。

下半年，梅兰芳迁入由冯幼伟为他

租的马思南路121号（今思南路87号）定居。接着，北京“缀玉轩”诸老也先后南迁，“缀玉轩”的横匾因此从北京无量大人胡同移到上海马思南路寓所，挂在餐室里。而客厅兼书房的斋名新取名“梅华诗屋”，室内挂着由冯幼伟在北京逛琉璃厂时买来的金冬心隶书“梅华诗屋”。这所住宅原是义品洋行的产业，后辗转卖给了湖南省政府主席程潜，它是民国初年英国式建筑，地下有一层地下室，地上有三层，一层是客厅饭店，梅兰芳夫妇住二层，福芝芳的母亲和几个孩子住第三层。

迁入上海后，因时局不好，梅兰芳的演出大为减少，每年只演一期，因而空余时间相对多了起来，他便用较多时间和俞振飞、许伯遒共同钻研昆山腔水磨调和橄榄腔的唱法。这是他接触俞派唱法的开始。

沉默以对鲁迅责难

1933年年初，英国著名戏剧家、作家萧伯纳偕夫人乘英国“皇后号”轮船漫游世界，路经印度、新加坡和香港后，于2月17日抵达上海杨树浦码头。那是一个冬日里难得的晴朗天气，天很蓝，太阳很鲜亮。后来有人为表示欢迎，就对萧伯纳说：“大驾光临上海，太阳都出来欢迎您，萧先生果然有福气。”一向以幽默见长的萧伯纳说：“不是我有福气在上海见到太阳，是太阳有福气在上海看见我萧伯纳。”

上海进步团体和青年学生高举着“欢迎革命艺术家萧伯纳”、“欢迎戏剧家萧伯纳”、“欢迎反帝国主义的先锋萧”、“欢迎萧，要打倒帝国主义”、“欢迎萧，要反对日本进攻华北”、“欢迎萧，要反对第二次世界大战”、“欢迎萧，不要作时代的落伍者”等大幅口号标语涌向码头迎接萧伯纳。但萧伯纳似乎并不因此就改变他“不拟上岸”的初衷。他找的是“夫人沿途劳累略感不适”的理由，实际上是他不愿意受欢迎，当然不是不愿意受进步团体和青年学生的欢迎，而是不愿意受新闻记者的欢迎。按照鲁迅先生的说法："萧并不在周游世界，是在历览世界上新闻记者们的嘴脸，应世界上新闻记者们的口试。"

读了鲁迅先生的这段话，自然也就不难理解萧伯纳"不拟上岸"了。不过，作为世界反帝大同盟名誉主席之一，他不能拂了同是世界反帝大同盟名誉主席之一的宋庆龄的盛情。在宋庆龄登船坚请下，他于上午十点悄然上岸，访问过中央研究院院长蔡元培先生后，中午就在宋庆龄家用午餐，作陪的有蔡元培、杨杏佛、林语堂、伊罗生。鲁迅接到蔡元培的信后赶至宋宅时，午餐差不多已经吃了一半了。鲁迅对萧伯纳素有好感，他说"并不是因为看了他的作品或传记"，而是"从什么人听说他往往撕掉绅士们的假面"，自然，性格中某一方面的相像，是他喜欢萧伯纳的原因，更因为萧伯纳这个人从来不讨"中国常有模仿西洋绅士的人物"的喜欢，而这些人一向被鲁迅所讨厌。

午餐过后，大家一起照了相。下午约两点，应"笔会"之邀，他们一同前往参加欢迎会。"笔会"是带有国际性的著作家团体，1921年在伦敦成立，该会的中国分会于1929年由蔡元培、杨杏佛发起在上海成立。

那天，参加"笔会"欢迎会的除了蔡元培、鲁迅、杨杏佛、叶玉虎、林语堂、邵洵美、张歆海、唐瑛外，还有其他各界人士约五十多人。梅兰芳虽不是笔会会员，但他在萧伯纳亲自点名要见一见的情况下，也来到欢迎会场。

照例，萧伯纳是要说几句的，他所说大意是："诸君也是文士，所以这玩艺儿是全都知道的。至于扮演者，则因为是实行的，所以比起自己似的只是写写的人来，还要更明白。此外还有什么可说的呢。总之，今天就如看看动物园里的动物一样，现在已经看见了，这就可以了吧。……"

与梅兰芳交谈，萧伯纳要“正经”得多，他对梅兰芳已有30年舞台生涯表示惊讶，对中国京剧里的锣鼓喧天深感不解，他问梅兰芳：“英国戏剧上演时没有锣鼓等声音，因为演剧时，一有杂声就会损害观众的注意力，而京剧演出时，颇觉过闹，锣鼓声甚为喧嚣，不知何故？”

梅兰芳解释道：“这是因为京剧来自民间，以往在乡间旷野演出，必先敲锣打鼓以招引观众前来观剧，后来京剧虽然移至城内剧场演出，这一锣鼓喧天的传统仍然保存了下来。”

萧伯纳点了点头。

“不过，”梅兰芳补充道，“中国古典戏剧当中也有不喧闹的，如昆曲就是一种。”

这时，叶玉虎插话道：“梅先生演剧，并无闹声，有之亦为音乐之相助而已。”

可惜的是，当时因为时间安排的紧，萧伯纳当天就得离开上海，要不然，真应该让他见识见识梅兰芳演剧，体会体会“无闹声，只有音乐相助”的梅剧。

欢迎会结束前，邵洵美代表“笔会”同人赠送给萧伯纳一套由梅兰芳提供的锦盒装泥制京剧脸谱和一件锦绣戏装。脸谱有赤面关云长、白面曹操、长髯老生，还有包扎头的花旦等。萧伯纳欣赏着，然后指着和他一样有着长胡子的老生脸谱笑眯眯地问：“这是不是中国的老爷？”又指着花旦脸谱说：“她不是老爷的女儿吧？”把玩着手中的这些各色脸谱，他感叹道：“戏剧中有战士、老生、小生、花旦、恶魔等不同角色，但都在面貌上鉴别得出来，可是我们人类的面目，虽则大都相同，内性却未必相似！”

欢迎会只持续了短短50分钟，3点钟左右，萧伯纳回到宋庆龄住所，接受了中外记者的访问。按照鲁迅的说法，萧伯纳这个“大英百科全书”又在“记者的嘴脸展览会上”被翻检了一遍。当晚6点，萧伯纳重返“皇后号”，夜11点，离沪北上秦皇岛，然后乘车转赴北平。

这年7月，美国黑人作家休士到中国访问。在1933年《文学》1卷第二号上，发表了一篇署名伍实的文章，题目是《休士在中国》。“伍实”是傅东华的笔名，傅东华是《文学》的编者之一，他在这篇文章的开头这样写道：

……萧翁是名流，自配我们的名流招待，且惟其是名流招待名流，这才使鲁迅先生和梅兰芳博士有千载一时的机会得聚首于一堂。休士呢，不但不是我们的名流心目中的那种名流，且还加上一层肤色上的顾忌！

言下之意，就是说因为萧伯纳是“名流心目中的名流，且没有一层肤色上的顾忌”，所以，名流鲁迅和名流梅兰芳才去招待。而休士呢，他既不是“名流心目中的名流，且还有一层肤色上的顾忌”，所以，名流鲁迅和名流梅兰芳未去招待。表面上看，傅东华指责的是鲁迅和梅兰芳两个人，实则指责的就是鲁迅。因为休士是作家，作家自然由作家、文人出面招待。梅兰芳是个演员，他虽然是名流，但没有必要也没有可能招待所有来华访问的名流与非名流，而他之所以出面招待萧伯纳，也并不是因为“名流和肤色”的原因，而是萧伯纳执意要见见这位“梅博士”的。

鲁迅自然也知道“伍实”指责的就是他，于是也不客气地著文反驳。他的这篇反驳文章题目是《给文学社信》，写于这年7月29日，刊发在这年《文学》1卷第三号上。文章说：

…………

是的，见萧的不只我一个，但我见了一回萧，就被大小文豪一直笑骂到现在，最近的就是这回因此就并我和梅兰芳为一谈的名文。然而那时是招待者邀我去的。这回的招待休士，我并未接到通知，时间地址，全不知道，怎么能到？即使邀而不到，也许有别种的原因，当口诛笔伐之前，似乎也须略加考察。现在并未相告，就责我不到，因这不到，就断定我看不起黑种。……

鲁迅的这番反驳自然有道理，问题是文章中的一句话“最近的就是这回因此就并我和梅兰芳为一谈的名文”引起争议：有人认为鲁迅以与梅兰芳并为一谈为辱，有人认为鲁迅话中并无此意。

在《鲁迅全集》中，论及中国戏剧的文字仅次于文学和美术，占第三位，论及梅兰芳的粗算有17处之多，但因为各种原因，鲁迅研究者们却对鲁迅所论中国戏剧与梅兰芳似乎有意回避。直到80年代中后期，关于此类的批评与反批评才姗姗而来，其焦点在于鲁迅对梅兰芳是否有偏见。

柯灵先生在1994年第6期《读书》上的《想起梅兰芳》一文中说：“新文学家中，只有戏剧家田汉和梅兰芳夙有交谊，伟大正直如鲁迅，也不免对梅怀有极深的偏见，曾因傅东华把他和梅‘并为一谈’，看作是极大的侮辱，忿懑异常，为文坛所熟知。… …”

此文一经刊出，立即召来反对者的反对。杜浙先生立即在《书城杂志》1994年第11期上撰文《鲁迅与梅兰芳和柯灵》，指责柯灵“移花接木，再加上张冠李戴”，他认为鲁迅的《给文学社信》抗议的并非是“和梅兰芳并为一谈”，而是那些“就断定我看不起黑种”的人。

鲁迅抗议的对象诚如杜浙所说，可是柯灵也并未说鲁迅抗议的不是断定他看不起黑种的人，柯灵只是说鲁迅对将他与梅兰芳并为一谈感到“忿懑”。事实上，鲁迅的原文中那句话究竟含义如何，单从字面上看是看不出来的，柯灵与杜浙也都没有拿出各自的证据来。而柯灵是把鲁迅的那句话放在鲁对梅的一贯态度的背景下来理解的，杜浙则只单纯地看问题，就事论事，所以两人辩不清。

参加辩论的袁良骏先生与柯灵观点一致，他搬来的论据是鲁迅写于1934年11月1日的一篇文章《略论梅兰芳及其他》中的几段话：

…………

他（指梅兰芳——引者注）未经士大夫帮忙时候所做的戏，自然是俗的，甚至于猥下，肮脏，但是泼刺，有生气。待到化为“天女”，高贵了，然而从此死板板，矜持得可怜。看一位不死不活的天女或林妹妹，我想，大多数人是倒不如看一个漂亮活动的村女的，她和我们相近。

杜浙先生再次著文反驳，标题为《鲁迅与梅兰芳和京剧改革》的文章发表在1995年3月的《书城杂志》上，他认为鲁迅对梅兰芳早期所演的戏着眼点在于肯定“泼刺，有生气”，而不是像袁良骏所说的“鲁迅忽略了‘雅’对‘俗’的净化和提高”，因为“那些猥下、肮脏的成分，正是必须汰除的京剧艺术的杂质”。

《略论梅兰芳及其他》是鲁迅论及梅兰芳最详细的一篇文章，也是被认为对梅兰芳怀有偏见的“证据”之一。鲁迅在这篇文章的“上篇”中这样写道：

……梅兰芳不是生，是旦，不是皇家的供奉，是俗人的宠儿，这就使士大夫敢于下手了。士大夫是常要夺取民间的东西的，将竹枝词改成文言，将“小家碧玉”作为姨太太，但一沾着他们的手，这东西也就跟着他们灭亡。他们将他从俗众中提出，罩上玻璃罩，做起紫檀架子来。教他用多数人听不懂的话，缓缓的《天女散花》，扭扭的《黛玉葬花》，先前是他做戏的，这时却成了戏为他而做，凡有新编的剧本，都只为了梅兰芳，而且是士大夫心目中的梅兰芳。雅是雅了，但多数人看不懂，不要看，还觉得自己不配看了。

显然，鲁迅很不喜欢《天女散花》的“缓缓”、《黛玉葬花》的“扭扭”，对梅兰芳所饰林黛玉的化装，他早在1924年11月11日写的《坟·论照相之类》这篇文章中就明确表示过不欣赏，他说：

我在先只读过《红楼梦》，没有看见“黛玉葬花”的照片的时候，是万料不到黛玉的眼睛如此之凸，嘴唇如此之厚的。我以为她该是一副瘦削的痨病脸，现在才知道她有些福相，也像一个麻姑。

鲁迅为何不喜欢梅兰芳的《天女散花》和《黛玉葬花》？有评论家认为是题材的问题。但鲁迅对《红楼梦》是肯定的。另有评论家认为是因为这两出戏不像《放下你的鞭子》等剧能直接起到教育群众、组织群众投身救亡运动的作用。这种说法颇为牵强，这两出戏均是梅兰芳早期编排的，何况鲁迅写《略论……》前，梅兰芳的反映现实、鼓舞抗敌的《抗金兵》就已经在上海公演了，鲁迅绝不会因为这两出戏没有反映救亡就表示不喜欢，他从来也没有著文要求所有的戏曲演员都得排演抗战作品。稍有说服力的是第三种评论，认为鲁迅的审美趣味被时代所扭曲，无法欣赏常态的优美，而追求

①陈鸣树:《审美的认同与异趋——鲁迅论梅兰芳新探》,《戏剧艺术》1986.2.

的是“恶魔的美、粗犷的美、雄伟的美、悲壮的美”。[1]

其实，鲁迅并非天生不爱玫瑰，而只爱玫瑰上的刺儿，他的梦中也曾被“鸟啼铃语”萦绕，也曾有过“闲立花阴盼嫩晴”的情怀。但 随着思想的老成，环境的恶化，特别是深陷社会的激荡、动乱、纷争、冲突，使他越来越具战斗性，而比常人少了些闲情雅致，他更多的时间是忙于对敌,而再无心面对繁星皎月吟诗作画欣赏美了。当他为摆脱反动军阀的迫害，于1926年底远走厦门时，在《华盖集续编的续编 · 厦门通信（一）》中明确表示：“我对于自然美，自恨并无敏感，所以即使恭逢良辰美景，也不甚感动。”虽然他承认“皎洁的明月，暗绿的森林，星星闪着他们的晶莹的眼睛，夜色中显出几轮较白的圆纹是月见草的花朵”是多么丰富的“自然之美”，但他说他“只听得高雅的人们这样说。我窗外没有花草，星月皎洁的时候，我正在和蚊子战斗，后来又睡着了”。

可能就是因为在这样的心态下，梅兰芳的在别人耳里是动听、悦耳、悠扬的唱，在鲁迅听来就是难以忍受的。还是在《厦门通信（一）》里，他这样写道：“这几天我想编我今年的杂感了。自从我写了这些东西，尤其是关于陈源的东西以后，就很有几个自称‘中立’的君子给我忠告，说你再写下去，就要无聊了。我却并非因为忠告，只因环境的变迁，近来竟没有什么杂感，连结集旧作的事也忘却了。前几天的夜里，忽然听到梅兰芳‘艺员’的歌声，自然是留在留声机里的，像粗糙而钝的针尖一般，刺得我耳膜很不舒服。于是我就想到我的杂感，大约也刺得佩服梅‘艺员’的正人君子们不大舒服罢，所以要我不再做。……”

他的这种心态其实不难理解，马克思曾经这样说：“焦虑不堪的穷人甚至对最美的景色也没有感觉。”在他们眼里，只有食物是美的。各人性格不同，处境不同，自然审美趣味不同，虽然我们不能说喜好野草就是扭曲，追求壮美就是“非正常”，但至少不会否认 欣赏鲜花、欣赏优美是“常态”。在客观上是美的情况下，主观上加以否定，那可能就是偏见了。

在特定的环境和特定的心态下，鲁迅不欣赏梅兰芳的艺术客观存在的美，并反感梅兰芳极力追求的“雅”。而他所说的“雅是雅了，但多数人看不懂，不要看，还觉得自己不配看了”是事实。以鲁迅的审美趣味，他自然更喜欢“看一个漂亮活动的村女”而不爱看“不死不活的天女或林妹妹”。这就引得评论界另一番争论，即，鲁迅的《略论… …》批评的到底是谁?

仔细阅读《略论… …》，我们不难发现，鲁迅的重点并不是单纯地批评梅兰芳不演村女而演“不死不活的天女或林妹妹”，而是指出梅兰芳之所以不演村女而演“不死不活的天女或林妹妹”的原因在于原本“是俗人的宠儿”的梅兰芳被士大夫们“夺”去了。鲁迅在1924年11月11日写的《坟 · 论照相之类》这篇文章中曾这样写道:“照相馆选定一个或数个阔人的照相，放大了挂在门口，似乎是北京特有，或近来流行的。……要在北京城内寻求一张不像那些阔人似的缩小放大挂起挂倒的照相，则据鄙陋所知，实在只有一位梅兰芳君，而该君的麻姑一般的‘天女散花’、‘黛玉葬花’像，也确乎比那些缩小放大挂起挂倒的东西标致……”显然在这里，他是将梅兰芳划为民间的。而后来梅兰芳被士大夫们“夺”去并且被“罩上玻璃罩，做起紫檀架子来”，再被士大夫们“教用多数人听不懂的话，……”这就脱离民间了，成了“士大夫们心目中的梅兰芳”。因而，鲁迅批评指责的应该是那些“常要夺取民间东西的”士大夫们，但是，这并不意味着他已经排除了梅兰芳的责任。“夺”是士大夫们的错，而“被夺”则是梅兰芳的不是。

这又引出《略论……》的核心问题，那就是戏曲是为谁服务的问题，是为士大夫们服务还是为人民大众服务的问题。30年代，革命文学界讨论的重点就是“文学大众化”的问题。

黄素先生曾经这样说：梅兰芳主要戏中的女性“如吴宫的西施，楚宫的虞姬，汉宫的上元夫人与昭君，魏宫的洛神，唐宫的太真，月宫的嫦娥，天宫的麻姑，大观园（变相的清宫）的林黛玉、晴雯，大都是帝王家的美人；梅郎所扮的必是美人，美人的居住必在深宫，用皇家的华饰，烘托美人的名贵，为着梅郎也即是为着皇家。……”著名剧作家田汉曾就此一说总结为：“这说明着旧戏与残余封建势力有不可分的关系。”

鲁迅在指责士大夫们的同时，实际上也批评了梅兰芳，那就是“缓缓的《天女散花》、扭扭的《黛玉葬花》”已经脱离了大众，是“玻璃罩”里诞生的产物。他叹息梅兰芳没有从“玻璃罩”里跳出来，是希望梅兰芳能摆脱士大夫的控制，重新“走向大众，保持更民间的风格”。

认为鲁迅对梅兰芳有偏见的还从《略论……》里的其他说法找到佐证。鲁迅说：

名声的起灭，也如光的起灭一样，起的时候，从近到远，灭的时候，远处倒还留着余光。梅兰芳的游日，游美，其实已不是光的发扬，而是光在中国的收敛。

批评者认为，梅兰芳游日，游美后“在国际上获得盛誉，有力地扩大了京剧在世界剧坛上的影响”，而鲁迅却说“和客观的事实存在着很大的距离”。梅兰芳出国演出的确引起轰动，得到外国人的普遍赞誉。但当时的京剧艺术本身已不能和四大徽班进京后的上升和同光时代的全盛相比，也就是说，此时的京剧已经在走下坡路。鲁迅的意思是梅兰芳在国外受欢迎，并不是京剧艺术本身的发扬光大，只是京剧观众范围有所扩大，而这种单纯观众范围的扩大并不能挽救京剧在中国的颓势，所以说是"一种余光"，只是余光反照。当然，鲁迅并不是说也并没有说梅兰芳出国传播京剧艺术，让世界人民了解认识京剧是毫无益处的，他只是说这对京剧艺术本身的发扬光大没有起到实质性的推动作用。鲁迅的这段话并非否定梅兰芳出国演出的益处，而谈的是京剧艺术的发展和消亡趋势。不过，鲁迅是由"名声"谈开去的，这就有不恰当之处。"名声"是个人的，所以鲁迅说"名声"就仿佛不是在谈京剧艺术，而是针对梅兰芳个人，此与所谓"麻姑"等等显得对梅兰芳有些不敬。

鲁迅与梅兰芳都是社会名流，鲁对梅的种种议论，自颇引人注目，梅兰芳一定是能见到或者听说了的；鲁迅并非圣人，不可能句句是真理。他的个人好恶与趣味更不应作为衡量被他批评的人的标尺。对于鲁迅的这些议论，梅兰芳不会都赞同，对于鲁迅的指责，他的心里也应该是不怎么舒服的。当年，梅兰芳若认真起来，是尽可以站出来辩一辩的，但他却并没有那么做，表现出不与时人论短长的明智及容人批评的大家风范。

赈灾义演

赴美演出的巨大成功，让梅兰芳下定了赴欧洲作一次巡回演出的决心。于是他积极与驻英、法、德的外交官联系，加紧筹备。

筹备期间，梅兰芳于1934年3月应邀第二次赴汉口演出，随行演员有谭鑫培的孙子、30年代"四大须生"之一谭富英、花脸金少山等。在汉口演出期间，有一家戏园失火，该戏园班底同行的生活及演出均面临困难，梅兰芳解囊资助。

这年仲夏，河南发生水患，据当年的报纸记载“灾情奇重，民不聊生”，受灾最严重的滑县百姓更是妻离子散，流离失所。在这种情况下，河南省文坛名士郑剑西、周寒僧应省主席刘峙之命特地赶往上海，盛邀梅兰芳赴河南举行赈灾义演。梅兰芳一听说是为了赈灾，立即应承下来。

6月21日上午8时许，省政府特别成立的、由河南赈灾委员会主任杜扶东兼任主任的“河南赈灾游艺会”全体会员在开封火车站接到了梅兰芳。随梅兰芳一同来到开封的还有演员王又宸、姜妙香、姚玉芙、刘连荣、朱桂芳、魏莲芳、陈月梅、李非书、王少亭、苗胜春、王凤岐以及琴师徐兰沅、王少卿，另外还有一位由黄金荣派来专门护送梅兰芳的徐拂生。

在此之前，梅兰芳要到河南演出的消息早已人尽皆知，以省政府机关报《河南民报》为首的数十家报刊早就发了消息。《河南民报》更于开演前一日起，每天在显著位置刊登次日演出剧目的广告、剧情说明、全部唱词及前一天演出剧目的评论文章。来往于郑州、商丘的火车增开班次就是为了运送观梅剧的戏迷。在梅兰芳到达之前，三天义演的池座甲等票便被抢购一空，剧院只好登报声明增设座位，许多人为了能看到梅剧竟不惜借债购票。更多人为了一睹梅兰芳卸装后的相貌，从四面八方涌向火车站。从火车站到梅兰芳下榻的“党政军联欢社”的街道两旁，站满了围观群众，夹道欢迎早就倾心仰慕的心中偶像。

当天下午，党政军联欢社为梅兰芳召开了记者招待会，参加该会的有各报社记者四十多人。杜扶东主任首先向记者们报告了邀请梅兰芳来豫义演的经过，再由《河南民报》社长刘伯伦致答谢词。梅兰芳介绍了他赴美演出情况后，做了《戏剧与中州之关系》的专题发言。最后，他表示此次演出“愿尽义务，不支包银”，赢得了记者阵阵掌声。

从招待会开始直到23日晚首场演出前，梅兰芳一直处于繁忙的应酬中。招待会结束后，他拜访了省政府主席刘峙及其他政府官员。当晚，他和全体演职员赴杜扶东在开封“又一村饭店”之宴请。次日中午，又和王又宸、徐拂生赴刘峙在“禹王台花园”之宴请，作陪的有省政府各厅厅长。宴毕，在其下榻的党政军联欢社设宴回拜参加记者招待会的各报记者。梅兰芳是个十分懂得礼节的人，他此番赴豫，遵从梨园界“行客拜坐客”的风俗，除拜访政府官员、回拜记者外，对演艺界人士以及将在演出中给他配戏的华光戏院的艺人们也都一一拜访。据当时的报刊记载：“梅所到之处，万人空巷围观。每至一家门首，市民隔窗相窥，人头垒垒然。”

梅兰芳首次赴开封，就给河南人民留下了良好印象，这除了他礼节周到外，还有对演艺的认真态度，他并没有因此次是义演就敷衍了事。在他到达开封的当天晚上，就抽空到即将演出的人民会场了解剧场情况，对灯光的布置、道具的摆设事无巨细都一一作了安排，对剧目更是精挑细选。他原本计划义演三日，后因观众的强烈要求而增加了八场，其中有两天还加有日场。每场戏少则三个多小时，多达四个小时，但他无论日场夜场，场场登台演大轴，每场甚至每出戏，他都一丝不苟认认真真，因而报刊这样评价道：“梅博士自开演以来，所演者皆系生平最得意之拿手佳剧。戏虽重头，演时吃力，然梅君为报答各界雅意起见，不辞艰辛特别卖力。”因此次是义演，故票价较高，五等票价分别是一等5元/张，二等4元/张，三等3元/张，四等2元/张，五等1.5元/张。许多普通百姓既想一睹梅博士风采，却又阮囊羞涩，故联名致函报社和“赈灾游艺会”要求减低票价。有关人士将此情况转告梅兰芳后，梅兰芳未曾犹豫，立即表示同意减价，于是，除一等票价不变外，其余各等票价均降一元。降价后，有更多的戏迷得以进戏院一饱眼福。为梅兰芳对河南

⊙义演举办单位赠梅兰芳“热心公益”银盾

百姓的一片诚意所感，政府官员如绥靖公署参谋长刘德芳、省政府秘书长方其道、地方法院院长邓济安、农工银行行长李汉珍等人和“游艺会”会员在省主席刘峙的带动下，纷纷退出可以免票观剧的“游艺会指导员”的徽章，表示“愿购票观剧与平民同等”。梅兰芳更是恪守诺言，除将演出收入捐赠灾民外，更将最后一场与王又宸合作演出《四郎探母》的全部收入捐赠给了开封的京剧界穷苦艺员。

义演结束后，河南赈灾委员会为表彰梅兰芳的义举特别赠送了一方缎匾给他。此缎匾“呈橙黄色，黑丝绒镶边，下垂彩流苏，高三尺，宽二余丈，横书八个大字：‘灾民受福，德音孔昭’。”

梅兰芳给河南灾民带去的不仅是几场义演，更是其无私的品格。

与胡蝶同船赴苏

1934年3月2日，中国驻苏联大使馆迎来了苏联对外文化协会艺术部主任乞尔略夫斯基等人，他们是应使馆代办吴南如的邀请前来商谈筹备举办中国绘画展一事的。交谈中，当苏方人员从吴南如口中得知梅兰芳即将赴欧作巡回演出，并有可能经过苏联时，便表示：“梅氏的艺术是举世闻名的，若能献艺于苏联舞台，则必然受到热烈的欢迎。”当时，我国著名新闻记者戈公振正在苏联，他是一年前随中国首任驻苏大使颜惠庆去苏联访问后，暂时留驻苏联，研究苏联社会主义社会的。在苏联方面招待杨杰军事考察团的宴会上，外交人民委员会东方司帮办鲍乐卫对戈公振提出欲邀请梅兰芳赴苏演出，说："梅兰芳如能在赴欧之前先来苏联表演，则我方将毫不迟疑，立缮请书，并可保证其表演必获成功。"鲍乐卫希望戈公振能先期代为与梅兰芳联系，表示一旦接洽成功，立即发正式邀请函。

戈公振与梅兰芳私交很好，他首先以私人名义发电征求梅兰芳意见。不久，梅兰芳回电说："苏联之文化艺术，久所佩羡。欧洲之游，如能成行，必定前往，请先代谢文化协会之厚意，并盼赐教。"

梅兰芳的意思很明显，即不准备单独赴苏演出，而是将赴苏作为访欧中的一站。在"欧洲之游"还没有确定成行的情况下，他没有打算赴苏演出，而是按计划在北平演出的同时，应邀去外地演出。这年3月，他第二次到汉口，演出于汉口大舞台；夏秋，又赴开封参加为期十天的救济受黄河水患的难民的义演。从汉口返回上海经过南京时，南京中国银行经理吴震修将一封外交部的电函交给了梅兰芳，电函大意是：苏联对外文化协会闻梅兰芳赴欧表演消息，极盼顺道过苏一游，并表示"梅先生在苏境内食宿招待，可由苏方承担，惟若欲外币报酬较为困难……"。从南京回到上海，梅兰芳又接到戈公振从莫斯科发来的电报，内容是："苏联热烈欢迎梅兰芳，请将表演节目，酬劳及其他一切条件详细函告。"对方催得如此急迫令梅兰芳有些动摇，他给戈公振写了封信，提出请他向苏方接洽如下五个问题：

"一、剧团组织人数；二、出国日期；三、演出地点、日期；四、每场剧目安排；五、剧团筹备费用，在国内筹措，往返旅费及到苏后食宿能否由苏联方面担负？"

在开封演出时，他再次收到戈公振的电报，内容是：

开封河南省政府译转梅畹华先生。密，根据函开条件，顷晤国家乐剧协会长，渠极表欢迎，一、愿担负自海参崴至柏林车票及行李运输；二、食宿，梅先生住头等旅馆，余住伶界公寓，另给团员膳费及零用二万二千卢布，并得享外国工程师及苏联伶人两种权利；三、自入境至出境共45日，演出20次，如同意请速电复，并寄英文戏剧说明、照片等宣传材料，以备转交并订立合同，详情问颜大使。

在戈公振及苏方的积极努力下，梅兰芳经与冯幼伟、吴震修研究，最后决定：暂时放弃赴欧演出计划，复电接受苏联邀请，电文称：

……电悉，兰芳已决定年内成行，请代向国家乐剧协会会长致谢，各点奉复如下：一、如仅到苏联，不赴他国，则由莫斯科回海参崴之车票、行李运输是否一律享受免费待遇？二、剧团食宿既归苏联招待，则团员膳费及零用二万二千卢布即不必另给；三、演出日期及演出次数似嫌太多；四、至早须十月中旬方能成行……

在收到梅兰芳的第一封同意赴苏演出的函电后，戈公振随即与苏联国家乐剧协会的丹克曼就梅剧团访苏的人数、演出日期、场次、地点、食宿、行李运输费用等方面进行具体洽商。丹克曼提出，希望梅兰芳能在这年9月赶在苏联一年一度的戏剧节期间到苏联，为戏剧节增色。于是，他们再给梅兰芳来电：

一、自莫斯科回海参崴车票及行李运输允由苏方担负；二、演出次数可减至十四次；三、十月中，各大剧场均有固定表演，不便取消，届时只有小音乐厅可用，恐难展布，仍希九月初到此……。

戈公振与苏方重新洽商的同时，苏联驻华大使鲍格莫洛夫及文化参赞、曾著有《华俄大词典》的著名汉学家鄂山荫亲自与梅兰芳联系，商谈具体事宜。

就在梅兰芳40岁生日期间，中苏双方就梅剧团访苏的具体事宜最终达成了协议。

以上便是苏方盛邀梅兰芳赴苏访问演出并为梅兰芳所首肯的过程。那么，苏方力邀梅兰芳赴苏的原因究竟是什么？难道仅仅是想一睹梅兰芳举世闻名的艺术？在苏方没有公开他们真实想法的情况下，这其中原因只能任由人猜测了。当年，有人说苏联艺术界写实派已经没落，正逐渐盛行着象征主义，而中国京戏正是“象征派”的艺术，此乃苏方邀请梅兰芳赴苏演出的主要原因。

然而，此一说法很快被剧作家田汉否认。田汉认为，中国旧剧究竟是否属于象征主义，还是一个悬而未决的问题，怎么就肯定苏方就是因为京戏是“象征派”而邀请梅兰芳的呢？他说：“中国旧剧虽则颇能采用象征的手法，但与真正的象征主义无关”，何况苏联艺术界虽然曾经盛行过象征主义，但目前已成为“残余的残余”。在否决的同时，田汉以为可以从两个方面去理解原因，一是“为着继承东方封建艺术的遗产”；二是“为着予东方民族演剧以社会主义的影响”。

除了艺术上的原因外，政治上是否还有原因呢？这在当时是不可知的，但目前有材料披露确有政治原因。据说：“苏联在当时禁不住日寇的压力，把中东铁路卖给了伪满。这一个国际间的无耻行为，引起我们举国上下的愤慨，斯大林为冲淡中国人民的反苏情绪，特地电邀梅博士和胡蝶女士一道至莫斯科演出。”

虽然我们还不能证实这一说法是否属实，但有一点是可以肯定的，那就是自“中东铁路”事件后，中、苏两国关系的确有些疏远。梅兰芳此番赴苏演出可以起到增进两国感情、促进交往的作用。向来不问政治只关心艺术的梅兰芳恐怕不曾想到，政治其实已经悄悄找上了他。

或许正因为如此，苏联方面是极为积极主动的，不仅三番五次盛邀梅兰芳，而且还特地组织了一个“招待梅兰芳委员会”。该会主席由苏联对外文化协会会长阿罗舍夫和中国驻苏联大使颜惠庆担任，委员有：苏联第一艺术剧院院长斯坦尼斯拉夫斯基、丹钦科剧院院长丹钦科、梅耶荷尔德剧院院长梅耶荷尔德、卡美丽剧院院长泰伊罗夫、著名电影导演爱森斯坦、国家乐剧协会会长韩赖支基、艺人联合会会长鲍雅尔斯基、名剧作家特列加科夫、外交人民委员会东方司帮办鲍乐卫、中国驻苏代办吴南如和戈公振。

12月28日，因苏联对外文化协会会长阿罗舍夫出访，梅兰芳从苏联驻华大使馆特派汉文参赞鄂山荫那里接到代理会长库里斯科的一封正式邀请函，一个月后，梅兰芳复函向苏方表示感谢。至此，梅剧团访苏演出的接洽联系工作完成。

接着，梅兰芳和冯幼伟、吴震修等“智囊团”成员开始筹备访苏工作。此次访苏比访美要轻松得多，首先因为是苏联政府出面邀请的，所以不仅衣食住行各方面都有所照顾，经济上也不像访美时有那么大的风险；其次，为访美演出准备的宣传品和演出设备等，此次访苏都可以继续沿用，不需要另作准备。最重要的是，他们已积累了丰富的出国演出经验。尽管如此，他们在人选及演出剧目问题上还是费了一番踌躇。

鉴于苏方“招待梅兰芳委员会”是由苏联戏剧、电影、文学界知名人士以及外交界高级官员组成的，文化层次颇高。梅兰芳、冯幼伟、吴震修认为我方也应该挑选几位既精通京剧，又有一定文化素养的高层次人才。张彭春作为最佳人选再一次被推到了前台，他对梅兰芳访美成功所作的贡献令梅兰芳久久难忘。当梅兰芳向张彭春发出邀请，邀请他担当访苏演出的总导演时，张彭春从内心来说是极愿意再次辅佐梅兰芳的，但他也有为难处。此时，他既是南开中学的校长，又是南开大学哲学教育系教授，校务及教学缠身，再说他非“自由身”，还得要既是胞兄又是上司的南开大学校长张伯苓点头，因而，他未能及时答复梅兰芳。梅兰芳多次催请不成，便通过教育部、外交部出面向张伯苓借调张彭春。张彭春终于获得两个月的假期，加入访苏队伍。

经与张彭春研究，梅剧团访苏成员最后定为：

团长：梅兰芳。

总指导：张彭春。

副指导：余上沅（戏剧家、教授）。

庶务兼翻译：翟关亮、吴邦本（吴震修之子）。

秘书：李斐叔。

演员：李斐叔、姚玉芙、杨盛春、朱桂芳、王少亭、刘连荣、吴玉铃（吴菱仙之子）、郭建英。

乐队：徐兰沅、霍文元、马宝明、罗文田、唐锡光、何曾福、孙惠亭、崔永魁 。

服装：韩佩亭、雷俊、刘德均。

演出剧目是梅兰芳和张彭春、余上沅并邀请谢寿康、欧阳予倩、徐悲鸿、田汉等人共同讨论决定的，分正剧和副剧（片段）两种：

正剧：《汾河湾》、《刺虎》、《打渔杀家》、《宇宙锋》、《虹霓关》、《贵妃醉酒》。

副剧：《红线盗盒》（剑舞）、《西施》（羽舞）、《麻姑献寿》（袖舞）、《木兰从军》（戟舞）、《思凡》（拂尘舞）、《抗金兵》（戎装舞）、《青石山》（武术剧）、《盗丹》（武术剧）、《盗仙草》（武术剧）、《夜奔》（姿态剧）、《嫁妹》（姿态剧）。

定好演员及剧目，下一步的工作就是排练，负责排练工作的自然是张彭春。访苏成员之一的姚玉芙曾回忆说："梅剧团赴美演出时，每个节目都经张彭春排练过，于是剧团当时有一句口头语'张先生上课啦！'"赴苏前，"张先生"也是经常要"上课"的。此次访苏的演员有所调整，多了吴玉铃、郭建英和杨盛春。武生演员杨盛春是梅兰芳的表弟、杨隆寿的孙子，出身于梨园世家，自幼受过正规训练，长靠短打无不精通。他过去从未与张彭春合作过，不知这位"搞话剧的"导演对京剧的功底，因此想找机会试探试探。一次，在排《闹天宫》"盗丹"一场时，他故意出点小错，原想这点小错内行人都是不容易发现的，何况是"外行"张彭春。谁知，就这么点小错还是被张彭春发现了。张彭春丝毫不留情面，令杨盛春一遍遍重做，直到做得完全符合标准，他才说："好！台上就照这样做。"杨盛春这才领教了张彭春的厉害，从此不得不老老实实地听从张彭春的指挥，认认真真地完成每一个动作，并不无佩服地对人说："张先生敢情还真有两下子。"大家笑他："你刚知道他能吃几碗饭，连梅大爷都得听他的！人家是洋博士，懂得洋人的脾胃。"[①]

1934年下半年，苏联为纪念本国电影诞生15周年，特定于1935年2月21日至3月2日在莫斯科举行国际电影展，邀请世界各国电影代表团参加，中国当然也在应邀之列。苏联的文化官员向戈公振询问中国电影事业的发展情况，有无电影明星等。戈公振答道：

"胡蝶是当今中国最红的影星，在东南亚都有她的电影观众，那里的片商都来订她的影片呢。"

于是苏联当局在给南京外交部发来的邀请电中，特别指明请胡蝶参加。中国赴苏电影代表团由"明星"、"联华"、"艺华"、"电通"

①许国杭：《张彭春与梅兰芳》，《大成》。

四家电影公司的制片人、编剧、导演、演员组成，共七人。演员代表只胡蝶一人。

梅兰芳在与苏方接洽赴苏的交通工具时，曾明确表示：绝不经过日本侵略者侵占下的中国土地去苏联。1934年3月1日，在日本帝国主义的扶持下，伪“满洲国”改称“满洲帝国”，溥仪称帝。如果乘车前往苏联，必须经过伪“满洲帝国”。梅兰芳这一表示显示出其对伪“满洲帝国”既不承认又蔑视的态度，却让苏方很着急，因为这有可能使已经谈妥的计划成为泡影。情急之下，他们再次派人与梅兰芳洽商，决定特派专轮将梅兰芳先接到海参崴，然后再换乘火车直达莫斯科。

1935年2月21日，梅兰芳在上海登上了苏方特派过来的“北方号”轮船。行前，苏联驻华大使鲍维洛夫在使馆为他们饯行，祝愿他们演出成功。同船赴苏的除了梅兰芳等剧团成员外，还有返苏回任的驻苏大使颜惠庆博士及其随员、中国电影代表团的明星影片公司经理周剑云夫妇和胡蝶、《大公报》驻苏记者、戈公振的侄子戈宝权。因为伶界大王与影界红星同在一条船上，所以前去欢送的人也就加倍地多，上海戏剧界、文化界名流、胡蝶所在的“明星”公司同仁等都聚集在码头。当天下午，“北方号”在送行人员的欢呼声中，缓缓驶离上海，直驶海参崴。

经过近一个星期的航行，“北方号”于27日抵达太平洋海岸的重要商港海参崴。苏联国家乐剧协会特派专员罗加支基、海参崴地方当局代表、中国领事馆代表等早已等候在码头。简单的欢迎仪式后，梅兰芳驱车前往海参崴最豪华的砌留斯金旅馆。他们在海参崴停留了三四天，苏联远东州州长、中国驻海参崴总领事权世恩分别设宴招待。

⊙ 1935年在苏联与我国影星胡蝶（中）合影，余玉清（右）

3月2日，梅剧团和胡蝶等人换乘西伯利亚快车驶向莫斯科。从海参崴到莫斯科，预行10天左右，车上无聊，许多人就打桥牌，更多的时候只能闲聊。颜惠庆由于任驻外使节多年，见闻广博，一路上说了不少笑话，让大家不再感到寂寞了。梅兰芳和胡蝶都是既不会饮酒又不会打牌，于是有人对胡蝶说：

“这里有梅先生，何不就此拜师，学唱京戏？”

梅兰芳谦虚地说：“这哪里敢当呀！”

但他终禁不住胡蝶的一再央求，就说：“拜师可不敢，就唱一段《三娘教子》吧！”

胡蝶素有语言天分，学任何方言都学得既快又像，可没想到“这脑袋学京戏，就成了榆木疙瘩，饶是梅先生一句句教，就是学不会”，可她又不想放弃这大好时机，就请梅兰芳重新教唱一段易上口的“别窑”。梅兰芳万没想到在旅途中居然还收了一位女“徒弟”，胡蝶更是喜出望外，常常得意地向人宣称：“我成了梅先生的亲传弟子了。”

3月12日，西伯利亚快车抵达莫斯科。前往车站欢迎梅兰芳的有苏联外交人民委员会东方司副司长鲍乐卫、苏联对外文化协会艺术部主

任契尔年斯基、东方部主任林迪夫人、作家特列加科夫、中国驻苏联大使馆代办吴南如、苏联驻华大使代表奥山荫以及众多记者。

当时的欢迎场面气氛热烈，梅兰芳被许多记者包围、拍照并忙着接受鲜花。他后来在《我的电影生活》一书中这样回忆说："月台上站满了前来欢迎我们的苏联朋友，苏联对外文化协会的负责人首先向我们献花，苏联外交人民委员会、苏联国家戏剧协会的代表都涌上来把鲜花塞到我们的怀里，霎时炭精灯的强烈光芒直照到我们的脸上来，摄影师忙碌地摇动他们的摄影机拍摄新闻片。"梅兰芳到达莫斯科次日即去红场敬谒列宁墓，所献花圈缎带上款写着"敬献列宁先生"，下款"梅兰芳鞠躬"。他可谓是第一个向列宁之墓敬献花圈的中国戏剧工作者。当天下午，他还特地到高尔基大街一家美术品商店购得一尊列宁半身塑像。这尊塑像作为当年的访苏纪念，梅兰芳一直放在家中的显赫位置，虽然几经战争或搬迁，但他始终精心保存，一直到解放后，他又将它从上海带到北京家中，放在书房里。在他1959年入党后曾对记者提起这尊塑像，说："25年来，这尊塑像始终没有离开我身边，成为我精神上的鼓舞和支柱。在被日本军阀侵略的残酷处境中，流离颠沛的道路中，我看到他就增加了勇气，意志坚强地同恶势力作斗争。"这尊给了梅兰芳无数勇气的塑像却在梅兰芳死后的"文革"中被"造反派"砸毁。梅兰芳若地下有知，该是多么痛心!

3月14日，在下榻的都会大饭店休息了一上午后，梅兰芳应邀参加了苏联对外文化协会举行的欢迎午餐。餐会上，对外文协会长阿罗舍夫致欢迎词，他从前次徐悲鸿在苏联举办画展和苏联画家在南京举办画展谈到此次梅兰芳访苏演出，表示对中苏两国文化上的合作前景充满信心。卡美丽剧院院长泰伊罗夫和作家特列加 科夫也分别致词，盛赞梅兰芳的技艺，并希望彼此继续为戏剧发展作出努力。照例，梅兰芳致答词，对苏方的热情招待深表谢意。餐后，梅兰芳和苏方人员共同观摩了苏联当时由爱森斯坦执导的电影《恰巴耶夫》（在中国放映时译为《夏伯阳》）。

在正式演出前，为保证身体健康，不致因过度疲劳而影响演出效果，梅兰芳谢绝了大多数官方或非官方的宴请，只应邀参加了三次招待会。一次是3月14日的对外文协的午餐会，第二次是3月19日的中国驻苏大使馆举办的茶会，第三次是3月21日的苏联驻华大使鲍格莫洛夫在外交人民委员会迎宾楼主办的晚餐会。参加茶会的有苏联外交人民委员会委员长李维诺夫夫妇、副委员长克列斯丁斯基、苏联政府各部要人、各国大使、公使及代表、苏联知名作家、美术家、戏剧家、电影表演艺术家、旅苏华侨、中外记者等。就在这次茶会上，梅兰芳和刘连荣在使馆大厅中搭起的一座小戏台上表演了《刺虎》一剧，让苏方人士先睹为快并大饱眼福，掌声数分钟不断。参加21日晚餐会的有中国驻苏大使颜惠庆、苏联各大剧院院长，包括斯坦尼斯 拉夫斯基、丹钦科、梅耶荷尔德、泰伊罗夫、“招待梅兰芳委员会”诸成员、对外文协会员、外交人民委员会会员、中国驻苏大使馆职员及中国电影代表团胡蝶等人。鲍格莫洛夫大使在致词中说：“这次梅博士能到苏联来表演，可以说是中苏两国文化合作的先声，若能由此而推进各项合作，则必有益于世界的和平。”这次晚餐会，梅兰芳没有表演，而是由胡蝶唱了一曲《夜来香》。

МЭЙ ЛАНЬ-ФАН

⊙梅兰芳在莫斯科演出时的海报（左）
⊙剧场门前观众踊跃入场（右）

早在梅兰芳与苏方正式达成赴苏演出的协议后，苏方就开始了大规模的宣传攻势：名作家特列加科夫在苏共中央机关报《真理报》上撰文《梅兰芳，我们的客人》，对梅兰芳即将访苏表示极大的欢迎；《共青团真理报》载文称梅兰芳为“伟大的中国艺术的伟大代表，我们的朋友”，并对中国戏曲的演法和梅兰芳改革旧戏的情况作了详细介绍；《苏维埃艺术报》载文介绍梅兰芳艺术成就并附有剧照；《新闻报》还专门刊出《梅兰芳与中国戏剧》一文。除报刊杂志上登载介绍宣传文章外，莫斯科街头到处张贴着用汉、俄两种文字书写的“梅兰芳”三个大字以及画着中国宝塔的宣传画。苏联对外文化协会更是编印了介绍梅兰芳与中国戏剧的小册子，即《梅兰芳与中国戏剧》、《梅兰芳在苏联所表演之六种戏及六种舞之说明》、《大剧院所演三种戏之对白》，广为散发，莫斯科人几乎人手一份。但由于介绍宣传文章中所登的梅兰芳照片均是剧照，普通百姓一直不知道梅兰芳是个男人。初到莫斯科的头一两天，因为报纸上还未登出胡蝶的照片，所以，胡蝶在街上闲逛或买东 西的时候，那演员特有的气质让许多人都指着她说是梅兰芳，弄得胡蝶好不尴尬。直到几天后，胡蝶的照片在报上登出，人们方知弄错了。

由于宣传得力，所以“梅兰芳”三个字在梅兰芳还没有到达莫斯科之前就已经深入人心了，以至于从3月5日开始出售的梅兰芳演剧戏票在不到一周时间内便销售一空。梅兰芳在苏方的恳请下不得不一改在莫斯科表演5场、在列宁格勒表演3场的计划，决定在莫斯科加演一场，在列宁格勒加演5场。

首场演出于3月23日在苏

联“高尔基大音乐厅”举行，这间音乐厅中央是正厅，三面是包厢。首演这天，音乐厅两边的包厢分别挂着中国、苏联国徽，舞台幕布用的是梅剧团特制的绣有一株梅花、几枝兰花和“梅兰芳”三个大黑绒字的黄缎幕，颇具中国特色。演出前，苏联对外文协会长阿罗舍夫就梅兰芳演艺作了一番演说。接着，中国驻苏大使颜惠庆向观众解释“忠孝节义”，说“中国戏剧的剧情特色就在提倡忠孝节义，了解此要义即可理解中国戏剧的剧情。”最后，张彭春代表梅兰芳向观众致谢词。这天晚上的剧目共有5出：

梅兰芳、王少亭的《汾河湾》；刘连荣、杨盛春的《嫁妹》；梅兰芳的“剑舞”；朱桂芳、吴玉铃、王少亭的《青石山》；梅兰芳、刘连荣的《刺虎》。

每出戏之前，都有专人分别用英、法、俄、德文向观众介绍剧情，让观众在了解故事大意的情况下欣赏梅兰芳的表演。演出结束后，掌声如潮，经久不息。在观众的盛情之下，梅兰芳谢幕达10次之多。

结束在莫斯科的6场演出后，梅剧团移师列宁格勒，从4月2日起在维保区文化宫戏院演出了8场。这14场的演出顺序基本上是，头一出：梅兰芳的《汾河湾》或《打渔杀家》或《贵妃醉酒》；第二出：《嫁妹》或《盗丹》；第三出：梅兰芳的“剑舞”或“袖舞”或“羽舞”或“戟舞”或“拂舞”或“戎装舞”；第四出：《青石山》或《盗仙草》；第五出（大轴）：梅兰芳的《虹霓关》或《宇宙锋》或《刺虎》。

从列宁格勒回到莫斯科，应对外文协会的邀请，4月13日夜，梅兰芳在“莫斯科大剧院”举行了一场临别纪念演出。这座建于沙皇时代、内部装璜华丽、三面包厢、共分六层的国家剧院，规定只准演歌剧和芭蕾，而这次却同意梅兰芳在这里上演中国京剧，可以想见梅兰芳在苏联戏剧界享受的规格是何等之高了。这天的演出剧目是根据前14场演出情况精心挑选出的最受观众欢迎的梅兰芳、王少亭的《打渔杀家》、梅兰芳、朱桂芳的《虹霓关》、杨盛春的《盗丹》。这场临别纪念演出盛况空前，前去观看演出的不仅有以高尔基为代表的苏联文艺界知名人士，而且还有政治局大多数委员，据说斯大林也亲临剧院，就坐在二楼一个灯光较暗的包厢里。难怪那天的保卫工作十分严密，剧院周围有许多警察。

梅兰芳在苏联总共待了一个半月。除了演剧及必要的应酬外，他遍访名胜古迹，应邀参观了工厂、戏剧学校、电影学院和莫斯科历史博物馆举办的苏联十七年戏剧艺术展览，还观看了戏剧、歌剧、芭蕾。他每到一个剧院观看演出，各院院长总是热情接待，不仅先备好茶点，而且在开演前亲自引导他到后台参观并与演员见面。在他落座后、演出开始前，“全场灯光由浅至暗，观众安静下来之后，便有一柱灯光直照他的座位，同时扩音器把他介绍给观众，场内顿时掌声四起，热烈欢迎他光临。这时，他就站立起来，向观众频频点头致谢，待观众再一次静下来，正式演出才开始。”据他自己回忆，他在莫斯科看过：

莫斯科大剧院：歌剧《叶甫盖尼·奥涅金》、乌兰诺娃的芭蕾《天鹅湖》、欧朗斯基的芭蕾《三个胖人》；斯坦尼斯拉夫斯基剧院：穆索尔斯基歌剧《鲍里斯·戈东诺夫》；丹钦科剧院：威尔第歌剧《茶花女》；第一艺术剧院：契柯夫话剧《樱桃园》、话剧《恐惧》、话剧《杜尔宾的时代》；第二艺术剧院：话剧《钟表匠和鸡》；梅耶荷德剧院：小仲马话剧《茶花女》；卡美丽剧院：话剧《埃及之夜》、话剧《乔弗莱——乔弗拉》。

在列宁格勒看过：

大歌剧院：柴可夫斯基的《胡桃夹子》；小歌剧院：萧斯塔科维奇的《姆钦斯克县的麦克佩斯夫人》；话剧剧院：莎士比亚的《理查

三世》；小话剧剧院：《为生命祈祷者》；儿童剧院：木偶戏。

无论是参观还是观摩演出，都让梅兰芳感到很有收获，知识得以丰富、眼界得以开阔，有助于提高艺术修养，更实现了他“一方面是想把中国的戏曲介绍到国外，一方面也是想借此观摩吸收外国戏剧艺术，丰富我们的民族艺术”的愿望。

在苏联演出期间，每场演出后，梅兰芳都要谢幕多次。最后一场临别演出，谢幕竟达18次之多，这在莫斯科大剧院是前所未有的，就他个人而言也是罕见的。许多市民因得到了一张戏票而欢喜若狂，更多的人为了瞧一眼他的台下相貌，聚集剧院门口，不惜从早等到晚。那段日子里，莫斯科简直就是梅兰芳的世界。苏联外交人民委员会委员长李维诺夫夫人观看了梅兰芳的每场演出，而且每天都送花致意。至于梅兰芳从苏联全国各地收到的信函和纪念品就更是数不胜数。许多太太、小姐争相穿起了中国古装绣花衣。马路上的小孩子看见衣冠整洁的中国人就追着高喊“梅兰芳”。其影响之大可见一斑。

演出次数毕竟有限，况且演出地点也仅限于莫斯科和列宁格勒，因此有很多想看梅剧的人无法一饱眼福。基于这个考虑，在梅兰芳公演后的第五天下午，爱森斯坦向梅兰芳提出请他拍一段有声电影，以便发行到苏联各地，放映给那些没有看过梅剧的苏联人民看。梅兰芳想，这样能够使中国的戏剧艺术通过银幕更广泛地与苏联观众见面，便同意了。爱森斯坦显然是有备而来，他连拍摄哪一出戏都事先考虑好了，当即提议道：

“我想拍《虹霓关》里东方氏和王伯党对枪歌舞一场，因为这一场的舞蹈性比较强。”

梅兰芳自然没意见，不过，他希望等演完戏后再拍。

28日，梅兰芳结束在莫斯科的演出。次日，按照与爱森斯坦的事先约定，于晚9点钟左右，和朱桂芳（饰王伯党）及乐队成员徐兰沅、何增福、罗文田、霍文元、孙惠亭、唐锡光、崔永奎，化妆师韩佩亭、雷俊，服装师刘德钧一同走进莫斯科电影制片厂，早已等候在那里的爱森斯坦立即迎了上去。

按照“忠实地介绍中国戏剧的特点”的拍摄宗旨，爱森斯坦采纳了梅兰芳“少用特写、近景，多用中景、全景”的建议，但他同时考虑到苏联观众想很清楚地看到梅兰芳容貌的愿望，因而在适当的时候穿插了特写。爱森斯坦在约请梅兰芳拍摄时，就曾经开玩笑说：“现在我们已经是好朋友，可等到拍电影时，您可不要恨我呀！”当时，梅兰芳有些不解，一个演，一个导，哪来得恨啊？便问：“何至于如此？”爱森斯坦解释道：“您不知道，演员和导演在摄影棚里常常因为工作上意见不合，有时会变得跟仇人一般哩！”梅兰芳一听恍然大悟。就梅兰芳的好脾气，他绝不会与人结仇的，何况是因为工作关系。于是，他说：“拍电影应该服从导演，一切听您指挥安排。”

话是这么说，可他事先并不知道爱森斯坦对工作的要求严格得近乎于苛刻，常常让手下的演员难以忍受。《虹霓关》正式开拍前已近午夜，在这之前，梅兰芳和朱桂芳要化妆，要在爱森斯坦的面前把“对枪”一段戏走一遍，好让他安排镜头，然后等待布置灯光，悬挂录音筒等。好不容易等到开拍，以为就像在戏台上演一场而已，他们演完，爱氏也就拍完了。在美国拍《刺虎》已经很麻烦，谁知此番麻烦远甚于它。爱氏是一丝不苟，发现镜头角度不对，爱氏要求重拍；发现录音发生问题，爱氏要求重拍；一个镜头不满意，爱氏要求重拍，而且要重拍多次，直拍到满意为止。如此拍了停、停了拍，短短十几分钟的一场戏直拍了五个多小时还没有拍完。此时，不仅是乐队成员开始“冒火”，打鼓的何增福甚至“已经把紫檀板收进套子里去了”，大有停也得停，不停也得停的意思，就连随和的梅

⊙《虹霓关》电影片段，导演爱森斯坦（中）、朱桂芳（右）

兰芳都有些耐不住了，他和朱桂芳已经被头上的水纱网子勒得头脑发昏，“不免心中就有些嘀咕”。偏偏在这个时候，爱森斯坦突然又发现一个镜头里的枪尖头出了画面，便要求再重拍。眼看大家集体要翻脸罢工了，爱森斯坦拉过梅兰芳，亲切而诚恳地请求道：“梅先生，我希望您再劝大家坚持一下，拍完这个镜头就圆满完工了，这虽然是一出戏的片段，但我并没有拿它当新闻片来拍，而是作为一个完整的艺术作品来处理的。”梅兰芳本就不是脾气和能耐一样大的人，况且他还是个很容易被别人的热诚感动的人，此时，他已经疲劳万分这是事实，但爱森斯坦诚挚的态度和对工作一丝不苟的精神深深打动了他，他立即振作起来，动员、鼓励大家齐心完成了最后一个镜头。

这出戏后来被称为“伟大的爱森斯坦拍摄的伟大的梅兰芳”。

卸妆时，爱森斯坦笑着对梅兰芳说：“前天我对您说的话，现在证实了吧！我相信在这几个小时之内，梅剧团的艺术家们一定在骂我了！”梅兰芳也不隐瞒，说：“刚才我的确有这个意思，现在仔细想一想，觉得您这样做是对的，因为等到上了银幕以后，看出毛病是后悔不及了。”梅兰芳钦佩爱森斯坦对工作认真负责的精神，爱森斯坦为梅兰芳的理解、宽容所感，夸赞他说：“在这短短一天的合作中，我已感到你是一位谦逊的、善纳忠言的演员，你如投身电影界，也必定是一位出色的电影演员。”

接着，两位艺术家就电影和戏剧的关系谈了各自的理解。爱森斯坦首先向梅兰芳介绍了苏联电影演员的情况，他说：“在默片时代，电影界的男女演员约两千多人，其中除一部分临时演员外，大半是专业的。自从有声电影盛行后，影片中的主角常常不得不延聘舞台演员来担任，但他们夜间须在舞台上演出，致影片生产效率减退，现在我们正在训练基本演员，企图改变借重戏剧界的情况。”

梅兰芳十分赞同爱氏的观点，说：“电影事业的发达，是世界潮流所趋，诚如尊论。1930年我在美国演出时，有声电影刚刚兴起，许多舞台演员被电影公司所包揽，舞台剧也次第搬上银幕。有人颇抱杞忧，认为长此以往，舞台剧将被电影取而代之。我以为戏剧有其悠久的历史与传统，如色彩方面，立体方面，感觉方面都与电影有所不同。电影虽然可以剪接修改，力求完善，但舞台剧每一次演出，演员都有机会发挥创造，给观众以新鲜的感觉。例如我在苏联演《打渔杀家》就与在美国不同，因为环境变了，观众变了，演员的感情亦随之而有所改变。所以电影对舞台剧‘取而代之’的说法，我是不同意的。”

虽然梅兰芳此时只拍了几部电影，但他对电影和戏剧却有着如此精辟的见解。电影有电影的长处，戏剧也有存在的价值，二者可以互相借鉴，但绝不可替代。当时，电影、特别是有声电影是新鲜事物，较之戏剧自有其新颖、别具一格的方面，因而有人有电影不久将取代戏剧之说。梅兰芳能够辩证地看待二者的关系，表明他已经将舞台实践上升到理论，然后再用理论指导实践，这就比一般只知道唱戏的演员高了一个层次。

爱森斯坦虽然是著名的电影导演，但他也并不排斥戏剧，他说梅兰芳所说“深得我心”。他有着与梅兰芳相同的认识，那就是：“这两种艺术必将相互影响，长期并存。”

从与爱森斯坦的交谈中，梅兰芳还了解到苏联电影戏剧和欧美电影戏剧的性质有着显著不同。爱森斯坦介绍说：“苏联的党政领导，非常重视文化事业，认为电影是宣传、教育的最好方式，因为它能够普及，以后将投入更多力量。苏联的政策，电影与戏剧都要负起教育广大群众的责任，所以它的内容必须是社会主义的内容，其对象则以工农群众为主，同时，内容和技巧必须并重，这样才能于潜移默化中使观众得到鼓励，受到教育。”也就是说，苏联政府大力提倡电影、戏剧及其他文化事业的目的在于教育人民，虽然也要求“内容和技巧并重”，但着重强调的是内容是否具有教育作用；而欧美电影戏剧的内容虽然也有教育意义，但以纯粹商业性为主，因而更讲究内容的趣味和技巧的变换。很显然，这是社会制度不同而造成的。

“兼听则明”。梅兰芳有机会接触不同的艺术形式，有机会了解在不同的艺术活动目的下，艺术对社会发挥的不同功用、艺术发展的不同状况，加以比较，总结得失，这对他的戏剧事业自然大有裨益。

与戏剧大师切磋

苏联科学院出版社1960年出版的《高尔基生平与创作年谱》第4卷中，有两处提到高尔基1935年与梅兰芳的交往。

梅兰芳首次见到高尔基是在一次苏联文艺界人士为他举行的招待会上。德高望重的老作家像个慈祥、亲切的普通长辈，没有一点大文豪的架子，给梅兰芳留下了深刻印象。高尔基当时已六十有七，出于对中国京剧的浓厚兴趣，竟也亲临音乐厅观赏梅兰芳演戏，令梅兰芳感动不已。他为表达对老作家的敬意和谢意，特别送上一张相片，并在相片上题写了“高尔基先生惠存，梅兰芳敬赠”等字。

在4月14日之前，梅兰芳在张彭春、余上沅的陪同下，先后拜访了斯坦尼斯拉夫斯基、梅耶荷德、丹钦科等苏联戏剧大家，与他们切磋交流戏剧。莫斯科和列宁格勒两地的艺术家俱乐部曾邀请梅兰芳主讲过一次中国戏曲学术报告。在这次报告会上，梅兰芳当场着便装示范表演了各种手势、步法和歌唱，令前去参加报告会的剧作家、导演、演员惊叹不已，一致称他为“戏剧大师中的大师”。德国戏剧家布莱希特在一篇文章中特别提到此事，说：“除了一两个喜剧演员之外，西方哪有一位演员比得上梅兰芳，穿着日常服装，在一间挤满了专家和评论家的普通的客厅里，不用化妆，不用灯光，当众示范表演自己舞台艺术的各种要素而能如此引人入胜呢？”

目前戏剧界普遍有这种说法，即“布莱希特和斯坦尼斯拉夫斯基、梅兰芳是世界三大重要戏剧表演体系的创始人”。当时的布莱希特初出茅庐，声望远不及斯坦尼斯拉夫斯基。有人说他们三人聚首畅谈戏剧就是在 4 月 14 日。

关于梅兰芳在 4 月 14 日这天的活动，目前有两种说法：

第一种说法是当天他在都会大饭店宴请苏联各界人士，答谢各界人士对他此次访苏的支持。参加此宴会的有颜惠庆大使、李维诺夫夫人、梅耶荷德、泰伊罗夫、爱森斯坦、特列加考夫、名记者拉狄克以及柴霍甫夫人、柯兰女士、静娜黛·赖赫女士等，此外还有外交人民委员会、对外文协、国家乐剧协会及艺人俱乐部有关人士和中国大使馆全体人员。梅兰芳给高尔基发去的请帖可能就是邀请他参加这个宴会，但目前无法查明高尔基是否参加了这次宴会。宴会开始后，梅兰芳在致词中除感谢外，还对演出获得成功及苏联观众对中国戏剧的理解和欢迎表示欣慰。对外文协会阿罗舍夫致答辞说：“梅博士这一次到苏联来演剧，留给苏联戏剧界一个很深的印象，想苏联戏剧界一定也给梅博士一个深刻的印象。”

第二种说法是说他于这天在莫斯科苏联对外文化协会礼堂请戏剧家丹钦科主持了一次文艺界座谈会，听取他们对中国戏剧和他演剧的评论。

在无法判断梅兰芳在这天到底参加的是宴会还是座谈会的情况下，我们姑且认为座谈会是在白天举行的，而从他给高尔基发去的请帖上可以判知宴会是晚11时举行的。

我国苏联文学专家戈宝权先生解放后访问苏联，曾参观高尔基纪念馆，见到梅兰芳当年送给高尔基的请帖与剧照并有签名，他作了复印件带回，现存北京梅兰芳纪念馆。

梅兰芳在他的《我的电影生活》一书中说："4月14日，离开莫斯科的前一天，我们借助苏联对外文化协会邀请苏联文艺界开了一次座谈会，请他们提出对中国戏的看法与批评，座谈会由苏联戏剧艺术大师聂米洛维奇·丹钦科主持，他先讲了一些简短的感想，然后要求参加座谈会的同志们踊跃发言。许多文学家、戏剧家、音乐家都先后热烈地讲了话。"

由于梅兰芳没有将参加座谈会并在会上发言的"文学家、戏剧家、音乐家"名单一一列举出来，也从未在回忆录中提及各人发言内容，故而留下了一段久未破译的"谜案"。

梅兰芳此番赴苏演出，抛开政治上的原因，单就艺术交流而言，意义也非同小可。因为他，苏、英、德等国的数十位艺术家聚集一堂，就梅剧甚或中国戏剧进行研讨、交流，不能不说这是一次国际盛会。因而，有关座谈会的文献资料便显得尤为珍贵，从中我们不仅可以看到世界一流艺术家对梅兰芳、对中国戏剧的评价，更能看到梅剧给其他剧作家所带去的巨大影响。

然而，转眼50年过去了，人们要寻找座谈会文献始终未能如愿以偿，就在人们猜想座谈会内容根本就没有保留的时候，1986年，瑞典斯德哥尔摩大学斯拉夫语言系拉尔斯·布莱堡教授公布了经他整理的座谈会记录，那应正是研究梅兰芳、京剧及世界戏剧的人所梦寐以求的，不仅各人发言的内容具体，就连当时各人在发言时的一些表情、动作，以及场内不时出现的掌声、笑声、咳嗽声都有详细描述。

可是后来人们发现这篇貌似原始会议的记录其实不过是瑞典人拉尔斯·克莱贝尔格所写的一部话剧!话剧原名叫《仙子的学生们》。也就是说，其中每个人所说的话都是话剧台词，都是拉尔斯·克莱贝尔格杜撰出来的。

1992年，独联体《电影艺术》杂志在第一期上公开发表了由拉尔斯·克莱贝尔格整理的据他说是真正的会议记录，他将此文取名为《艺术的强大动力》。在正文前，拉尔斯·克莱贝尔格提到他创作《仙子的学生们》的动机，他说：

> 早在70年代，我就接触过关于1935年著名中国演员梅兰芳在苏联访问演出的记述文字。……当我从一些回忆文章中得知，苏联对外文化协会曾举行过一次纪念梅兰芳旅行演出的座谈会时，我曾长时间在各类档案中寻找过那次讲座的记录，但没有结果。
>
> 但是，关于这些极不相同的、各具自然鲜明个性的、决定着20世纪戏剧面貌的异常观点的艺术家们相互“碰撞”的想法，仍然在吸引着我。我决定写一部“臆想记录”。于是就出现了话剧《仙子的学生们》。

拉尔斯·克莱贝尔格又说，在完成《仙子的学生们》之后，他在前苏联国家十月革命档案馆“突然”找到了座谈会的记录。

大概是因为克莱贝尔格发现座谈会记录的过程过于“突然”及富于戏剧性，也可能是因为有使人发生误解的《仙子的学生们》的事件在前，所以《艺术的强大动力》的真实性特别令人怀疑。据我国驻俄罗斯大使馆文化处介绍，拉尔斯·克莱贝尔格曾于70年代在苏联攻读戏剧博士，后回国在斯德哥尔摩高等学府教授戏剧，以后又担任过瑞典驻俄使馆文化参赞。从他的身份、职业看，他确有发现真正原始会议记录的可能，但“可能”毕竟不是“一定”。

如此说来，我们便不能将《艺术的强大动力》中各国艺术家对梅兰芳的评价当作真实的史料介绍给大家，而只能等待时间的证实了。

当年，布莱希特在戏剧界还不太有名，日后却开创了布氏戏剧体系，而他的戏剧理论的形成与观摩梅剧不无关系，正如中国解放后的某一天，田汉对梅兰芳所说：“现在斯氏体系之外，还有德国布莱希特体系，在欧洲戏剧界很有影响，他在著作里，屡屡提到1935年在苏联观摩梅兰芳的表演，并受到中国戏的影响。”

现在在欧洲戏剧界，布莱希特是一位举足轻重的人物，他的戏剧剧本在许多国家都上演过，成为剧院的保留节目，有人甚至将他和莎士比亚、莫里哀、易卜生、契诃夫、高尔基等相提并论。他在戏剧领域里的重要贡献不仅在于他的戏剧常常反映时代，更主要的是他将东西方戏剧相结合而创立了新的史诗戏剧流派。

布莱希特的史诗戏剧与当年流行于欧洲舞台的被他称为“戏剧性戏剧”的区别在于：史诗戏剧主张使演员和角色、演员和观众、观众与角色之间都要保持一定的距离，布氏曾这样说：“要演员完全变成他所表演的人物，这是一秒钟也不容许的事。”同时，它要求观众在观剧时冷静思考，而不是戏剧性戏剧那样千方百计地把观众带入剧情，让观众陶醉于剧情而无力自拔。当然，他并不否认史诗戏剧与戏剧性戏剧只是戏剧的两种形式，并非毫无相同之处。

1933年，因希特勒疯狂迫害革命人士和进步作家，布莱希特不得不离开祖国，远走他乡，流亡西欧和美国，长达16年之久。而正是在这一时期，流亡到苏联的他首次接触到了中国戏剧，并深受启发。可以说，梅兰芳演剧对布莱希特史诗剧流派的最终确立是很有影响的，这就难怪他在著作里，屡屡提到1935年在苏联观梅剧一事了。

布莱希特的史诗戏剧包括两部分：剧作和演剧方法。就演剧方法而言，史诗戏剧主张打破第四堵墙的演剧方法。“第四堵墙”指的是“舞台口与观众之间存在一堵幻觉的墙”，即：“演员所扮演的剧中人物生活在四堵墙之中，演员是看不见观众的，观众是偷看剧中人物的生活。演员要建立这种舞台信念去进行表演，才能够把自己内心深处的秘密泄露出来”。第四堵墙的“树立”，起初确实让话剧舞台面貌为之一新，出现了许多优秀作品，但长此以往却严重遏制了创造力。

为了摆脱限制与束缚，布莱希特的“推翻第四堵墙”的理论应运而生。他的史诗戏剧表演方法要求：“演员要明确自己是面向观众进行表演，打破舞台与观众的隔阂，促使观众以更加主动的精神参加舞台的艺术创造。演员与剧中人物的关系，是演员以双重身份出现在舞台上，演员是他本人，又是剧中人物。演员表演他所想像的剧中人物，而不是毫无保留地转化为剧中人物，演员不要把自己的全部感情泼向观众，使观众成为演员感情的俘虏，而要让观众保持清醒的头脑，保持观察者的立场，欣赏艺术，思考生活，从而奋起改造社会。舞台表演要具有把寻常的事物变得不寻常的性质，达到令人震惊的艺术效果。”布莱希特称此表演方法为“间离效果”表演方法。

与此相反，斯坦尼斯拉夫斯基的戏剧理论强调演员要“进入角色”，就像他的学生萨多夫斯基说的“演员和角色之间要连一根针也放不下”。而梅兰芳代表的中国戏曲表演原则又是怎样的呢？

1936年，也就是布莱希特在苏联观看过梅兰芳演剧后次年，他撰写了一篇论述中国戏曲表演方法的文章《中国戏曲表演艺术中的Verfremd ungseffekt》（Verfremd ungseffekt 可译为“间离效果”或“陌生化效果”）。在这篇文章中，他盛赞梅兰芳为代表的中国戏曲表演艺术，认为他“多年来所朦胧追求而尚未达到的，在梅兰芳却已经发展到极高的艺术境界”，他认为中国戏曲表演手法与欧洲戏剧表演手法基本上是不同的，中国戏曲采取了许多象征性的手法，他说：“人们知道，中国舞台上大量采用象征的手法。一个将军肩上插着几面小旗，其数目与他统率的军队相当。在丝绸服装上参差不一地缀上同样质料的别种颜色的碎块来表示补钉，以暗示贫穷。各种人物性格通过直接勾画的特定脸谱来表示。双手的某些动作，表示用力开门等。”这些象征手法因为已经不再是生活本身，而是将生活经过了提炼加工，显示出了艺术化。所以，布莱希特认为中国戏曲表演手法实际上就是“间离效果”（或“陌生化效果”）表演方法，而不是“共鸣”表演方法（即演员完全是剧中人物的化身），只是间离效果表演手法的体现方式“是非常巧妙的”。

关于“第四堵墙”问题，布莱希特认为中国戏曲的表演不存在这一问题。他说：“中国戏曲演员的表演，除了围绕他的三堵墙之外，并不存在第四堵墙。他使人得到的印象，他知道他的表演在被人观看。这种表演立即背离了欧洲舞台上的一种特定的幻觉。观众不再有这种幻觉，不再是一个真实发生的事件的、不为人注意的目击者。欧洲舞台上已经发展起来的一系列丰富的技巧，把演员隐藏在四堵墙中，而各种场面安排又让观众看清楚，这种技巧就显得多余了。戏曲演员像卖艺人一样，总是选择一个最能向观众表演的位置。”既然不受“第四堵墙”的局限，所以，布莱希特认为中国戏曲便能使平时司空见惯的事物从理所当然的范畴提高到新的独特的境界中去。他举梅兰芳的《打渔杀家》为例说：“一个年轻的女子、渔夫的女儿在舞台上站立着，划动一艘想象中的小船，为了操纵它，她只用一柄长不过膝的木桨，水流急湍时，她极为艰难地保持身体的平衡，接着小船进入一个小湾，她便比较平缓地划着，这个女子的每一动作

⊙与苏联著名戏剧家梅耶荷德合影（上）
⊙与苏联艺术大师斯坦尼斯拉夫斯基（下）

都宛如一幅画那样令人熟悉，河流的每一转弯处，都是一处已知的险境，连下一次的转弯处，也在临近前就让观众感觉到了。观众的这种感觉完全是通过演员的表演而产生的，看来正是演员使这种情境叫人难以忘怀。”

对演员、角色、观众的关系如何处理，布莱希特认为中国戏曲表演非常辩证地解决了此三者的关系，它让演员既是演员本身又是剧中人物，也让观众从角色中分离出来，从而能够冷静地思考而不被剧情所迷惑。这是布莱希特认为中国戏曲表演最高超之处，而这恰恰是他的史诗戏剧所追求的。

布莱希特的史诗戏剧流派的最终形成，是从梅兰芳所代表的中国戏曲表演中吸取了足够的养分的。可以说，中国戏曲表演手法与史诗戏剧的“间离效果”表演手法“是一脉相通”的。相同之处首先在于“舞台生活和现实生活的关系”方面：布莱希特主张推翻“第四堵墙”，尽量拉开舞台生活和现实生活的距离；梅兰芳所代表的中国戏曲表演原则虽然不存在“第四堵墙”，但与布氏主张的打破生活幻觉相似，它不强调制造生活幻觉，现实生活在舞台上不是简单的照搬，而是“写意式的再现”。其次，在结构方面：布莱希特提倡采取“自由分场的所谓史诗结构”，并穿插演员的公然评论，而且时不时采取电影、幻灯等加以说明或解释，这一行为的目的在于试图破坏人物动作的连贯性，促使观众能够做到边看戏边思考；梅兰芳演剧也有类似表演手法，比如“自报家门”、“吟定场诗”、“打背工时的旁白乃至旁唱”等等，也都是使人物动作中断。但两者也存在着很大的区别，首先，布氏要求演员在表演时为了达到“间离效果”，不仅不进入角色，反而要站在角色的对立面，公然地作出各种评判，而其外部动作形体却基本就是生活原状；梅氏演剧的外部形体动作都作了较大的夸张并伴以舞蹈化，同时强调演员要用真情实感感动观众，所以，演员在保持头脑高度清醒的同时有时也需要适当地或深入地进入角色，力求做到“有我”与“无我”、“似我”又“非我”的辩证统一。梅兰芳因此常引用“你看我非我，我看我我亦非我，他装谁像谁，谁装谁谁就像谁”这一戏曲联语，来说明戏曲表演艺术中创造人物形象的一个基本方法。其次，布氏的“间离效果”的体现是生硬的，有点强迫的味道，既强迫演员故意拉大与角色的距离，也强迫观众在观剧时进行理智地思考与判断；梅氏演剧则不作此要求，甚至有时要求演员在适当的时候深入角色，因而，人们看到的是演员视剧情与人物性格的需要时而远离角色，时而深入角色。另外，布氏强调戏剧的教育作用，而梅氏更注重让观众在欣赏美的同时自然地接受教育。

相比较而言，梅兰芳演剧更健康、更完善。所以，布莱希特在苏联观梅剧后说：“这种演技比较健康，而且（依我们的看法）它和人这个有理智的动物更为相称。它要求演员具有更高的修养，更丰富的生活知识和经验，更敏锐的对社会价值的理解力。当然，这里仍然要求创造性的工作，但它的质量比迷信幻觉的技巧要提高许多，因为它的创作已被提到理性的高度。”

梅兰芳在苏联演出时，斯坦尼斯拉夫斯基已是极负盛誉的戏剧大家，形成了自己的戏剧体系，而布莱希特则“小荷才露尖尖角”，所以，现存的梅兰芳访苏的文字图片记载中很少提及布氏也就不足以为怪了。当他从梅兰芳演剧中吸收养料，最终确立了史诗戏剧这一新的流派后，世界三大重要戏剧表演流派便鼎足而立于世了。这三大重要戏剧表演流派就是梅兰芳戏剧体系、斯坦尼斯拉夫斯基戏剧体系、布莱希特戏剧体系。

当代戏剧大家、著名导演黄佐临先生曾将此三大重要戏剧表演体系作了较为详尽的比较，他认为这三位现实主义大师所代表的体系的最根本区别在于："斯坦尼斯拉夫斯基相信第四堵墙，布莱希特要推翻这堵墙，而对梅兰芳，这堵墙根本就不存在，用不着推翻，因为我国戏曲传统从来就是程式化的，不主张在观众面前造成生活幻觉。"若单纯从"墙"的有与无的哲学层面上来比较，自然是梅体系的境界较高。

游历欧洲

4月21日，梅兰芳将梅剧团其他成员送上回国的轮船，自与余上沅转赴波兰、法国、比利时、意大利、英国等地进行戏剧考察。临离开苏联之前，在苏联边境的戈列洛耶车站，梅兰芳致电苏联对外文协会长阿罗舍夫，对苏联政府、对外文协、乐剧协会及苏联各界表示谢意。

6月，他们到达英国伦敦，拜见了大文豪萧伯纳和毛姆、杰·马·贝蕾、罗纳德·高、丹尼斯·约翰斯通等剧作家。萧伯纳特别将一套《萧氏戏剧集》送给梅兰芳作为两人再次相聚的纪念。这套盒装金边精装戏剧集共13册，收有萧氏36个剧本，于1929年由伦敦康斯特布尔出版公司出版。据说这种版本是萧氏专门用来赠友的，因而印刷极为讲究，硬盒内且有蓝绒布衬底，盒盖上刻有萧氏签名。其他几位剧作家也都有剧作集相赠，包括《毛姆戏剧全集》六卷本、《贝

⊙梅兰芳在伦敦与美国黑人歌唱家罗伯逊（左一）、黄柳霜（左二）、熊式一（右三）、徐上沅（右一）合影

蕾戏剧集》、《施舍的爱情》（罗纳德·高著）、《风暴之歌与独角兽的新娘》（约翰斯通著）。在伦敦考察期间，梅余二人是由正在伦敦讲学的熊式一教授接待的。熊教授将一套《萧伯纳戏剧全集》赠送给梅兰芳。这套由伦敦奥达姆斯出版社出版于1934年的萧氏戏剧全集与萧氏赠送的戏剧集有所不同，共收有剧本42个，厚厚一册共有1219页。熊式一教授在全集的扉页上还题字道：

畹华兄虚心不耻下问，对于泰西戏剧孜孜攻之，常百观不厌，在英下榻我处，每晚必同至一剧院参观新剧，固不致有所遗漏，旧剧则难图晤对，今赠此册，暇中故可开卷揣摩也。

从此题字中，我们可以略知梅兰芳在伦敦的活动，“每晚必同至一剧院参观新剧”，由此也看到他孜孜以求学习外国戏剧的奋发精神。

7月上旬，梅兰芳、余上沅结束在意大利的参观游览，搭乘意邮轮“康特凡第”号于8月1日抵达香港。在香港停留三四个小时后，邮轮从香港启程，驶往上海，于8月3日下午2点停靠上海招商局北机码头。邮轮尚未停稳，身着米色西装、白哔叽裤、白色镂空皮鞋的梅兰芳、余上沅二人便走出舱房，站立于二层甲板上，用望远镜朝码头瞭望，并频频朝岸上的欢迎人群挥手致意。邮轮停靠码头后，梅太太福芝芳及子女和前往迎接的上海市长代表李大超及钱新之、杜月笙、赵叔雍等人遂登轮与梅兰芳寒暄。记者们也蜂拥而上，七嘴八舌地询问梅兰芳此次赴苏游欧情况，梅兰芳笑而

未答，只说将会有书面谈话不日公开。对国内正在遭受的水灾，梅兰芳颇为关心，他向记者们询问了有关情况后，说他和余上沅在旅途中也谈及此事，表示抵沪略加休息后，即应慈善团体之请求演剧筹款以救助灾民。虽经长途旅行，又与亲友、记者交谈了一个多小时，梅兰芳看上去仍然精神饱满，神采奕奕。最后，他和友人及家人分别合影后，方才下轮。此时，闻讯赶至码头欢迎的群众已多达数百人，交通因而阻塞。

次日，梅兰芳有关此次访苏游欧情况的书面谈话在报上公开发表，其中将苏联对京剧的评论概括为三点，一为京剧是包含歌唱、道白、舞蹈、武技等在内的综合艺术；二为舞台道具及色线的运用既美观又经济；三为演员动作既有固定方式，又不致被固定方式所束缚。梅兰芳说京剧状况虽未必尽如上述评论，但外人评论可以参考。表现出梅兰芳既注意广纳善言，又不迷信外人的宽阔胸襟与清醒头脑。谈话中还说："此次自俄至西欧各国参观、游览之后，更觉中国戏剧应有特别之努力，中国戏如经过严密之选择与净化，自有其保存之价值，与前进之途径。"表明梅兰芳此时便已在思索京剧的保存与发展之路了。

对于梅兰芳此次访苏，社会上流传有几种说法：一说"中国戏剧在欧洲那么受欢迎，那一定中国旧戏还有很光明的前途"；二说"梅博士从欧洲归来，他将采取欧洲戏曲之所长，补中国旧戏之所短，产生一种中国戏为体西戏为用式的新戏曲"；三说"欧洲人心目中的梅博士，等于欧洲人心目中的非洲野人，只是一种好奇的心理，其意义并不高于朗德山的环游世界"。

根据此种种说法，曹聚仁先生特地撰文《迎梅》，认为："把梅兰芳欧游这回事估价太高或太低，以为梅兰芳的戏剧将使欧洲戏曲界起大变化固属妄语，即说梅博士走马看花匆匆走了一趟，会使中国旧戏曲有什么大变化，也是期望过多，自然说梅博士这样走了一趟，全没有意义，也是半缸醋的说法。”他具体分析说：“西洋戏曲中，承受希伯来埃及人的艺术形式极多，中国戏曲中，吸收了西域、印度的艺术形式，俄国介于欧亚两大陆之间，很早就渗透了东方的色彩，由于梅兰芳的表演，使他们更注意一点中国戏曲的形式，本无不可能之理，另一方面，梅兰芳看了许多西洋的戏曲形式，他用来改变一点中国戏曲的形式，也事实上所应有。但这都是逐步改良，戏曲界并不因此激起大波浪，中国旧戏曲并不因此有光明的前途。”曹聚仁认为“中国旧戏的没落，并不是形式的没落，乃是内容的没落”，所以要改良戏曲，就得完全改变内容，除此以外的任何改良都是徒然的。

曹聚仁对梅兰芳此次访苏游欧的评价是客观并恰如其分的，对梅兰芳的将来提出的希望也是中肯的，他的意见与几年前鲁迅的批评有几分相似。鲁迅反对“雅”而宁爱活泼生动的村姑形象，实际上提出的也正是追求形式的雕琢还是注重内容的大众化的问题。善于博采众长并一贯乐于接受意见的梅兰芳应该是会注意内容与形式的关系问题的，只可惜不久爆发的抗战不仅让他不得不退出舞台达数年之久，更无法让他的改良戏曲的想法付诸于实践了。

痛失爱徒

1936 年 2 月 9 日，美国电影大师卓别林结束《摩登时代》的拍摄后，携新婚夫人（《摩登时代》女主角扮演者）宝莲 · 高黛蜜月旅行至上海。上海文艺界人士在国际饭店设宴招待，梅兰芳应邀出席。这是他俩自美国首次会晤后的再次见面，因而特别兴奋，一见面，卓别林就亲热地用双手按住梅兰芳的肩膀，感慨道：

“记得六年前我们在洛杉矶见面时，大家的头发都是黑色的，你看！现在我的头发大半都已白了，而您呢，却还找不出一根白头发，这不是太不公道了吗？”

尽管卓别林想把话说得幽默些，但梅兰芳还是从中听出他近年的境遇并不十分顺利，便紧紧握住他的手，安慰道：

“您比我辛苦，每一部影片都是自编、自导、自演、自己亲手制作，太费脑筋了，我希望您保重身体。”

当天晚饭后，梅兰芳亲自陪同卓别林夫妇及随行的高黛的母亲一同观看上海当时十分流行的连台戏，然后又陪他们到新光大戏院观看马连良的《法门寺》。当他们一行走进新光大戏院时，全体观众纷纷站起身热烈鼓掌，表示对卓别林的欢迎。观戏中，卓别林一边听着马连良的大段唱腔，一边用右手在膝上轻轻打着拍子，还转头对梅兰芳评价道：“中西音乐歌唱，虽然各有风格，但我始终相信，把各种情绪表现出来的那种力量却是一样的。”演出结束后，卓氏夫妇上台同马连良合影留念。

次日，梅兰芳将卓别林送离了上海。卓别林虽然在上海只停留了短短一天，但却对中国印象深刻。回国后，在范朋克招待晚宴上，他居然整夜都用中国话和范氏家的华裔仆人交谈，众人对他的语言天分着实惊异万分。

这年春夏之交，梅兰芳回了一趟北平，据《申报》记载是为了“向政府报告赴俄表演的情况”，这是他南迁后的首次北返，也就是在这次回北平期间，他收了李世芳为徒。

李世芳原名李福禄，祖籍山西太谷，1921年出生于北京梨园世家，父母都是山西梆子名旦，父亲李子健更是名噪一时的晋剧名旦，艺名“红牡丹”，母亲也是晋剧名伶，授徒很多。李福禄从小跟父母随戏班走南闯北，受环境影响，自小对戏曲 就十分爱好并决心要秉

⊙梅兰芳在北平出席“富连成”科班全体师生的欢宴后合影

承父业。但当父母因集中在河北、天津一带演出而定居北平后，他发现除晋剧之外还有更加精美无比的京剧，便执意要学习京剧不愿学习梆子戏。李子健本就十分开通，加上他也清楚京剧比梆子戏更受欢迎，便将10岁的福禄送进当时有名的京剧科班“富连成”。福禄因此成了富连成“世”字科的学生，改名李世芳。因他眉清目秀，举止文静，当时富连成总教习萧长华便安排他学习旦角，主攻青衣，兼习花旦。于是，他随开蒙老师苏雨卿学习青衣，随萧连芳学习花旦。由于天资聪明加上刻苦好学，他在短时间内进步很快，一年后就能上台主唱《彩楼配》、《拾玉镯》等一些单折小戏，与同在“世”字科学艺的毛世来成为“世”字科的头二块“牌子”。

1934年，富连成“盛”字科的李盛藻、叶盛兰、刘盛莲、陈盛荪、杨盛春等相继出科，李世芳、毛世来便顶了上去，被推上了唱大轴的地位。为了重点培养他俩，科班特地请著名的旦行教师张彩林为他俩排演《花田错带桃花村》、《双姣奇缘》两出整本大戏，演出后立即受到好评，他俩因此声名鹊起，成为富连成又一代的“科

里红”。观众对李世芳更加偏爱的一个很重要的原因是他的长相酷似梅兰芳，且台风雍容、端庄也像极梅兰芳，所以有评论说他是“以其秋水双瞳，春风举云，酷似畹华，具王者相”，因此私底下有“小梅兰芳”之美誉。因了这个美称，科班采纳了“世”字科大师兄袁世海的建议，请张彩林为他俩排演了梅兰芳的名剧《霸王别姬》，由袁世海饰霸王，李世芳完全走梅兰芳的路子饰虞姬。演出后，李世芳更是名声大振，不仅使“小梅兰芳”之称由私底下转为公开，更确定了他将来的戏路，那就是学习梅派艺术。

在拜梅兰芳为师前，李世芳还曾受到过尚小云的赏识和指点。尚小云也是冲着“小梅兰芳”之美称去的，他亲自到富连成为李世芳、袁世海、毛世来等“世”字科学员排了《昆仑剑侠传》、《娟娟》、《金瓶女》三出新戏。在尚小云的亲自指点下，李世芳的艺术又上了一个台阶，名声越来越大，终让远在上海的梅兰芳有所关注。

返回北平的梅兰芳在齐如山、徐兰沅、姚玉芙的陪同下特地到鲜鱼口华乐戏院连续看了李世芳的《霸王别姬》和《贵妃醉酒》两场演出，十分惊异于他俊美的扮相、圆润的嗓音，立即就喜爱上了这个年仅15岁的“小梅兰芳”，并主动向富连成社长叶龙章提出要收他为徒。

富连成科班的班规是不允许学生坐科学艺期间拜别人为师的，学生只称社长为“师傅”，称其他专业的老师为“先生”，可见区分之严格，但科班允许学生向名家名派学戏求教。梅兰芳主动提出收徒这还是破例之举，又经齐如山的撮合，叶龙章经与主教习萧长华等人商议，认为机会难得，科班应该破例。不过，他们向梅兰芳提出收一个是收，收几个也是收，为了京剧人才后继有人，何不多收几个已崭露头角的学生。梅兰芳欣然应允，便一下子收了4名徒弟，他们是：李世芳和16岁的毛世来、14岁的张世孝（后改名张世兰）、12岁的刘元彤（有材料说还有李元芳和冀韵兰。但据刘元彤回忆，此二人都是在1938年入富连成的，肯定不会与他们同时拜梅为师，至于以后是否拜师，便不得而知了）。[①]

意外之喜让李世芳等四个孩子激动不已。行拜师礼那天，北平国剧学会内聚集着京剧名家，有程砚秋、尚小云、荀慧生、杨小楼、王瑶卿、余叔岩、徐兰沅、谭小培、郭春山、姜妙香、苏雨卿、齐如山等以及旦角同行们，他们既祝贺四个孩子能拜到梅兰芳为师，又嘱咐他们要珍惜这大好机会。

入梅门后的一段时间，梅兰芳正好在北平第一舞台演出，每场演出，他总是特地留出一个正面包厢给几个徒弟让他们观摩学习。李世芳更是虚心求教，专心苦练，成绩斐然。拜师这年，北平一家以发表戏曲界动态为主的《立言报》针对许多读者提出的谁能继承四大名旦资格的问题，举办了一次“童伶选举”，要求选出生、旦、净、丑各部冠亚军，候选对象是当时中华戏曲学校和富连成科班的学生。在这次选举中，李世芳以一万张得票的绝对优势获“童伶主

①刘元彤：《梅兰芳收徒有多少》，《中国京剧》1995.2.

席”之称号。“生部冠军”是王金璐，亚军是叶盛长；“旦角冠军”是毛世来，亚军是宋德珠、侯玉兰；“净角冠军”是裘世戎，亚军是赵德钰；“丑角冠军”是詹世辅，亚军是殷金振。评选结果揭晓后，在富连成科班举行了发奖仪式，为“童伶主席”李世芳举行了加冕礼。

这次选举后，有人认为应该有继“四大名旦”后的“四小名旦”，于是，李世芳、毛世来、宋德珠、张君秋被推为最合适人选。《立言报》主编吴宗祜先生于1940年请他们四人在长安戏院和新新大戏院举行过两次联袂合作演出《白蛇传》，每人一折，李世芳演《合钵》、毛世来演《断桥》、宋德珠演《金山寺》、张君秋演《祭塔》，当时被称为“四白蛇传”，影响颇大，自此，“四小名旦”也就流传开了。虽然“四小名旦”的产生并没有经过观众投票评选，但因为是由内行人士公认的，所以也就流传了下来。只是在李世芳于1947年年初遇难后，北平《纪事报》又举办过一次“新四小名旦”的选举，“新四小名旦”是张君秋、毛世来、陈永玲、许翰英。

李世芳拜梅兰芳为师后不久，梅兰芳即返回上海。师徒俩一南一北，加之抗战爆发，徒弟无法跟随师傅左右，但他四处求教，首先师从梅门大弟子魏莲芳，从他那里学到《凤还巢》、《廉锦枫》、《西施》、《太真外传》等梅派名剧，然后又拜为梅兰芳操琴多年的王少卿为师，学习梅派唱腔，再得齐如山的帮助，学到《千金一笑》和《嫦娥奔月》，他深知梅派艺术蕴含着丰富的昆曲底蕴，便师从韩世昌学习昆曲。这多方面的求教，让他虽然不能亲聆师教，却也深得梅派艺术真谛，终以“出众的梅风、梅韵”组建了“承芳社”剧团。

1940年，“承芳社”在三庆戏院首场演出，剧目是《廉锦枫》，接着又相继演出了《霸王别姬》、《宇宙锋》、《生死恨》、《红线盗盒》等梅派名剧，反响颇大，很快就唱红了北平、天津乃至上海。此时正值梅兰芳暂别舞台之际，许多酷爱梅派剧目的戏迷以看李世芳的戏来满足看不到梅兰芳演出的需求，故有“今欲望梅止渴者，舍世芳莫属”之说。

虽然李世芳照规矩向梅兰芳行了拜师礼，但梅兰芳一直称世芳“贤弟”，这是 他一贯的作风。远在上海的梅兰芳一直牵挂着这位贤弟，忙碌之余不忘去信谆谆教诲。我们从他在1937年写给李世芳的一封信中可以看到他教戏又教人的为师之道和思想品格：

世芳贤弟览：

许久没有看见你。前年在北平，看过你几出戏，确很规矩熨帖。当时曾勉励你多用功，不要因为人家夸好，便自以为好。须知道本事是无尽无休！这话你当然还记得。数日前，接到友人的信，说你七月便出科了！我听说这话，便很高兴，想来你也很乐。但是以后比在学堂，可就难多了。这是我们吃戏饭的一个极大的关头。要紧的是认识人！如果交一位好朋友，连人格带技术，都可以日见长进；倘交一位不好朋友，从此就可以败落下去！我生平稍稍有点成就，也因为好朋友帮忙的地方甚多，这事你必须要留神为好。再者：既是唱戏，便须能唱！所以嗓子最为要紧。吃戏饭也是一时一个情形。这几年是有嗓子，能唱的，都有饭吃。你以后对自己嗓子，更要加意保护才好。现在相离很远，没法子帮助你，将来如果你到南方来演戏，我一定很可以帮你的忙。你出科之后，不知作何打算？我想还是听叶文甫师傅的话最好，带问近好。师父前代请安。同仁诸位先生都代问好。

梅兰芳手书 二十六年八月

太平洋战争爆发后，梅兰芳从香港返回上海。得此消息，李世芳三下上海，或演出，或登师门求教。几年来，李世芳一面演出梅剧，一面深受师傅勇于创新的精神影响创排了两出新戏：根据山西梆子《百花亭》改编的《百花公主》和取材于太平天国故事的《天国女儿》，分别请剧作家景孤血和翁偶虹编剧。梅兰芳十分欣赏弟子几年来取得的成就，并被弟子的敬业精神所感，破例留他住在自己的家里亲自传授梅派技艺。

据梅兰芳的长子梅葆琛回忆，在上海的那段日子里，梅兰芳只要有空闲就叫李世芳到二楼的"梅华诗屋"，亲自教授梅派名剧，帮助他排练身段、表情，甚至连化妆胭脂太红、片子贴得太高等细节，他都一一加以指正。有时，他为了检查李世芳的演艺是否有进步，需要到剧场观看演出，但他又担心走进剧场会造成场内秩序混乱而影响李世芳的情绪，所以他每次去都是悄悄的，连李世芳也不通知，演出结束回到家里，他向李世芳指出当晚演出的优劣时，李世芳十分惊讶，这才知道师傅曾去看过他的戏。有一天，梅兰芳前往戏院观看李世芳演出《霸王别姬》，他发现在"舞剑"一场时，李世芳的一个舞剑动作很美，回家后，便叫他再示范一次，看后对李世芳说："身段姿态很美，你就不要改了，就这样演吧！"以后，他自己在演这场戏时也采用了李世芳的这个动作。可见他不仅鼓励弟子不墨守成规，而且还能放下师傅架子虚心学习弟子的长处。

抗战胜利后，梅兰芳恢复舞台生活，他曾十分关怀地问李世芳："你可曾每场都来看我的戏？你应该抓时间多看我的戏，因为这就等于是在给你上课，我每天可以给你留一张票。"那时李世芳的"承芳社"在上海演出的上座率很差，经济十分困难，甚至有被困在上海的危险。梅兰芳心里很焦急，一方面在精神上鼓励他，一方面安排他和自己合作演出以增加收入。不久，师徒首次合作的《金山寺》、

《断桥》公演，梅兰芳饰白娘子，李世芳饰青蛇，特邀名小生俞振飞饰许仙。演出轰动上海，连演三场，场场爆满，一时成为梨园佳话。因此师徒都兴奋不已，却不曾想到这是李世芳最后一次演出了。

1946年底，山东方面请李世芳去演出，但李世芳已决定率团回北平。次年元月4日，李世芳和与他情如手足的梅葆琛一夜未眠。自1946年秋，李世芳率团到上海演出后，就一直住在梅家，和梅葆琛同住在4楼的一间卧室里。第二天一大早，梅葆琛与妹妹梅葆玥、弟弟梅葆玖乘梅兰芳的汽车将李世芳送到机场，一直看他登上飞机。梅绍武当时在杭州之江大学读书，未能前去送行。李世芳在飞机舱口还回头向他们挥手告别。那天，梅葆琛特地带了一副望远镜，他用望远镜看着编号为“121”号的飞机轰然起飞……

不久，噩耗传来，李世芳乘坐的飞机在青岛上空因浓雾而撞山失事。初闻此讯，大家一时无法相信是真的，当确定失事飞机编号为“121”时，梅葆琛首先失声痛哭，李世芳的岳父姚玉芙也痛不欲生，茶饭不思。李世芳当年年仅26岁，与姚玉芙之女成婚4年，育有三女。幼女出生时，他不在妻子身边，故临死也未能见女儿一面。

当晚，梅兰芳在中国大戏院有演出，大家为了不影响他演出，决定暂时不告诉他。可是，在后台化妆的梅兰芳无意中还是听到了这个消息，差点晕了过去，旁边有人安慰他说：“这消息不一定可靠！”梅兰芳当然也希望如此，他勉强撑着演完戏。第二天，他特地打电话到飞机场，终于证实爱徒李世芳真的遇难了，忍不住哭了又哭，又后悔又自责。当时，他打算让李世芳过完年再回北平的，可又因考虑到他的前途和家人的生活，所以也没有刻意挽留。不过，他劝李世芳乘海轮回去，理由便是飞机不安全容易出事。谁想到，梅兰芳的担忧竟成事实。

为了纪念和追悼李世芳的不幸早逝，梅兰芳在中国大戏院组织

⊙梅兰芳在沪居花园中教弟子李世芳舞剑

了一场义演，剧目有程砚秋和俞振飞合演的《弓砚缘》、言慧珠与李玉茹和梅葆玖等合演的《五花洞》等剧。开演前，梅兰芳致悼词，哀悼他的爱徒。这场义演的所有得款都用来接济李世芳的家属。

1950年，刚刚学成《金山寺》、《断桥》的梅葆玖需要登台实践，已4年没有唱这两出戏的梅兰芳决定陪儿子再演一次。他之所以4年不唱这两出戏，就是担心触景伤情。那天演完戏后，他一边卸装，一边抽着烟对许姬传说："你知道我今儿唱这出戏的感触吗？回想4年前在上海中国大戏院，李世芳陪着我唱青蛇，这还是我演《金山寺》带《断桥》的初次尝试。……从此就不愿意再演这两出戏。我刚才扮上戏，又想起了我的学生，还是止不住一阵心酸。"可见师徒情谊之深厚。在梅门弟子中，留宿梅家得师傅亲传的少数几位学生当中，李世芳是其中之一，也可见梅兰芳是多么偏爱这个徒弟。

巡回演出中的长沙风波

梅兰芳自1932年南迁上海后，已4年没在北平的舞台上演戏了，此番回北平重登舞台自然是颇引人注目的，北平各大小报纸连篇累牍地报道有关他的情况，造成极大的声势。9月，他邀请老生王凤卿、贯盛习、王少亭，武生杨盛春，小生程继仙、姜妙香，丑角萧长华、慈瑞泉，武旦朱桂芳，花脸刘连荣，老旦孙甫亭，花旦于莲仙、诸如香等组成强大演员阵容，选定能容纳3000余观众的最大剧场"第一舞台"，精心准备了《凤还巢》、《西施》、《洛神》、《太真外传》、《霸王别姬》、《宇宙锋》、《生死恨》等梅派名剧，配以传统剧目《汾河湾》、《王宝钏》、《奇双会》、《金山寺》、《穆柯寨·穆天王》等。

正式演出之前，梅兰芳听说杨小楼和名净郝寿臣在吉祥戏院演出，每场的最高票价为1.2元/张，有人劝他一定要将票价定在1.2元以上。此时，他想到许多年以前无意中与谭鑫培打对台的事，觉得杨小楼与谭鑫培一样是自己的长辈且关系非同一般，无论如何也不能让有“国剧宗师”之称的杨小楼下不来台，便决定票价也定在1.2元/张。梅兰芳本就叫座，加上最高票价也就是1.2元，因而前往观剧的人就更是里三层外三层了。在这种情况下，其他名伶自知敌不过梅兰芳，便纷纷暂时歇演，杨小楼和郝寿臣也不过每周周日露演一次，而只有程砚秋“不避梅的锋芒”，仍在前门外的中和戏院每周露演两场。

程砚秋这么做也不是为了和师傅唱对台戏，而是为了全团演员的生活，停演意味着没有收入，继续演下去，上座可能会受影响，但终究不至于收不到分文，但客观上给人造成了徒弟向师傅挑战的印象。

虽然程砚秋的演员阵容也十分强大，有老生王少楼、哈宝山；武生周瑞安，花脸侯喜瑞、苏连汉，小生俞振飞，旦角芙蓉草，老旦李多奎、文亮臣，丑角曹二庚、李四广等，演出剧目也都是程砚秋的拿手戏《金锁记》、《碧玉簪记》、《青霜剑》、《鸳鸯冢》等，但论名气，梅兰芳的声名毕竟要大于程砚秋，况且程砚秋一直在北平演戏，而梅兰芳久未在北平露面了，另外，只容纳8百余观众的中和戏院离第一舞台只两里多路，观众花同样的价钱，跑同样远的路自然也就去看梅兰芳的戏了。因此，中和戏院的上座率始终没有第一舞台高，徒弟终没有敌过师傅，但他不惧师傅声威，勇于接受挑战的精神着实令人敬佩。

这次可谓是师徒首次对台，第二次对台是在10年后的上海。那年秋天，梅兰芳率老生杨宝森、武生杨盛春、小生姜妙香、俞振飞、丑角萧长华、花脸刘连荣、老旦孙甫亭和大弟子魏莲芳演出于中国大戏院。与此同时，程砚秋应天蟾舞台的“大来公司”之邀也来上海演出。师徒又将有一次对台了，有人拭目以待，有人想看热闹，有人却很为梅兰芳担心。因为随程砚秋在天蟾演出的有老生谭富英、王少楼、张春彦、小生叶盛兰、储金鹏、武生高盛麟、花脸袁世海、旦角芙蓉草、武旦阎世善、丑角刘斌昆、曹二庚、李四广、盖三省、梁次珊、慈少泉等。如此强 大的演员阵容据说只有在堂会或义务戏中才得一见。

程砚秋似也预感到此次对台对梅兰芳有些不利，特别到梅宅向师傅致歉。一贯大度的梅兰芳反过来却安慰弟子，让他放心去演，尽可能发挥。

正式对台后的每天早晨起床后，冯幼伟总是要打个电话给梅兰芳报告天气情况，如天气晴朗，他就说：“今天好天气，一定能卖满堂。”如是阴雨天，他就说：“下雨没关系，反正戏码硬。”其实无论天好天坏，梅兰芳凭借其扎实的功底、丰富的剧目，认认真真地出演每一出戏，上座始终不错，能容纳两千观众的中国大戏院常常满座。程砚秋的新戏《锁麟囊》很卖座，与谭富英合作的《四郎探母》、《红鬃烈马》、《柳迎春》也极受欢迎。但天蟾舞台太大，能容纳四千观众，所以要想满座也非易事。因此，这场对台戏可以说打成平手。

舞台上的竞争并没有影响舞台下的师生情谊，程砚秋虽然也颇有成就，但对师父始终一如既往地尊敬爱戴。梅兰芳也并没有因弟子几次公开与自己“打对台”而心存芥蒂，反而对弟子的进步备感欣慰。

10月，应天津中国大戏院之邀，梅兰芳率刘连荣、姜妙香、萧长华等赴天津演出。主要剧目有《宇宙锋》、《摇钱树》、《送亲演礼》、《挑滑车》、《捉放曹》、《奇双会》等。

从天津回北平后不久，又应山东济南方面之邀，梅兰芳于这年

11月首次赴山东济南演出，公演于进德会，随行演员有杨宝森、贯盛习、王少亭、姜妙香、姚玉芙等。带去的剧目有梅兰芳主演的《霸王别姬》、《宇宙锋》、《西施》、《生死恨》、《凤还巢》、《太真外传》、《黛玉葬花》、《刺虎 》、《牢狱鸳鸯》等，以及其他演员主演的《入侯府》、《白水滩》等。

当演出消息一传十、十传百地在泉城传开后，泉城一时为之沸腾。上至达官贵人，下至平民百姓，那段日子里的惟一话题就是梅兰芳，惟一要做的事就是千方百计购得一张戏票，就连济南市郊高唐、章丘、潍县、淄川、博山甚至胶东各县都有特地奔到济南购票的戏迷，城里的大小旅店顿时客满。据说泰安县实验小学的音乐教师范某因无钱买火车票赴济南一时心急如焚，终耐不住一睹梅兰芳风采的渴望，竟四处借贷，最后终得成行。毕竟僧多粥少，还是有不少人等了七八天还是买不到票，不得不怏怏离去。当时的票价是4元/张，梅兰芳与金少山等人合演《霸王别姬》时票价涨至4.5/张，黑市票更是卖到6元/张，而那个时候，一袋二等面粉不过1.9元。因一张票而大打出手的有之，被戏院开除的有之，进德会颇有名气的茶房张四就因倒卖黑市票而被开除。

梅兰芳在济南共演出15天，场场爆满。最后几天，他应邀和正在济南演出的名净金少山合作《霸王别姬》更是轰动一时，居然连演三场还不能满足观众要求，不得不再合演一场《法门寺》以作答谢。每场演出时，戏院周围都有山东省主席韩复榘的手枪旅把门以维持秩序，可见当时的盛况。

1937年“七七”事变之前，梅兰芳仍然全国各地四处演出，2月，在南京，演出于大华电影院，主要剧目有与奚啸伯、杨盛春、吕慧君等合演的《王宝钏》，与奚啸伯、王少亭、姜妙香、萧长华等合演的《探母回令》，与姜妙香、韦三奎、刘连荣等合演的《生死恨》，以及《霸王别姬》、《苏三起解》和《刺虎 》等。

开春，首次赴湖南长沙演出。当时长沙的主要剧院有“民乐戏院”、“东长戏院”、“万国戏院”。万国戏院老板梁月波是长沙有名的大亨，他曾邀请过程砚秋、荀慧生、尚小云、言菊朋、徐碧云等名伶。见梁月波借北平的这几位名伶狠赚了些钱，长沙另些大亨也动起了邀名角来演出的脑子，其中长沙新闻界老人萧石朋、萧石勋兄弟因与当时的湖南省政府主席何键关系不一般，请何键夫人黄芸芷投资，在长沙小东茅巷新盖了一座能容纳1200人的大戏院。有传说梅兰芳被请来长沙就是为庆祝这家新戏院开张，也有传说萧氏兄弟因意外地请到了梅兰芳而特意盖了新戏院。不管怎么说，梅兰芳率剧团部分成员老生奚啸伯，小生姜妙香，武旦朱桂芳，二旦于莲仙，老旦孙甫亭，花脸刘连荣，丑角萧长华，琴师徐兰沅、王少卿，打鼓何斌奎，秘书李斐叔，管事姚玉芙等人于3月15日抵达长沙。夫人福芝芳、杜月笙特派谢葆生、洪子仪随行。

在长沙，梅兰芳夫妇由当时的交通银行长沙分行行长魏云千招待，住在南正街交通银行的新建大厦。姜妙香在他的一篇题为《缅怀往事——回忆兰弟》文章中说，梅兰芳在长沙时因“拜客不周，得罪了一些当时有势力的人，那些家伙利用报纸攻击他，说他老了，并肆意谩骂。”香港《春秋》杂志上曾刊有署名“忆兰室主”的文章，题目为《梅兰芳在长沙演出的经过》，对这次风波的起因说的较详细：

三月十七日正午，萧石朋和梅兰芳，在小四方塘青年会，邀宴长沙新闻界。依照长沙一般习惯，请帖上时间写十二点，客人最快也要一点才能到齐开席。不料新闻界人士，那天都准时到达，梅兰芳自己到十二点半才到，一进门就知道局势不对，可是萧石朋未到，他不知怎么处理，一个人在门口焦急得搓手走来走去，眼看着一部分新闻界人，在长沙《大公报》总编辑张平子领导下愤然离席，梅也不好拦驾，等到萧石朋赶到时，已不可收拾了。

梅兰芳开始演出后，长沙各报均刊文攻击，其中，以《晚晚报》骂得最凶，还配发了一张梅兰芳与“狗肉将军”张宗昌的合影。直骂了10天，才在叶寅亮的疏通下有所缓解，但“始终没有一篇捧场文字”。

仔细分析起来，此事的发生发展不像表面那么简单，似另有隐情。梅兰芳虽然比请帖上时间迟了半小时，可照惯例，却是提前了半小时；按常理，记者们决不致于因此就对他表现出“恨之入骨”的样子，要口诛笔伐十来日。而以梅兰芳一贯的为人处世及初至长沙，不大可能与当地人有如此之深的宿怨而导致媒体借迟到之事泄愤。萧石朋身为当地新闻界前辈，且与政府要员交好，该亦非等闲人物，如何大小记者也不给他一点面子？由此倒是可以看出一点端倪，很可能有人的真实目的是要骂槐，而梅不过是桑罢了。

姜妙香在文章中又说梅兰芳：“有人出面劝他出去应酬一番，但他拒绝了，他说，‘说我老，没什么，我四十多了，是老了。可是，他们这么胡说八道，太不成话了。让他们骂吧，我唱我的！’”

梅兰芳还是有骨气的。艺人固然少不了宣传，但身价高低也并非仅赖宣传，深厚的功底、扎实的技艺才是最主要的。虽然没有新闻界的宣传捧场，但梅兰芳的这次演出仍然凭借他的声望，凭借他的多出拿手戏赢得了观众，取得了圆满成功。

第四章 偃旗息鼓

梅兰芳在上海寓所书房“梅华诗屋”读书

退避香港

结束在外地的演出回到上海，上海此时已继北平“七七”事变、上海“八一三”淞沪抗战后沦入日寇手中。全国人民开始进入艰苦的八年抗战时期，梅兰芳作为一个艺术家虽说不可能拿起枪杆投入抗战前线，但他却用另一种方式参加了抗战。

树大招风，就梅兰芳的名气，日本人、汉奸都是不会放过他的，当然，他们不至于无缘无故将他抓去杀了，但请他唱戏以“劳军”、做些“大东亚共荣圈”之类的宣传还是大有可能的。在日本人看来，他曾两次访日，与日本的关系非同一般。如果他不情不愿，性命也是难保的，梅兰芳深知自己的处境。

果然，在他回到上海不久，就有人找上门来，希望他到电台播一次音，至于播什么音，说什么话，自然是明摆着的。梅兰芳既然早已明白自己的处境，所以对此也早有准备，他沉着冷静地以正准备赴香港和内地演出，实在抽不出时间为由给了来人一个软钉子。

虽然第一次给挡回去了，但梅兰芳料到有第一次就会有第二次第三次。果然不久，又有人找上门，苦口婆心地劝他演几场营业戏，并声称“营业戏与政治毫无关系”。说实话，这句话确实有些让梅兰芳动心，演员以唱戏为生，唱戏是演员的职业，是饭碗，是赖以养家糊口的工具，不唱戏则意味着一无所有。梅兰芳有些犹豫，但始终又拿不定主意，于是去找几位朋友商量。大家对此众说不一，有的说：“虽然上海陷落，为了养家糊口，作生意的照常作生意，我们唱戏的唱几场营业戏，是给老百姓看的，又不是为敌人演出，有什么关系呢。”此说不无道理，而冯幼伟反对道：“虽然演的是营业戏，可是梅兰芳一出台，接着日本人要你去演堂会，要你去南京、东京、‘满洲国’演出，你如何回绝呢？”1957年，梅夫人福芝芳回忆当时的情景时说：“我们家的大主意都是大爷（指梅兰芳——引者注）自己拿，这一回我可是插了句嘴。我悄悄地提醒他：‘这个口子可开不得！’，还真和他碰心气了，他当时把香烟一下子掐灭，立起身来大声说：‘我们想到一块儿了，这个口子是开不得！’”就这样，他再次拒绝登台。

那时候的人要想逃离日寇统治区只有两条路，不是去内地就是去香港。“播音事件”的发生促使梅兰芳下定了尽快离开上海去香港的决心。他首先利用冯幼伟到港公干之便请他预为布置，又委托交通银行驻香港分行的许源来代为与香港利舞台联系赴港演出事宜。

一切安排就绪后，梅兰芳于1938年春率梅剧团到达香港。在利舞台演出了一段时间后，剧团其他成员北返，梅兰芳便就此留在了香港，住在香港半山上的干德道8号一套公寓里达4年之久。

就在梅兰芳筹划去香港期间，杨小楼因病在北平去世，享年61岁。闻此噩耗，与杨小楼有着师友之谊的梅兰芳万分悲痛，他不禁想起1936年返回北平时与杨小楼最后一次见面的情形。和梅兰芳一样，杨小楼不仅是京剧界一位举足轻重的人物，也是一位爱国志士。北京、天津沦陷前，冀东24县已经被汉奸所控制，和北平相距不远的通县就是伪冀东政府的所在地。1936年春，伪冀东长官殷汝耕为庆贺生日，在通县举行大规模的堂会。梅兰芳当时在上海，在北京的最大名角杨小楼成了他们的主要邀请对象。但任由杨小楼开价的条件终究没有说动杨小楼。梅兰芳回北平后，去探望杨小楼，他说起此事，梅劝说道：

“您现在不上通州给汉奸唱戏还可以做到，将来北平也变了色怎么办！您不如趁早也往南挪一挪。”

杨小楼似已做好了“北平变色”后的准备，他说：“很难说躲到哪去好，如果北平也怎么样的话，就不唱了，我这么大岁数，装病也能装个十年八年，还不就混到死了。”

一年后，北平沦陷，杨小楼果然称病再也不演出了。虽然他未能如他所说装病“装个十年八年”，而是过早地离开了人世，却也省去了如梅兰芳所遇到的反复被邀请被胁迫又反复设法拒绝、逃脱的麻烦。

到了香港后的梅兰芳才发现，杨小楼生前所说“很难说躲到哪去好”的确是有先见之明的。确实，香港也不是世外桃源，日寇的铁蹄虽未踏到这里，但上海的流氓恶势力却早已蔓延到了这里，梅兰芳在利舞台演出期间就曾发生过一起冯幼伟被流氓毒打事件。冯幼伟是因为帮助梅兰芳赴港演出之事得罪了上海的一个流氓头子芮庆荣（外号小阿荣）。当时，芮庆荣很想包办梅兰芳赴港演出事宜，多次找过梅兰芳，但没有成功，他怀疑冯幼伟从中作梗，便伺机报复。到港后，冯幼伟按惯例每晚到利舞台看梅兰芳演出，戏散后，他还要到后台与梅兰芳闲谈几句，然后再回位于浅水湾的住宅。一天夜里，他未等梅兰芳卸完妆就先告辞了，可走后不久又满脸满身鲜血跌跌撞撞地回来了，把正在卸妆的梅兰芳和正陪梅兰芳说话的许姬传吓得不轻，他们打了急救电话后，方问冯幼伟事情经过。原来，冯走出离舞台不远，突然感觉有人从身后冲过来，未及反应，就被一闷棍打倒在地，幸得路人相救，凶手见周围人太多便丢下作案的凶器——一根外面裹着旧报纸的圆铁棍，幸亏这根铁棍是圆的，否则，冯幼伟也就不会是流点血那么简单了。不过，他的伤足足养了半个多月才见好转。

离开了上海，梅兰芳初以为就此可以安心了，冯幼伟被打一事让他已经放下的心复又悬了起来。流氓打的是冯幼伟，不能不说还含有威胁他梅兰芳的意思。香港也不安全，他还得加倍警惕。演出结束后，他便深居简出，以学习英文和世界语、画画、打羽毛球、集邮、与朋友谈掌故、收听广播打发每一天。偶尔外出看看电影，有时晚上拉上窗帘悄悄唱几段，吊吊嗓子。

梅兰芳开始学习英文是在1930年夏从美国回来后，在美大半年，他时常因不懂英文而苦恼，特别是在与同行交流艺术时备感不便。回国后，他下决心学习英文，特地请了一位白发英国老太太作为他的专职英文老师。老太太每周二、四下午准3点到马思南路梅宅教梅兰芳两个小时的口语和文法。在这两个小时之内，梅兰芳闭门学习，概不会客。到香港后，他没有中断学习，又请了一位英文老师补习英文，还兼学世界语。

因为常年学习绘画，梅兰芳对颜色很敏感。那时没有彩色照片，有朋友将家庭照片送来请他着色，他试着上色后深得朋友夸赞，都说他“着色素雅脱俗”，还有人拿着上过色的照片惊呼：“这哪儿是照片，简直成了一幅绝妙的仕女图了。”别人的赞誉给了梅兰芳自信，他一连给二三十张照片上了色。

那时候，谁也不知道抗战要持续多久，但谁都心存希望，在艰苦的环境中，人也正是有希望才能一天天熬下去。梅兰芳虽然不知道什么时候能重上舞台，但他希望有重上舞台的一天，为了那一天，他坚持吊嗓子和锻炼身体。然而，吊嗓子只能偷偷地进行，不能让外人听见，原因是他三番五次地对人说过他嗓子已经退化了，不可能再演出了，好让那些别有用心的人彻底死心。的确，如果长此不练，嗓子是真的会退化的。于是，梅兰芳每隔一两周，就让许源来带上笛子陪他吊几段昆曲。为不让周围邻居听见，唱之前，他都得关紧门窗，拉下厚厚的窗帘。唱得顺溜时，他十分安慰，当遇到有些高音唱不上去时，他就十分沮丧，也就更深切地体会出“剑不离手，曲不离口”这句话的含义了。

练唱是为了不让嗓子退化，锻炼身体则是防止发胖。一个偶然的机会，梅兰芳遇到打羽毛球高手陈能方。陈能方以前在上海曾教过梅兰芳西洋音乐和舞蹈，现在则又成了他的体育老师。在陈能方的细心指导下，梅兰芳原本很糟糕的羽毛球技艺有了迅速提高，兴趣也随之大增，由偶尔打打球发展到每星期至少要打两三次。打羽毛球既使球艺得以提高，更保持了身材的匀称。

梅兰芳有个朋友是个业余集邮家，他见梅兰芳赋闲在家，便送了一些邮票给梅兰芳，让他以集邮消遣。受这位朋友的影响，梅兰芳从此爱上了集邮，邮票也越集越多，他特地上街买来集邮册、放大镜、镊子和一本《万国邮票目录》。于是，周末，两个儿子从学校回家后，父子三人要么去浅水湾海滨游泳，要么拿着放大镜一起研究和观赏各种邮票，有时还对照《万国邮票目录》将邮票按国别、色彩、内容进行分类整理。集的时间长了，他熟知各种邮票，特别嘱咐儿子，荷兰邮票是不能浸水的，被水一泡就会变成白纸。儿子们在父亲的影响下也爱上了集邮。二儿子梅绍武在将上千张邮票分门别类地贴到几大本邮票册上后，得了近视眼。

在香港的几年间，与梅兰芳朝夕相伴的并非是他的家人，而是无线电。为了了解局势，他几乎每天都要花相当的时间收听广播。那时他的英语已经学得不错，基本上能听得懂，所以，他经常收听英国广播公司播放的新闻。太平洋战争爆发后，在日军围攻香港的半个多月时间里，夜间实行灯火管制，梅兰芳一家便在黑漆漆的屋子里收听广播，密切关注着事态的发展。香港沦陷后，梅家楼上楼下都住有日本军官，这时收听英国广播是很危险的，但他自有对策：关紧窗户，熄灭电灯，用棉被盖住无线电，再把音量开到最低，他就躲在棉被里收听。为防止万一，他在收听时，派几个孩子在外屋把风。孩子们都很机警，一听到有人敲门，立即飞奔进房通报。其他人不用亲自听广播，只要看一眼听完广播后走出房间的梅兰芳的表情就会对局势有个大概了解。自然，他的表情总是很忧郁很沮丧，因为始终没有好消息，但他并没有颓丧，而是一直坚持收听，他的内心充满了希望。返回上海后，他还一直保持着这个习惯。1944年冬的一个晚上，窗外风雪交加，梅兰芳突然满面春风地从卧室里奔出来，兴奋地对正在梅家的许姬传等人说："刚才无线电里报告好消息，日本又吃了一个败仗。"说完，他拿出一瓶薄荷酒请大家喝以示庆祝。就为这个从无线电里传来的好消息，他当夜即在汽油灯下挥毫，画了一幅梅花图，题作"春消息"以表达他已看到希望的喜悦心情。

电影一直是梅兰芳十分钟爱的一门艺术。在香港时，他经常光顾当时的"皇后"、"娱乐"等几家大电影院，不论是外国片还是国产片，他都不肯轻易放过。那时，国产古装片刚刚起步，片子还不多，一旦听说有此类片子上映，他总是打电话约许源来同看，看后还拉着许源来议论一番艺术得失。这些片子不仅对他的舞台表演有帮助，对他后来拍古装片也具有一定的参考价值。当时，他看的最多的一部片子是卓别林的《大独裁者》，前后看了七遍。外国片子通常都是在"皇后"或"娱乐"两家大影院上映，而这部片子得以在香港由中国人办的主要上演粤剧和京剧的剧场首映，则完全是梅兰芳的功劳。

1940年，卓别林完成了《大独裁者》的拍摄。这部片子实际上影射了希特勒的独裁统治，对法西斯分子进行了无情的讽刺和鞭挞，如果能引进该片，在亚洲放映也是具有现实意义的，因此，"皇后"、"娱乐"、"利舞台"都想方设法争取首映权。利舞台经理在了解到梅兰芳与卓别林关系不一般后，便委托梅兰芳去电和卓别林商量。卓别林很快复电同意由利舞台首映，这除了因为与梅兰芳的友情外，还有就是梅兰芳在电文中提到他"不久前曾在该剧院演出过"，卓别

林相信梅兰芳演出过的剧院一定是一流的。

1941年秋，争取到《大独裁者》首映权的利舞台为了感谢梅兰芳，特地在星期天上午为他和两个儿子葆琛、绍武安排了一场专场。这是梅兰芳首次观看《大独裁者》。以后，他又陆续看了六遍，仍意犹未尽。他不仅自己看过七次，好像希望所有人都要看似的逢人就问："看过《大独裁者》没有？快去看看。"据梅绍武先生回忆，他当时只有13岁，梅兰芳曾问他喜欢其中哪一场，他回答说是"耍气球"那一场，至于为什么喜欢，他说是因为"好玩"，梅兰芳便解释说："那是讽刺希特勒的疯狂野心啊。他妄想统治全球，肆意玩弄那个地球仪，用脚蹬，用头顶，得意忘形，不可一世，最后地球仪啪的一声破了，他的美梦也会跟那个气球一样破灭的。"他还给儿子分析了"理发室"那一场戏的含义："两个独裁者各自为了要比对方高出一头，扭动座椅的转轮使其升高，最后几乎达到天花板那里，座椅哗啦一下子垮下来，把两人摔个大马趴，意思也是讽刺那两个狂妄的家伙早晚会垮台的。"很明显，梅兰芳"对这部电影的政治含义是相

⊙梅兰芳在港时，夫人福芝芳于1941年夏，携子女由沪来港全家合影。
梅葆琛(后左二)、梅绍武(后左一)、梅葆玥(前左一)、梅葆玖(前左三)

当敏感、深刻领会的”。对于卓别林的表演，梅兰芳最佩服的是“冷隽、幽默”，他在《我的电影生活中》写道：“他在银幕上几乎看不见有欢乐大笑的镜头，至多是讽刺性的冷笑，或者是痛苦的微笑。他的内心活动是深藏不露，不容易让你看透。一种富有诗意的、含蓄的像淡云遮月、柳藏鹦鹉那样的意境，是令人回味无穷的。”

卓别林在《大独裁者》中预言希特勒的独裁统治必将灭亡，梅兰芳从中却看到日寇将会有同样的下场，这恐怕就是他偏爱这部片子的主要原因。

梅兰芳是率剧团赴港演出后留在香港的，他的家人都还在上海，一个人生活在异地他乡难免想家想亲人。于是，每年暑假，梅夫人便带着四个孩子到香港度假，两个月后，再把他们带回上海读书。1941年的暑假，四个孩子照例随母亲赴香港，梅兰芳见到孩子们后非常高兴，当他听说沦陷后的上海学校教育越来越糟糕后，很担心孩子们既学不到知识又沾染上坏毛病，便和福芝芳及冯幼伟商量，留葆琛、绍武在身边读书。

一些朋友劝梅兰芳送两个孩子报考外国学校，梅兰芳不同意，理由是“虽然在外国学校可以多学些外文，但将来的出路只能到外国洋行找职业，当洋奴才。”在父亲的坚持下，葆琛和绍武准备报考进步学校岭南中学。梅葆琛曾回忆说：“为了准备功课，父亲为我们创造了一个良好的学习环境，把我们两人领到一间陈设简单的小房间，两张床和一张两人合用的书桌，桌上已放好一排书籍，都是考学校需用的国语、代数、几何等课本。父亲说：‘这是你们的卧室，考学的书也准备好了。我已替你们排定好了日期，每门功课按次序温习就行。以后我要经常来检查你们温习功课的情况。’就这样我们在他的细心安排和督促下，顺利地完成了一个月的复习计划，考取了岭南中学。”[1]

岭南中学位于距九龙三十多公里的青山，葆琛、绍武入学后就寄宿在学校，每两周回家和父亲团圆一次。孩子们每次回家，梅兰芳总是先问他们在学校的学习生活情况，得知一切正常，他就带他们到处玩，还请了游泳老师教他们学游泳。尽管他十分疼爱两个孩子，但从不娇惯。有一次，他见葆琛中途突然回家，以为他在学校闯了祸被老师赶了回来，十分生气，很严肃地追问："发生了什么事？你为什么这个时候回家来？"原来，学校体检时发现葆琛眼睛近视，便给了他一天假让他回香港配眼镜。葆琛向父亲解释了原因后，梅兰芳这才舒了一口气，连忙带儿子去眼镜店配了眼镜，然后又赶紧送他回了学校。梅兰芳的几个孩子成人后都在各自的岗位上有所作为，与他在孩子们少时的严格管教很有关系。

1941年12月8日，星期一，上午9点左右。一架飞机从岭南中学上空呼啸而过，接着传来隆隆炮声。起初师生们以为是英军在演习，这时，又一架飞机飞过，正在上国语课的梅葆琛突然惊呼道："啊！机翼上是个大红膏药，日本飞机！"他的发现没有引起老师的注意，老师反而责怪他扰乱课堂秩序，正要赶他出教室时，传来校领导的呼叫声："全体同学，赶快到门前体育场集合！"从各个教室奔到体育场的学生包括梅葆琛、梅绍武看见有数架飞机正在轰炸停泊在海上的英国军舰，英国军舰一边用高射炮回击一边匆忙起锚准备逃逸。他们事后才知道，太平洋战争爆发，日军进攻香港。

在隆隆炮声中，梅兰芳十分牵挂两个孩子的安危，但他表现得很镇静，当冯幼伟和许源来问他"两个孩子怎么办？是不是派汽车去接他们"时，他沉着地说："不要紧，年轻人应该自己想想办法，我相信他们会自己回来的。"梅葆琛回忆说，父亲当时十分镇静的原

①梅葆琛：《怀念父亲梅兰芳》。

因有三："一是相信我们的生活能力；二是不愿在别人面前显出自己的不安；三是不愿派车接我们，让自己的孩子比别人特殊。他希望我们和大多数同学一样走集体生活的道路。"

午后，九龙汽车公司派来车辆陆续将岭南中学的师生接回九龙城。傍晚，由于渡轮停航，葆琛、绍武等数百名学生被老师带到培正中学借宿。当晚，他们就趴在教室里的课桌上熬了一夜。次日清晨，师生们又一次赶到轮渡处准备过海，可是，港方当局已发出港九轮渡暂停通航的通告，校方只好用设法借来的一条私人小船悄悄将师生们送过海。小船载着葆琛、绍武和其他学生顶着日军的炮弹，在波涛中摇摇晃晃，终于晃到了对岸。当他俩惊魂未定、气喘吁吁地奔到家门口时，看见父亲正站在二楼阳台上四下张望。女仆阿蓉对他俩说："你爸爸等你兄弟两个返来，急煞人，昨晚觉都没困！"

看见两个孩子安全归来，梅兰芳颇觉安慰，但他内心的后悔是无法向孩子们表述的。早在这年秋天，原本对他不闻不问的重庆方面突然派来了杜月笙。杜月笙特从重庆飞来香港就是来见梅兰芳的，他邀请梅兰芳去重庆演出。梅兰芳明白拒绝是要有借口的，不过，这几年来，借口也好托词也罢他早已是烂熟于心了，所以，当杜月笙一开口，他就不假思索的但口气好像有些为难似的回答说："我的剧团远在北平，要他们大队人马冲破敌人的重重关卡，恐怕是难以想象的。再说，千里迢迢的路程，万一中途死了几个人，我担不起这个责任。如果剧团不来，我一个人到重庆，也唱不了戏。请您把目前的困难情形转达过去，等演出有了条件再实行吧。"这个理由（或借口）看起来冠冕堂皇，别人丝毫抓不到把柄，就连老奸巨滑的杜月笙都是无话可说的。

回到家，梅兰芳约来冯幼伟，对他说："重庆要我去演出，我已经把困难说给杜听了。这些掌权人物，国难当头，还闹得这样乌烟瘴气，真让人看不下去，我不愿意再给他们去凑热闹。可能他们会有这样的想法，说我梅兰芳贪图享受，赖在香港舍不得走。香港本来不是久居之地，我早就想离开，您看到哪里去好？”这时，冯幼伟有随中国银行总行迁往桂林的打算，便劝梅兰芳说：“你既不愿意去重庆，我们何不搬到桂林去住，那里是个风景区，气候也还不错。你如果同意，我可以写信托中国银行给我们找房子。”梅兰芳想想也没有别的更好的去处，便同意道：“好吧！先去了再说。”很快，桂林的房子租到了。从一处迁往另一处并不是一件轻而易举的事，总会有不少杂事需要处理，况且，他又有些犹豫，放心不下上海的家人和剧团成员。他们靠他生活，他做不到一走了之。所以，他和冯幼伟计划着等过了年再走，不过，梅兰芳反复嘱托许源来：“我们内迁时行李不会少，飞机票请你早点给我们联系。”当时，许源来在交通银行负责经管运输事务，与当地两家航空公司都很熟，他对梅兰芳打包票说：“你放心吧，包在我身上。”可是，一切准备就绪时，却爆发了太平洋战争，香港很快成为孤岛，再想走已经来不及了。

蓄须明志

在日军围攻香港期间，梅兰芳住的靠近日本驻港领事馆的公寓成了他的不少朋友避难的好地方，其中有从浅水湾饭店搬过去的冯幼伟夫妇、恰好在港办事还未来得及返回的中国银行重庆分行经理徐广迟、许源来及他的三个孩子，加上梅兰芳和两个儿子、佣人等共有十几口人，而这十几张嘴的吃饭问题都需要梅兰芳想办法解决。炮火连天的情况下，已不能下山购买粮食，梅兰芳只有动用家中的存粮和一些罐头。但他们谁也无法预测仗要打到什么时候，有限的存粮和罐头总有吃完的一天，梅兰芳不得不小心计划着如何分配每个人的口粮。他规定，每顿饭每人只有一碗饭，不许再添，每顿饭只打开一个罐头，由他分配一人一筷子，有时候炸一小块咸鱼，每人只能分到一丁点儿，但大家谁也没有怨言。

虽然吃得艰苦些，但他们以为住得至少会安稳些，附近有日驻港领事馆，所以头上不会整天嗖嗖地飞过日军炮弹。为了安全起见，梅兰芳安排所有人撤离面向九龙的房间搬到东面的房间里，因为那里三道砖墙可以防弹，他还要求将窗上玻璃都用纸条贴好，再挂上厚厚的绒布窗帘。一天清晨，睡在客厅地铺上的女佣阿蓉起床后回到她的面向九龙的卧室，刚推开门就发出一声惊叫，众人闻讯一起奔过去，发现房间墙壁上有一个大窟窿，穿墙而过的一枚炮弹正静静地躺在床上！大家吓坏了，生怕这个大家伙随时随地腾空而起。初生牛犊不怕虎，惟有从来没有如此近距离看过炮弹的葆琛和绍武两兄弟好奇地趋前并将它抱出房间。曾在日本陆军军官学校学习过的冯幼伟此时则以行家的身份仔细揣摩它究竟会不会炸。梅兰芳是最后一个赶到现场的，见两兄弟正得意地抱着一枚炮弹，连忙命令说："还瞧什么？炸了怎么办？赶快想法子把它转移出去吧。"说完，他一面劝慰大家别紧张，一面指挥两兄弟将炮弹抱出门外，将它扔到附近的峡谷里去了。想他虽然不是出生于大富之家，但成名颇早，大多时候生活在鲜花掌声和美誉之中，虽没有吃过多少苦，却并没有沾染上大少爷的坏习性，在关键时刻所表现出来的镇定冷静着实令人佩服，难怪冯幼伟夸赞他说："你可真像个穆桂英，指挥若定，也不怕牺牲自己的孩子！"

一颗登堂入室的炮弹让梅兰芳感觉到住得也不够安全了，他预感到香港恐怕是守不住了，心情自然不好。那几天，他突然变得沉默寡言起来，总是紧锁眉头。一天清晨起床后，大家发现他与往日有所不同，那就是不再刮胡子了，这是颇让大家费解的事。要知道，

⊙梅兰芳蓄须照

他一向爱清洁，加之他是旦角演员，所以不论在什么环境下，他每天都刮脸，有时甚至还照着小镜子用镊子将胡子一根根地拔掉。此刻，许源来和冯幼伟指着他唇上初长成的稀稀落落的几根胡子问他："莫非你有留须之意？"他严肃地说："别瞧这一小撮胡子，不久的将来，可能会有用处。日本人假定蛮不讲理，硬要我出来唱戏，那末，坐牢、杀头，也只好由他。如果他们还懂得一点礼貌，这块挡箭牌，就多少能起点作用。"当年仅13岁的儿子绍武问他"怎么留起卓别林的小胡子"时，他也说："我留了小胡子，日本鬼子如果来了，还能强迫我演戏吗？"显然，他已经作好了香港沦陷的准备。

解放后的某一天，他在和当时的中国京剧院党委书记、副院长马少波谈起当年"蓄须"一事时说："当时只感觉到形势越来越严重，得想个法对付。有一天早晨正对着镜子刮脸，忽发奇想：如果我能长出泰戈尔那样一大把胡子就好了。于是我三天没刮脸，胡子还长得真快，小胡子不久就留起来了。虽没有成为飘洒胸前的美髯公，没想到这还真成了我拒绝演出的一张王牌。"每个男人脸上都有的、在每个男人看来极为平常的胡子当时对梅兰芳来说意义重大，它有可能让他失掉生命，但能让他守住气节。

苦熬了18天，香港终于沦陷，日军占领香港，粮食和水全部中断，到处都有流氓趁火打劫，偏偏在这个时候，家里的存粮和罐头也已经吃得差不多了，全家十几口人面临挨饿的威胁。一家之主梅兰芳紧锁眉头思忖良久后，将两个儿子叫到身边，说："冯老伯有位朋友住在山下，他家里还有一些米，我想让你们俩去取回来。"他这么做是冒着极大风险的，有可能将同时失去两个儿子，因为当时日军严禁私运粮食，私运粮食被抓到的挨顿毒打是轻的，赔上一条命的也不在少数，但他为了大家都能生存下去，毅然让自己的儿子去冒险。于是，两个孩子被父亲精心作了番伪装，穿着既不好又不坏

的衣服，各提一个大手提包，机警地绕过日军的重重岗哨，顺利地取回了粮食。

日军进驻香港后，到处横行霸道，不仅将英美侨民的住宅洗劫一空，时不时还要到中国人的家里搜刮财物，他们往往借搜捕英兵或检查为名闯进民宅翻箱倒柜，特别对上锁的箱柜，他们更是强令主人打开接受检查，他们以为上了锁的箱柜里有好东西。梅兰芳深知上锁是日兵翻箱倒柜的好借口，便将家里的大小箱柜都敞开着，日兵也就没有了借口，只能东瞧瞧西看看，失望地离去。一次，一个日兵顺手拿走桌上的一包香烟，原来这包香烟正是梅兰芳故意放在桌上的，他知道日兵若拿不到东西是会撒野的。又一次，夜半三更，一个被冻得浑身打颤的日兵闯进来，叽哩哇啦不知说些什么，只好请会说日语的冯幼伟出来应付，原来此兵是附近一带的巡逻班班长，因为不堪寒冷，正挨家挨户搜罗毛毯，了解了他的真实目的后，大家松了一口气，赶紧给他一条毛毯将他打发走。再一次，突然闯进四五个日兵，满屋子乱窜，好像在找什么人，会日语的冯幼伟再次出面，一口纯正东京口音的日语让来人误以为这里住的是亲日派大人物，便不再胡闹。临走时，有一个日兵看见几个孩子正在沙发上看英语读物，便又凶相毕露，抢过去一本扔在地上用脚踩用枪刺，然后恶狠狠地冲着孩子们吼叫了几句，经冯幼伟翻译，他们才知日兵不许再看英文书，否则“就跟这本书的下场一样”。事后，梅兰芳将几个孩子狠狠训了一通：“你们也太糊涂，日本正同英国打仗，他们自然最恨英国人，你们看英文，不是自讨苦吃吗？他们给你一刺刀，你们不也得挨着吗？多危险呀！”说完，他吩咐大家把家中所有的英文书刊集中起来，堆放到储藏室。

日兵虽然偶有闯入，但始终不知道此处住的就是曾两次访问日本并深受日本人民欢迎的艺术家梅兰芳。而梅兰芳深知这样的日子不会持续多久，这些小卒的上司迟早都会找上门来的。以往，他从来不摸纸牌，在暴风雨来临之前的短暂平静里，他开始和家中的几位朋友凑在一起打桥牌，沉着地等待着……

果然，一天上午10点左右，一个陌生人敲响了梅家大门，他指名要见梅兰芳。当梅兰芳刚迈进客厅，来人抢上前去，紧紧握住他的手，既激动又有点如释重负地说："梅先生您真把我找苦了，我们一进入香港，酒井司令就派我找您，找了一天没有头绪，有人说您已经不在香港，可是据我们的情报，您没有去重庆。……直到昨天晚上才有了线索，现在，我真高兴能够见到您。"来人叫黑木，在中国待了多年，能操一口流利的略带东北口音的中国话，曾任上海社会局日本顾问，梅兰芳的《生死恨》上演时，就是他曾通过社会局局长要求停演。开场白后，他方才道出他此行的目的："酒井司令想见您，您哪一天有空，我来陪您去。"

既然日本人已经找到了梅兰芳的住所，对他肯定有所监视，原本就无法离开日军占领下的香港，此时就更加无法逃脱，不去见酒井暂时可以，却无法继续，一天两天可以拖，十天八天是拖不下去的，迟见不如早见，早见可以早知道他们葫芦里卖的是什么药，也好早有打算。如此思忖片刻后，他回答黑木说："现在就有空，现在就可以去。"说完，他回房取衣帽，顺便对冯幼伟说明去向，冯幼伟一听就急了，说："您怎么能就这样轻率地跟他去，难道一点也不害怕吗？"梅兰芳回答说："事到如今，生死早就置之度外了，还怕什么？今天不去，早晚也得去，莫非要等他们派兵把我押去不成。"见他如此镇静，冯幼伟便不再说什么了。正在梅家作客的中国银行职员周先生（一说周荣昌，一说周克昌）对黑木自称是梅兰芳的秘书，要求共同前往。实际上，他是自告奋勇保护梅兰芳的。

在亲友忐忑不安的目光注视下，梅兰芳和周先生跨进黑木的汽车。随着汽车渐渐驶远，亲友们的心也愈发揪得紧了。

梅兰芳和周先生在黑木的带领下乘专用小艇渡海来到位于九龙半岛饭店的酒井司令部。酒井正在开会，他们在一间昏暗的会客室里等待片刻后，酒井这才露面。双方一见面，酒井便套近乎：“二十年没有见面了，您还认得我吗？我在北京日本使馆当过武官，又在天津做过驻防军司令。看过您的戏，跟您见过面。”

这许多年里，梅兰芳见过的人不计其数，这其中也包括不少外国人，但他确实想不起来是否真的见过这位酒井，于是说：“也许见过，可是不大记得了。”

梅兰芳未回答前，就注意到酒井正盯着他刚刚长出来的胡子。果然，酒井被这胡子所吸引，顾不得双方是否见过面，以十分惊讶的口气问：

“您怎么留须了？像您这样一位大艺术家，怎好退出舞台？”

梅兰芳回答道：“我是个唱旦角的，年纪老了，扮相不好看了，嗓子也坏了，已经失去了舞台条件，唱了快四十年的戏，本来也应该退休了，免得献丑丢人。”

酒井愣了片刻，他是万没想到梅兰芳会来这一手的，但他知道对梅兰芳这样一位有国际影响的艺术家绝不能采取强硬手段，于是便说：“哪里，哪里，您一点也不显老，可以继续登台表演，大大地唱戏。以后咱们再详谈，研究研究。”说完，他让黑木给梅兰芳一张特别通行证，又说：“皇军刚进入香港不久，诸事繁忙。您有什么需要，可以告诉黑木，让他给您解决。”

梅兰芳与酒井的初次交手就此作罢，他走出半岛饭店后重重地舒了一口气，正准备回家，却被黑木缠住。黑木坚持邀请梅兰芳去家里作客，梅兰芳推辞不掉，只得随其而去。吃完饭，黑木又拉着梅兰芳大谈京剧，然后又留他吃了点心。晚9点，梅兰芳见时间不早，担心亲友们焦急，便坚持要走。黑木这才放行，亲自陪梅兰芳和周先生过海，再派汽车将他俩送回了家。

从梅兰芳离去开始，最坐立不安的是冯幼伟，他一直在后悔没有拦住梅兰芳。其实，他也知道在当时的情况下拦是拦不住的，但他还是忍不住要后悔，当年幼的绍武天真幼稚地问他身体强壮、曾当过义务防空巡逻员的周叔叔"一定会保护爸爸的吧？"时，他也满怀希望道："但愿如此，但愿他们平安回来！"当梅兰芳离家近六个小时时，他更加心急如焚，对许源来说："这一下畹华真完了！我深悔不该让他去。"

在焦躁不安的等待中，时间仿佛已凝固了似的。梅家大小被不祥空气笼罩着，心情随着时钟分针秒针的嘀哒声越发沉重起来，连晚饭也无心思吃了。天逐渐黑了下来，大家在屋里也待不住了，一起挤到阳台上，尽管黑夜遮挡着他们的视线，但他们仍然透过黑幕极力向远处眺望，可他们望到的是惨淡月光下阴森森的山林，除此，他们看不到人影也看不到车影。

就在大家精神几乎快要崩溃时，传来汽车喇叭声，尽管声音很遥远也很微弱，但还是让神经高度紧张的人们捕捉到了，他们屏住呼吸等待那汽车逐渐驶近。汽车开到大门口，从车上走下来的正是梅兰芳和周先生，眼尖的梅绍武不禁大叫起来："爸爸和周叔叔回来了！"正闭着双眼满脸愁容倚靠在沙发上的冯幼伟好像不相信似的追问道："啊？是真的吗？可是真的？"谁也没有答理他，大家都奔到门口迎接梅兰芳和周先生去了。

来不及脱衣卸帽的梅兰芳被大家簇拥着、追问着，他连声说："别忙，别忙，等我放下帽子，擦把脸，再细细讲给你们听。"

梅兰芳叙述完后，众人悬了一天的心终于放了下来。不过，梅兰芳的头脑还是很清醒的，他说："今天一关虽然闯过来了，但你们别以为他们不难为我会有什么好意，我看出酒井这家伙够厉害的，准是想利用我。让他去做梦吧！”

果然不出梅兰芳所料，日本人对他的以礼相待实则是准备利用他，然而他们打错了算盘，他们的计划正如梅兰芳所说不过是梦一场。

想看梅兰芳表演的岂止酒井、黑木，日本内部报刊曾这样记载道：“日本驻上海派遣军司令官松井石根大将想看梅兰芳的舞台表演并派人去找，可是扮演旦角的梅兰芳因留胡子的缘故而拒绝登台。”

别小看了这不起眼的胡须，在那特殊的年代，它成了梅兰芳的挡箭牌。

就在和酒井见面后不久，日军某部为召开庆祝占领香港的“庆祝会”，给梅兰芳发了一封邀请信，邀请他在“庆祝会”上表演一出京剧以助兴。巧的是那几天，梅兰芳因心情不好，火气上升而正患牙疾，半边脸都肿着。真是老天帮忙，他连谎话都不用编，借口都不用找，只请医生开了一张证明就赢了第一个回合。

日本人自然是不甘罢休的，一个月后，他们估算梅兰芳的牙疾好了，便又派人来找他，说是为了繁荣战后香港市面，请他出来演几天戏。梅兰芳此次的理由也是名正言顺的，他说他已多年没有登台，嗓子坏了，加上只他一个人在香港，既没有与之配戏的演员也没有乐队，不要说唱一出戏，连独角戏都唱不起来。

前两次的回绝还算没有多费神，第三次就麻烦些了。南京汪伪政府要庆祝“还都”，日本当时在中国的“梅、兰、竹、菊”四个特务机关之一的“梅机关”派人到香港，邀请梅兰芳出山，前往南京，并说将派专机来接他。梅兰芳仍以嗓子坏了，剧团不在身边等为由加以拒绝，可来人仍不罢休，反复劝说，甚至说先去了再说，嗓子问题、剧团问题容后再想办法解决。这下搞得梅兰芳有些不知所措了。不过，最后他还是想出了办法，以自己有心脏病，从来不坐飞机为由，终于将来人打发走了。

由于香港粮食和物资严重短缺，日本占领当局下令紧急疏散人口，住在梅家的朋友趁此机会陆续离开香港。中国银行总经理徐广迟是日本人点名要抓的人，由冯幼伟介绍住进梅家，梅兰芳明知道徐的身份，却冒着风险留他住下，可见他在与日本人周旋中不仅机智而且颇具胆量。徐广迟一直很担心长久住在梅家，不仅自己的身份有暴露的可能，而且还会连累梅兰芳。因此，当局紧急疏散人口的命令下达后，他立即托人弄到一张化名的临时通行证，首先离开梅家离开了香港。临行前，他向梅兰芳辞行，言辞恳切地说："你我之间虽是一面之交，但早已久慕大名，现在更了解到您的品德高尚，为我受累不浅。明天，我将赴广州湾返回重庆，您今后有什么困难，尤其是您的孩子如果能逃往重庆去，我会帮助他们继续求学。您此次救我一命，您的恩情我终身不忘。"徐广迟走后不久，许源来一家返回了上海，还有些朋友有的回了上海，有的通过沦陷区逃往内地。

梅兰芳也有走的念头，但他最担心的还是两个儿子的安全。日军占领香港后，大举进攻南洋，因战线拉得过长，兵力便严重不足，因此，许多青壮年被强征入伍 。在这种情况下，梅兰芳决定先送两个儿子走。但两个一起走，万一路上遇到危险 ，一个也保不住。因此，他将几个准备去重庆的老朋友花了不少钱多买的一张去广州湾的船票交给了大儿子梅葆琛。

梅葆琛手拎父亲亲手为他准备的行装，怀揣父亲交给他的一张全家福，带着父亲"要用功念书、要分清好坏、要经受得住困难"等谆谆嘱托，在父亲的泪光中，告别了父亲和弟弟，于 1942 年 3 月 5 日随同父亲的几位老朋友离开了香港。经过长途跋涉，历时两个多月，终于抵达重庆。不久，梅葆琛考入位于重庆南岸黄角椏的教会学校广益中学。

大儿子走后不久，梅兰芳又将二儿子梅绍武送回了内地。梅绍武后来考入贵阳清华中学读书。两年后，梅葆琛也从重庆转到贵阳清华中学，兄弟俩重逢。

梅葆琛，号绍斯；梅绍武原名梅葆珍，绍武是号。“绍斯”、“绍武”之称，是他俩临离开香港时，由冯幼伟取的。在两个儿子临行前，梅兰芳在家里举行了一个小型告别宴。饭后，梅兰芳考虑到兄弟俩在远赴内地途中有可能遇到日本人盘查，不无担忧：“万一路上被他们发现是梅兰芳的儿子，可能就给拦回来。这两个孩子的名字从学校里是都查得出来的，非改不可，可是改了又得让他们容易记得住，盘问的时候才不会露出马脚。”于是，他征求在座的冯幼伟、许源来等几位老朋友的意见：“你们看我这个主意对不对？”冯幼伟思忖良久后提议说：“这样吧，他们的小名不是叫“小四”、“小五”（他俩分别排行四、五）吗？何妨谐着音改名为‘绍斯’、‘绍武’，有人盘问，我想容易答得上来。”梅兰芳同意了这个办法。

时局混乱，远赴重庆的梅葆琛与父亲失去了联系，他一直想方设法从香港逃回来的人那里了解父亲的情况，传来的消息虽然总是不很明朗，但至少可以断定父亲还活着，这让他安慰不少。可是不久，他再听到的消息却是父亲从香港乘船返回上 海途中，船被盟军潜艇击沉而遇难。他坐不住了，四处打听，但此传说越来越盛，他始终不相信这是真的，便去找中国银行的徐广迟。徐广迟也正为梅兰芳是否遇难担着心，他也在到处打听。此时，中国银行的一位职员从香港逃到重庆，徐广迟立即找上门去询问，此人明确表示的确有一艘船被盟军击沉，但船上绝对没有梅兰芳，梅兰芳还在香港。梅葆琛激动之余不免还是有些担心，当又一位徐广迟的朋友从香港逃到重庆时，他又去打听，这人也证实梅兰芳遇难的消息完全是个谣传，他肯定地说梅兰芳已经安全地返回了上海。

原来，自两个儿子走后，梅兰芳开始考虑自己的去留问题，这时候，他的大多数朋友都先后离开了香港，他也想走，但往哪里走，走到什么地方，都还无法明确。冯幼伟等几位老朋友对梅兰芳的去留问题也进行过多次研究，一致认为肯定是要走的，但采取什么方式走，大家意见不一。有人提议化装偷渡，但大多数人认为此方法不妥，他们认为别人化装或许可以蒙混过关，可梅兰芳这张脸有太多的人认识，不容易混过去，万一被日本人抓回来，事情就严重了。冯幼伟认为香港沦陷后和上海一样，况且家人都还在上海，不如直接回上海。对此建议，大多数人表示赞同，梅兰芳想了想也认为这是惟一的出路。

目前大多数资料都说梅兰芳于1942年夏乘飞机转道广州飞回了上海，至于他如何能够离开香港，都没有说明，而有此记载的却是一个日本人的回忆文章。

这个日本人名叫和久田幸助，他是太平洋战争爆发后被征入伍的，因是广东话专家，所以被编入香港占领军，在报道部任“艺能班”班长，统管战时香港剧艺工作，与在港的影星伶人多有接触。有关与梅兰芳的接触和梅兰芳如何离开香港返回上海，和久田幸助在他的一篇题为《梅兰芳与胡蝶战时在香港》的文章中这样写道：

当时日军的方针是很清楚的，那就是集中一切人和物，协助“大东亚建设”。我负有这个责任，也必须向梅兰芳提出这种要求，但是我向他提示了三个条件：

一、妥切保护他的生命和财产；

二、尊重他的自由，如果他感到不能接受日方的作法，想去重庆的话，即时无条件放他到重庆去；

⊙梅兰芳由港回沪后与夫人福芝芳合影

三、不损害中国人的自尊心，中国人和日本人，站在平等立场互相合作。

以上三个条件，并非上峰的指示，乃出于我个人的考虑。

……

对我的要求，梅兰芳这样回答：

“我所以来到香港，是因为不愿卷入政治漩涡。……为了这个缘故我才来到香港，今后我仍希望过安静的生活。如果要求我在电影舞台或广播中表演，那将使我很为难……”

我充分了解梅兰芳的立场，并且照他所说的互相约定，使他过安静的生活。那以后，我坚守彼此的约定，从来没有要求他演戏或广播。

还有，我去拜访他，都尽量的审慎从事，可是后来我与他仍在一起吃过好几次饭。他有一次在闲谈中表示：

“我的家原来在上海，想回上海去，希望替我办手续。”

我就很快的为他办了手续，备妥了护照，让他回上海去了。

这篇回忆文章因为是日本人写的，所以我们不得不对其真实性打点折扣。但仔细分析起来，也不能说它没有一点合理性。首先，梅兰芳非一般艺人，而是具有国际声望的大艺术家，日兵无论怎么穷凶极恶粗暴残忍，对这样一位极受世界人民关注并备受日本人民爱戴的国际人士，他们是不敢轻易下手的。他们当然希望有这样一位身份特殊的人士为他们歌功颂德粉饰太平，但遭到回绝后，他们不得不放低要求，只要他不公开或暗地里进行抗日活动，也就让他自由消闲，因而“保护他的安全和财产及尊重他的自由”也就成为可能；其次，的确如冯幼伟所说，沦陷后的香港和上海一样，都是在日本人的统治之下，生活在香港与生活在上海并没有多少区别，对梅兰芳提出的回上海和家人团聚的要求，日本人好像也没有必要反对，他们或许会这么想：虽然换了地方，但他还是被我们“捏”在手心里，对他有条件地有求必应，还有可能捞个讲人道、尊重艺术家的“好”名声，何乐而不为？另外，从和久田幸助曾因袒护中国人之嫌被日本宪兵队拘捕过一事也说明，虽然和久田幸助对梅兰芳所做的仍不过是为执行日军的方针，目的在于对像梅兰芳这样的人加以利用而为他们的“大东亚建设”服务，才为梅兰芳办妥回上海的手续的，但即使如此，也被日方视作偏袒梅兰芳加以惩罚。这也从反面说明梅兰芳回上海即便真的是由日人给办的手续，他也未上“寇船”、未牺牲原则、未对日妥协，不然，也就不会有下面“自伤以拒敌”的故事了。

不管怎么说，梅兰芳的确顺利地回到阔别四年的上海。因上次梅兰芳遇难的谣传而突患面神经抽搐的福芝芳见到丈夫平安归家，悲喜交加，拉着丈夫的手不停地感叹：“今天我们还能见面，真不容易啊！”

上海还是四年前的上海，但却满目疮痍。等待梅兰芳的虽然有患难与共的爱妻和娇儿，却也有更为严峻的考验。

自伤拒敌

上海早香港四年沦陷，日本人在这四年时间里已将魔爪伸向了各个系统。相对来说，上海的环境比香港更加险恶。在这恶劣的环境中，梅兰芳不得不小心谨慎 。他平时闭门不出，谢绝来访，将自己关在家里作画读书，对找上门来的日方或南京伪政府方面的邀请，不论是邀请演出还是邀请参加活动都一概拒绝。南京方面为邀请他参加“庆祝典礼”，几次派人上门游说，后来干脆说请他去观光，他仍然以身体不好等理由加以回绝。

但敌人是不肯善罢甘休的，他们总是想尽办法甚至动用卑鄙手段欲使梅兰芳妥协。1942年秋，汪伪政府的大汉奸褚民谊突然来到马思南路梅宅，执意要见梅兰芳。梅兰芳和冯幼伟、吴震修在“梅华诗屋”见了褚民谊。褚民谊进屋寒暄几句后，说明来意：邀请梅兰芳在这年12月作为团长率剧团赴南京、长春和东京作一次巡回演出，以庆祝“大东亚战争胜利”一周年。其实，他们不是不知道梅兰芳自抗战爆发后就一直不肯登台，只是他们始终不死心，希望有奇迹出现。梅兰芳早就猜到褚民谊找上门来的真实目的，自然也有了心理准备，他指着自己唇上的胡须，不急不忙地回答说：

“我已经上了年纪，没有嗓子，早已退出舞台了。”

褚民谊仿佛也早有准备，所以对梅兰芳的回答并不感到吃惊，他面含狡黠的微笑，说：“小胡子可以剃掉嘛，嗓子吊吊也会恢复的嘛。”说完，他自以为是地“哈哈哈”地笑了起来。

然而，梅兰芳并没有在这不怀好意的笑声中气馁，仍然是不慌不忙地说：“我听说您一向喜欢玩票，唱大花脸唱得很不错。我看您作为团长率领剧团去慰问，不是比我更强得多吗？何必非我不可呢？”

两句话直说得褚民谊的脸红一阵白一阵，这两句话表面上看不咸不淡，梅兰芳用的又是轻描淡写的口气，实际上却锋芒毕露，刺得褚民谊说不出话来。在一旁为梅兰芳捏着把汗的冯、吴二人此时忍不住要笑出声来，等褚民谊狼狈地出门去后，冲着梅兰芳直竖大拇指："畹华，你可真有一手！"梅兰芳却很冷静，他等待着下一个回合的交锋。

华北驻屯军报道部部长山家少佐是个臭名昭著的人物，他掌管文化宣传事务，权势很大，号称"王爷"，他的家里几乎每天都有十来桌筵席，用以招待大小汉奸。一次筵席上谈到如何让梅兰芳露面一事，汉奸们均面露难色，只有北平《三六九》画报社社长朱复昌为了讨好，给山家出了个主意："梅兰芳说他年纪大了不能再登台，那就请他出来讲一段话，他总不能再有什么理由推却了吧。"山家一听连声说"好"，并将此事交由朱复昌去办，允诺事成之后必有重酬。

就在朱复昌考虑如何完成任务时，听说梅剧团的经理姚玉芙刚刚从上海回到北平，便赶到安福胡同姚宅，请姚玉芙立即坐飞机返回上海，将情况转告梅兰芳，他随后赴上海亲自登门邀请。姚玉芙不觉愣了，他也知道梅兰芳这次是很难找到理由回绝的，不免心里焦急。恰在这时，梅兰芳的表弟秦叔忍到姚家串门，听说情况后，想到了一条万不得已的对策……

姚玉芙带着秦叔忍的建议赶回上海。

梅兰芳一方面请来私人医生吴中士先生为他连续注射了三次伤寒预防针，一方面让姚玉芙电告朱复昌："梅兰芳病了，无需来沪。"三针打下去，梅兰芳果然高烧不退。原来，梅兰芳打任何预防针都会引起发高烧，秦叔忍是深知梅兰芳这个"毛病"的。作为梅兰芳的私人医生，吴中士自然也是了解梅兰芳的身体的，他当时不忍心那么做，认为那样不仅会严重损伤梅兰芳的身体，而且也很危险。梅兰芳则对他说："我已决心不为他们演戏，即使死了也无怨言，死得其所。"泪水模糊了吴中士的双眼，他被这种宁死不屈的精神深深感动。

山家不相信梅兰芳真的生病，便打电报给日本驻沪海军部，让他们派一位军官和一位军医前去探听虚实。日本军医来到梅兰芳的病榻前，一量体温，梅兰芳果然高烧42度，自然无话可说了。如果仅是发烧的毛病，打几针退烧针恐怕就行了，山家肯定会等梅兰芳的烧退了，再逼他出山。但因为梅兰芳打的是伤寒预防针，故还有伤寒病症。日军医量了体温后，还不甘心，又作了仔细检查，最后只得很肯定地向上头报告说梅兰芳患的确是伤寒。在那个年代，伤寒病属重症，非短时间内就可以痊愈，而是需要长期休养。

后来，吴中士大夫向刚从贵阳回到上海的梅葆琛回忆这事时，仍然很激动，连声说："他真是一位名副其实的英雄，我真是佩服至极。"

梅兰芳又一次成功地打碎了日伪的阴谋，但他这次却是以牺牲自己的身体作为代价的。然而，他并不后悔，他深知身体的损伤还有可能通过调治得以恢复，而气节一旦丢失就无论如何也找不回来了。

面对这位表面上看安详温和，骨子里却傲然不屈的艺术家，日伪惟有无可奈何。

政治上的关卡是一道道闯了过去，可生活上的问题却一天天严重起来。

自抗战爆发，梅兰芳已经多年不登台演戏了。不登台就意味着没有收入，虽然家里还有点积蓄，但坐吃山空，他不但要养一家子人，还要接济剧团里一些生活困难的工作人员。他继承了祖父梅巧玲乐善好施的传统，对身边有困难的人从来都是尽全力帮助，尽管剧团已多年没有演戏任务，但他始终没有辞退一人，照样照顾他们的生活，加上他的家里长期住着一些穷亲戚，那有限的积蓄终究不是取之不竭用之不尽的宝藏，终有用完的一天，接下去，他将靠什么维持这许多张嘴的吃饭问题呢？首先，他靠银行透支。通过朋友的关系，上海新华银行答应给他立个信用透支户，但这种寅吃卯粮的方式让梅兰芳颇为难受。有一次，为了买米又要开支票了，他摇着头对许源来说："真是笑话！我在银行里没有存款，支票倒一张一张地开出去，算个什么名堂？这种钱用得实在叫人难过。"所以，他尽量不开或少开支票，而开始变卖或典当家中的古玩及其他一切可以变卖典当的东西，包括古墨、旧扇、书画、磁器等等。有一年除夕，与梅兰芳一家住在一起的福芝芳的母亲遍寻一个每逢过年过节都要取出来使用的古瓷碗而不得，梅兰芳得知后悄悄对她说："老太太，别找了，早就拿它换米啦！"老太太真是哭笑不得。

上海各大戏院老板在了解到梅兰芳经济生活陷入窘迫后，以为这是请他"出山"的大好机会，便纷纷找上门来，有的甚至夸下海口："只要梅老板肯出来，百根金条马上送到府上。"中国大戏院的经理百般劝说道："我们听到您的经济情况都很关心，上海的观众，等了您好几年，您为什么不出来演一期营业戏？剧团的开支您不用管，个人的报酬，请您吩咐，我们一定照办。唱一期下来，好维持个一年半载，何必卖这卖那的自己受苦呢？"此人所说不无道理，经济问题也的确让梅兰芳有些犹豫，但他没有立即给予答复，而是说："承你们关心，我很感激。至于演出一层，让我考虑好了明天再给你回音。"经理一听此言以为有门，乐颠颠地回去静候佳音了。

然而，他们等到的仍是梅兰芳的拒绝。但也毋庸讳言，梅兰芳有过激烈的思想斗争。就在中国大戏院经理离去后，他在许源来的陪同下来到冯宅，他想听听冯幼伟的意见。冯幼伟沉思良久后，最后还是将这"皮球"推回给了梅兰芳，他不是不想帮梅兰芳一把，但他深知此事不是简单地用"是"或"否"就能解决了的，说"是"肯定不是梅兰芳所情愿的，当年他逃港、蓄须不就是为了在这非常时期有个堂而皇之的拒绝登台的理由么；说“否”也会让他下不了决心，按中国大戏院经理的承诺，这一次演出的收入至少可以让他们再维持一年半载，而这对目前经济极度拮据的他来说不正是雪中之炭么。所以，他没有给梅兰芳一个明确的答复，而是说：“今天的问题不简单，我得先听听你自己的主张。”

的确，世上没有救世主，能够拯救自己的惟有自己。梅兰芳明白问题的关键在于自己心中的天平到底是倒向哪一方，所以他并没有要求其他人非给他拿主意不可，而是在饭后独自一人坐在客厅的沙发上抽烟。直等到他完全被浓烟包围，冯幼伟忍不住了，问他：“你准备怎样答复中国大戏院？”梅兰芳掐灭烟头，声音虽不高但异常坚决地说：“我不干！一个人活到一百岁总是要死的，饿死就饿死，没有什么大不了的！”他当初的犹豫当然是想使经济状况得以改善。但经仔细一想，却又发觉事关非小。虽然一个演员以演戏为生，演给百姓看是演，演给达官贵人看也是演，同样，演给中国人看是演，演给外国人看也是演，从这方面看，好像演给谁看都是无所谓的，但是，演员毕竟不是机器，而是人，人生活在特定的社会环境中，就不得不受特定社会环境的约束。打进中国来的日本人已经不是简单意义上的外国人，而是侵略者，演戏给侵略者看客观上就是对其侵略行为的容忍，这不是演戏不演戏的问题，是民族气节的问题。当然，现在出面邀请的是中国人而非日本侵略者，但他只要一登台，他就无法控制台下的观众是中国人还是日本人，况且，他答应演出就必须剃掉已经长成的、用作挡箭牌的胡子，那么，当日本人、汉奸出面来邀请时，该如何作答呢？在浓烟笼罩中，梅兰芳逐渐理出了头绪，他终于明白他之所以犹豫是因为没有找到问题的症结，问题的症结并不在于饿死或赚钱，而在于饿死或气节，饿死事小，失节事大。想到这儿，他的问题也就解决了。

⊙梅兰芳与俞振飞（左）

梅兰芳虽然做好了宁可饿死也不放弃原则的准备，但天无绝人之路，饿死一个人，特别是饿死一个有多方面才华的艺术家也并非一件容易之事。当演戏成为不可能，银行透支又不愿意多用，家中值钱的东西都变卖典当的差不多时，他想到了卖画。

以卖画为生

迁居上海后的一段日子里，梅兰芳的生活极有规律，每周一、三、五下午2点至3点，师从英国老太太学习英文，4点，俞振飞、许伯遒带着笛子来拍曲、度曲；每周二、四、六下午，师从画家汤定之学习绘画。

汤定之（1878—1948），名涤，小字丁子，亦号双于道人，江苏常州人。他恐怕算是梅兰芳最后一位绘画老师，他的曾祖父汤贻汾（号雨生，晚号粥翁）是清代著名画家，善画竹石、花鸟、人物、鱼虫，著有《画筌析览》、《画眉楼集》、《琴隐园集》等。祖父禄民，字乐民，善白描人物，尤善画仕女。汤定之的父亲去世较早，家境清贫，母亲贾氏善书法，他早年学书法即师从母亲，成年后尤擅魏碑。光绪末年，他离开家乡，远赴广州，在学堂教书法。民初，他先后在苏州工业学堂、北京女子师范大学任教，闲时习画，不几年，名气大增。北大校长蔡元培为丰富学生文化生活，特设书画研究会，聘他前往主事，又受北平艺术学院之聘，任该院山水画教授。故宫博物院成立时，他被请去鉴别书画，因此得以观赏到历代秘藏，大开眼界。

汤定之既是名画家也是爱国志士，梅

兰芳迁居上海后次年，他也从北平迁往上海。上海沦陷后，有汉奸曾出巨款请他绘一幅《还都图》，遭到严辞拒绝，又有汉奸力邀他参加伪政府，他也拒不接受。从此，他画松以明志。他有一方印，刻着“天下几人画古松”，以松之品格自励。他还曾于1935年冬作丈二匹古松赠给梅兰芳，画旁题款为：“四时各有趣，万木非其俦。乙亥冬雨窗为畹华仁弟补壁，双于道人。定一汤涤写。”他借此画鼓励梅兰芳继续保持古松一般坚韧不拔、历经风吹雨打而宁折不弯的精神。

还在北平时，梅兰芳和程砚秋都曾是汤定之的学生，他俩每次乘汽车往汤宅，汽车都在离汤宅很远处停下，然后步行，以表示对老师的尊敬。

汤定之既擅长画松，梅兰芳自然向他学习的也是画松。但梅兰芳并没有放弃画仕女图，只是汤定之是不画仕女的，他便专心摹古，同时结合自己的化妆经验，因而所画仕女别有一番神韵。1936年初夏，冯幼伟的夫人施碧颀40岁生日，梅兰芳特别画了一张仕女图为她庆寿。这幅仕女图“神韵淡雅，笔墨简净，是梅兰芳中年的代表作”。

迁居香港后，没有了演戏任务，梅兰芳的空闲时间明显增多，但他的生活仍然很有规律，习画便是每天上午的必修课。

重返上海后，梅兰芳与画家吴湖帆（1894—1968，本名万，又号倩庵，江苏苏州人）、叶玉虎交往频繁。当他出现经济危机时，朋友们都劝他卖画，他初以为自己的画是玩票性质，还不够出售资格，但终经不住大家的一再劝说，加上客观存在的生计问题，于是决定试试。首先，他下苦功习画，主要以画仕女图和花卉为主，朋友们将收藏的陈老莲、新罗山人、恽南田、方兰坻、余秋宝、改七芗、费晓楼的真迹借给他临摹。于是，每当夜深人静时，梅兰芳便在“梅华诗屋”里铺开了纸。那时候几乎每晚都有空袭警报，晚10点便停止供电，而他习惯于晚上安静之时作画，所以买了一盏铁锚牌汽油灯，就在微弱的汽油灯下，在香片茶的清香中挥毫。有时，他留许姬传在书房里看他作画，许姬传往往看着看着就睡着了，等他一觉醒来，天已微亮，再看梅兰芳，毫无倦容。有一次，梅兰芳兴致勃勃地对刚睡醒的许姬传说："我当年演戏找到窍门后，戏瘾更大，现在学画有了些门径，就有小儿得饼之乐。"他作画上了瘾而不眠不休，朋友们都担心他长期在汽油灯下作画伤了眼睛，便劝他不要整夜的画，可他却说："一个演员正在表演力旺盛时候，因为抵抗恶劣环境而谢绝了舞台生活，他的苦闷是无法用言语形容的。前天还有戏馆老板揣着金条来约我唱戏，广播电台又时时来纠缠我，我连嗓子都不敢吊。我画画，一半是维持生活，一半是借此消遣，否则我真要憋死了。"原来如此。

1944年端午节，汤定之、吴湖帆、李拔可、叶玉虎、陈陶遗等人聚集在"梅华诗屋"，对梅兰芳前一段时间的苦练给予了总结，一致认为"大有进步"，李拔可提议"何妨开一个展览会"，吴湖帆提议"和画竹兴趣正浓的叶玉虎合开一个展览会"，汤定之提议"二人合画梅竹，或者'岁寒图'"，陈陶遗提议"找人在画心上题词，以壮声势"。朋友们的热心帮助，使梅兰芳极受鼓舞，接下来的八九个月，他依照汤定之"开展览总得有二百件画才像样"的建议，积极作画。

梅兰芳与叶玉虎合办的画展，终于于1945年4月在上海福州路的都城饭店正式开幕。此次共展出约170余件作品，包括佛像、仕女、花卉、翎毛、松树、梅花，及部分与叶玉虎合作的梅竹，和吴湖帆、叶玉虎合作的《岁寒三友图》，还有一些摹作。在摹改七芗的《双红豆图》上，吴湖帆题词道："玉壶双红豆图为蒋生沐所作，梅兄可谓摄神之作。"在《纨扇仕女图》上，吴湖帆也题词道："……近作已入六如、老莲门庭，骎骎度玉壶前矣，惊叹观止。"170余件作品在这次展览中共售去百分之七八十，连照样复定的画件在内，可

以说全部售出。其中《双红豆图》当场有人复定5张，《天女散花图》也是抢手货。

这次画展不仅使梅兰芳的经济情况有所改善，也使他对作画加深了自信，不过，他为此也付出了代价。因为就着汽油灯作画，一次不小心手指碰到了汽油灯，手被烫出了一个水泡，这一烫让他整整一个星期无法继续作画，手指上也留下了一个疤痕。但他后来常常在人面前指着这个疤痕笑道:“这是我在艰难岁月里学画的纪念。”

在他去世后，有关部门举办了一次“梅兰芳艺术生活展览”，在展出的他的遗画中大部分是在抗日战争时期所作，其中有一幅《牵牛花》，他在画上题道:“曩在旧京，庭中多植盆景牵牛，绚烂可观，他日漫卷诗书归去，重睹此花，快何如之。”在一幅松树画上，他题了前人诗句:“岂不罹霜雪，松柏有本性”。另外一幅摹姚茫父的《达摩面壁图》作于1945年春，他在画上题道:“穴居面壁，不畏魍魉。壁破飞去，一苇横江。”这几幅画表达了他虽处恶劣环境却“不畏魍魉”，并对未来充满信心的精神品质。

八年抗战，梅兰芳息影舞台八年，最后宁可靠卖画为生以保全清白与忠贞，他的这种“威武不屈、贫贱不移”的高尚品格足令世人敬佩。戏剧大师田汉曾作诗赞许道：

八载留须罢歌舞，坚贞几辈出伶官。
轻裘典去休相虑，傲骨从来耐岁寒。

然而，梅兰芳自己却并没有沉浸在一片褒扬声中，他觉得他的所作所为不过是一个有良知的中国人最起码的作为，相比那些在抗战前线浴血奋战的将士、在沦陷区从事地下工作的同志，以及如一把尖刀插在日寇心脏的无名战士，他感到他是渺小的，因而，他在1959年入党时曾经这样写道：

我在抗战时期有点爱国表现，党肯定我，人民鼓励我，我感到莫大安慰。我知道，党和人民鼓励我，是体谅我当时的实际处境，能够保持气节，觉得难能可贵。可是我认识到自己做得还是很不够的。比如说，当国家危难的时候，中国人都像我那样隐居起来，中华民族能解放吗？所以比起八路军、新四军，特别比起那些为中华民族解放事业和人民解放事业而英勇奋战、流血牺牲的文艺战士，我感到惭愧，我今后要向他们学习。①

由于这段话是写于极左思想已经有所抬头的那个年代，因而现在看来多少有点“上纲上线”的味道，固然也是梅兰芳对自己的从高要求。参加抗日的方式有多种，上前线浴血奋战是一种，在敌后从事地下工作也是一种，可以说，这几种方式是主要的，或者说是取得战争胜利所必不可少的。然而，像梅兰芳这样无论如何也不为日寇汉奸演戏的种种举动其实也是抗日精神 的体现，对中国人民起到了鼓舞和激励作用。

重返舞台

噩梦醒来是早晨，漫漫长夜的尽头必定有如火的朝阳。梅兰芳和全国人民一起熬过了噩梦，度过了长夜，终于迎来了阳光灿烂的一天。

1945年8月15日是日本侵略者宣布无条件投降的一天，这一天

①马少波：《抗日烽火中的梅兰芳》，《中国戏剧》1995.8.

⊙梅兰芳由琴师王少卿为之吊嗓，
准备重登舞台（1945年）

标志着八年抗战以中国人民的胜利、日本侵略者的失败而告结束，这一天永载史册。

梅兰芳自然又是从他那个收音机里听到这振奋人心的消息的。八年的艰辛，八年的屈辱，随着激动的泪水一泻而尽。他的眼睛里噙满泪水，脸上却满是笑容，对夫人说："天亮了，这群日本强盗可真完蛋了！"

很快，上海的大街上满是欢呼雀跃的百姓，他们奔走相告，他们载歌载舞，压抑了八年之久的激情仿佛都要在这一天释放。很快，梅家聚集了一屋子的人，有亲人更有朋友，他们像是过年一般见面就道喜就拥抱。他们谈笑风生之后，才发现主人并不在客厅里，正纳闷，突然看见梅兰芳在二楼楼梯口出现，只见他身着笔挺的灰色西装、挺括雪白的衬衫，绛红色的领带打得端正，脚上一双黑皮鞋正闪着亮光。大家看不到他的脸，因为他正用一把折扇挡着脸。他就这么半遮着脸，以与年龄大不相符的却如旧式小姐一样的轻盈步履，缓缓走下楼来。走到大伙面前，他猛地拿下折扇，一张干干净净的脸上已经没了蓄了三年多的胡须，这意味着什么？不言自明，大家不由鼓起掌来。

八年，耗掉了他的年华，也几乎耗掉了他的艺术。从胜利那天起，梅兰芳重新焕发了艺术生命，他要抓紧时间争取尽快重登舞台，将八年的损失夺回来。于是，已经51岁的他每天的生活紧张且充实。早上他起得很早，在院子里练功，下午吊嗓子，晚上看剧本，他像一个披挂整齐的将士，随时等待着出发号令。

梅兰芳即将复出的消息不胫而走，大家在关心他复出的同时，更加急切地想了解他在八年中的生活。为此，《文汇报》的柯灵先生于这年9月初专程赴梅宅作了一次专访。

早在抗战胜利前两年，在上海编《万象》杂志的柯灵在《万象》

10月号上推出一期“戏剧专号”，内容以话剧为主，其中有一栏是“平(京)剧与话剧的交流”，他特请当时在上海的京剧界人士为此专栏写稿，周信芳、杨宝森、童芷苓、童寿苓、白玉薇、金素雯、林树森、陈鹤峰、李宗义、李玉芝等人都应约写了文章。当他向梅兰芳约稿时，却遭到了拒绝。梅兰芳当时的思想肯定是下决心不以任何形式抛头露面，哪怕是在公开场合发表谈话或在报刊杂志上写文章，哪怕是谈的话、写的文章与政治毫无关系，他要做个彻底的隐居者。

这次，已经准备复出的梅兰芳当然没有拒绝柯灵的采访。

在“一个使人轻松愉快的好天气”里，梅兰芳坐在柯灵的对面，当他听柯灵感叹说“现在我们可以痛快地谈一谈，吐一口气了”时，忍不住笑了，接口说：“现在好了，我们胜利了。”停顿片刻，他也不由感叹道：“我憋了八年，您想想，八年是多久的时间。这一仗简直把人都打老了，我今年已经52岁（虚岁——引者注）了！”说到老，柯灵便伸过头凑近梅兰芳，细细端详，然后，他在采访记中这样写道：

“老吗？我看不出来。他依然潇洒，精神健旺，态度宁静，看不出有什么衰老的影子。头发梳得很光，穿着洁白的衬衫，整齐大方，恰如我们从画报上所习见的他的相片一样，留了几年的胡子是剃去了。”①

就大家所关心的八年生活问题，梅兰芳并没有因为有人说他虽然不演戏但“过得十分舒适”而义愤填膺，只是苦笑。然后，他对柯灵详细谈了他在香港，在上海的生活情况，谈他如何从上海逃到香港，如何度过香港被围困的那些日子，如何应付日本军官，如何留须，如何又返回上海，如何三番五次地拒绝日伪让他出来唱戏的要求，如何变卖家财，如何靠卖画为生等等。他就像是在叙述别人的故事一样平静。柯灵边听边想：“上海沦陷期间，豺狼当道，魑魅横行，对人是一场灵魂和意志的严格考验。艺人卖艺聊生，只要不沾泥带水，原也无伤清白；略迹原清，过檐低头，也不同于倚门卖笑。梅兰芳树大招风，能做到独立不弯，冰雪无欺，在祖国危难中，陷身沟壑，坚定不移地捍卫民族气节和艺术尊严，不能不说是太难能可贵了。”②

对物质生活方面的艰苦，梅兰芳并没有太多的抱怨，他耿耿于怀的是：“八年不唱戏，这对我实在是一种很大的牺牲。”

“这很值得。”柯灵说，“艺术家有他的尊严，梅先生的牺牲无疑替中国人争了光，替戏剧界争了很大的面子，值得我们用庄严的笔墨来记述的。可是现在应该出山了。有许多人在等着您演戏的消息，您是不是就有登台的意思呢？”

“要的，我要唱的。”梅兰芳说。

柯灵又问：“那好极了，几时演，决定了吗？”

“还没有，”梅兰芳笑道，“跟我接洽的人很多，可是我得好好计划一下。我一定唱的，哪怕是一次也得唱，要不然，我这八年的咬

①②柯灵：《百年悲欢》，上海远东出版社。

牙，就没有意思了。单为我们祖国的胜利，我也得露一露。就是一点，非得有点意义的戏我才唱，希望您也能帮助我计划计划。荒疏了这许多年，我还不知道能唱不能唱。我相信我的嗓子还可以。从前练的时候久，忘是不会忘的。可是‘拳不离手，曲不离口’，玩艺儿要不练，就不行了。”

采访临近结束，梅兰芳还向柯灵谈到他的几个儿子和弟子程砚秋。最后，他在给柯灵的一张相片上签了名。柯灵发现梅兰芳在相片上签的日期并不是采访当日。梅兰芳自己解释说：“我倒填了日子，——三十四年八月十五日，中国人民抗战胜利日，作为我们这一次谈话的纪念。”显然，这一天已经深深地刻在了他的心里。

9月7日至9日，柯灵的这篇访问记在《文汇报》上连载了三天，更多的人因此更深地了解了梅兰芳。

10月10日是个特别的日子。这一天，毛泽东与蒋介石在重庆经过43天的和平谈判，签订了著名的《国共代表会谈纪要》；梅兰芳也在息影八年后，于这天复出，在兰心剧场演出两天义务戏，剧目是《刺虎》；还在这天，梅兰芳撰写的文章《登台杂感》在《文汇报》的新闻版里发表，表达了他对重返舞台的渴望及喜悦心情，事实上，该文也是他重返舞台的宣言书。

梅兰芳在文章中说自己“还能够唱”，但同时也承认“也有玩意儿生疏了”，其实这不奇怪，枪刀要天天擦才够亮，嗓子自然是天天吊才不至于退化，他并不是不知道“拳不离手，曲不离口”对演员来说多么重要，但他没有条件做到这点。战时，连想吊吊嗓子也不得不关紧门窗，拉上窗帘，更不敢放开喉咙，日久天长，“生疏”就是难免的了。何况他已不再年轻，身体也在自然老化，尽管战后他苦练了一段时间，但短短两个月不到的时间无论如何也无法补齐八年的功课。因此，复出的首场演出让许多人为他捏着把汗。

演出那天白天，梅家聚集着不少中外记者，他们围着他问这问那，既问他关于当晚的演出，也问他关于抗战，更问他关于将来。在记者的包围中，他的嘴几乎不曾歇过。问题问完，记者们又忙着为他拍照片，拍新闻片，他就一会儿被拉到东一 会儿被拉到西，一会儿站姿，一会儿坐姿，如此整整忙了一天。晚上，他匆匆吃了点东西就赶往剧场。

毕竟离开舞台已经八年，在舞台上“驰骋”了四十年的梅兰芳此时对舞台也产生了些许陌生，但他热爱舞台，只有舞台才能让他重树自信，他压抑住内心的激动，准备登台。然而，当他化妆时分明感到手不够灵活，化好的妆，他左看右看不顺眼，他问一直陪在身边的几位朋友:“你们看我扮出来像不像？敢情搁了多少年，手里简直没有谱了。”虽然还谈不上不像，但确实“不够当年的标准”，朋友们 怕他失了自信，便异口同声说“扮得不错”。在如雷般的掌声中，梅兰芳款款出场。按许源来的观感，开始的“嗓子不够理想，部位感到生疏，身段也不自然”，但他凭借扎实的基本功越唱越好，总算顺利过关。

梅兰芳自己也意识到他这天的演出今非昔比，回家后便自我批评道:“今天的戏演得太不像样，嗓子、表情、动作和台上的部位都显得生硬，这固然因为我忙了一天没睡晌觉，最要紧的还是八年不唱的缘故。”然而，他并没有陷于自责之中而愁眉不展，仍然兴高采烈，在和大家吃宵夜时还谈笑风生，吃得多，酒也喝了不少。戏虽然不算高水准，但没有失败，关键是这是他复出后的首场演出，这场演出标志着他正式重登舞台。

梅兰芳集中学习昆曲是在1915—1916年间，30年代初迁居上海后，他又虚心求教于南方昆曲名家。当他听说南方昆曲界素有“俞家唱”时，想起他早年赴沪演出时曾听过俞粟庐的昆曲，认为他的“出字、收音、行腔、用气非常讲究”，于是便请当时上海最负盛名的昆曲家俞振飞为他拍曲。俞振飞就是俞粟庐的儿子。当他听完俞振飞用笛子吹《游园》里的两支曲子后，赞扬道：“这是我第一次听到他的绝技。笛风、指法和随腔运气，没有一样不好。”随即便请俞振飞推荐该学的曲子，俞振飞便推荐了一套《慈悲愿》“认子”，他说这里面有许多好腔，对皮黄也会有不少借鉴之处。由俞振飞亲授，梅兰芳很快就学会了，果然觉得自己的唱腔有了很大的变化。以后，他又随俞振飞学了一些其他昆曲。

梅、俞首次合作是在1933年为上海昆曲保存社筹募基金的一次义演，恢复合作则是在抗战胜利后。

在兰心剧场的演出是庆祝性演出，庆祝演出结束后，各个剧场都要求梅兰芳尽快恢复演出营业戏。观众急切地等待着重观与他们分别太久的“梅戏”，梅兰芳当然也想满足观众愿望，当时虽已胜利，但南北交通尚未恢复，而剧团成员远在北平，一时无法抵达上海，没有剧团，他演什么呢？正在他为难之时，有人提议道：姜妙香、俞振飞和“仙霓社”“传”字辈的几位演员以及昆曲场面都在上海，京戏唱不成，何妨改唱昆曲？梅兰芳一听是个好办法，便积极准备演出昆曲。

这时，他的嗓子还没有完全恢复，便请俞振飞每天来为他吊嗓子，不久，他在美琪大戏院演了一期昆曲，剧目有与俞振飞合作的《断桥》、《奇双会》、《思凡》，与程少余合作的《刺虎》，另外还有一出《思凡》。演出前，梅兰芳还有些担心是否能满座，不曾想，海报刚一上墙，就引来无数观众蜂拥购票，三天的票在很短的时间里便被抢购一空，最后竟将美琪大戏院的门窗都挤破了。其实观众想看的是梅兰芳其人，至于他演什么戏那是无关紧要的。因此，每场演出，戏院门口都挤得水泄不通，好多人是特地从外地赶来的。那些天，街头巷尾到处都能听到梅兰芳的名字。百姓议论梅兰芳，不仅欣喜于他重新登台，更赞叹他蓄须明志的高尚品格，对他虽然息影舞台八年却“功夫不减当年”佩服不已。

唱到第三天时，时任上海市副市长的吴绍澍来通知大家，说“蒋委员长、蒋夫人、孙夫人当晚要来看戏，还要和梅先生见面谈话”。当晚，蒋介石、宋美龄、宋庆龄按时来到戏院，戏院楼上的5个包厢坐满了便衣侦缉队。梅兰芳唱完《刺虎》后，换上西服偕夫人福芝芳、儿女梅葆玖、梅葆玥在楼上休息室里与蒋介石见了面。蒋介石握着梅兰芳的手说：“你是爱国艺术家，今天可称幸会。”宋美龄在一边插话道：“Dr.梅，你能坚持不为敌伪演出，使全世界都知道中国有个不怕刺刀的演员，给中国人长了志气。”这时，蒋介石从衣袋里拿出信纸大小的一张宣纸，展开递给梅兰芳。众人见宣纸上写有“国族之华”四个大字，上款为“兰芳博士惠存”，下款是蒋介石的签字“蒋中正”，还盖有印章。梅兰芳接过，连声道谢。回去后，秘书许姬传建议由他代为保管这幅字，并说：“冯六爷把孙中山先生亲笔签名照片送给我，这张字正好配对。”梅兰芳没有同意，他的理由是：“蒋先生的字与孙先生不同，孙已逝世，而蒋为执掌军政大权的首领，拿他的字给人看，好像炫耀自己。”①于是，他将这幅字锁进了橱子里。

演昆曲是暂时的，梅兰芳自然应以演京剧为主。为了恢复演出京剧，他于1946年4月重新组班，首次与王琴生合作演出了《宝莲灯》、《汾河湾》、《打渔杀家》、《御碑亭》、《法门寺》、《四郎探母》、《武家坡》、《大登殿》、《抗金兵》等，演出地点在上海南京大戏院。

王琴生是北京人，1916年出生，小的时候住在北京阜城门内，

①许姬传：《国族之华》，《大成》第87期。

邻居是以教戏为生的金松年。身边有教戏先生，哪有不学的道理。王琴生开始学戏是在13岁，随金松年学铜锤花脸，主要剧目有《五台山》、《黄金台》、《卖马》、《二进宫》和《法门寺》。倒仓后，王琴生改学老生，先后学会了《断密涧》、《武家坡》、《碰碑》、《黄金台》、《鱼藏剑》等戏。由于父母反对，王琴生不能以学戏为主，更不能进入他一直想进入的富连成科班，就是后来考取王泊生创办的山东省立剧院预备生，也因父母的反对而作罢。父母希望他多读书，于是，他边读书边学戏，他自己曾有学医的想法，因此学了一段时间中医，但对戏曲的爱好他始终丢不下，以后跟德珺如的儿子德少如学了好几年戏。24岁时拜谭小培为师，同时随谭富英、谭世英、宋继亭、丁永利、张连富学习，25岁时正式“下海”。

1946年春，由梅剧团管事李春林介绍和推荐，王琴生从北平来到上海，和梅兰芳搭档，两人开始了多年的合作。1952年，他曾随梅剧团赴华南、华北、东北等地演出，后因受聘江苏京剧团而离开了梅兰芳。1960年，他任江苏京剧团团长。

王琴生在与梅兰芳正式合作以前，曾请徐兰沅将梅兰芳当年和谭鑫培、王凤卿合作演出《汾河湾》和《宝莲灯》时的方法和艺术处理说给他听，虽然他事先没有和梅兰芳对过戏，但上台后按照徐兰沅说的演，加上梅兰芳的处处照顾，两人的配合十分默契，演出十分成功。结束了在南京大戏院的演出，他们又移师位于西藏路的皇后大戏院继续演出。演出期间，皇后大戏院和南京大戏院一样，门口车水马龙，票很难买得到，一些小流氓因买不到票心怀

⊙抗战胜利后，梅兰芳恢复登台演出时的剧场——上海“美琪大戏院”

⊙《贩马记》，梅兰芳饰李桂枝

不满而起了歹念。一次上演《汾河湾》，梅兰芳正在台上专心演戏，突然台下观众一阵骚乱，原来，有人从二楼扔下一个小炸弹，但小炸弹没有爆炸，否则首先遭到不测的将是正在台上的梅兰芳，而梅兰芳却很镇静，丝毫没有惊慌。不是所有的人在紧急情况下都能做到临危不乱，王琴生曾说“大演员才能做到这一点”。梅兰芳是大演员，但他很清楚大演员的大不 在于气派大、脾气大，而在于能在关键时刻表现出超乎常人的大度、大气，有的时候还要起到“领头羊”的作用，在危险来临时，他还应该是“指挥员”。面对炸弹，梅兰芳知道有许多双眼睛盯着他这个大演员，如果他惊慌失措，势必会引起更大的恐慌。他的镇定自若既感染了其他演员，也稳定了台下观众的情绪，很快，戏继续往下演，一切趋于平静。

不久，梅兰芳演出于中国大戏院。为防止演出时戏院门口挤得水泄不通的情形出现，中国大戏院经理想出了一个办法，即用霓虹灯做了一个字牌，上写“客满”二字，然后高高挂起，让老远的人都能看见。特别到了晚上，这两个大字在霓虹灯的映照下格外醒目，人们看见这两个字，也就不必挤在门口了。这种方法从此被沿用了下来，成为梅兰芳演艺史上的又一个创举。

褒扬声中有人劝退

梅兰芳恢复演出后，每场卖座都很好，观众像八年前一样喜欢他，更因为他的“蓄须明志”而更多了一份崇敬。就在这一片褒扬声中，出现了不和谐之音。在1947年1月的《文汇报》副刊《浮世绘》上有一篇题为《饯梅兰芳》的文章，作者黄裳通过观看一场梅兰芳的《汾河湾》而发感慨，文章通篇都围绕着一个“老”字，意即梅兰芳老了，其中有这样的句子：

“他的嗓音的确大大不如从前了，全失去了低回宛转的控制自由，时时有竭蹶的处所。

“奇怪得很，赌气坐在地上时，装出不快活的脸子时绝似芙蓉草，可怕的‘老’。

“十年前在天津南开……，听戏时到结尾不顾前排人的厌恶，跑到台前去看得更仔细些。今天我又挤到台前去看谢幕，我鼓了掌，两次，三次。我看见梅的确是老了。

“嗓子的确不行了，为了保持过去的光荣，梅有理由从此‘绝迹歌坛’。

“如果梅畹华真是‘绝迹歌坛’了的话，我这就算给他饯别罢。”

这篇文章作为观梅剧后的观感倒也无可厚非，各人欣赏角度不同，谁也都有权评品任何一出戏或任何一个演员，况且梅兰芳当时已52岁，相对于年轻人，的确是老了。问题是，作者说“老”，仅仅是不忍见“美人迟暮”，还是话中有话、另有所指呢？事隔近48年之久，在梅兰芳诞辰100周年之际，柯灵出来指责，他在《想起梅兰芳》一文中提及《饯梅兰芳》，认为该篇文章的主旨是“请梅下台”，他写道：

“这篇文章不满一千五百字，用一段皮里阳秋、富于暗示性的文字开场，一口一声‘梅博士’，主旨是强调梅老了，‘可怕的老’，‘垂老卖艺’，嗓子竭蹶枯涩，身段少嫌臃肿，而且演戏笑场，反复表示‘说不出的感慨’，‘说不出的酸辛’，‘满心的感伤’，‘不堪回首’，‘悲哀欲哭’，要梅从此‘绝迹歌坛’，本文‘就算给他饯别’。这篇名文，清楚地表现出作者的才华，也鲜明地反映出作者的性格。当时此文很受赏识，似乎没有人想到这样对待梅兰芳是否公平，这样的强行送别是否过于霸道。……”

黄裳加以反驳，他在《关于〈饯梅兰芳〉》一文中声明自己当时写作的“目的是想劝他摆脱南京方面的纠缠，洁身事外”。他之所以这么说，是因为有据在此，那就是《饯梅兰芳》一文中这样一段话：

“我又想起沦陷八年，梅在上海留须隐居的故事。这正可以媲美南唐的乐官，‘一曲伊州泪万行’，有多少说不出的辛酸。时至今日，梅恐怕又将有留须的必要了，为了那些外来的‘殷勤’，……”

黄裳所说的“那些外来的‘殷勤’”指的是什么呢？

抗战胜利后，国民党在和谈的外衣掩护下积极准备内战，同时也加紧拉拢文艺界著名人士。梅兰芳作为京剧界的领袖人物，自然首当其冲。他在马不停蹄地进行一场又一场营业戏的同时，三番五次接到当局以各种名义发出的邀请。1946年10月，为庆祝蒋介石60寿辰及筹募中正文化奖学金，上海天蟾舞台举行了“全沪名伶盛大京剧会串”，梅兰芳参加了演出，剧目是《龙凤呈祥》。据说，他还应邀亲赴南京，参加蒋介石的庆寿演出。

还在这年10月里，国民党傅作义部攻克解放区政治军事中心张家口。中共晋察冀军区机关于11日撤出张家口，主力部队也于12日转向察南地区。张家口一役实际上成了国民党完全关闭和谈大门的标志，从而明火执仗的转入内战。蒋介石获悉国军攻占张家口后，颇为兴奋，立即发布近期召开“国民大会”的决定，“并安排了一场京剧晚会以示庆祝”，[1]参加该演出的有梅兰芳、程砚秋、谭富英、叶盛兰、林树森等，大轴是梅兰芳的《御碑亭》。

对梅兰芳的非议大概就是由此而来。首先是梅兰芳赴南京演出为蒋介石祝寿，这其实无可指责，蒋介石当时还是合法的政府首脑，为他唱场戏有什么大不了的呢？何况据说蒋介石曾两次邀请梅兰芳，一次是赴日为盟军最高司令官麦克阿瑟演出，一次为美国驻华特使马歇尔演出，均遭拒绝。蒋介石此番拟借祝寿笼络社会名家，恐再被拒，想周恩来在文化界颇具号召力，便请周代邀，也可乘机试探共产党对他还买账否。周恩来也自有打算，即借机在蒋面前显示共产党在知名人士中的威信，于是请周信芳出面力邀梅兰芳，梅兰芳是这样才答应的。

至于京剧晚会，问题是这场京剧晚会到底庆祝的是什么？是庆祝张家口被攻克，还是庆祝“国民大会”即将召开？如果是后者，当时蒋介石召开“国民大会”打的是“制定宪法，还政于民”的旗号，具有极大的欺骗性，叫梅兰芳这样一个埋首于艺术、对政治不感兴趣的人如何识破？如果是前者，站在共产党的立场上自然是难以容忍的，但是迄今并无史料证明当时邀请者对梅兰芳说的是为庆祝张家口之役。何况张家口之仗与“国民大会”两个事件在时间上是连在一起的，相比之下，对一般人来说很明显是前者事小而后者事大，那么按照常理邀请者会持大理由还是小理由发出邀请呢?答案不是也很明显吗？所以说，梅兰芳的所做所为是无可厚非的。

1947年梅花盛开时节，梅兰芳在“梅华诗屋”接待了一位不速之客，即著名画家丰子恺先生。丰子恺的大名，梅兰芳早有耳闻，不过从未与之见过面，当他听说丰子恺来访时，不免有些惊讶，因为

①柯灵:《想起梅兰芳》,《百年悲欢》，上海远东出版社。

他曾听说丰子恺不仅是个画家，还是个音乐家，但他崇尚的是西洋音乐，对京剧却并无好感。既对京剧无好感，为何又来访问我呢？梅兰芳虽然在心底暗自嘀咕，但还是很礼貌地穿戴整齐，出门迎客。热情待人是他一贯的为人处事的原则。

丰子恺好像早已洞穿了梅兰芳内心的疑惑，一见面就解释道：

“五四时代，有许多人反对京剧，要打倒它，我读了他们的文章，似觉有理，从此也看不起京剧。不料留声机上的京剧音乐，渐渐牵惹人情，使我终于不买西洋音乐片子而专买京剧唱片，尤其是您的唱片了。原来，五四文人所反对的，是京剧里含有毒素的陈腐的内容，而我所爱好的，是京剧夸张的、象征的、明快的形式——音乐与扮演。”

闻听此言，梅兰芳真切地感受到一种被人理解、被人赏识的愉悦，不禁笑了。随后，他将丰子恺迎进客厅，热情邀坐，问：

“丰先生何时见过我在舞台上的演出呢？”

“战前，我曾去天蟾舞台看过一次，那时我不爱京戏，印象早已模糊。后来爱看京戏了，您又暂别舞台了。”丰子恺这么说着，不由想起战时，他流亡在四川时，曾收到友人寄给他的一张梅兰芳留须照，那张照片让他在“仰慕梅兰芳的技艺”之外，更添对梅兰芳人格的“赞佩”，因而，他将照片高悬于屋内，每日都要驻足凝视片刻，不知有多少次，他对着照片中的梅兰芳，轻声低语：无常迅速，人寿几何，不知梅郎有否重上氍毹之日？我生有否重来听赏之福？所以，当他于抗战后重返上海后，听说梅兰芳果然复出，喜悦之情无以言表，立即前往中国大戏院，连着看了五场梅戏，意犹未尽。

此刻，丰子恺坐在梅兰芳的对面，听梅兰芳讲他在抗战中既平凡又不平凡的经历。梅兰芳的叙述音调平和沉着，但丰子恺却从中分明感受到了他所经历的惊心动魄，只是他的这个惊心动魄与常人不一样罢了。这时，丰子恺又想起了那张蓄须照，结合梅兰芳的叙述，他这才感觉到“这个留须的梅兰芳，比舞台上的西施、杨贵妃更加美丽，因而更可敬仰”。于是待梅兰芳说完，他感慨道：

“那时候，江南乌烟瘴气。有些所谓士大夫者，卖国求荣，恬不知耻。梅先生您却独有那么高尚的气节，安得不使我敬仰！况且当时您已负盛名，早为日本侵略者所注目，想见您在上海沦陷区中是非常困苦的。但您却能够毅然决然地留起须来，甘于贫困，拒绝演戏，这真是威武不能屈的大无畏精神。”

次日，梅兰芳到振华旅馆回访丰子恺。许多年以后，每当丰子恺忆起两人的这次会面，总是禁不住哑然失笑。大名鼎鼎的梅兰芳出现在振华旅馆时，立即引起旅馆账房和茶房的热情相迎。谁知当梅兰芳提出他要找丰子恺时，账房、茶房愣了：

“丰子恺？谁是丰子恺？”

“你们连丰子恺也不知道？”梅兰芳也愣了。

“劳您梅大爷大驾，亲自来找，这丰子恺恐怕也不是小人物吧。”

梅兰芳见他们确实不知道丰子恺其人，便满含敬仰之情为丰子恺作了一次口头“广告”。因了这次“广告”，待梅兰芳走后，丰子恺的屋里挤满了刚刚买来纪念册、请求他签名题字的人，让丰子恺应接不暇。

首次拍摄彩色影片

上海的民营影业，到抗战胜利后已大大萎缩。虽然自1946年起恢复拍片，但无论从出品的质还是量都比抗战前差多了，这除了有些大的电影公司如“联华”、“明星”、“艺华”、“新华”、“天一”等已成历史陈迹的原因外，还有就是时局混乱，许多电影界人士移往香

⊙ 1948 年梅兰芳拍摄的我国第一部彩色戏曲电影《生死恨》的说明书封面

港，留在上海的一些公司老板不愿在电影业上作长线投资，而是租厂拍片，花十根金条拍一部影片，完成后放映，立即收回资金。如有利可图，则继续再拍，反之则另寻他路。当时较有实力的电影公司只剩下吴性栽资本集团和柳中亮、柳中浩兄弟资本集团，他们还愿意投资设厂，或是利用战前留下的资产继续拍片。

吴性栽在战前曾投资大中华百合影片公司，后合并入联华影业公司，和罗明佑合作经营“联华”。战时，他留在上海租界内，利用“联华”徐家汇摄影场，创办“合众”和“春明”等公司继续拍片。战后，罗明佑曾有意与吴性栽恢复“联华”，但因两人意见不合而作罢。1946 年 8 月底，吴性栽与人合作创办了“文华”，于次年 2 月开始拍片。1948 年春，吴性栽在北平成立“清华影片公司”，同年，又在上海设立“华艺影片公司”。“文华”、“清华”、“华艺”成为当时电影界一股新兴的影业集团，这三家公司自 1947 年至 1949 年的两年间共拍摄影片 13 部，其中由梅兰芳主演的《生死恨》是我国第一部彩色影片，它是由华艺影片公司拍摄的惟一的一部故事长片。

《生死恨》由吴性栽投资 10 万美金，费穆担当导演，梅兰芳主演并筹备整套戏班、服装和道具，颜鹤鸣担任彩色技术指导并负责拍摄、冲印和录音的器材，黄绍芬任摄影指导。

他们并不是一开始就决定拍摄《生死恨》的，而只是计划拍摄一部彩色影片，至于拍什么，一时还拿不定主意。既然请梅兰芳主演，那么肯定得拍梅兰芳演过的戏。将《霸王别姬》、《抗金兵》、《生死恨》等剧目一一研究对比后，梅兰芳和费穆主张拍《生死恨》。梅兰芳在他的《我的电影生活》一书中论及原因时说："因为这出戏是'九一八'以后我自己编演的，曾受到观众欢迎，戏剧性也比较强，若根据电影的性能加以发挥，影片可能成功。"大家被他的理由说服，接受了他的意见，决定拍摄《生死恨》。

剧目确定后，下一步的工作就是修订内容。费穆说："舞台剧搬上银幕，剧本需要经过一些增删裁剪，才能适应电影的要求。"于是，梅兰芳和费穆经过多次研究，对原剧本的台词、场子进行了修改，将原来的21场减为19场。其中"被掳"、"磨房"、"尾声"都是原剧本没有后来加写的，"洞房"根据原剧本情节进行了重写，其他场子也都不同程度地作了补充或删减。

对于布景问题，当时存在着两种意见，一部分人主张"完全照舞台实况纪录下来"，另一部分人主张"用布景"，梅兰芳则提议："试拍两种镜头，洗出来放映，大家看看哪一种好再决定用哪一种"。试拍的两个镜头分别是《生死恨》"夜诉"一场和《霸王别姬》"舞剑"一场。前者是"照舞台实况纪录"，梅兰芳"坐在椅子上，前面一架很小的纺车，用的是长镜头"；拍后者时，"搭了红绿黄等颜色的布景——帐篷、山石等"。洗出来后，大家发现"夜诉"里几句摇板的时间感觉足有十几分钟那么久，非常沉闷难耐，费穆解释说："戏剧在舞台上表演是立体的，而电影是平面的，如果不能适应电影的要求，就显得呆板滞缓了。"再观"舞剑"一场，感觉"在色彩和画面构图方面都比较舒服些"。于是，决定用布景。虽然主要由费穆设计布景，但梅兰芳也提出了些重要的意见，他认为布景"要注意到京戏的特殊表演方法。所谓特殊，就是从服装、化妆到全部表演都是夸张的、写意的、歌舞合一的。"据此，费穆决定"布景的设计在写

⊙梅兰芳与导演费穆（右五）、黄佐临（右四）（1944年）

实与写意之间，别创一种风格，尽量设法引导观众忘记布景，不让布景成为优美动作的障碍”。

拍摄《生死恨》时，梅剧团大多数成员已经返回北平，只差梅兰芳（饰韩玉娘）、姜妙香（饰程鹏举）、萧德寅（饰张万户）、李庆山（饰番奴）、新丽琴（饰媒婆）、李春林（饰瞿士锡）、王福庆（饰老尼）、朱斌仙（饰胡公子）、王少亭（饰旗牌赵寻）、何润初（饰李氏）。乐队成员主要有：王少卿（胡琴）、王燮元（打鼓）、倪秋萍（二胡）等七八个人。

关于化妆问题，虽然按电影化妆要求应该用油彩，但梅兰芳他们当时对此都没有经验，所以仍照舞台习惯化妆，只是应费穆的要求“彩淡些”，同时因同一时期的镜头要分几天拍，所以“化妆的深浅浓淡和画眉、贴片等的部位必须一律”。费穆特别请了一位专职电影化妆师负责指导。

一切准备就绪，正式开拍是在1948年6月27日夜，拍摄地点在徐家汇原“联华”三厂的第二号摄影棚内，拍摄内容是“洞房”一场。这天，戏剧界、新闻界、文艺界人士都赶到拍摄地点，参观我国首部彩色影片的拍摄过程。

当时正值盛夏，加上彩色摄影不同于黑白摄影，需要用高强度的灯光，而摄影棚内没有冷气设备，虽然买来巨大的冰块罗列在四周，但棚内温度仍然很高，演员、导演、摄影个个挥汗如雨。

当天的拍摄从晚上九点开始一直到天亮才结束，而拍成的片子只有七分多钟，六百五十尺。对梅兰芳当天的表演，导演费穆还是很满意的，甚至连参观的人都议论说：“梅先生并不是专业的电影演员，摄影机一动，他就进到戏里去了，这在电影演员里，也是难能可贵的。”

经过三个多月的奋力苦战，终于摄录完成每卷长二千尺左右的

两卷画面、两卷声带。梅兰芳是在吴性栽的家里看到《生死恨》全部样片的，那天，影片就在吴家草地上支着的幕布上放映。大家观后都觉得以目前的条件及经验能拍成这样就算不错了。

当时上海所有的电影院用的都是35毫米的放映机，而这部片子用的胶片是16毫米的“安斯柯色”，这种片子大半用在旅行时拍风景片，供家庭和俱乐部放映，要想在电影院内放映，必须把16毫米音形双片，送到美国安史哥电影制片厂，扩放成35毫米单片有声彩色拷贝。又三个月，拷贝寄回来了。梅兰芳接到华艺公司的通知，兴冲冲地跑到卡尔登电影院看试片，他是满怀喜悦而去却一肚子气回来。他在《我的电影生活》里回忆说：

那天我去的时候，怀着一团高兴，但第一幕放映出来，我就大失所望了。颜色走了样，红的不够红，蓝的不够蓝，录音方面，金属打击乐器——小锣等的声音也不稳定，我越看越生气，也顾不得细细检查表演上的优点和缺点了，心里在想：大家绞脑挥汗、辛苦经营的结果，剩下一肚子气。当时我竟想把这部片子扔到黄浦江里去。

一向好脾气的梅兰芳这次是真的火上心头，他急急地对费穆说：“我们这部片子，是以彩色号召的，现在颜色走了样，如果拿出去公映，对观众没法交代，只有坏的影响。美国电影公司太不负责，我们的底片是很鲜明的，怎么会弄成这种样子！”他主张影片不发行。

不发行意味着什么？但费穆和颜鹤鸣看梅兰芳正激动，知道此时相劝也无济于事，便安慰他说：“您别着急，我们再从放映技术上想办法来补救。”

当晚，梅兰芳一夜不曾合眼。

随后费穆找出了片子问题的症结，颜色走样是因为小片放大造成的，镜头零乱是因为电压不稳造成录音与摄影机两个马达速度不一致。考虑到人员已四散无法重拍，费穆只得自己动手剪接，他闭门一月，总算勉强把镜头接好了，但效果仍不理想。

当梅兰芳听说费穆为剪接这段片子而大伤眼力甚至几乎失明时，气消了一半。当许姬传转达费穆谈到的原定计划和苦衷后，他的气也就全消了。费穆说：“我的计划原想拍了《生死恨》后，再选择梅先生的其他舞台杰作，陆续拍摄纪录下来，完成一套梅剧集锦。同时，也准备拍摄一些其他名演员的拿手好戏。现在第一部影片如不能问世，资金停滞，以后的事就不好办了。关于《生死恨》，虽然颜色淡了些，但对梅先生的表演没有影响，所以请转达梅先生：拍《生死恨》是我发起的，一切责任都由我负，不但颜色不够标准，其他技术方面也都没有弄好。虽然技术条件不够，都各有苦衷，但我不能辞其咎，因为我在梅先生面前交了白卷，这一切要请他原谅。但如果这部影片不能发行，华艺公司将就此垮台，这一点也请他顾全大局。”

话说到这个份上，梅兰芳还有什么可说的呢。《生死恨》最终得以在各地放映。虽然该片存在着这样那样的问题，但它毕竟是我国首部彩色影片。

决定留在大陆

在解放战争的三年间，梅兰芳的主要活动依然以演戏、拍戏、收徒为主，基本不去过问动荡的时局。不过，对于上海文艺戏剧界进步人士的活动，他并非漠不关心。

1946年5月，上海警察局下令实行“特种职业登记”（又称“艺员登记”），扬言“艺员登记势在必行，话剧演员亦不例外”。同时，他们将戏剧界演员、编导与妓女、舞女归为一类，发卡登记管理。

这一行为明显带有侮辱性质，引起以田汉、周信芳为首的戏剧界进步人士的强烈不满。不久，上海剧艺界成立了拒绝“艺员登记”委员会，会员有田汉、周信芳、张骏祥、赵丹、史东山、吴祖光、欧阳山尊、白杨等。随后，该委员会在新利查西菜社举行招待新闻界的茶话会，公开宣告“剧艺同仁为了维护艺人应有的人格将积极进行反抗‘艺员登记’运动，不达目的不停止”。田汉在会上呼吁“剧艺界同人不要妄自菲薄”，他说：“只有文艺与戏剧才是代表国家的。郭沫若先生从苏联回来说，苏联人士只知道鲁迅与梅兰芳，而根本不知道谁是警察局长。”

剧艺界的反抗行动得到新闻界、社会舆论的积极支持。迫于压力，警察局不得不收回成命，改由艺员个人登记为剧团向社会局申请、登记，同时也取消了一些有侮辱艺员人格性质的条文。

当同仁的人格尊严受到践踏时，剧艺界进步人士奋而反击；当国民党加紧对解放区进攻并严加迫害国统区人民时，他们又不顾个人安危，发起了《反内战争自由宣言》的签名运动。

梅兰芳虽然没有直接参加这些活动，但因他是一个正直的、有良知的、追求进步的艺术家，这使他在思想感情上与反对旧势力的先进分子接近。比如“艺员登记”事件，梅兰芳曾多年努力为要改变戏剧演员社会地位低的状况，此番又身受其害，田汉等人的反抗活动，自然引起他强烈的共鸣。他开始接受他们的邀请，逐渐参加一些他们的活动。当然，这时他参加的也只是与戏剧有关的一些活动，而并不直接涉及政治。

1947年3月，梅兰芳应邀参加了田汉的祝寿活动。其实这不是一次普通的祝寿，而是一次以祝寿为名向国民党当局示威的带有明显政治色彩的活动。发起这次活动的是于伶、陈白尘等上海左翼戏剧家。左翼文化界一向有借为某名人祝寿而行扩大声势以显示左翼力量强大、团结之实的传统，六年前就曾为郭沫若举行过一次祝寿活动。每次这样的活动，都得到共产党的支持，此次也不例外。此时的政治气候是国共谈判已经破裂，周恩来从南京撤回延安。中共驻沪办事处代表董必武在撤退之前同意了于伶为田汉祝寿的提议，并指示："要诚诚恳恳搞好团结，谨慎小心，显示戏剧界团结的威力，千万不要有过火的言论，以免招来损失。"

13日下午，祝寿活动如期在上海西藏路上的宁波同乡会举行。参加活动的人数有多种说法，有说千余人的，有说五百余人的，有说两千余人的。与会者除了梅兰芳、周信芳等伶界代表外，还有民主人士代表沈钧儒、柳亚子、罗隆基；左翼文艺界代表郭沫若；作家代表叶圣陶；话剧界代表洪深、熊佛西、曹禺；电影界代表白杨、舒绣文、张瑞芳、秦怡等，充分"显示了戏剧界团结的威力"。梅兰芳和周信芳、熊佛西等人先后在会上发了言，赞颂田汉对戏剧所做的贡献。

田汉可谓戏曲改革运动的先驱，他认为平剧改革的必备条件首先是平剧界同仁合作团结。在他的精心策划下，1947年2月15日，梅兰芳和周信芳借第四届戏剧节开幕之际，在黄金大戏院合作演出了《打渔杀家》。他们以合作的形式显示平剧界的团结，以《打渔杀家》这出戏表现平剧界誓与恶势力斗争到底的决心。

在忙忙碌碌间，1948年已进入尾声。随着国民党在军事上的节节败退，每个中国人，无论是一向关心政治的，还是对政治敬而远之的，都面临着人生的一大抉择：去还是留？死心塌地跟着国民党的人当然不乏其人，他们没有犹豫，慌慌张张携家带口逃往台湾。对共产党充满信心的人也大有人在，他们满怀兴奋，压抑着激动，憧憬着新时代的到来。一时拿不定主意的是那些既不是国民党，也不是共产党；既不信任国民党，对共产党也怀疑虑的人。梅兰芳大概属于“中间人”。

客观地说，这个时候的梅兰芳对共产党并没有太多的认识，他一向专注于艺术，并不在意是国民党还是共产党统治天下。在他看来，无论谁统天下，演戏的还是得靠演戏吃饭。这样一想，他就倾向于留下了。因而，当他得知齐如山执意要去台湾后，还劝他：“你一向不管政治，只是从事戏剧的工作。我想到那时候，我们还在一起工作，一定也不会有什么问题。”他的这句话其实正好反映了他的心态，即“只管戏剧工作，不管政治”。①

齐如山坚持赴台湾，倒也不是追随国民党，按照他自己的说法，是去台湾投靠小儿。对于梅兰芳的劝说，他也认为有道理，他甚至觉得梅兰芳留在大陆并没有什么不好，因为“他是一个艺术家，与政治无关，且到过苏联，共产党对他一定另眼相看”。不过，他对梅兰芳留在大陆并非没有担心。于是，当他从北平南迁途经上海时，与梅兰芳谈过多次，算不上是规劝、忠告，只是将自己的心里话一古脑地倒出。他对梅兰芳说：“你本是一个艺术家，他们对你不会有什么虐待的，何况你还到苏联去过，待你更不会太错，这可以说是当然的。但有一种情形，不可不注意，就是他们必要利用你。”

对于所谓的“被利用”，梅兰芳的认识或许比齐如山还透彻。因而，对于齐如山对“被利用”的担心、顾虑，梅兰芳并没有同感。见梅兰芳并不为所动，齐如山便以戏中常见的一句台词结束了长篇唠叨：“再思啊再想！”

送走了齐如山，梅兰芳的确又“再思啊再想”了一番，终觉留

①齐如山：《齐如山回忆录》。

下并没有什么不妥，何况还有不少同业需要他的照顾，他的宽厚和善良的个性不允许他撇下他们一走了之，他无论如何于心不忍。

当共产党以摧枯拉朽之势逼迫国民党一步步后退时，国共两党都在使劲争取文化名人。就在国民党的一些高级官员频频以优厚的生活待遇诱惑梅兰芳的同时，共产党上海地下组织也加紧了活动。于是，梅兰芳便在寓所院子里捡到了一本《白毛女》剧本。传说，他曾被安排在中法大药房药剂师余贺家里，和周恩来秘密会见。周恩来劝梅兰芳不要随国民党撤去台湾，表示欢迎他留下。随后，上海地下党委派夏衍和熊佛西先后赴周信芳、梅兰芳家，再请他们留在上海，迎接解放。周信芳很早就与郭沫若、夏衍、于伶等左翼戏剧家有过接触，也曾与田汉等一起共过事。应该说，他对革命的理解比梅兰芳要深，对共产党的认识也比梅兰芳要多。所以不用劝说，他便向夏衍、熊佛西表示："请放心，我决不跟国民党走，坚决留在上海迎接解放。"随后，他陪夏、熊二人来到梅家。梅兰芳很为共产党的诚意所感动，同时随着三大战役的胜利、平津的先后解放，他越来越看出蒋介石政权的腐朽，坚信这个集团必定要倒台。正如他在1949年9月政协会上发言所说："我看清楚了，解救中国的真正力量是共产党领导的人民革命。"于是，未费夏、熊二位多少口舌，梅兰芳即明确表示："我是哪儿都不会去的。"

梅兰芳最终留在了大陆，和全国人民一起迎来一个新的时代。

第五章 柳暗花明

梅兰芳与孙儿嬉玩

做了政府官员

梅兰芳对共产党的真正认识，恐怕得从在上海街头看到解放军开始。梅夫人福芝芳曾经回忆说："上海解放那天清晨，兰芳就上街了，隐隐还有枪声。去到建国东路，看见有不少解放军战士睡在马路边。他回来高兴地告诉我们，共产党的军队确实已解放上海，纪律好极了。""纪律好极了"的共产党军队给梅兰芳留下了深刻、良好的印象。

解放前，他与共产党并无太多的接触，始终不知道共产党曾经以特有的方式保护过他。那是在抗战胜利之初，他接到过驻上海思南路中共办事处工作人员转来的周恩来的问候。于是，他向周信芳表示想去拜访周恩来。然而，周恩来没有同意。当时，梅兰芳只猜测周恩来有难言之隐，却不知道这正是周恩来为保护他而为之。周恩来预料到国共合作随时会破裂，如果此时与梅兰芳等文化名人交往过于公开，一旦国共关系恶化，梅兰芳必将受到国民党的迫害。为了保护他，周恩来才断然拒绝与梅兰芳见面。果如他所预料，国共关系破裂后，素与共产党关系比较密切的周信芳就受到国民党特务的恐吓，而梅兰芳则安然无恙。

随着旧时代的覆灭、新时代的到来，梅兰芳被告知戏剧演员与工人农民一样，都是国家的主人，这使梅兰芳十分激动与感慨，他满怀希望地与新时代热情相拥。从此，他不再属于他个人，他的一言一行与时代息息相关、不可分离。

自上海解放到建国后一年间，梅兰芳被各种政治活动所包围。在这段日子里，他频繁参加上海、北京的各种会议，发表了各种大小讲话。最重要的是，他的思想、观念随着这大大小小的会议、活动而有了明显变化。

1949年7月，全国第一次文学艺术工作者代表大会在北平召开。梅兰芳作为上海文化界的代表应邀出席。在会上，他认真听取了中共中央副主席周恩来的政治报告和郭沫若题为《为建设新中国的人民文艺而奋斗》的大会总结报告以及茅盾、周扬分别总结国统区和解放区革命文艺运动的报告。这些报告让梅兰芳眼界大开，他不禁为自己过去只专注于塑造美女佳人的形象而惭愧。因而，这些报告中所表达出的“文艺工作者要学习，要改造思想，要与新社会的主人——‘工农兵’相结合”的思想以及郭沫若提出的“接受毛主席的指示，创造为人民服务的文艺”的口号对梅兰芳的触动很大，他突然意识到自己以前的“服务对象究竟是什么是模糊的”。这以后，他认真学习了毛泽东《在延安文艺座谈会上的讲话》，逐渐明确了文艺应该首先为工农兵服务的方向。他说：“明确了这个方向，我觉得自己的艺术生命才找到了真正的归宿。”①正因为如此，梅兰芳从此的演出活动无一不紧紧围绕着“为工农兵服务”这个宗旨。按照他自己的说法，他“到过京、津、沪、汉与几个工业区如石家庄、无锡及东北八个城市，参加了鞍钢三大工程的开工典礼，同时，还光荣地参加了赴朝慰问中国人民志愿军和朝鲜人民军的工作，后来，又到华南慰问中国人民解放军。”从中我们可以看出，他的观众已由过去的达官贵人、文人雅士转变为工农兵。

会议期间，大会组织了一个“演出委员会”，委员有欧阳予倩、田汉、洪深、马彦祥、阿英。由该委员会出面安排了丰富多彩的文艺演出，参加演出的团体达35家，演出时间长达近一个月。作为京剧界的“明星”，梅兰芳早在离沪北上前，就被告知要在北平演出，所以他在北上时不仅带上一对会唱戏的儿女葆玖、葆玥和一帮梅剧团演员，还将演出行头装了一包又一包。秘书许姬传笑言：“我们这

①梅兰芳：《为着人民，为着祖国美好的未来，贡献出我们的一切——在舞台生活五十年纪念会上的讲话》，《梅兰芳文集》。

一组不但人多，行李也最多。”梅兰芳在北平的演出剧目是《霸王别姬》。令他兴奋的是毛泽东亲自前往剧场观看了他的演出。这是他生平第一次为中共高层领导人演出。这也是毛泽东的第一次。对于梅兰芳，毛泽东自然早有耳闻，但因众所周知的原因，他一直未得机会一睹梅剧的“芳容”。自此次观剧后，毛泽东以后又有数次亲往剧院观看梅兰芳的表演。马少波曾说：“毛泽东很爱戏、懂戏，看戏时全神贯注，习惯在演员歌唱时随腕拍板，有时用手指拍案发出击节之声，他不多问话，也很少评论，有时一两句话却振聋发聩。”①

很少发表评论的毛泽东有一次在看了张云溪、张春华的《三岔口》、周信芳的《打严嵩》、梅兰芳的《金山寺》后，居然一反常态，大加议论。在评价梅兰芳时，他说：“梅先生很会扮戏，你看他通身是白，惟有额头一个红缨，银装素裹一点红，美极了！”对此，梅兰芳既惊讶又感动，惊讶于经过多次修改后确立的这套装扮，很少有人注意到，而毛泽东却观察得如此细致；感动于作为国家最高领导人的毛泽东居然会对他的装扮发出真诚的、由衷的赞赏，这是在旧时代想都不敢想的。

演出之余，梅兰芳也观看了别家的演出。这些演出既有传统剧目，比如周信芳的《四进士》，李少春、叶盛章的《三岔口》，李宗义的《文昭关》，也有让梅兰芳耳目一新的新的剧院带来的新剧目。华北平剧研究院（中国京剧院前身）演出的新编历史故事剧《中山狼》、《进长安》，特别是现代平剧《四劝》给梅兰芳留下了深刻印象。或者说，这是他接受戏曲与政治相结合这种新思想的开始。

在抗日战争最艰苦的1942年初，中共中央“为团结全边区旧剧工作者，从事旧剧研究工作，以研究平剧、改造平剧，进行平剧为新民主主义服务的工作”而决定将延安鲁艺平剧团、延安业余平剧团、

① 马少波：《毛泽东与中国戏曲》，《马少波近作选》。

⊙毛泽东接见梅兰芳（右二）、老舍（右一）、田汉（右三）

一二〇师平剧社、胶东平剧团合并成延安平剧研究院，目的和任务是“培养京剧干部，推动京剧普及，进行京剧改革”。金秋十月，研究院正式成立，毛泽东亲自为该院题词“推陈出新”。“推陈出新”便成为日后中国京剧改革的重要方针。

抗战胜利之初的一段时间，延安平剧研究院根据组织决定继续留在延安坚持演出活动，随后因工作需要陆续有成员离开该院赴各地工作。到1947年初，只剩下不到一半的成员，其他人员也奉命撤出延安，历经艰险抵达河北省束鹿县董家屯，改由华北联大领导，从此改名华北平剧研究院。

无论是延安平剧研究院，还是后来改名的华北平剧研究院，它们除了演出传统剧目外，更为迎合形势编排了不少新戏。如延安平剧研究院创作的反映边区人民美好生活的《上天堂》、反映难民逃荒到边区后安居乐业的《难民曲》等。1943年，延安整风运动后，许多文艺工作者的思想有了较大转变，“开始注意面向现实、面向工农兵、面向中国”，创作了受到毛泽东赞赏的《逼上梁山》、《三打祝家庄》等戏；华北平剧研究院创作的表现解放区农村新气象的《四劝》也是以京剧形式反映现实的典型剧目。该戏被誉为“解放戏”，曾在中共七届二中全会期间演出过，受到当时负责中央宣传工作的陆定

⊙梅兰芳与梁思成（右二）老舍（右三）、
华罗庚（右四）出席政协会时合影

一同志的肯定。

当身着白上衣、浅色裤子，手执一把折扇的梅兰芳在许姬传的陪同下出现在开明戏院，准备观看华北平剧研究院的演出时，场内顿时掌声如雷，演员们闻讯也大为振奋。演出结束后，梅兰芳到后台看望了演员，向大家问好，道辛苦。当《四劝》的编导薛恩厚诚恳地请梅兰芳提意见时，梅兰芳笑曰："我是来学习的。"这句回答被当时在场的人认为是梅兰芳谦虚，实际上不仅限于此。对于像《四劝》这样一种无论是内容上还是形式上都与传统京剧有着区别的"新京剧"，梅兰芳的确是抱着学习的态度来观看的。结合《四劝》中所表现出的新内容，他回顾自己的戏改实践，说："我原先只是改革旧时代舞台上遗留下来的许多不好的习惯，达到整齐净化舞台的目的。但这只不过是扫除一部分多年积聚下来的灰尘而已。至于内容方面，也随时在不断修改，但看了今天的演出，感觉做得不够。"当然，看新内容还在其次，梅兰芳关键是想看一看《四劝》是如何解决曾经困扰过他的内容与形式的矛盾的。看过后有启发吗？梅兰芳从来没有明说过。不过，他承认"内容有进一步改革的必要"，但是，

⊙梅兰芳(右一)在天安门城楼上参加开国典礼(1949年10月1日)

他又强调“改革一定要保存原有的艺术精华，不致使优秀的民族艺术失传”，这便是他不久后公开提出“移步不换形”戏改理论的基础。所以说，观看《四劝》对梅兰芳来说，收益匪浅。

两个月后，梅兰芳接到全国政协筹备会开会通知，再次离沪赴北平，随行人员有夫人福芝芳、儿子梅绍武、秘书许姬传及王佩瑜。其实一开始，他的大名未能在文学艺术界政协委员的提名中出现，原因是当时负责文学艺术界提名的是有“中共党内头号秀才”之称的胡乔木表示反对，他的理由是“梅兰芳只是个京剧演员，参加政协不够资格。”①至于胡乔木为什么有这种思想，据一位参加过政协筹备会的老同志说“这与他受鲁迅的影响有关”。②鲁迅及五四新文化运动的先驱者如陈独秀、李大钊、胡适等都是不喜欢京剧的，他们曾将京剧划为宣传封建迷信之列而大加批判，因而自然也不喜欢京剧演员，甚至有瞧不起京剧及京剧演员之嫌。这种偏激思想乃时代局限性所致，不足为奇。当毛泽东得悉大名鼎鼎的梅兰芳竟然未在提名之列时，大为不满。从政治上来说，当时乃建国前夕，团结一切可以团结的力量尤为重要，特别是像梅兰芳这么一位有着巨大声望、自始至终都为国民党所引诱、拉拢而不成的艺术家，就更加应当团结才是；从文艺上来说，百花齐放、百家争鸣的欣欣向荣气象正是新中国的文艺方向，“百花”当中当然包括有“国粹”之称的京剧。因此，毛泽东严厉批评了胡乔木，他认为对梅兰芳和京剧艺术应当在团结的基础上取教育、改造的政策，而不能置之不理不闻不问甚至排挤打击。就这样，梅兰芳不仅有幸参加了政协会议，而且还当选为全国政协常务委员。会议闭幕后次日，即1949年10月1日，梅兰芳以全国政协常务委员的身份参加了庆祝中华人民共和国和中央人民政府成立典礼，并观看了阅兵式。

①②辰生:《胡乔木为何曾否定梅兰芳》,《社科信息》(江苏)1998.6.29.

任命梅兰芳为中国
戏曲学院院长

总理 周恩来

1961年7月9日

⊙梅兰芳任中国戏曲学院院长的任命书

早在解放前一年，即1948年11月23日，解放区的《人民日报》就曾发表过一篇题为《有计划有步骤地进行旧剧改革工作》的社论和一些讨论文章。同时，周扬委托田汉开列一份应予“禁演”和“准演”的旧戏剧目名单，作为“中共进城后管制戏剧之用”。只是由于田汉杂事繁忙加之“觉得不便轻易决定取舍”而未能从命。也就是说，改革旧剧从那个时候就已经开始了。田汉作为戏曲界的一面“旗帜”，一直致力于戏曲改革，但在国民党统治下，他的心愿一直难以实现。

全国首届“文代会”开幕前，即1949年6月26日，周恩来在中南海约见了从事旧剧改革的部分党员领导干部（主要有周扬、田汉、马少波等人），就旧剧改革问题进行了交流。最后，大家一致建议中央成立戏曲改革的领导机构和研究、实验机构，以便开展全国规模的戏曲改革运动。三天后，毛泽东和周恩来在中南海召见了他们，就他们的提议再次进行磋商。“文代会”后，全国文学工作者协会、全国戏剧工作者协会（1953年改名为中国戏剧家协会）相继成立。在“剧协”第一次会议上，田汉当选为协会主席。这时，他的改革旧剧的念头再次浮出水面，便发起成立中国戏曲改进会。1949年7月28日，“改进会”发起人大会召开，梅兰芳和田汉、周扬、阿英、欧阳予倩、周信芳等31人被推选为筹备委员。与此同时，周恩来正式传达了经毛泽东批准的党中央关于建立戏曲改革领导机构的决定。经过两个多月的筹备，建国典礼后的第二天，中华全国戏曲改革委员会成立，田汉任主任，杨绍萱、马彦祥任副主任，马少波任秘书长。中国戏曲改进会被纳入全国戏曲改革委员会（当年10月底改名为文化部戏曲改进局，田汉任局长）。京剧研究院作为“戏改委”的下属单位同时成立，梅兰芳被任命为该院院长。从此，梅兰芳不再是单纯的艺人或艺术家，而一跃成为统领京剧改革事业的政府官员。

“移步不换形”惹风波

身份的巨大变化让梅兰芳有些猝不及防，更让他激动无比，他发自内心地感慨道：“我在旧社会是没有地位的，今天能在国家最高权力机关讨论国家大事，又做了中央机构的领导人，这是我们戏曲界空前未有的事情，也是我的祖先们和我自己都梦想不到的事情。”

梅兰芳的祖父梅巧玲乃梨园泰斗，父亲、伯父生前也算得上是圈内著名人士。但声名的远大并不能相应改变地位，不要说去过问政治，恐怕连过问政治的资格都没有。受此影响，梅兰芳自走上这条路起，无论时局如何动荡，他始终恪守一条，那就是：老老实实做人，踏踏实实演戏，做一个普通的、尽责的京剧演员。因此，他从不过问政治。

然而，政治却并不肯轻易地放过他。

起初，梅兰芳是很兴奋地接受了政治的拥抱。当他迎来各种各样的社会头衔、各种各样的政治荣誉、以主人的身份参加各种各样的会议活动并自豪地参政议政时，他感到一向地位卑微的艺人如今是彻底翻了身，他感受到了前所未有的愉悦、舒畅。我们不难猜想此时的他一定在心底对自己留在大陆而不去台湾的选择感到庆幸，因为他迎来的是一个新时代。

此时此刻，他并不知道政治既是美女，也是魔鬼。

1949年10月底，梅兰芳在北京开完政协会议并参加过一系列建国活动后，应天津市文化局局长阿英所邀，移师天津。在天津演出间隙，他在天津解放北路的一间公寓接受了天津《进步日报》文教记者张颂甲的专访，参加访谈的还有秘书许姬传。

新的时代必有好的心情，许是大家心情都愉快的原因，这天的专访，据张颂甲事后回忆，“一直是在亲切、和谐的气氛中进行的”。[1]在当时全国上下轰轰烈烈致力于戏改的大气候下，张颂甲的问题自然也离不开戏改。当他向梅兰芳提问“京剧如何改革，以适应新社会的需要”时，梅兰芳直言：“京剧改革又岂是一桩轻而易举的事！不过，让这个古老的剧种更好地为新社会服务，为人民服务，却是一个亟需解决的问题。”然后，他具体分析说：“我以为，京剧艺术的思想改造和技术改革最好不要混为一谈。后者在原则上应该让它保留下来，而前者也要经过充分的准备和慎重的考虑，再行修改，这样才不会发生错误。因为京剧是一种古典艺术，有几千年的传统，因此，我们修改起来，就更得慎重些。不然的话，就一定会生硬、勉强。这样，它所达到的效果也就变小了。”最后，他概括道：“俗话说，‘移步换形’，今天的戏剧改革工作却要做到‘移步’而不‘换形’。”[2]

梅兰芳著名的“移步不换形”的京剧改革理论就是在这样的情况下诞生的。

每个人思想观点的形成与他的经历不无关系，梅兰芳“移步不换形”的理论，正是他数十年演艺实践的总结。

如果简单概括梅兰芳的一生，我们可以这样说，他的一生是改革的一生，创新的一生。任谁也难忘记辛亥革命后，为适应时代的变化，他接二连三地赶排了五出针砭时弊、反映现实的时装新戏《孽海波澜》、《邓霞姑》、《一缕麻》、《宦海潮》、《童女斩蛇》。这是他顺应时代、锐意改革而不保守的主要表现。然而，他在实践中发现，内容易改形难变。也就是说，传统京剧形式很难适应新的内容。比如，悠缓的慢板节拍很难表现加快了的现代生活节奏，所以他曾说“安

①②张颂甲:《四十年前的一桩戏剧公案》,《戏剧报》1988.5.

排慢板是最伤脑筋的事”。为解决这一矛盾，他曾经试图以大量道白来代替唱腔。另外，他还发现演反映现实的戏时，服装和动作都要随之改变，如此，成套的锣鼓点、曲牌便无用武之地了。京剧艺术所固有的唱、念、做、打在演现实戏时都不能淋漓尽致地得以发挥。那么，演出来的戏到底是京剧呢，还是别的什么剧。因此说，他之所以很快放弃排演时装新戏，原因就在于他无法解决内容与形式的矛盾。关于这点，他曾经有过明确论述，这里不再赘述。

虽然梅兰芳未能解决以传统京剧形式反映现实的问题，但他并未就此停下改革创新步伐。紧接着时装新戏之后，他连续排演了《洛神》、《嫦娥奔月》、《天女散花》、《黛玉葬花》、《麻姑献寿》、《太真外传》、《俊袭人》、《廉锦枫》等古装新戏。之所以称其为“古装新戏”，是因为这些戏无论在服装、化妆方面，还是在音乐、伴奏方面，较之传统京戏都有很大的创新。然而，无论如何变化，梅兰芳始终遵循一条，那就是决不背离京剧的艺术规律。因此，人们在看他的新戏时，看到的仍然是京剧，而非新剧种。

由此，我们便可以断定梅兰芳所说的“形”并非指京剧的固定形式，而指的是京剧的艺术规律、京剧的特有风格。所谓“不换形”，便是不违背京剧的艺术规律和特有风格，使京剧无论内容如何变化，都只姓“京”，而不是别的什么。

梅兰芳万没有想到，自己对京剧改革的一番肺腑之言竟然差点惹来大麻烦。

当天采访结束后，记者张颂甲心情愉快地离开梅的住处，赶回报社，连夜写就一篇访问记，名曰《移步不换形——梅兰芳谈旧剧改革》。11月3日，《进步日报》全文刊登了这篇文章。

一石激起千层浪。此文一出，立即在文艺界引起了广泛关注，很快，便有批评声传来。虽然后来有一些反驳意见，但基本上呈一边倒趋势。由于提出批评的多是北京文艺界的知名人士，因此，影响颇大。他们中有人认为“事物的发展总是内容决定形式，内容变了，形式必然要随着变化”。于是，他们提出“移步必须要换形”。在这里，他们把“移步不换形”的“形”理解成了“形式”。如果梅兰芳宣扬的是在“移步”的同时不变换京剧固有的形式，那么他曾经多次在京剧表演形式上的创新又如何解释呢？

如果单纯从艺术上讨论这个问题，那倒也罢了。问题是不少人上纲上线，说梅兰芳是在宣扬改良主义的观点，阻碍京剧的彻底改革。这在当时的政治气候下，性质就很严重了，难怪梅兰芳听到消息后，情绪一落千丈。随后，有关这方面的讨论越来越激烈，有逐渐蔓延的趋势，更有批评文章就要见诸于报端、只是被中央以“梅兰芳是戏剧界的一面旗帜，对他的批评一定要慎重”为由压了下去的传言。梅兰芳恐怕没有料到，他还没有来得及直接过问政治，而只是谈了几句对京剧改革的想法，就被找上门来的政治狠狠地蜇了一下。

就梅兰芳和善、温良的个性而言，此时他的心里着急的成分要远远大于气愤。而记者张颂甲却气愤不已，他认为“对京剧改革各抒己见，何罪之有”。因此，当天津市文化局局长阿英、副局长孟波向他了解事情原委时，他便将心里话一古脑地倒了出来。但不管怎么说，他还是“觉得给梅先生捅了篓子”。于是，他第二次登门拜访梅兰芳，准备自己承担责任。近四十年后，他在回忆文章《四十年前的一桩戏剧公案》中这样写道：

才几天不见，梅先生的容貌显得有些憔悴。他已从阿英处得知这个消息，精神很紧张。他告诉我：“有两、三个晚上都没有睡好觉。”

接着，他又焦急地说：“这事怎么办？那天我只不过随便和你说说，没想到你那么快发表，又那么快惹来了许多麻烦……”

我说："这事应由我承担。是否请您写个声明，说文章观点本出自记者，与您无关。然后，我写个'检讨'，说自己把一些观点牵强附会，硬加在梅先生头上，发表前又没给梅先生看过，理应由我负责。

张颂甲的提议被许姬传否决了，他认为那样做"反而会愈描愈黑，给人以不虚心认错的印象"。于是，他建议由他背黑锅，就说文中所涉及到的，都是他的观点，与梅兰芳毫无关系。他的这个建议又被梅兰芳、张颂甲否决了。这个办法不行，那个办法行不通，大家一筹莫展。

事情当然是要解决的，解决的办法经天津市委文教部研究，"准备由天津市戏剧曲艺工作者协会出面，召开一个旧剧改革座谈会，请天津知名的文艺界人士参加，也请梅、许二位先生参加，在会上就京剧改革的观点交换一下意见，梅先生也可重新修正一下自己的观点。会后，把记录发表在《进步日报》上，由《天津日报》转载。"[①]简单地说，为梅兰芳找个"台阶"下。

座谈会如期举行，参加者除了梅兰芳、许姬传、阿英、张颂甲外，还有天津剧协负责人何迟、赵魁英、《天津日报》副刊主编方纪、《新晚报》记者李志远、南开大学中文系教授华粹深、演员言慧珠、白云峰、富少舫等。

梅兰芳是如何利用这个机会"修正"自己的观点的呢？他说："关于内容和形式的问题，我在来天津之初，曾发表过'移步而不换形'的意见。后来，和田汉、阿英、阿甲、马少波诸先生研究的结果，觉得我那意见是不对的。我现在对这个问题的理解是，形式与内容不可分割，内容决定形式，'移步必然换形'。"

世界上有很多事都是可以辩一辩的。曾记否，当年鲁迅著文说

①张颂甲：《四十年前的一桩戏剧公案》，《戏剧报》1988.5.

这说那，梅兰芳始终没有站出来为自己辩解。如今，他可能也根本没有想到要为自己的观点说一说，论一论。作为哲学范畴的“内容决定形式”固然没错，但并非如铁板钉钉，在某些情况下，旧形式也是可以为新内容服务的。况且，“移步不换形”中的“形”就是等于“形式”吗？然而，梅兰芳没有就“移步不换形”的内涵做进一步的阐释。

我们虽不能说梅兰芳“修正”后的观点是他的违心之论，但至少可以说他是迫不得已。在当时的情况下，他还能怎么样呢？不过，从此以后，人们再也没有听到过他关于京剧改革的任何理论观点，他重新变得沉默。当然，这并非说他在戏改 问题上从此失了主见，只不过吃一堑长一智，生活在教导他如何艺术地说话乃至顺应时代。但他也并没有从此噤若寒蝉，在此后的活动中，也并不见他的消极。

戏曲界上上下下大谈改革，然而，改什么？如何改？好像不是每个人都清楚，但有一点大家是清楚的，那就是必须贯彻毛泽东早在抗战时期就提出的“推陈出新”的方针。然而，如何“推陈”？如何“出新”？“陈”和“新”的界线究竟是什么？没有弄清楚何谓“陈”，何谓“新”，如何才能“推陈”？又如何才能“出新”呢？

在这种情况下，《逼上梁山》、《三打祝家庄》一类的水浒戏被推上了前台而作为戏改的典型。原因为何？那还得回溯到1944年。那年元月，毛泽东曾就新平剧《逼上梁山》特地给作者杨绍萱、齐燕铭写了一封信，信中有这样的文字：“历史是人民创造的，但在旧戏（在一切离开人民的旧文学旧艺术）舞台上人民却成了渣滓，由老爷太太少爷小姐们统治着舞台。……你们这个开端将是旧剧革命的划时期的开端，希望……推向全国去！”也就是说，“人民成了渣滓”的戏或者“由老爷太太少爷小姐们统治着舞台”的戏都属“陈”，反映人民当家作主的戏自然都属“新”。虽然并不是所有的旧戏都把人民说成了渣滓，毛泽东也在他所说的旧戏前加了定语“一切离开人民的旧文学旧艺术”，但还是有人曲解了毛泽东的意思，而将一大批旧戏并入“陈”的行列。于是，1949 年 3 月，大约有 50 多部旧戏被禁演，编造新剧成为时髦。

对于如何编新剧，梅兰芳认为“必定要集思广益、反复讨论，万不可粗制滥造、闭门造车，弄到可怜无益枉费精神的地步。这样做对于戏改前途是会影响到战斗士气的。”至于说到具体如何编新剧，他“主张文艺作家与旧艺人的密切合作，使能各尽其才，各用其长。譬如戏剧内容上的立场观点是须进步文艺工作者来掌握的，对于舞台技术及唱词造句上的音节和谐等，是须旧艺人和有经验的戏剧家来处理的。如果所有的责任都加在一方面，那就会有支持不住的危险了。”[①]其实他的这种说法正是“移步不换形”理论的体现，只是他现在的说法更具艺术性而不容易被人抓把柄罢了。

话是这么说，但梅兰芳自己并没有付诸实践。或者说，话容易说，真正按照所说去做，恐怕就不那么容易了。这或许就是梅兰芳自解放后一直到去世只有一部新戏《穆桂英挂帅》问世，且这部新戏也并非与文艺作家合作创作的新剧，而是由豫剧改编而来的主要原因吧。

上海戏曲界的戏改工作自1950年春节起全面展开，标志为上海戏曲改造运动春节竞赛。梅兰芳作为春节竞赛委员会主任委员，号召上海的所有戏曲工作者“要努力，要沉着，不要存着夺锦标，跑头马的观念”。在当时大多数人头脑发热的情况下，应该说，梅兰芳还是比较冷静的。他反复强调“戏剧改革运动，不是一件轻而易举的事情，是相当艰苦的”，因而他要求大家“胆大心细，脚踏实地，

①梅兰芳:《迎接戏曲工作会议》,《戏曲报》1950.12.

不矜不躁，稳步前进”。对于竞赛后的批评、讨论，他希望“不宜过严，要求不宜过高”，因为按“周副主席所说的，初生的孩子，一定是毛手毛脚，但不久自然会长成人样”。①

为筹措竞赛经费，梅兰芳抱病积极参加大会串演，在竞赛过程中，他更是和周信芳等戏剧界前辈认真观看每场演出并慎重作出评判。经过11天的演出和评判，春节竞赛活动圆满结束，共选出5个荣誉奖，即越剧《万户更新》、沪剧《幸福门》和《赤叶河》、京剧《三打祝家庄》、评话《李闯王》，另外还评出63个优胜奖。

在颁奖大会上，梅兰芳致辞，他指出“辛亥革命后，曾有人提出旧剧改良，但限于政治仅有业务上的某些改良，没有从思想内容上改。抗战时期亦有人提出旧剧改革，但只是救急而已。到今天才找到正确道路”。他号召“旧艺人负起剧改的责任，虚心学习，勇于检讨，要在这次竞赛后表现不骄不馁，继续改造，作长期奋斗，长期竞赛，为人民服务”。②

梅兰芳所说的“正确道路”到底是什么呢？他没有详细解释。相信当时大多数人对此问题的认识都是模糊的，因为始终没有权威部门对何谓坏戏作出统一规范，对旧戏如何处理也没有明确态度。直到1950年夏，这个问题才算初步有了界定。5月，文化部戏曲改进局召开旧剧编审会议，商定旧剧审改工作，确定消除旧剧本三大毒素为戏改原则。这三大毒素为：

1、宣传压迫人民封建奴役的野蛮恐怖行为及愚弄人民的封建迷信等；

2、宣传民族歧视、征服及民族投降主义；

3、宣传淫猥、奸杀及对劳动人民的丑化、侮辱等。

①梅兰芳:《我所望于春节大竞赛》,《戏曲报》1950.2.

②塞风:《记上海市戏曲改造运动春节演唱会竞赛给奖大会》,《戏曲报》1950.6.

7月，在周恩来的倡议下，文化部设立了戏曲改进委员会，由文化部副部长兼党组书记周扬任主任委员，田汉主持工作。该委员会本着客观、慎重、明智的态度重新审查了1949年3月被禁演的五十多个剧目，认为虽然个别戏里的个别地方有些问题，但并不影响大局，不宜全盘否定，因而决定陆续开放这些“禁”戏。

随后，文化部在11月召开了全国戏曲工作会议，参加会议的代表有来自中央及各大行政区和各军区、各省、市、自治区的戏曲改革工作干部、各戏曲剧种的主要演员、曲艺演员和戏曲音乐、美术工作者共219人。此次会议最终确定“鼓励各种戏曲形式、风格的自由竞赛”，规定“今后戏曲工作，应统一由各地文教主管机关领导，不许轻率禁戏，凡必须禁演的剧目，要由文化部处理。”通俗的说，会议“给戏曲描述的环境是十分宽松的”，③对旧戏的处理原则基本上是在改革的基础上保留。在这种形势下，在编排新剧的同时大力对旧戏进行改编成为流行。

梅兰芳对解放一年来京剧界的戏改工作似有不满意之处，他在参加全国戏曲工作会议前曾经撰文《迎接戏曲大会》，说：“一年来虽然也做了一些工作，也有了一部分的成就，但是严格的讲起来是不够理想的。特别是我们京剧界的工作，比起其他剧种，更显得‘瞻之在前，忽焉在后’”。究其原因，我们可以推测多半是因为他无法在编排新剧方面有所作为。想当初，他为了顺应时代连续排演了数出时装新戏，但内容与形式的矛盾一直困扰着他，使他举步维艰。除此，更重要也更直接的原因则是剧本问题，所以他在文章中又说“创造新剧本解决剧本荒，是今天全国艺人和班社最迫切的要求”。故而无论是从客观上，还是主观上，对于梅兰芳来说，他更适应于改编旧剧。

当戏曲改进局确定了消除旧剧本三大毒素后，当戏曲改进委员

③董健：《田汉传》。

会决定对那五十多部戏开禁后，特别当全国戏曲大会结束后，梅兰芳也明确了戏改方向，那就是按他自己所说，“改编旧剧本在当前还是重要课题之一”、“改编旧剧在当前还是一种很重要的工作”。

于是，他将以前演出过的或祖辈留下来的所有剧本一一“审查”，竟然“觉得满目全非，真想一火而焚之”，不过，他还是从中挑出了三五出，改了演，演了再改，如此反复，对所谓毒素，他也有了新认识。他说：“所谓毒素，是含在骨子里 而不是表皮上的，决不是喊一声‘天哪’、叫一声‘万岁’，来一个跪拜，念一句‘圣旨下’就算是毒素；相反的，加了些‘为人民服务’、‘反对帝国主义’等的名词，在小丑的京白里念出来，虽然勉强过得去，但是总觉得生硬不调和，大可不 必。”对于相沿下来的成语，他也有自己的理解，他说：“如小翠花在《儿女英雄传》的张金凤的口中对十三妹说过‘坦白’二字，台下的反应就很好，因为这个名词一向就有而且用的地方也很恰当。又如我们改编的《贵妃醉酒》，为要在高、裴二 力士口中反映出封建时代宫廷妇女们所受的束缚苦闷、精神虐待，所以必须把三千宠爱在一身的杨玉环做榜样，使一般人想像到终老深宫、金枷玉锁的宫人们的苦痛生活，同时在高力士口中指出‘封建制度’的不良，这个名词也是由来已久的成语 ，加之高、裴二人，都是身受宫刑的太监，可能发生这种怨恨的不平之鸣，所以不至于破坏整个剧情。”①

《贵妃醉酒》是梅兰芳改得最多的一出戏，尽管在以前的演出中，他已经多次对这出传统戏作了修改，比如“将花旦应工改为花衫，废除了踩跷表演，摒弃了杨贵妃醉后思春的丑态，加进了昆曲的表演手法”等。然而，此次修改不同于以往，它更多了些政治色彩，但是，梅兰芳仍然恪守他的“移步不换形”的戏改原则。说具体点儿，那就是“改词不改腔、改身段表情而不改词、要让观众看

①梅兰芳：《解放一年来的感想》，《戏曲报》1950年第2卷3期 。

了觉得没有什么大的改动，但主题却变了”，那就是由过去单纯反映宫廷贵妇人因失宠而苦闷借酒浇愁转变为反映封建时代宫廷内被压迫妇女的情感世界，突出封建社会对妇女的摧残。因而，梅兰芳特别强调摒弃一些含有暗示性的黄色部分，重点表现宫廷内妇女内心的抑郁苦闷。

这出戏共有两场，两场之间穿插了高、裴力士二人在场上做些打扫亭子、搬动花盆的身段，外加几句毫无意义的对白，目的是拖延时间，好让扮演杨贵妃的演员在后台换装。为了借高、裴的嘴突出主题，梅兰芳在此次修改中为他俩重新设计了对白，强调了宫廷妇女的遭遇，内容有了较大转变。在形式上，特别是唱词、身段方面，梅兰芳也作了不同程度的变动。比如，他一直认为原来的表演方法未能很好地处理“诓驾”这场戏，使杨贵妃的唱词、表情毫无联系，显得过于孤立。于是，他首先改唱词，将“这才是酒不醉人人自醉，色不迷人人自迷，啊啊啊人自迷”改为“这才是酒入愁肠人已醉，平白诓驾为何情，啊啊啊为何情”，然后加上微带怒容的表情，从而突出杨贵妃对诓驾的不满。

至于接下来酒醉后的杨贵妃与高、裴二人调笑、思春的一场含有色情意味的戏，梅兰芳更是大刀阔斧地大加修改。然后又将杨贵妃思念安禄山的一段自白“安禄山卿家在哪里啊？想当初你进宫之时，娘娘是何等地待你，何等地爱你。到如今你一旦无情忘恩负义，我与你从今后两分离。”在不改变辙口、唱腔的基础上改为“杨玉环今宵如梦里。想当初你进宫之时，万岁是何等地待你，何等地爱你。到如今一旦无情，明夸暗弃，难道说从今后两分离。”从而将深宫贵妃内心的苦闷与怨气表现得淋漓尽致。

可以说，《贵妃醉酒》的修改是成功的。因为它虽然由内容到形式都有了变化，但仍不失原汁原味的传统唱腔与表演。

⊙《奇双会》，梅兰芳饰李桂枝、姜妙香饰赵宠

接下来对《奇双会》的修改就不像修改《贵妃醉酒》那么麻烦了。和演出《贵妃醉酒》一样，梅兰芳在多年的演出中，也曾多次对《奇双会》进行过修改。初次演这出戏时，他就按老路子唱，以后发现在头场、二场中分别出现的狱神、鸮神有迷信色彩，便早在1933年移家上海以后再演时就取消了这二神。如今，宣

传封建迷信是作为毒素而要被彻底消除的，二神自然是根本不可能再出现的，除此，其他有封建迷信色彩嫌疑的片段也一并要废除。《奇双会》的第一场“哭监”中有场戏是这样的：当主人公李奇被从监中提出来后，面对身为县令夫人的李桂枝下跪磕头。李桂枝这时的台词是“罢了。哎呀且住，这一老犯人与我屈了一膝，我为何头晕起来”？接着便有一个站起来往右转身扶椅子背的身段。这场戏略有迷信色彩，怎么被李奇跪了一下头就会晕呢？于是，梅兰芳从“一深居内宅从未升堂问过案的县令夫人的心境”和“桂枝善良性格”出发，将这段台词改为“这一老犯人，偌大年纪，与我屈了一膝，我心中有些不安”。

从梅兰芳修改《贵妃醉酒》及《奇双会》，我们可以发现无论他怎么修改，都遵循着不违背京剧基本规律的原则，从而使它们依旧姓“京”。尽管梅兰芳在天津曾经公开承认过他所说的“移步不换形”是不对的，“移步”必然要“换形”，但他的行为却在为他的“移步不换形”戏改理论做着注脚。实践证明，“移步”是可以“不换形”的。

1951年初春，经中共中央、政务院的批准，撤销文化部戏曲改进局，在戏曲改进局研究、实验、教育机构及部分行政力量的基础上，于4月3日正式成立中国戏曲研究院，梅兰芳当选该院院长，副院长为程砚秋、罗合如、马少波。在筹备期间，为庆祝该院成立，梅兰芳特别去荣宝斋订裱空白宣纸册页，分送毛泽东、周恩来和其他中央领导同志请求题词。毛泽东除了亲笔题写“中国戏曲研究院”的门匾外，还题词“百花齐放，推陈出新”。周恩来的题词是“重视与改造，团结与教育，二者均不可缺一”。

对于毛泽东的题词，梅兰芳颇以为然，这并非说他是单纯地迎合，而的确是心里所想。自他学戏开始，他就常听祖辈念叨百年以前戏曲界如何兴盛，光是曲调就有南昆、北弋、东柳、西梆四种，到他成年，只有秦腔等梆子系统的为数不多的剧种还幸存，其他几种几乎消失殆尽了。曾记否，梅兰芳本人为拯救昆曲曾数度努力，他不仅大唱昆曲，而且还积极呼吁拯救昆曲，只可惜孤掌难鸣。如今因了党的"百花齐放、推陈出新"的政策，古老的剧种得以恢复并长足发展，新型剧种如越剧、评剧也都成了全国性的剧种，戏曲界一派欣欣向荣之新景象。这就难怪梅兰芳在收到毛泽东的题词后激动得难以成眠，他对夫人福芝芳感慨道："这个口号提得好。过去有些人认为京剧是老大哥，我就觉得不合适。中国有那么多地方戏，都有它的特色，应该按照百花齐放的方针，交流经验，互相学习。"

周恩来的题词恰恰反映了解放初期中共对戏曲界的态度。其实"戏改"这个词的广义解释应该是改戏、改旧的班社体制、改旧的舞台作风、改演戏的旧艺人。所谓"旧戏"是相对于革命戏和表现现实的戏而言的，正如革命戏是时代的产物一样，旧戏也是旧时代造就的，它自然存在着诸多与革命与现实不相协调的方面，这的确需要改。同理，所谓"旧艺人"也是相对于革命者而言的，他们的思想观念处事准则自然也就不符合这革命的新时代，也的确需要改。早在1949年初秋中华全国戏曲改革委员会筹备期间，周恩来就曾两次召见筹委会的领导人，明确指示"戏改委"的任务除了"负责进行全国戏曲剧目和演出的调查研究，制定戏曲政策，拟订全国上演戏曲剧目审定标准，组织力量整理、改编、创作戏曲剧目"外，就是"团结改造艺人，培养新生力量，并要关心全国戏曲工作者的政治待遇及生活福利"，同时还要"改革旧班社制度，辅导演出团体排演新戏，改进舞台作风。"

在当时公私合营的社会背景下，在中央人民政府已经明确"戏改"方针后，旧的班社何去何从似乎已不是个问题。政府对梅兰芳的

“梅剧团”采取了优待政策，允许它仍然以私营的形式存在。对于梅兰芳个人，政府也考虑到他的地位名望，予以特别照顾。以工资来说，当时，曾有人向周恩来请示如何定梅兰芳的工资，对梅兰芳的工资竟然超过一国总理颇有些意见。周恩来在电话中明确表态说：“梅兰芳的工资当然应该比我周恩来高！”这是周恩来对一代艺术大师尊重的表现，当然也是政府“团结艺人”的“戏改”政策的体现。

除了梅兰芳，老一辈的戏界艺人也都受到了政府的尊重和照顾。庆祝新中国成立十周年之际，梅兰芳在《戏剧大发展的十年》一文中回忆说：“我的老友王凤卿，病发多年，十年来都是政府负责他的生活。如今已经去世的王瑶卿、尚和玉、马德成、金仲仁等老艺人生前也都在戏曲学校任教；萧长华、刘喜奎、郝寿臣、小翠花、侯喜瑞、张德俊、李桂春、钱宝森、徐兰沅、孙毓坤等老艺人现在都受到政府的优越待遇。”

对于政府的优待，梅兰芳没有坦然受之，他从来不是一个只知索取不知报答的人。为了报答政府的一番好意，他对自己的“梅剧团”也高高举起了改革的大刀。具体改革措施包括：减少开支、压低票价；对原有演职人员的薪金发放按营业实际收入作机动伸缩；同时本着精简节约的原则，他决定不再从北京邀约大批人马赴沪参与演出，而是就地取材，就近在上海招募演员。

著书总结艺术生涯

梅兰芳遗留下来的文章有不少，但多是解放后在各种会议上的发言，当时他身居戏曲界高职，发言中难免含有官方色彩。因而，《舞台生活四十年》可以说是他惟一的一部私人作品。

这部书最早是由上海《文汇报》于1949年8月邀约而写的。至于《文汇报》如何会确定这样的题材，《文汇报》元老柯灵先生曾在1993年3月21日撰文道：

《文汇报》是当时全国惟一的私营报纸，以其进步历史而获得继续出版的荣幸。但鼎革伊始，新旧交替，百废俱举，百举俱废，《文汇》在旧轨上走惯了，改弦更张，举步艰难，自不待言。我那时是新提升的总编辑，限于水平，更是捉襟见肘，战战兢兢。为了打开销路，争取读者，挖空心思，想了许多办法，其中之一是发表长篇连载，而首先想到的，就是请梅兰芳写回忆录。梅知名度高，号召力强，叙述梨园旧事，雅俗共赏，也比较稳妥而少风险。

梅兰芳在《舞台生活四十年》前记中说，早在十几年前，就有人向他提议将他的演艺经历撰写成文，但他当时的工作重点还放在编剧和演出上，加之考虑到在艺术方面还处在摸索前进的阶段，故而未加理会。1942年，梅兰芳从香港返回上海后，友人旧事重提。此时，梅兰芳闲居在家，时间充裕，同时考虑到“自己过去的经历，已经有不少逐渐淡忘了；当年朝夕相共的一般内外行的老朋友，也都散居南北；一部分的材料，又时时有散失”，因而，他感到的确有成书的必要了。然而，他和许姬传曾两度试图动笔，但“由于精神上一直不能安定，所以都只是起了个头就搁下来了。”

他所说的“精神上”的因素固然存在，但更重要的恐怕是一时无法确定如何写、写什么、主题是什么、从什么角度写、以何种方式写的问题。因而，在《文汇报》派人去和梅兰芳接洽时，梅兰芳有些为难，但他并未拒绝，只是说“要有个准备过程”。正如柯灵所说，当时梅兰芳的“社会活动频繁，又要演戏，写作也不是他的主业”，在这种情况下，要完成一部既有意义又具可读性的鸿篇巨制确非易事。经过一段时间的准备，又数度与《文汇报》的代表接洽、磋商、研究，梅兰芳最后确定了由他自己口述，秘书许姬传执笔，最后由许姬传的弟弟许源来润色并补充整理的写作方式，这样既不妨碍梅兰芳的其他正常活动，又能保证内容真实且具 一定的文学性。

写作之初，梅兰芳对许姬传定下几条原则：

1.要用第一手资料，口头说的和书本记载，详细核对，务求翔实；

2.戏曲掌故，浩如烟海，要选择能使青年演员和戏校学生从这桩故事里得到益处的；

3.不要自我宣传；

4.不要把党、政、军重要人物的名字写进去，不然，这样会使人感到借此抬高自己的身份；

5.不要发空议论，必须用实例来说明问题；

6.我们现在从清末谈起，既要符合当时的社会背景，又要避免美化旧时代的生活，下笔时要慎重。

在写作过程中，无论是梅兰芳还是执笔的许姬传都严格遵循这几条原则。据许姬传回忆，书中好多故事，“梅先生费了很多时间来回忆，还经过反复修改才定稿的”，对于戏曲掌故，“每一件事，梅先生都经过反复核对才发稿”。对此，梅兰芳认为：“在台上演出，一个身段做得不好，或者唱错字音，甚至走板，只是观众知道，倘若电台录音，我们可以要求擦掉，写文章决不能道听途说，掉以轻心，白纸黑字，流传下去，五百年后还有人指出错误，再说有关表演的事，大家以为我谈的是本行本业，应该没有错，这样以讹传讹误人子弟是更为内疚的。”①其实这正体现了他谨慎、认真、负责的处事态度。

经过约一年的磨砺，1950 年 10 月 16 日，梅兰芳自传式回忆录

①许姬传:《〈舞台生活四十年〉出版前后》,《忆艺术大师梅兰芳》。

《舞台生活四十年》正式开始在《文汇报》上连载，引起各界人士的普遍关注。连载之初，人们对内容自然无甚评价，对文字却颇有微词。有人直接给梅兰芳提意见说："你的遣词、用笔比较陈旧，应该要革新一下，才有朝气。"许姬传自己也承认"确是有点陈旧之感，与当时的报刊文字风格相去甚远。"殊不知，初写时的文字更加粗糙，几乎没有任何修饰，毫无文学性，而且前后次序也十分零乱。据许姬传事后回忆，当时他将初稿交给阿英审阅，阿英看后对他说："你最好自己改三遍，再给人看。"其实这也不奇怪，许姬传毕竟是旧时文人，不仅文风旧，思想观念也并非一朝一夕就能跟上新时代。梅兰芳就说过"姬传是从旧社会过来的，难免带有旧的思想与习气，说不定会在笔下流露出来"，故而他要求编辑严格把关。当然，也有人对此文字风格表示赞同，认为那是不杂西洋墨水的中国民族形式。《文汇报》编辑、负责接洽连载事宜的黄裳则认为"应该尊重作者，不能用流行模式限定写作风格。"应该说，他的话是客观中肯的。无论是许姬传还是梅兰芳，他们都是从旧时代走过来的人，他们有他们的叙事习惯与思维模式，强求他们与"当时的报刊文字风格"保持一致，既不现实，也恰恰违背了"百花齐放"的原则。

其实文字方面的争论是次要的，重要的是内容。成书后的《舞台生活四十年》，其内容就存在着与编辑者初衷相背离的情况。柯灵就曾说，这本书的内容和他预想的不同。他当初的想法是梅兰芳能够在这部书里"记述艺海浮沉，兼及世态人情的变幻，廊庙江湖的沧桑，映带出一位大戏剧家身受的甜酸苦辣，经历的社会和时代风貌。”而实际上，这部书却“侧重于表演艺术的推敲”。的确，梅兰芳用了大量篇幅详尽叙述了有关表演方面的心得体会，甚至将数部梅派名剧里的每一场戏、重要的台词、身段表情都加以一一讲解。与其说《舞台生活四十年》是梅兰芳四十年演艺生活的总结，不如说是一部京剧表演的教科书，因而更适合从事京剧表演的青年阅读。梅兰芳自己也说，这部书“是可以供今后戏曲工作者参考的”。然而，柯灵认为：“前者的读者范围比后者会宽广得多，也会更有趣味，更有意义。”

客观地说，梅兰芳作此选择恐怕也有不得已的苦衷。对于内容，当时存在着两种意见，黄裳曾经回忆说：“一种人认为梅是表演艺术大师，回忆录应着重写他的舞台实践，歌唱、表演、身段……都应详加记录，这样可以作为年轻演员的学习范本。他们反对在回忆录中写个人生活，以为这都是题外话。”而以黄裳为代表的另 一部分人的想法与柯灵相仿，黄裳就曾说：“梅兰芳和他生活的那个变化急遽的时代，是一个最理想的研究对象，人物是不世出的，时代也不愧为伟大的时代。他是一个演员，生平经历、接触过的世态人物可谓丰富矣，如能好好地记录下来，是会成为一部社会文化史的大作的。”

当时乃解放初期，由于执政者当中有相当多的人参加革命较早，在长期的艰险革命生涯中，思维有简单化倾向，又往往革命至上，而将人性贬得很低。在他们的意识中，人并非属于他自己，而只属于社会，大有谈个人就是小资产阶级的倾向。因而，相比较而言，前一种方法似乎更加顺应时代。在一切都得顺应新时代的情况下，梅兰芳只能选择前者，从而规避了不必要的风险。

当然，《舞台生活四十年》中也并非毫无梅兰芳个人的生活，比如养鸽、绘画等，然而无论是养鸽还是绘画，恰恰又都是围绕演戏来谈的。养鸽为了练就眼睛，使之在舞台上更有神韵；绘画则为了培养对色彩的认识，从而更恰如其分地设计演出服装、饰物。除此，书中也写到一点儿社会风俗、剧坛逸事，虽然篇幅较少，但仍不失为难得的珍贵史料。

造成这本书侧重叙述表演技巧的主要原因乃客观因素，但并非是惟一原因。梅兰芳出道较早，成名也较早。自成名后，他的演艺道路基本是顺畅的，多的是掌声和鲜花，少的是“酸苦辣”，所以他很难达到柯灵的“记述艺海浮沉映带身受甜酸苦辣”的要求。其次，这许多年来，梅兰芳专注于演艺，除了抗战时暂别舞台外，大多数时间都花在琢磨表演技巧并创新发展旧戏上，很少在意世事的变迁。在这种情况下，他除了加大笔墨写表演外，还能写什么呢？再者，当年与他交往甚密的如齐如山等人都去了台湾。在那个年代，去台湾的人有多少是被认作“好人”的呢？梅兰芳自然不能在书中大谈特谈，而只是蜻蜓点水简略带过罢了。显然，他是很清楚当时的政治气候的。

可惜的是，《舞台生活四十年》只完成了三集。前两集在《文汇报》上连载后，以后又出了单行本，第三集中的大部分内容分别在《戏剧报》和香港《文汇报》上连载，另有三章内容在80年代中国戏剧出版社再版全三集时才得以与读者见面。写完三集后，梅兰芳是有意继续往下写的，但不幸他过早地离开了人世。

迁回北京

早在1949年7月，梅兰芳赴北平参加“文代会”时，周恩来曾专程看望了梅兰芳，诚恳地表示希望梅兰芳到北平工作，并嘱有关方面尽力促成此事。梅兰芳自不好拂逆周恩来的一番好意，加之他后来先后出任京剧研究院院长、中国戏曲研究院院长，进京自然更

⊙梅葆玥、梅葆玖在练功

⊙《游园惊梦》，梅兰芳饰杜丽娘、梅葆玖饰春香（下）

利于工作。于是，1951年7月，他和家人正式移居北京。李铁拐斜街是梅家老宅，梅兰芳就出生于此。后因家道中落，梅家将老宅卖掉后入住前门外百顺胡同，与杨小楼为邻。离开百顺胡同后，梅兰芳在鞭子巷三条住过一段时间 。经济状况好转后，他在前门外芦草园典下两所四合院，以后买下无量大人胡同一所宅子。这所宅子在抗战时期因生活所迫被卖掉了。此次进京，有人主张他还入住无量大人胡同，但他拒绝了，因为他不愿意逼使别人搬家为他让出房子 。他最后选定护国寺街甲一号的一所四合院，偕家人住了进去。这所四合院在他去世后被修整为“梅兰芳纪念馆”。返回北京时，他的女儿葆玥和小儿葆玖已经“下海”，葆玥唱老生，葆玖承继父业，仍唱旦角。父子同台献艺的机会越来越多了。

进京后，梅兰芳的社会活动更加频繁。9月，他参加了首都各界庆祝抗日战争胜利六周年大会；10月，出席了全国政协一届三次会议；次年5月1日，与首都50万群众一起参加了庆祝“五一”节游行活动；5月23日，与郭沫若、周扬、丁玲、冯雪峰、曹禺、赵树理等五十余位文艺界代表出席了全国文联为纪念毛泽东《在延安文艺座谈会上的讲话》发表10周年举行的座谈会，为此发表了题为《争取戏曲改革事业进一步发展》

的文章；12 月，随以宋庆龄为团长、郭沫若为副团长的中国代表团赴奥地利首都维也纳，出席世界人民和平大会。

这是梅兰芳解放后的首次出国。解放前，梅兰芳曾经数次出国，先后到过日本、美国、苏联以及欧洲各国。与以往出国不同的是，此次梅兰芳的身份不仅仅是演员、艺术家，更是新中国的政府官员，因而此番出访颇具政治性质，意义非同一般。正因为如此，他观察到的事物也更多了份政治色彩。在维也纳，他发现经过战争后的维也纳“如今是衰落到黯淡无光了”。当他想为儿子在这座以音乐、戏剧闻名于世的城市买一把小提琴时，却发现因“战后营业凋敝，产量更少，价钱就贵了起来，一张上等弓的售价几乎和过去一只提琴的售价相等”，即便有些商店的门面富丽堂皇，但顾客寥寥，“一片凋敝的气象”；而在莫斯科百货商店买东西，“出口和进口的地方，人如潮涌，里面更加拥挤。货物也很丰富，自由选购，毫无限制”。对比之后，梅兰芳得出这样一个政治色彩浓厚的结论：“两相对比，愈加显出社会主义国家人民生活的优裕，和资本主义旧世界的没落”。也正因为如此，他对戏曲艺术的作用，有了新的认识。会议期间，当德国的一位女代表请他谈谈参加和平大会的体会时，他真诚地说：“作为一个新中国的文艺工作者，我是热烈爱好和平的。参加这次大会，使我更加感到责任的重大。我今后将更加努力运用戏曲艺术武器，加强对和平事业的宣传。”①

代表团是在回国途经莫斯科时，应苏联对外文化协会的邀请在苏联作短暂停留的。对于苏联，梅兰芳是旧地重游，加之当时的苏联是中国的“老大哥”，因而感觉更亲切。当年，他赴苏联的任务主要是演出，着重的是艺术上的交流；如今，他的身份变了，目的也自然有所改变。在他眼里，苏联正意气奋发地、斗志昂扬地“开始

①②梅兰芳：《从维也纳世界人民和平大会归来》，《梅兰芳文集》。

走向共产主义”。为了领略“老大哥”的风采，梅兰芳随代表团成员参加了莫斯科规模宏大的滚珠轴承工厂和附设的托儿所、医院、文化之家以及号称“全世界最大”的莫斯科大学。当年他的剧团部分成员参加试车的“地道电车”早已通车，现在规模也更大了，“新建了许多车站，金碧辉煌，庄严整洁”，车里“空气流通，灯光明亮，每天运送的乘客有二百万人，有些乘客在车内阅读书报，有的女同志在车内编绒线衣服”，一切都是那样的祥和宁静，令梅兰芳感慨良多。他说他“坚信我国施行几个五年计划以后，也能达到这种美满的境地”。②他的愿望是真诚的。

就像梅兰芳熟悉苏联一样，苏联人民也一样熟悉梅兰芳。如今梅大师再次光临莫斯科，岂有不看他表演的道理！于是，12月30日，梅兰芳应苏联艺术家之邀到“演员之家”参加联欢晚会，表演了《思凡》和《霸王别姬》里的剑舞。临别前的1953年元月6日，他又作了专场告别演出，以答谢苏联人民的盛情。

维也纳之行虽然短暂，但梅兰芳自觉受到很大的教育。这教育包含三层意思：一是深刻体会到和平的可贵；二是看到了苏联人民对新中国的热爱，从而感受到中苏人民的友好之情；三是对比维也纳和莫斯科，感受到社会主义制度的优越。

从苏联归国后，梅兰芳出席了中国人民政治协商会议第一届全国委员会第四次会议，接受了毛泽东关于“加强抗美援朝的斗争，学习苏联和反对官僚主义”的指示。为配合贯彻毛泽东的指示，会后第三天，梅兰芳的一篇题为《从维也纳世界人民和平大会归来》的文章便发表在《人民日报》上。他在这篇文章中以亲眼所见、亲耳所闻的一系列事实，热情赞扬了苏联的社会主义建设，讴歌了社会主义制度的美好。

当年9月，梅兰芳在全国第二届文学艺术界代表大会上被推选为全国文联副主席。又一月，全国剧协改组为中国戏剧家协会，田汉任主席，梅兰芳和欧阳予倩、洪深任副主席。

尽管政治活动、社会活动十分频繁，但梅兰芳内心钟爱的仍然是京剧表演。即便是政治地位起了翻天覆地的变化，头上的政治光环越来越多，梅兰芳依旧难忘他为之奋斗了半生的京剧。因而，从解放初到他去世前的十来年里，他除了为中央领导演出、庆典演出、赈灾义演外，也从来没有停止过营业戏的演出。当然，他最多的是上山、下乡、到部队、上前线四处慰问演出。他自己曾做过比较，解放前他只到过几个大城市演出，解放后他到过的城市达17个省。出访维也纳前，梅兰芳在首届全国戏曲观摩演出大会上和周信芳、程砚秋、袁雪芬、常香玉、王瑶卿、盖叫天等老一辈戏曲艺术家共同接受了中央人民政府文化部颁发的荣誉奖。给梅兰芳的奖状上这样写道："梅兰芳在戏曲艺术创造上有卓越贡献，经第一届戏曲观摩演出大会评奖委员会决定，并经本部批准，授予荣誉奖。"

在所有的演出活动中，工农兵观众占了大多数，而最让他难忘的、意义最重大的莫过于随朝鲜慰问团赴朝演出了。

抗美援朝之战打到1953年，终于得以停战，志愿军准备经过一段时间的休整后陆续撤离朝鲜。党中央决定利用这段休整期组织一次大规模的赴朝慰问活动，以慰问众将士这几年来的浴血奋战。很快，慰问团筹备停当，贺龙元帅担任总团长，总团以下设分总团。第一分总团直属总团，它由一个文工团和一个京剧团组成，分总团长由华东京剧团团长吴石坚担任。这个京剧团的班底是华东京剧团的演员。据说选中这个京剧团是周恩来、贺龙和上海市长陈毅的主意，他们认为"华东京剧团的前身是淮海实验京剧团和苏皖实验京剧团，长期转战于敌后，有光荣的历史"。除此，挑大梁的演员乃当时京剧界的“招牌”，包括梅兰芳、周信芳、马连良、程砚秋，可谓大师荟萃，阵容空前。贺龙元帅曾对吴石坚开玩笑说：“你这个京剧团拥有梅、周、马、程四大流派的创始人，像李玉茹这样的优秀演员也只能跑跑龙套，可称得上是‘天下第一团’了”。

“天下第一团”慰问的第一站是安东（今丹东市），由地处国内最前线的空军联合司令部负责接待。慰问团受到的热情欢迎自不待言。梅兰芳回忆说：“他们穿着整齐的军服，胸前挂满了勋章、奖章、军功章、纪念章，排成一条夹道，将每一束鲜花送到我们手里。”在异常艰苦的环境下，志愿军战士们为慰问团预备了“温暖的卧具，丰富的饮食”，还“新建了宿舍”，他们在宿舍门头上贴着“高高山上盖礼堂，迎接亲人进新房”的春联，横批是“战地宿舍”。当梅兰芳跨进宿舍，发现在他的床铺旁的墙壁上张贴着他与斯坦尼斯拉夫斯基的合影、抗战时留须照片以及从《人民画报》上剪裁下来的《贵妃醉酒》、《奇双会》等彩色剧照时，激动的泪水模糊了双眼，他深切地感受到志愿军战士对他的热爱，真正体会到“人民艺术家”的真实含义。

让梅兰芳感动的远不止于此。当他目睹罗盛教烈士的父亲罗迭开老先生含着眼泪与被他的儿子从冰窟中救出的朝鲜少年紧紧拥抱在一起的时候，当他听到朴在根烈士为救伤员用自己的肉体抵挡炸弹而壮烈牺牲的故事时，当他看到每一个年轻的志愿军战士那张张冻得红通通的脸庞时，他“常不由自主地流下感动的眼泪”，他说他的所见所闻所感根本无法用枯燥的文字来表达。于是，他将他的全部感动融入表演中。

那天天公不作美，演出中途突然下起了雨。为了不让行头被淋湿而影响以后的慰问演出，志愿军负责干部通知正在候场的梅兰芳和梅葆玖中止出演。当天从各地赶来的志愿军战士和附近群众估计有近两万人左右，他们听戏是次，主要还是想一睹梅兰芳等大师的风采。因而当他们得知梅兰芳当晚将不再演出时，万分失望不肯离去，提出让梅兰芳出来和他们见见面，讲几句话。梅兰芳于是和马连良走出化装室，来到前台，站在扩音器前大声说：

“亲爱的同志们，今天我们慰问团的京剧团全体同志抱着十分诚意向诸位作慰问演出，可是不凑巧得很，碰上天下雨，因此不能化装演出，非常抱歉。现在我和马连良先生每人清唱一段。马先生唱他最拿手的《借东风》，我唱《凤还巢》，表示我们对最可爱的人的敬意。”

掌声和欢呼声足足持续了数分钟，在梅兰芳和马连良的一再鞠躬表示感谢下方逐渐平息了下来。马连良清唱完《借东风》后，梅兰芳在雨中清唱《凤还巢》。

梅兰芳一生惜嗓如命，此时为现场的气氛所激动，即使寒风冷雨会损伤嗓子也在所不惜了。

梅兰芳后来回忆说：“这一次的雨中清唱，在我数十年的舞台生活中，是没有前例的，也是我在赴朝慰问演出当中最难忘的一件事。”

跨过鸭绿江，梅兰芳踏上了朝鲜的土地。这里刚刚经历过血与火的洗礼，到处是断壁残垣，一片狼藉，废墟中偶尔幸存的一间半间破屋便是慰问团成员的“宿舍”。梅兰芳和团长吴石坚以及周信芳、马连良、程砚秋等共14人同住的“集体宿舍”待遇是最高的。这是一间地板房，房里分两边排有七个铺位，中间是过道。吴石坚睡在最外的一个铺位，梅兰芳睡在最里的一个铺位，然后依次是周信芳、马连良、程砚秋等。说是最高待遇，其实就是在夹墙里生着炭火，房里温暖如春，与房外的冰天雪地仿佛是两个世界。作为团长，吴石坚觉得让大师们睡地铺实在有些委屈。梅兰芳坐在被窝里诚恳地说：“人家家国都毁了，拿

⊙ 1953年梅兰芳参加中国人民赴朝慰问团

⊙《四郎探母》，梅兰芳饰铁镜公主，马连良饰杨延辉

出这样一间来也足见盛情了。我们是来慰问的，不是来享福的嘛！”见师傅这么说，一旁的程砚秋附和道：“好不好是比出来的，比起朝鲜人民的苦难来，我们是在享天堂之福了。”马连良也说：“不到朝鲜，不知战争的残酷，不住破屋也就不知道朝鲜人民的痛苦。”周信芳接着说：“满足于睡地板，这就是一个进步。”四位艺术大师的肺腑之言着实让吴石坚感动不已，他从中看到大师们高尚的人品。

入朝后的首场演出被安排在志司广场。当梅兰芳得悉压轴戏由他和周信芳同演《打渔杀家》时，竟有些光火，冲着吴石坚没头没脑地问：“今天外面气温多少度？”吴石坚不知梅兰芳的用意，一时不知如何作答。梅兰芳接着说：“零下15度。叫志愿军官兵在零下15度的露天广场上坐着，看我们两个老头子演那么长的戏，这不是要志愿军同志的命吗？为什么不让青年同志们多演几出武戏呢？又火红，又热烈！至于我，周先生、马先生和程先生，就站在台上和大家见见面，一人唱一小段向志愿军问候，岂不更好？”贺龙得知此事后，深为梅兰芳为人的善良、为他人着想的品德所感动，不过，他认为“梅、周、马、程是大师，大艺术家，现在是祖国人民的代表，平时谁能看到他们？梅兰芳、周信芳，怕大家瞧都瞧不够呢，更何况两人合演一出戏，岂不是看得更过瘾。”他让吴石坚转告梅兰芳：“我保证台下几千官兵会敬心敬意地看他们演出。”这样梅兰芳才披挂上台。

在朝鲜慰问期间，年届花甲的梅兰芳丝毫没有大师派头，他和普通演员一样“雨里走，风里演，登高山，涉河水，从露天剧场到坑道剧场”，无论在何种场合，无论是多么恶劣的环境，他始终尽心尽力、毫无怨言，实属难能可贵。

在浩瀚的宇宙长河中，五十年的光阴乃弹指一挥间，瞬间而逝；对于人类而言，五十年乃半个世纪，说长不长说短也不短；对于只有67年生命的梅兰芳来说，五十年几乎是他的一生。可以说，他将一生献给了戏曲事业，献给了京剧表演艺术。

梅兰芳自10岁起，从1904年在北京“广和楼”戏馆首次登台伴演昆曲《长生殿·鹊桥密誓》里的织女到1954年止，他在戏曲舞台上已经整整度过了50个年头。在这50年里，他学戏、看戏、演戏，经历了从默默奋斗到逐渐成名的喜悦、辛亥革命的冲击、抗战时期被迫告别舞台的痛苦、新旧时代交替的徘徊迷惘、新中国成立后的思想转变，地位的迅速提升，步入人生的辉煌顶点。从政治上来说，他在祖国遭受外强欺凌的时候勇于舍弃荣华富贵，充分表现出贫贱不能移，威武不能屈的爱国主义的高尚品性和尊贵人格。新中国成立后，他以新政府戏曲高级官员的身份积极参与政治社会活动，满腔热情地为工农兵服务，为戏曲事业服务；从艺术上来说，他自献身戏曲始就对艺术精益求精。他勇于改革、创新，为古老的京剧艺术增添了新的活力，在继承发扬传统艺术方面作出了巨大贡献。他率先将京剧引向世界，让世界人民了解了中国，了解了中国的“国粹”，为东西方文化艺术交流起了纽带和桥梁的作用。正如夏衍所说，“他们受到全国广大群众的热爱不是偶然的，他们在艺术事业上的巨大成就将永远受到祖国人民的尊重。”①

①②夏衍：《在梅兰芳周信芳舞台生活五十年纪念会上的讲话》见《梅兰芳艺术评论集》。

⊙梅兰芳、周信芳在纪念大会上接受鲜花

为表达这份热爱与尊重，中华人民共和国文化部、中国文学艺术界联合会、中国戏剧家协会三家单位联合，共同为梅兰芳和周信芳举办了一次庆祝他们舞台生活五十年的纪念大会。

大会于1955年4月11日在北京天桥大剧场如期召开，首都1400余名文艺界人士出席了大会。在我国的苏联戏剧家列斯里、电影艺术家茹拉无尼约夫等和日本著名演员中村习右卫门以及各国驻我国使馆文化参赞、各国记者应邀参加了纪念会。全国文联秘书长阳翰笙致过开会词后，夏衍作了发言，他高度赞扬了梅、周两位艺术大师在政治方面的突出贡献，特别提到他们在抗战时的爱国行为以及解放后积极参加各种政治运动和为工农兵演出的表现。所以他说："他们是人民的艺术家，他们热爱人民，因此，人民自然也就热爱他们的艺术，以能够有他们这样的艺术家而感到自豪。"对于他们在艺术方面的成就，他说："我们认为：梅兰芳、周信芳两位先生是我们人民戏曲艺术中的现实主义大师，是继承并发扬了我们戏曲表演艺术的现实主义传统的大师。他们两位都孜孜不倦地追求人物性格的创造，把先辈艺人遗留下来的宝贵经验作为基础，进一步创造了很多为人民所熟悉、所敬爱的勤劳、智慧、有正义感、富于爱国热情和反抗精神的人物形象。"[2]夏衍身为文化部副部长，所以他对梅兰芳、周信芳的褒扬实际上是政府对梅周二人的官方评价。

⊙梅兰芳拍电影《宇宙锋》饰赵艳容，刘连荣饰赵高

紧接着，欧阳予倩和田汉分别作了关于赞扬梅兰芳的题为《真正的演员——美的创造者》和关于赞扬周信芳的题为《战斗的表演艺术家——周信芳》的报告。欧阳予倩在报告中详细论述了梅兰芳在京剧表演艺术方面的成就，说在旦角的表演艺术方面，梅兰芳“已经吸取了过去许多名旦角演戏的精华而集其大成”，同时他总结梅兰芳获得巨大成功的秘诀在于勤学、虚心、苦练、继承、发展、创新，另外便是“他真正地热爱艺术，力求进步”。

欧阳予倩的赞誉给了梅兰芳很大的鼓舞，也使他非常感动。他在题为《为着人民，为着祖国美好的未来，贡献出我们的一切》的答词中谦虚地说：“我是一个平凡的人，对艺术的贡献是微薄的。最初依靠我祖父、父亲的遗训，后来又受到师友的督促、教育和广大观众的帮助、鼓励，才在艺术上前进了几步。”不过，他承认欧阳予倩所说，成功并非靠什么特别的窍门，而只是“劳动的积累”。然后，他从开始学戏讲起，将他这50年来的演艺生活作了回顾汇报。最后，他结合自己50年的艺术实践，告诫青年戏曲工作者：“热爱你的工作，老老实实地学习，努力艺术实践，不断地劳动，不断地锻炼，不断地创造，不断地虚心接受群众意见，严格进行自我批评，为着人民，为着祖国美好的未来，贡献出我们的一切！”这番肺腑之言与其说是给青年戏曲工作者的忠告，不如说就是他舞台生活50年的总结。

会后一周内，梅兰芳、周信芳在天桥大剧场举行纪念演出，以答谢文艺界的厚爱。梅兰芳除了单独演出梅派名剧《断桥》、《洛神》、《宇

宙锋》等外，还和周信芳联袂演出了《二堂舍子》。有人无意中得悉梅兰芳、周信芳、洪深三人同属马时，便提议“三马同台”。于是，三人合演了一出《审头刺汤》。三位戏曲大师同台献演，让首都观众大饱眼福。

50年过去了。梅兰芳的50年演艺生涯对于下一代来说是经验更是财富。既然是财富，理应保留。如何保留以传世？拍成电影是最佳选择。

早在一年前，中央电影局就有意要将梅兰芳的舞台艺术拍成电影。对于拍电影，梅兰芳是不陌生的。早年，他拍过《春香闹学》、《天女散花》、《上元夫人》、《廉锦枫》等戏曲片，赴美演出时还拍过有声片《刺虎》，解放前拍的《生死恨》开创了我国彩色戏曲片的先河。最早拍电影时，梅兰芳的目的很简单，那就是能在影幕上看到自己的表演，以弥补戏曲演员“在舞台上演出，永远看不见自己的戏”的遗憾。如今，身为新政府戏曲界的领导、老一辈京剧表演艺术家，梅兰芳有责任有义务使京剧之葩薪尽火传，让更多的人了解并热爱有“国粹”之称的京剧。于是再拍电影的目的便不再单纯，而更富有意义。从他个人来说，他已辛苦走过了50年戏曲表演历程，也需要作一番全面总结。在这样的心理驱动下，他自然很乐意地接受了电影局的邀请。

从维也纳归国后，梅兰芳接到中央电影局送来的一份《梅兰芳的舞台艺术》彩色戏曲片的拍摄方案。拍摄此片的目的一是总结梅兰芳的演艺生涯，二是全面介绍京剧旦角表演艺术。由于将后者作为拍摄重点，因而内容着重表现梅兰芳的歌唱和舞蹈，方案由此将表演分为两部分，一部分是基本动作，一部分是剧目。

梅兰芳对于此方案表演中的两个部分均不满意。对于基本动作部分，他认为“如果拍下来作为研究资料是可以的，若公开发行，对一般观众来说，则恐怕不容易使他们发生兴趣”；对于剧目部分，他建议电影局的同志随他赴上海，在即将于上海演出的六十多场戏中再行挑选更适合拍成电影的剧目。

在上海演出期间，《梅兰芳的舞台艺术》一片的导演吴祖光对《洛神》很感兴趣，认为“这出神话可以完全用电影的手法来处理”。梅兰芳表示有同感，他说：“这出戏故事简单，戏剧性也不强，如果用电影来表现，就可能得到发展，使内容更加丰富些。”接着，他又和剧组其他人讨论了有关道具、服装等问题，最终确立了这部戏的拍摄。

从朝鲜归国后，梅兰芳又在国内数个城市慰问归国志愿军并参加了鞍钢三大工程开工典礼的庆祝会，一直忙到1954年新年方才回到北京，与电影局重谈拍摄事宜，得知该片受到党和政府的高度重视，决定请苏联著名的摄影专家雅可夫列夫和录影专家戈尔登参与拍摄。这时，电影局送来第四次修改方案。方案分两部拍摄 ，上部包括介绍梅兰芳的生活部分及《抗金兵》、《霸王别姬》、《宇宙锋》；下 部包括《贵妃醉酒》、《洛神》、《金山寺》。

方案确立后，梅兰芳随即进入紧张的准备阶段。从行头的设计到布景的安排，他无不亲力亲为。经过近一年的准备、彩排、试拍，1955年2月7日，《梅兰芳的舞台艺术》戏曲片摄制组正式成立，由北京电影制片厂承担全片的拍摄工作，因该片是建国后第一部彩色戏曲片，曾请一位苏联专家来作指导，导演是吴祖光，副导演是岑范。由于在试拍后发现武打场面尤其是水战场面不易处理，摄制组再次修改拍摄方案，抽掉《抗金兵》和《金山寺》，改拍《断桥》。因请的苏联专家不谙京剧表演艺术，拍成后仍有一些缺陷。

拍摄完全片共耗时10个月。在整个拍摄阶段，梅兰芳的辛劳可想而知，但他的精神始终异常亢奋，因为他时时处处感受到政府的关怀。当时，中央文化部把这部影片当作一项重点工程而大力扶持，

⊙梅兰芳在全国人民代表大会上投票

调集了大量人力物力，各电影制片厂也积极配合，从各个方面支援北影厂。梅兰芳说“这是解放前所不能想像的”，因而他发自内心地感谢“党对文化艺术的重视”。对他个人而言，此次拍摄对他在艺术上的进步也极有帮助。他总结说：“十个月的时间生活于五出戏的不同的角色，在创作工作中不断分析和钻研，对人物的性格便有了更深一层的体会和理解。由于电影的分切镜头，拍摄时不免前后颠倒割裂，这就使演员在把握动作的目的性上得到锻炼，有助于艺术修养的提高。”

影片公开发行后反响热烈。有的人家从七十多岁的老人到不满十岁的孩童都兴致勃勃地观看了此片，还有的人为看此片，居然不辞辛劳徒步走数十里路赶往电影院。梅兰芳为此激动不已，同时为能通过自己的表演向更多的人介绍了京剧旦角表演艺术而深感欣慰。

回故乡认祖归宗

在筹备拍摄《梅兰芳的舞台艺术》期间，梅兰芳的社会活动演出活动仍然很多，其中最重要的是1954年9月当选为全国人民代表后出席了第一届全国人民代表大会，当年12月参加了政协第二届第一次会议，在这次会上，他当选为全国政协常委。次年元月，在周恩来总理的亲自关怀下，中国京剧院成立，梅兰芳被任命为院长，马少波担任院党委书记兼副院长。

至此，梅兰芳头上的政治头衔越来越多，但客观说来，他并不适宜于从事政治，或者说，他真正的兴趣还在于京剧艺术。一个人只有在适宜自己的天地里方最能显现出自己的才华，也最能发挥出自己的潜能。对于自幼便献身舞台表演的梅兰芳来说，他的全部世界就是京剧表演艺术，他只有在他的世界里才最感舒畅。而对于不熟悉的行政工作，他便有力不从心之感。对此，周恩来心里也是清楚的。所以他在中国京剧院成立时给梅兰芳提出两点要求，一是“成立梅剧团，到各地巡回演出，满足全国人民的欣赏要求，并为青年表演示范”；二是“整理舞台艺术的经验，著书立说”。[①]至于中国京剧院的日常工作，他全权交给了马少波。

整理经验、著书立说，梅兰芳已经着手在做了，他的《舞台生活四十年》已经正式出版，正在继续往下写。巡回演出是他在拍完《梅兰芳的舞台艺术》之后正式开始的，时间已是1956年的初春了。

这年3月初，梅剧团结束在南京市的演出，准备打道回京作暂时休整。这时，梅兰芳意外地接到一封寄自江苏省泰州县（今泰州市）、署名“梅秀冬”的来信。这引起了梅兰芳的特别关注。梅秀冬自称是梅兰芳的兄长，他在信中希望梅兰芳能乘此机会顺道回泰州认亲。

“泰州”？这个名字既熟悉又陌生。它虽说是梅兰芳的故乡，但他却从来没有在那里生活过，甚至去都没去过。他的儿女们曾经认为他们就是地道的北京人。要不是从祖母嘴里了解了有关祖父的片断，梅兰芳肯定也会和他的儿女们一样误以为自己的祖籍就是北京。可不是么，不要说他的儿女，就连梅兰芳自己甚至他的父亲梅竹芬都是在北京土生土长的。

①王长发、刘华：《梅兰芳年谱》。

现在我们已无法考证梅兰芳的祖父梅巧玲是何时入京的，但可以肯定的是，他离开故乡时正值年少。这样算起来，梅家与故乡断了联系已足足一个世纪了。其间只有一次，若非不凑巧，梅兰芳便有可能早二十年回故乡了。那是在1931年的夏秋之交，泰州遭受水灾，百姓苦不堪言。旅居南京的泰州同乡会闻讯后心急如焚，立即着手为家乡人民分忧解难。当他们得悉泰州人梅兰芳正在南京演出时，便特别召开理事会，商议后推选凌、顾二位理事前往邀梅回乡作赈灾义演。梅兰芳热情接待了凌、顾二位老乡，对家乡遭灾深表不安，但因急需去上海履行演出合同而未能答应回乡的要求。不过，他当即签了一张3000元的支票，请同乡会转赠泰州灾民。他满含歉意地对凌、顾说："望二位代向同乡会陈情，请予谅解，为表示心意，略作资助，稍济故乡亲人。"其实，3000元就是3000个银元，在当时也是个不小的数目。尽管如此，梅兰芳的内心深处仍有些许不安。

如果说梅兰芳在祖母健在时有时会念及故乡的话，那么，随着岁月流逝，人事变换，故乡在他的心里越来越遥远，只是偶尔会想像故乡的模样，揣测故乡是否还有本家亲属，有时也会突发奇想：回泰州看看。

此刻，梅秀冬的一封信将梅兰芳尘封已久的回归故乡之梦重新唤醒，他竟有种从未体验过的激动与感慨。故乡对于他，只是一种概念中的东西，他从未与它亲近过、接触过，也只不过是祖父梅巧玲的生长地而已，照理说，他对想像中遥远的故乡不会有太多的感情。可是人对于故乡的感情有时会近于对血亲的感情，非同一般，不一定非朝夕相处不能产生，实际的情形倒常常相反，感情因距离因时间而发酵，变得醇厚如酒，令人沉醉。眼下，他对故乡的渴望就有如对他对从未见过的祖父的渴望，强烈到连他自己都感吃惊，心中仿佛有无数的声音在告诉他：梅家的祖先在泰州，梅家的根在泰州，泰州是梅家的故乡。这时候的梅兰芳已步入老年，认祖归宗、落叶归根的思想重了。另一方面，他这60年来无论是解放前的演艺生涯，还是解放后的政治生涯，总的来说都是平顺的，基本没有留下什么遗憾。惟一的遗憾恐怕就是没能在故乡找到本家亲属并未能代表祖父、父亲、伯父回一趟故乡以尽孝道。他当然不愿留下这惟一的遗憾。他要回家。

主意拿定，梅兰芳改变返京初衷，率妻子福芝芳和小儿葆玖以及许姬传、许源来兄弟和演员姜妙香、琴师卢文勤等人从南京乘坐汽车赶往泰州。事后，梅兰芳对长子梅葆琛回忆了当时在故乡受到热烈欢迎的情景：

“当我们的汽车驶入泰州市区之后，从杨桥口经彩衣街、坡子街，缓行到税务桥时，一路上见到家乡的父老兄弟姊妹夹道欢迎的热烈情景，乡亲们以争先一睹梅兰芳的真面目而为快。我心里更为激动，情不由己把身子探出车窗外，频频地向大家招手致意。我还让司机将车开得更慢些，以满足家乡人民多年来想看到我的夙愿 。在税务桥下车时，等候在那里欢迎我们的泰州市各级领导，还有家乡的人民代表向我送上鲜花，文艺工作者也前来欢迎我们的到来。在涌涌的人群中，经介绍，我见到了梅秀冬大哥。”[①]

梅兰芳不仅是中国京剧表演艺术大师，也是世界级名人。泰州人以梅兰芳而骄傲与自豪，泰州至今还流传着这样一首《望江南》词：“吴陵[②]好，绝技柳梅[③]双 。檀板难消南渡恨，歌衫未卸北平装。一例管兴亡。”现在的泰州不仅建有梅兰芳史料陈列馆，还特别在梅氏故居附近开辟了梅园，兴建了梅兰芳纪念亭。在泰山公园内，我们还可看到一尊高大的梅兰芳塑像。至于设备完善的梅兰芳剧院，

①梅葆琛：《怀念父亲梅兰芳》，中国社会出版社。
②吴陵：意为泰州。
③柳梅：指柳敬亭和梅兰芳。

更是为纪念梅兰芳所建。

梅秀冬的祖父梅占时（1829—1924）是梅天材之弟梅天富的儿子。也就是说，梅兰芳之祖父梅巧玲和梅秀冬之祖父梅占时的祖父是同一人，便是梅万春，他俩就是堂兄弟。那么，梅兰芳和梅秀冬便是再堂兄弟。据梅秀冬回忆，梅占时晚年曾对他提到过梅兰芳，说“他就是天材的后人”。

梅秀冬向梅兰芳介绍了寻根始末。至此，梅兰芳才真正了解了梅家历史，自然很兴奋，他由衷地向为此付出艰苦努力的泰州市文教科的工作人员表示感谢，更拉着再堂兄梅秀冬的手，连唤“大哥”，还把幼子梅葆玖拉过来，让他喊“大爷”。然后，他亲热地挽着梅秀冬让记者照相。

接着，梅秀冬又陪同梅兰芳和家人到梅家祖坟敬献花圈，行祭祖扫墓之礼。时隔数十载，如今梅兰芳终于代表早年离家的祖父梅巧玲和从未到过故乡的父亲梅竹芬、伯父梅雨田站立在祖坟前，以梅家后人的身份向梅家祖先深深鞠躬，了却了心愿。

泰州人对梅兰芳的热情无以言表，不过，他们却不敢奢望能在家乡看到梅大师的表演。试想，梅兰芳已非一般演员，而是身居要职的“大官”，他能在如此小的城市，为平头老百姓献演吗？何况泰州当时“仅有一个剧场，而且条件很差，台面狭窄，灯光设备简陋，只有1000人左右的座位，不能适应‘梅剧团’的上演”。④然而，让他们万万想不到的是，梅兰芳却说：“返乡演出，我是非常乐意的。一方面可以悼念祖辈，以尽孝心。更主要的是我们这些在旧社会被人称作‘戏子’的人，解放后受到党的重视和培养，成为人民演员，社会地位大大提高。作为人民演员，决不能脱离人民，要坚持为人民、为工农兵演出。不管是到小城市，还是到工厂、农村、军营，都

④王石琴:《回忆梅兰芳回乡访问演出》,《梅兰芳与故乡》。

要乐意去，认真演。人民是艺术的土壤，脱离了人民，任何人在艺术上是不会有成就的。"[①]显然，这时候他的思想已经完全得到转变，对文艺为工农兵服务的观点也全盘接受了。

他是这样说的，也是这样做的。在故乡演出时，他仍然像年轻时演义务戏一样认真，每天清晨坚持练功、练唱，每天下午谢绝一切活动，独个儿坐在房里静静地“悟戏”。[②]他不仅 丝毫不计较剧场的破旧，而且还主动提出降低票价并放弃自己的演出收入，并在原来定的五场演出之外再加演一场。在演出时，他一丝不苟地完成每一个高难动作。连每场剧终时的谢幕，他都认真到以不同的姿态谢幕，以满足观众的愿望。对于家乡父老，他更是热情有加，和蔼可亲。当他无意中得知有位白发苍苍的老大娘排了几次队都没有买到戏票时，特意委托剧场同志给老大娘安排了座位。每次用过餐后，他总是要向厨师道谢，还和厨师一起照相并盛邀厨师去北京他的家中作客。一天在回住所途中，他的车子被热情的乡亲围住，他知道大家很想看一看他的长相，便让车停下，走出车子，和群众握手致意寒暄。一位老太太激动地拉着梅兰芳的手，说：“我跑了三四趟，都没有见到梅兰芳。”梅兰芳笑着说：“我就是梅兰芳，你就仔仔细细看看吧。”一句话惹得周围的人笑逐颜开。他那平易近人的亲和态度给家乡人民留下了极为美好深刻的印象。

八天眨眼即过。在这短短的八天里，梅兰芳认亲、参观、演出，既忙且累但心情无比舒畅。家乡父老乡亲的热情让他感动，家乡的一草一木让他难忘，他不仅爱吃家乡的小磨麻油、松酥鸡、清蒸肉、黄桥烧饼、香酥饼，甚至连平时从来不沾口的肉皮，他居然也吃了一块又一块。在他的眼里，家乡的一切都是那样的美好，以至于舍不得离去。实在不得不走时，他表示以后还要回来。

①宗宇：《忆梅兰芳大师返乡演出》，《梅兰芳与故乡》。
②悟戏：把当天要演出的戏，默默地从头至尾温习一遍。

两年后的初秋，梅兰芳在北京接待了堂兄梅秀冬。当时，梅秀冬是独自一人突然闯入北京的，令梅兰芳惊喜不已。他对梅兰芳说："你是世界闻名的艺术家，为我们梅家争光了，这次认亲有人认为我是高攀了，但我并没有这样想，我有了你这样一位本家兄弟而觉得光荣。这次贸然而来，是为了看望你和全家，更想与你说说家常。我今年已是70整，以后可能没有机会再来了。"[③]这是他俩的第二次也是最后一次相聚。梅兰芳的"再次回乡"的愿望终究没能实现。一因工作繁忙，二因仅隔了五年，他便离开了人世，留给梅秀冬的仅是一张他俩在北京相聚时的合影和他珍藏多年的祖父梅巧玲的画像。

故乡留在了梅兰芳的心里，他无愧于地下的祖先，他没有任何遗憾。

第三次到日本

不难猜测，梅兰芳的内心深处或许有留在故乡安度晚年的想法，因为他很累，因为有太多的不想干的却不得不干的事在等待着他，让他畏惧和恐慌，然而此时，他并不属于他自己。他明白这个道理，他依依不舍地告别父老乡亲，回到北京，准备硬着头皮去接受又一件不想干却不得不干的事。

这件事便是率中国京剧团赴日本。

任务是在回乡之前就接受了的。下达此任务的是周恩来。当时，周恩来只对梅兰芳说了一句话："这次组织中国访日京剧代表团去日本演出，请你带队辛苦一趟。"[④]梅兰芳也回答了一句话："我照您的指示去办。"[⑤]这样的回答符合梅兰芳的性格，不要说当场回绝一国总理的指示，就连稍作犹豫他都不曾有过。疙瘩打在了心里，他

③梅葆琛：《怀念父亲梅兰芳》。

④⑤福芝芳：《忆兰芳》，《忆艺术大师梅兰芳》。

自己清楚心里有个疙瘩。对于日本这个国家，梅兰芳的心情是矛盾的。他曾经十分热爱日本，想当年，他首次出国演出，去的就是日本，三年后，他再去日本，在日本受到的拥戴，至今想起来仍然激动得心跳不止。但是，抗战结束刚刚10年，10年的时间并不算长，中国人对10年前的那场惨绝人寰的战争记忆犹新、创痛仍在。梅兰芳他个人虽然并没有直接受到日本人的蹂躏，但战争却使他的艺术生命白白中断了8年，可恶的日本鬼子活生生地把他那无量的前途拦腰截断，噩梦过去时光已逝，他的艺术青春被葬送了。如今让他送戏上门，他想不通。虽说日本人民是无辜的，但日本鬼子也大有人在，很难说在看演出的人中没有当年在中国的土地上耀武扬威的日本鬼子。不要说自己心里这关难过，同胞恐怕也很难接受，他们将如何看待此事，如何看待他的为人？梅兰芳痛苦不堪，本来就少言寡语，这会儿他就更加不说话了。

周恩来毕竟是周恩来，虽然梅兰芳在他的面前毫无表现，但他仍然一眼就看穿了梅兰芳的心理，不过在当时，他未动声色，他知道梅兰芳需要时间慢慢“咀嚼”。周恩来十分理解梅兰芳，但他自然更会从政治上去考虑，梅兰芳此行并非简单意义上的文化交流，更具政治使命。新中国成立了六七年，政治上取靠向苏联的政策，却带来经济上受制于苏联的局面，为尽快发展经济以期在政治上和经济上都能迅速跻身于世界强国之列，摆脱苏联的控制，亟需发展与其他国家的友好关系。当时，中国和日本尚没有建交，而政府十分清楚两国如果能够恢复邦交，势必会加速贸易往来，从而推动本国经济的发展。文化交流便担负了“敲门砖”的外交使命。

早在组团赴日本演出之前，中国民间组织文化艺术联合会曾经接待了日本的歌舞伎剧团。率团的是日本著名的歌舞伎演员市川猿

⊙为北昆建院演出《游园惊梦》后，周总理在舞台上接见梅兰芳（左二）、韩世昌（左一）与白云生（左三）(1957年)

之助。当时梅兰芳在北京观看了市川猿之助等演员演出的最具代表性的三出歌舞伎《劝进帐》、《倾城返魂香》、《双蝶道成寺》，观后还在一个月间连续写了《看日本歌舞伎剧团的演出》、《日本人民珍贵的艺术结晶——歌舞伎》、《再谈日本歌舞伎》等文章，分别刊发在《人民日报》、《世界知识》、《戏剧报》上。他在文章中详细论述了有关日本歌舞伎以及他对日本歌舞伎的认识与感想。当然，这些文章的着眼点均在艺术上，毫不涉及政治，其实他不知道此次日本歌舞伎剧团来华演出正是中日两国走向邦交的开始，他更没有预测到一年以后将由他率团作为回访赴日本演出。

梅兰芳虽然政治头衔不少，但对政治仍然不甚了了。要不是周恩来在梅从故乡返京后又耐心细致地给他上了一堂课，他准会带着矛盾复杂的心态踏上日本的国土。关于周恩来上的这堂课，梅夫人福芝芳在她的《忆兰芳》这篇文章中说：

有一天，兰芳回来，面带笑容告诉我说：“今天，周总理又给我上了一课。他说：‘我看你心里有疙瘩。当然啦，你是爱国的艺术家，现在到日本演出，送戏上门，可能有点想不通。要知道，当初侵略中国的是一小撮法西斯反动军阀，这些人，大部分已经得到应有的惩罚。我们中国访日京剧代表团到日本旅行演出，是唱给日本人民听，日本人民和中国人民一样，都是在战争中受害的，我们要对他们表同情，他们一定也欢迎我们。请你把扣子解开，愉快地带队前往，希望你们凯旋而归。’”

接着，周恩来又在紫光阁接见了梅兰芳及其出访团员并作了重要讲话，他“从中、日两国的双边历史，谈到长远友好的政治意义，从此行的方针任务，谈到具体活动方式和在特殊环境中的思想政治工作，细至仪表、礼节、纪律、安全、与国内保持密切联系等，无不谆谆叮嘱。他还指出，中国政府同国际上制造‘两个中国’、‘一中一台’和鼓吹‘台湾独立’等等阴谋活动要进行坚决的斗争，并阐明为什么要把日本人民和日本军国主义、日本的反动政府加以区别。”[①]最后，他再次明确强调，此次出访既是艺术交流，更是政治上的一件大事。

经周恩来说明，梅兰芳明白了访日的重大政治意义，于是将个人的好恶收起。本来他不愿去，是出于民族感情，现在他愿意前往，也是为了国家的利益，两者其实并不矛盾。

在周恩来总理的亲自参与主持下，经过数月的筹备，中国访日京剧代表团正式成立，团员一共86人，梅兰芳被指定为总团长，欧阳予倩、马少波、刘佳、孙平化为副总团长，演员来自中国京剧院和梅兰芳剧团，主要有李少春、姜妙香、袁世海、李和曾、梅葆玖、梅葆玥、侯玉兰、江新蓉、孙盛武、谷春章等；乐师有王少卿 、白登云、裴世长、姜凤山等。演出剧目有《贵妃醉酒》、《霸王别姬》、《奇双会》、《闹天宫》、《将相和》、《三岔口》、《天女散花》、《人面桃花》、《秋江》、《拾玉镯》等。

1956年5月26日下午3点45分，一架来自中国的飞机顺利地降落在日本东京羽田机场。当梅兰芳和京剧代表团的成员满面春风地步出机舱时，立即感受到日本人民的深情厚谊。早已等候在机场的日本人民蜂拥而至，将几十架照相机的镜头和无数灿烂芬芳的鲜花伸到代表团每位成员的面前。前来迎接的爱国侨胞手舞五星红旗，热烈呼唤着梅兰芳的名字。这时，熟悉的《东方红》乐曲响起，所有的中国人情不自禁地唱了起来。然后，他们和日本朋友再高歌一

①②马少波:《马少波近作选》第448页、第567页。

曲《东京——北京》。接着，前日本首相片山哲致欢迎词，他表示“十分感谢中国人民向日本人民伸出了友谊的手”。[2]

出面邀请中国京剧团访日的是日本朝日新闻社。在他们的安排下，京剧团成员住进了帝都饭店。饭店的对面就是日本皇宫，据说饭店就是由原来皇室的一部分办公建筑改建的。可想而知，帝都饭店的规模和档次在东京应该算是高的，也足见日本人对此次中国京剧访日代表团的重视。在随后举行的由日本各界名流组成的欢迎中国访日京剧代表团的鸡尾酒会上，双方就中日之间的建交、战争、复交问题畅所欲言，最终大家得出这样的结论：复交只是时间问题，虽然现在暂时没有复交，但两国人民的心是连在一起的。

5月30日是中国京剧代表团在东京的首场演出。那天，当团员们走进东京歌舞伎座后台时，惊奇地发现榻榻米上已经铺好了地毯，日方工作人员告诉他们尊重中国人的习惯，不用脱鞋。走进化妆室，他们看到所有的桌子、椅子都是新的，还散发着沁人的油漆味。一打听，原来这些家具是为中国代表团特别定制的。歌舞伎座座长就是到过中国的市川猿之助，他早已安排工作人员日以继夜地帮助中国代表团装台、安排道具和布置灯光。不仅仅是歌舞伎座，连俳优座、前进座的人也都纷纷出力。俳优座的千田是也先生特别派著名的舞台工作者前来帮忙；前进座的中村习右卫门本人不在东京，却派儿子中村梅之助负责照顾梅兰芳。中村梅之助接受父命，一刻不离梅兰芳左右。不仅如此。帝都饭店在后台还辟了一间饭厅，准备了适合中国人口味的包子、饺子、炸酱面。难怪有些团员感慨道：“这真比在国内唱戏还要舒服。”[3]

6月4日，日本国会特别为中国代表团举行了招待茶会。由国会出面招待一个艺术团体，规格可谓高矣。众议院副议长彬山元治郎

③梅兰芳：《东游记》第7页。

在致欢迎词中说："日本国会有史以来第一次接待外国的戏剧代表，今天承中国京剧代表团光临，甚感荣幸！东京这些日天气不好，阴雨，国会在吵架，感谢你们给我们带来了晴朗温和的天气。"①

这一切表明，中日两国人民无论经历多少风雨，友谊总是万古长青。也说明了日本人民与中国人民一样都有一个美好的愿望，那就是希望尽快摆脱战争给两国人民造成的伤害，从而共同携手走向和平的未来。

几家欢喜几家愁。有人喜必有人愁，这世界似乎才能平衡。就在中国代表团与日本爱好和平的人士喜洋洋暖融融地相处时，日本的反华反共者与海峡对岸的敌对势力不舒服了。

其实敌对势力从一开始也料到或者说是担心中国京剧代表团访日的政治目的大于文化交流目的。在代表团访日前，他们便在台湾的报纸和日本右翼分子的报纸上大肆宣扬，说"梅兰芳来日本，是对日本政治、外交攻势的开始。中共要借此考验看一看日本朝野的反应和华侨对中共的态度"，还说"中共京剧团到日本来的目的是为了进行赤化工作"，更说"中共要梅兰芳在华侨群众中发生统战诱惑

①王长发、刘华:《梅兰芳年谱》第195页。

⊙日本朝日出版社出版梅兰芳撰写的《东游记》(日译本)封面

力”等等，[②]试图挑拨中日两国之间的关系，以达到阻挠京剧团访日的目的。

然而，历史的车轮是挡不住的，中日两国人民的友谊之火是扑不灭的。中国京剧代表团不仅顺利地踏上日本的国土，而且备受日本人民的欢迎与爱戴，按某些人的说法“确已予日本社会刺激不小”。[③]阻挠不成，他们只得再出下策，进行种种破坏和干扰。代表团副团长马少波回忆说：

我们刚刚下榻帝都饭店，就收到一束奇怪的花束和86份反华、反共策反梅兰芳的假《人民日报》。5月30日开幕演出，节目为《将相和》、《拾玉镯》、《三岔口》、《贵妃醉酒》。日本各界名流和广大观众上座爆满。可是当大轴《贵妃醉酒》正在演出时，突然有人从三层楼撒到台下一批反华传单。……[④]

送花的人署名“无名氏”。花束里藏有定时炸弹，幸而保卫工作周密，未造成麻烦。假《人民日报》的内容多是对梅兰芳进行策反。

梅兰芳在他的《东游记》里也记录了当天演出遭破坏的情形：“当我扮的杨贵妃登台以后，忽然听见三层楼上有人怪叫一声，接着散下许多传单，飘飘荡荡。”

传单突然如雪花般从天而降，自然引起一阵骚乱。而梅兰芳却视若无睹，他的歌未断、舞未停，他以惊人的镇静稳住了局势。惊慌而离座的观众受到感染，慢慢地也平静了下来，坐回原位继续看戏。不知当时的梅兰芳的脑海里是否浮现出遥远的那一幕：有人事先在剧场里安置的炸弹突然爆响，观众逃离，而他巍然立于舞台。硝烟散去，他继续唱，继续舞。此刻，历史似乎在重演，只是道具不

②③台湾天一出版社：《梅兰芳传记资料》(二)第9、10页。

④马少波：《马少波近作选》第567—568页。

同罢了。梅兰芳此番不仅向爱国华侨，也向日本人民展现了一代艺术大师临危不乱的大将风范。

梅兰芳第二天才看到传单上的内容，上面第一句话便是“抗日的梅兰芳先生为何来到日本？”[①]看罢，梅兰芳将传单揉成团，扔了。这个问题难道还需费梅兰芳口舌？传单上反共反华的内容占主要成分，剩余的篇幅便留给了策反梅兰芳。国民党在解放初期没有能够拉拢成梅兰芳，此刻以为是个难得的机会，于是极尽所能，希望梅兰芳“迷途知返，回到自由世界的怀抱。”在随后举行的记者招待会上，梅兰芳正面阐述了他的立场：“世界上只有一个中国——中华人民共和国，我是新中国的艺术家，是为了增进中日人民友好、维护世界和平而来的。我爱我们的伟大祖国和人民，一切破坏友好的活动，损伤中国艺术家的尊严的阴谋，都是徒劳的。”[②]最后，他明确表示他不会去祖国大陆以外的任何地方。对这一点，他是很坚决的。在回国途中，当飞机飞临台北上空时，他转身对姜妙香说：“如果遇到飞机迫降，我就跳机，决不做俘虏。咱们殉啦！”[③]

破坏在继续。代表团在大阪演出期间，一批台湾特务和日本反华反共者开着宣传车在代表团住地门口或干脆跟在代表团所乘坐的汽车后面进行挑衅宣传，有时甚至直接在住地外高声叫骂，颇有点狗急跳墙的味道。有一天正值他们在叫骂时，东京华侨总会副会长吴普文等五人途经此处，见状不由气愤万分，遂上前制止，却被大阪天满警察署指控为“京剧代表团指使不良分子以暴力破坏业务”，故而将吴普文等五人逮捕。正准备转赴箱根演出的代表团闻讯后，立即决定暂缓出发，并召开记者招待会，对天满警察署非法逮捕吴普文等人的行为表示强烈谴责。迫于舆论的压力，警察署很快无条

①梅兰芳：《东游记》第9页
②马少波：《马少波近作选》第568页。
③许姬传、许源来：《忆艺术大师梅兰芳》第5页。

件释放了吴普文等人。当晚，梅兰芳、欧阳予倩亲自接见了吴普文等，对他们表示慰问并盛赞他们的爱国行为。

毋庸置疑，梅兰芳是爱国的。尽管他并不热衷于政治，甚至对政治不感兴趣，但在国家利益面前，他的立场是坚定的、毫不动摇的。就他的为人而言，他自小就立志要学祖父和一切好人的样子，长进向上。淳厚的家风和个人的修养造就了他谦虚谨慎、宽厚平和、心地善良的良好品德，他崇尚一切美好的事物，他热爱自己的祖国，他追求和平。在他的生活辞典里无法找到"背叛"二字，他不会背叛亲人、朋友，更不会背叛祖国。自新中国成立后，他由一个普通的艺术家陡升为政府高级官员，与党和国家领导人相坐而参与管理国家，这地位与权力是党和人民给予他的。从这点来说，共产党对他也算是有恩的。他是个知恩图报的人，他牢记一切对他曾经有过帮助的人，他感激他们并从不忘报答他们，他自然不会背叛共产党。这一切都印证了当时日本报纸所云："撼山易，撼梅兰芳难！"④

数日后，中国京剧代表团转赴日本九州地区的经济中心福冈演出。在通往演出地点大博戏院的主干道两旁的电线杆上、车站站牌上以及戏院门前，梅兰芳和代表团成员再次发现了反共和策反梅兰芳的传单。然而此时，这些花花绿绿的传单在梅兰芳眼里不过是一堆废纸而已，连看它一眼都懒得。

梅兰芳此番赴日演出，是他继1919年、1924年之后的第三次，此次演出阵容之强大、演员之众多、剧目之丰富非前两次能够比拟。但梅兰芳也有顾虑，前两次赴日演出时，他还只是个二三十岁的大小伙子，如今，他已年逾杖乡步入老年，面貌和身材都不适宜演年轻苗条美貌的大姑娘小媳妇了。日本观众还能接受吗？再者，从未

④马少波:《马少波近作选》第568页。

接触过中国戏剧的日本年轻观众能否全部接受中国古典戏剧呢？梅兰芳的心里打着小鼓。

在东京的首场演出就让梅兰芳忐忑不安的心放松了下来。虽然东京大学教授仓石武四郎事先准备好的日文剧情介绍，因灯光效果不足而未能用幻灯打出来，但梅兰芳从场子里热烈的鼓掌和喝彩声及无人退场感觉到日本观众基本上是能看得懂的，对他的表演不但能接受而且非常赞赏。有一位曾经看过梅兰芳演出的驻日外国使馆工作人员很诧异于梅兰芳为何这般年岁还在舞台驰骋，便小心地向梅兰芳讨教“驻颜术”。梅兰芳笑答：“这几年我们国家比过去强盛，大家生活安定，我心里畅快，所以忘了自己的年岁，我已经62岁了，还喜欢和青年人在一起。我们这次同来的演员，大半是二三十岁的年轻人，这对我来说也有影响的。演员如果离开舞台，很快的就会变样子，颓唐下去。”①前面的话固然不假，而后面的话就更是他的心声了。梅兰芳热爱舞台，表演是他的精神支柱，不离开舞台，精神支柱就不会坍塌，他就会青春永驻。

当天因为是中国京剧团的首场演出，所以戏票早已抢购一空，据说原本每张票价为1800日元，黑市票被炒到1万日元一张，可谓空前奇迹。最让人发笑的一幕是“日本国会连日来正在‘开打’，不少议员还忙中偷闲跑来观赏京剧。社会党主席铃木茂三郎看《三岔口》正看得着迷，突然有人告诉他：‘国会来电话说有紧要事请你急速回去！’他起身要走，但是《三岔口》的魅力又使他安静地坐了下来。电话频频促驾，他立而复坐者凡三次，终于坚持着看完了《三岔口》，然后立起身来慨然叹道：‘现在，该我去唱《三岔口》了！’”②

6月2日晚，日本天皇的弟弟三笠宫和他的王妃也亲自到歌舞伎座观看演出，从头到尾连续看了四个小时。剧终后，他到后台向演员

①梅兰芳：《东游记》。
②马少波：《东行两月》。

道辛苦，特别对梅兰芳说："看了贵国杰出艺术家的演出，很使我高兴，你们的表演和服装都很美，你们的艺术是古典的而又有青春气息的，使我非常佩服。我的哥哥在宫中看了电视，很钦佩以梅兰芳先生为首的中国京剧代表团的精湛演技。"[③]这番话让梅兰芳备受鼓舞。

转赴福冈演出那天是6月9日，附近的长崎、鹿尔岛等地的爱国华侨将这天定为观赏京剧日。当天正是星期日，九州各地日本人和华侨从各地赶到大博戏院。其中有长崎市八十多个渔民组成的京剧观赏团，他们从160多公里外坐火车赶来看戏，更多的渔民、市民利用各种交通工具奔赴戏院。当晚演出结束后，福冈县、市的议会议长及朝日新闻社和华侨总会代表走上舞台向演员献花。

离开福冈，代表团又转赴日本钢都八幡市。公演那天，早上不到9点，就开始有人排队买票，到下午3点，队伍已达1公里长。观众中有一千多名该市制铁厂的工人以及他们的家属，所以梅兰芳等人笑称这场戏是演给工人看的。

代表团到大阪演出受到的欢迎异常隆重，不仅有大批爱国华侨在车站迎接，大阪市各界以及府知事、议长、市长也都亲自出面欢迎。梅兰芳入住新大阪饭店后，发现窗外在几座高楼当中升起了三个大红气球，每个气球下面都拖着一条彩色绸带，上面写着"欢迎中国京剧代表团梅兰芳先生一行八十六人"，下款是朝日新闻社、百货商店和大阪最大的由华侨集资开设的中国菜馆东天阁。看那气球轻快地随风飘荡，梅兰芳百感交集，他深切地感受到华侨们的爱国热情和日本朋友的深情厚意。

除了在东京、福冈、八幡、大阪演出外，代表团还到过奈良、京都、神户、冈山、广岛、爱知、歧阜、名古屋等地，无处不受到热烈欢迎，对梅兰芳更是如众星捧月般爱戴有加。对于中国京剧，日

③梅兰芳：《东游记》。

本观众、专家更是好评如潮。有的就京剧所具有的大众性说："自民间产生，由大众育成的京剧是生气勃勃的，它那正确地站在人民大众的立场上这一点来说，值得使人脱帽致敬"；有的就京剧所具有的综合性说"京剧像花与叶一样有机地构成一个美的整体"、"京剧是古老的艺术，新中国的京剧却充满了强烈的青春气息。这种青春气息就是来自于内容的健康清新，表演的细腻深刻，演出的完整统一和舞台形象的优美干净等方面的改革成就"、"中国京剧舞台形象具有高度的雕塑美，不但有单人造像，而且有丰美的群像"。日本著名作家小谷刚起初一直认为观众对京剧的赞誉是"胡乱吹捧"，可当他观赏后，情不自禁地著文对中国京剧大加赞赏，说："实在是太美了，太完整了，真有趣味！不看剧情说明书，没有预备知识，一看就可透彻理解。过去别人看悲剧流泪，而我看悲剧总要发笑的，但是看了京剧演出，看了世界上最美的东西，我竟感动得流泪了！"①

其实，京剧不仅给日本人民带去了美的享受，更增进了中日两国人民之间的友谊。在那段日子里，到处都可以听到"中日友好"、"东京——北京"这样的声音。

为了表达对广岛原子弹受难者的一片爱心，代表团在回国前与朝日新闻社联合在日本最大的国际剧场举办了两场义演，观众高达11000多人，其中有2千多人没有座位，是站着看完全部演出的。

梅兰芳非常清楚，他在艺术上之所以获得巨大成功，离不开身边一帮朋友的扶持和资助，远的有齐如山、冯幼伟、李释戡等，近的有许姬传、许源来兄弟等。朋友对他来说好比家人一般重要，故而几十年来，除了身边的密友外，他还广交朋友，既有国内的也有国外的。他们或使他开阔了眼界，或让他增加了艺术修养。与他们

①马少波：《马少波近作选》第554—555页。

交流来往，梅兰芳获益匪浅。此番访日，历时近两月。其间他不仅拜访了旧友，还 结交了新友，频频会朋见友使他不亦乐乎。

抵达日本的第二天，梅兰芳即拜会了几位老朋友。一个是年近80的山本久三郎，他就是当年梅兰芳演出过的帝国剧场的经理。对于梅兰芳这个人，山本久三郎印象深刻，他滔滔不绝地向梅兰芳回忆当年的演出盛况，十分惋惜地告诉梅兰芳帝国剧场后来改成了电影院。另一个是会说一口流利北京话的波多野乾一，他酷爱中国戏剧，且精通中国戏剧，是日本少有的中国戏迷，梅兰芳前两次赴日演出，他都出过力。这次，他送给梅兰芳一本他的著作《支那剧大观》。第三个是日本园林学家龙居松之助教授，他是龙居濑三的儿子，龙剧濑三便是梅兰芳首次赴日演出的邀请者之一。对绘画素有研究且偏爱日本园林的梅兰芳与龙居松之助就中日两国不同的园林构造畅谈良久。龙居松之助将他的著作《日本之庭园》送给了梅兰芳。

隔了几天，应市川猿之助之邀，梅兰芳及全体团员到他的家里玩了一天。那是一个细雨蒙蒙的下午，梅兰芳等人驱车赶到猿之助家门口时，看见猿之助夫妇及其亲友们打着雨伞站在门口迎接。宾客就在雨中握手寒暄，亲切、自然、随意，毫不拘泥，就像是远方亲友久别重逢一般。然后，猿之助将男宾领进屋里，猿之助夫人则负责招呼女客。落座后，大家边品香茗，边唠家常。天黑了，雨住了，主人将早已预备好的鱼翅、鲍鱼、干贝、烤鸭等中国广东菜一一端上桌来。在日本民歌的陪伴下，大家酒酣耳热，相谈甚欢。饭后，猿之助为客人表演了日本古典舞“浦岛”，他的儿子市川段四郎和他的孙子市川团子合演了一段《擒弁庆》，这使梅兰芳想到了自己的儿子和女儿，暗自感慨古老的艺术后继有人。临别时，猿之助和夫人送给客人每人一件日式睡衣，作为礼物留作纪念。

到市川猿之助家作客是应主人的邀请，而到中村雀右卫门夫人中岛志加家作客，则是登门拜访。中村雀右卫门是日本著名的歌舞伎演员，在看过梅兰芳的《天女散花》后，曾在日本上演过日版的《天女散花》，梅兰芳此次访日前，他已去世。其实一开始是中村雀右卫门夫人中岛志加提出要拜访梅兰芳的。梅兰芳知道中岛志加已70多岁了，身体有病，腿脚不太利索，平时不大出门。便主动提出由他上门拜访。那天是6月16日，而前一天即15日正是中村雀右卫门的祭日。老太太告诉梅兰芳她让女儿去祭拜父亲时，特别告诉他梅兰芳和中国京剧代表团访日的消息，并让他保佑中国京剧代表团全体平安。闻听此言，再看老太太红红的眼圈，梅兰芳不由也感伤起来，中村雀右卫门的形象浮现在他的眼前。

他在第一次访日时就看过中村雀右卫门演的歌舞伎，感觉他的扮相很美，化妆的本事也很高。记得当时演出结束后，他到后台向中村雀右卫门道辛苦。进门后，中村雀右卫门到处为他找拖鞋，因为后台只有日式拖鞋，只有穿着脚趾分开的袜子才能穿进去。找了半天，他终于为梅兰芳找到一双西式拖鞋。梅兰芳直夸中村雀右卫门的化妆高明。中村解释说他的面相有缺陷，所以才在化妆方面下功夫。然后，他指出梅兰芳的两腮不够丰满，教他用棉花团塞进嘴里再用手推到腮帮处从而使腮帮丰满的方法，还教他如何画眉毛、画眼窝等化妆窍门，使梅兰芳收益不小。

和中村雀右卫门夫人的话题自然离不开中村雀右卫门。梅兰芳特别到中村的神龛前向中村的遗像行了礼。临别前，宾主互换了礼物，梅兰芳送给老太太几种中国礼物。老太太将一个装在镜框里的用彩色丝织品做成的中村雀右卫门的戏装像送给了梅兰芳，希望梅兰芳能够永远记住这位远方的朋友。

梅兰芳第二次访日时偶得急性肠胃炎，今井泰藏医师医好了他的病。为报答今井，梅兰芳答应日后送给他一副翡翠袖扣。因中日

⊙梅兰芳在日本与围棋名家吴清源

关系日渐紧张，梅兰芳一直未能如愿。如今，他将翡翠袖扣带来了，可今井已经去世13年了。梅兰芳只见到了今井的女儿京子。京子含着眼泪告诉梅兰芳，自他走后，她的父亲时常念叨他，遇到报纸上登载着梅兰芳的消息，他一定仔细阅读并讲给家人听，他一直盼望着梅兰芳再来日本。梅兰芳闻听心酸不已，他又失去了一位朋友。

梅兰芳兴趣广泛，除了和园林学家龙居松之助畅谈园林外，他还和80多岁的老画家福田眉佩交流绘画心得，和画师鸟居清言谈戏象，和围棋大师吴清源谈围棋。

吴清源被誉为日本围棋“圣手”。他1914年出生于中国福建省闽侯县的名门望族。吴家祖上几代以经营盐业为生，家境充裕，到吴清源祖父这一辈时，吴府是当时福州名门四家之一。祖父死时，中国社会正处于动乱之中，盐业无法正常地维持下去。于是，吴清源的父亲在和兄弟们平分了家产后，带妻小离开福州，去了北京 。父亲曾经留学日本，从日本回来时带回了不少围棋的书刊和棋谱。在父亲的教导下，年幼的吴清源开始接触围棋，并很快爱上了这一行。父亲去世时留给三个儿子的遗物不同——给长子的是习字用的拓本，给二子的是小说，给三子吴清源的就是围棋棋谱。以后，吴清源果然成了围棋大家，他的大哥作了官，二哥成了文学家。吴清源14岁时去了日本，此时，他已经有“围棋天才少年”之美誉了。而且这一美誉还是梅兰芳送他的呢!

1926年某一天，梅兰芳应邀到北京大方家胡同李律阁家作客。李律阁、李择一兄弟是当时北京城有名的大富翁，曾经为段祺瑞和张作霖等亲日派的北洋军阀提供过相当数量的资金。李氏兄弟是如何和梅兰芳有交往的，据吴清源回忆："李择一曾写过一个剧本，由梅兰芳先生主演。从此，李择一全家都成为梅先生的捧场者。"[①]吴家与李家沾点亲，吴清源称李律阁、李择一为姨父。那天，李律阁请客，既请了梅兰芳，也请了吴家亲戚。因而，梅兰芳和吴清源便见了面。

梅兰芳首次见到吴清源时，吴清源正在和一个老头下围棋。只见小小的吴清源轻松自如，趁对方在思考的当儿，他居然聚精会神地在果盘里挑选糖果和花生米吃，一副胸有成竹、满不在乎的样子，而那老头却紧锁眉头，苦苦思索，显然下得很费劲。于是梅兰芳便送他一个"围棋天才少年"的美誉。

当吴清源听说梅兰芳来到日本后，便专程赶到梅兰芳下榻的宾馆，请求一见。虽说他俩的年龄相差20岁，又只在吴清源小的时候见过一次面，但此番相见，却如多年老友一般亲切。临别，两人互赠了礼物。吴清源将他的著作《吴清源围棋全集》送给了梅兰芳。梅兰芳回赠了一套《梅兰芳剧本选集》及《舞台生活四十年》，还有他的戏装照。

在听吴清源兴致勃勃地谈围棋时，梅兰芳不由暗自感慨：围棋是中国国粹，已有三千多年的历史，日本的围棋还是从唐代流传过去的，如今日本棋艺却已置中国棋艺之上。吴清源本是土生土长的中国人，如今他的辉煌成就却代表日本。想到这些，梅兰芳不禁操心起如何振兴中国围棋的问题来。于是他问吴清源："如何才能使中

①吴清源:《吴清源回忆录》第164页。

国的围棋振兴起来？”吴清源的意思是要尽量挖掘天才少年，然后选派他们到日本进修。他向梅兰芳建议：“年龄最好不超过16岁，我一定用全力照顾他们，使他们加快学成归国，参加研究围棋的专门机构，成为后起的骨干，使我国的优秀传统艺术能够发扬光大。”②梅兰芳没想到吴清源离国已近30年，却还惦记着祖国并时时想到尽力报效，如此爱国之情令梅兰芳感动，他当即说：“吴先生眷念祖国的热诚，使我们感到兴奋，我一定把您刚才的建议告诉国内文化当局，能够及早实现这个计划。”③

梅兰芳没有忘记他的承诺，回国后即请秘书许姬传去拜访曾经是吴清源的围棋老师、后专门从事培养青年棋手工作的顾水如，请他帮助物色几位天才少年。陈祖德、陈锡明成为首选人才。梅兰芳亲笔给吴清源写了信，告知两位少年的情况，询问是否能收他们为徒。没想到，吴清源有些为难，他在给梅兰芳的回复中告诉他，现在的住处离日本棋院很远，而且老母当下正有病在家疗养，家中实无空处供两少年寄宿。不过，他答应尽快为他俩另找合适的人家。后来却因中日关系再次恶化，两国又断了来往，两少年终未能成行。但是，梅兰芳的努力并没有就此泡汤。六年后，陈祖德、陈锡明和另外三名棋手，作为战后第一个中日友好围棋访日团成员，如愿踏上了日本国土。梅兰芳这才大大地松了口气，他总算为振兴中国的围棋出过一把力。

7月16日下午，以梅兰芳为首的中国访日京剧团成功地完成了在日本的演出访问后，在东京帝国饭店举行了隆重的话别酒会。有九百多位日本各界名流和爱国侨胞应邀参加了酒会。

梅兰芳在酒会上代表全体团员向来宾致词，他感谢支持此次中

②③梅兰芳：《东游记》第81页。

国京剧代表团访日的所有日本友好人士和爱国侨胞，也感谢给过代表团大力帮助的日本文艺界、产业界、新闻界朋友，特别是歌舞伎座、俳优座、前进座以及东京、福冈、八幡、名古屋、京都、大阪等各地剧院的后台工作人员。他认为中国代表团在日本受到如此厚待，是中日两国人民友谊的具体表现，证明了中日两国人民的感情已经在交流。最后，他满含激情地说：

“现在我们在贵国的演出已经结束了，就要动身回国去了，今天在这里以无限惜别的心情和各位见面。各位对我们的深情厚意，我们是很难用言语来表示感谢的。我们只希望和各位经常有见面的机会，但是，我们希望下次再有机会到日本的时候，不必从北到南，再从南到北，而是极容易、极便利、极迅速地来到日本。要知道，我们两个国家的地理也和两国人民的心一样是很近的，不是很远的。我们回国以后，一定珍重地把日本人民对中国人民的深厚友情传达给全中国人民！”①

每句话都是梅兰芳真实感情的流露，它感染了场内所有的人，虽然他的语言平和并不具煽动性，但却掷地有声。全部致词不过区区六百字，但却无数次被雷鸣般的掌声打断，“有时每一段都有热烈的掌声，有时话还没说完掌声就从四周起来了”。②这掌声不仅仅是献给梅兰芳，还是献给新中国，献给中日两国人民的。

致词刚完，日本著名的汉学家、和梅兰芳有30多年交情的老教授盐谷温一步跨到前台，高声朗诵他亲笔写给梅兰芳的一首绝句：“舞台生活四十年，大器晚成志愈坚，积善何唯余庆在，师恩友爱又兼全。”短短的四句诗，老人足足占去了十几分钟，原来他不但念，而且连唱带做，连日本武士道舞剑的姿势都用上了。这段表演将酒会推向了高潮。

①②梅兰芳：《东游记》第89页、第86页。

⊙梅兰芳与欧阳予倩在欢迎会上和日本剧界人士互赠礼品

随后，宾主双方依依话别，有的交换地址，有的互送礼物，有的热情相拥、泪水涟涟。因为翻译不够用，有的人用笔在纸上交谈，他们谈得最多的便是尽早再会。

将近3个小时的酒会在热烈的气氛中慢慢落下了帷幕，代表团全体团员排成整齐的队伍，从楼梯上一直到门口，准备送客，而就在此时，意外发生了。梅兰芳在他的《东游记》里这样记载道：

正在这个时候，大厅的电灯突然全部熄灭了，眼前一片漆黑。大家的心情虽然有些紧张，但是压不住中日人民的友谊热情，日本朋友和中国主人就一齐唱起歌来，唱的是《东京——北京》和《东方红》。同时也有人嚷着快找洋蜡烛，也有把打火机扳亮了找人的。我们站在原处，没有移动步位，有一位高大的汉子从黑暗里走到我面前，让我坐下，他说："梅先生，欧阳先生，你们放心，有我在你们身边，不要紧。"这个声音很熟，是俳优座的千田是也先生在安慰我们，他的夫人岸辉子站在欧阳老背后，他们两位一前一后紧紧地保护着我们。我从侍者们手上举着的蜡烛光亮中看见了千田先生严凛坚强的神色，在异乡做客的我，不禁感激得要流泪。五分钟后，电灯修理好了，大家从黑暗中回到光明，一阵欢呼，响彻了大厅的每一个角落。

无人知道停电到底是属意外还是有人破坏，其实这并不重要，重要的是黑暗不仅没有使梅兰芳感到畏惧，相反却使他感觉他和日本人民的心连得更紧，他又一次强烈地感受到友谊、和平的可贵。

当飞机飞离日本国上空，急速飞向祖国时，梅兰芳深深地舒了一口气，他完成的不仅是一次简单意义上的访问演出，他完成的其实是重大的政治使命。正如周恩来所说："此次访日演出，取得了巨大成功，艺术打开了日本人民的心扉，搭起了中日人民友好的新桥梁！"①

敢讲真话

从日本归国稍事休整后，梅兰芳即继续因出访而暂时中断的全国巡回演出工作，先赴上海，再转浙江、江西、湖北、湖南。在他随后撰写的《赣、湘、鄂旅行演出手记》一文中，我们发现他谈得最多的并不是有关他自己的演出事宜，而是观摩各地方剧种后的体会。

在江西南昌，他观摩了两出赣剧高腔戏，一是《珍珠记》中的一折《书馆相会》，二是《金貂记》中的两折《犒军》、《夜访》。江西是高腔戏的发源地，现在全国各地所唱的高腔，基本上都是从江西的弋阳腔发展而来。梅兰芳从两出戏里看到的不仅是古老剧种的特点，而且还从服装上看到了早期的朴素形象。

湖南的地方戏流派最多，而且都有丰富、优秀的传统剧目。有句老话叫"祁阳弟子满天下"，意思是说祁阳戏这个剧种流传广泛，到处可见祁阳戏弟子。既然到了湖南，梅兰芳不能不看祁阳戏。他除看了一场祁阳戏《借赵云》外，还看了邵阳花鼓戏《打鸟》和常德高腔《祭头巾》。最让他感到亲切的是汉剧，因为汉剧和京剧有一定的血缘关系。于是，他一口气看了李春森老先生和李四立合演的《白罗衫》中的《详状》和《审陶》、李罗克的《做文章》、陈伯华的《断桥》，以及汉剧有名的传统戏《烹蒯彻》。

观摩地方戏是梅兰芳的一贯爱好，他从来就认为各个剧种都有

①马少波：《马少波近作选》第554—555页。

⊙梅兰芳为学员讲课作示范

它独特的风格，每个剧种都可以互相借鉴、互相学习。京剧虽说是戏曲界的“龙头老大”，但它却是由地方戏发展而来。梅兰芳非常清楚这一点，他甚至觉得京剧如果要有进一步发展，还得继续吸收地方戏的精华。因而，他十分看重地方戏，一有机会就观摩地方戏，并随时向地方戏演员讨教。

早在1920年，梅兰芳就在山东省军阀督办张宗昌之母寿宴上观摩过“肘鼓子”，[②]并与“肘鼓子”演员鲜樱桃切磋过技艺。12年之后，当他听说鲜樱桃进京演出后，又去观摩并邀请鲜樱桃到家中作客，就鲜樱桃在戏中的某些精彩表演详细讨教，还请鲜樱桃示范，他在后面跟着学。在鲜樱桃看过他的《天女散花》后，他又请鲜樱桃为他挑毛病。鲜樱桃其实早已将《天女散花》里的一些表演、身段、台步动作运用到五音戏《张四姐落凡》里了，不过，他对天女往肩后落绸子的动作有自己的看法，他指出：“是不是应该先团起来再扔出去，显得利落也不容易失扬。”[③]梅兰芳略一思索，又稍作比划，立刻接纳了这个意见。

50年代初，全国各地方戏集中在北京参加戏曲会演。梅兰芳乘此机会观摩了淮剧、评剧、川剧。当淮剧演员筱文艳表演完《女审》，请梅兰芳提意见时，梅兰芳和蔼可亲地指出：“你们是用大嗓唱，可要注意口形。”[④]短短一句话让筱文艳猛然觉醒，她这才发现她过去在唱的方法上很不注意口形。从此，她开始注意口形的问题，终于克服了口形不美的毛病。在口形问题上，梅兰芳是筱文艳的老师；在淮剧特点

②**肘鼓子**：现称“五音戏”，是山东淄博地区的地方戏。
③朱振华、吴迎、梅葆玖：《德艺双馨·艺术大师梅兰芳》。
④筱文艳：《想起梅兰芳同志的教导》，《梅兰芳艺术评论集》。

⊙梅兰芳与晋剧名演员丁果仙（左）

知识方面，筱文艳成了梅兰芳的老师。在筱文艳离京前，梅兰芳特别向她请教淮剧的特点，还一丝不苟地将筱文艳所说一一记录下来。

看过川戏演员阳友鹤演的川戏《断桥》后，梅兰芳向他讨教："听说过去你踩起跷，一只脚站在铜栏杆上，滑下去，倒卷过来的动作，怎个搞的，表演一下好不好？"阳友鹤连忙推却："粗得很，不行。"梅兰芳却说："不必推辞，各个剧种有各个剧种的特色嘛。"阳友鹤正在示范，梅兰芳向内室高喊："葆玖，葆玖，快来听老师讲艺术。"①他似乎将所有在艺术上对他有所帮助的人都称作"老师"。这声"老师"足见他谦逊、虚心的高尚品格，令阳友鹤感动不已。

梅兰芳不仅非常重视向地方戏学习，而且很关心地方戏并积极扶持地方戏。当年，鲜樱桃的"五音戏"剧团进京演出，因卖座欠佳而无返程路费。梅兰芳得悉情况后，派人给剧团送去路费和几件戏衣。为扶持一直不太景气的"五音戏"，他还曾通过济南的老朋友给鲜樱桃送去100块大洋，使剧团暂时摆脱了困境。解放后，他身为中国戏曲研究院院长，更加密切关注地方戏的发展，同时，对地方戏给予了更多的支持和帮助。

1957年，福建省地方戏莆仙戏的著名艺术家、教育家黄文逊为总结莆仙戏的演出成果和经验，让青年演员进一步了解、学习莆仙戏的表演艺术，深入莆仙戏的发源地莆田、仙游两县调查访问，开

①阳友鹤：《初相见永难忘——忆梅兰芳同志》，《梅兰芳艺术评论集》。

始撰写《蒲仙戏传统科介》。梅兰芳得悉此情后，立即写信给予支持和鼓励。当此书即将付印时，他特别为科介图解题词、赋诗赞扬：

蒲剧科介，传统芬芳。
有图有解，新见发扬。
斯编荟萃，生旦净丑。
形态不同，形态富有。
后生善学，高举能到。
党培养下，勿忘创造。

其实他很早就认识了蒲仙戏，不仅在南下巡回演出中抽空观摩过蒲仙戏，而且对它的发展备加关注，经常写信询问蒲仙戏的演出情况。即使是病重住院期间，他还惦记着蒲仙戏。逝世前一天，他还就《蒲仙戏传统科介》一书的出版发行问题致函黄文逖："创造成功，洵堪钦佩。"②

早在30年代，梅兰芳就通过唱片欣赏过福建省闽剧名旦郑奕奏的唱腔。当时，郑奕奏被誉为"福建的梅兰芳"。虽然两人一直没有机会见面，但梅兰芳始终关注着郑奕奏。1953年，梅兰芳有机会和周恩来谈起了郑奕奏，说："他走红时，为戏班老板挣得银元无数，但一到人老珠黄，便浪迹闽北山区，串乡走村以教戏度日。"③这番话引起了周恩来的高度重视。在周恩来的直接过问下，"隐居"在闽北古田县山区的郑奕奏被福建省文化局接回福州，并出任福建省实验闽剧团艺委会主任。次年，梅兰芳终于见到了到北京参加中国政协第二届全委会的郑奕奏。郑奕奏对梅兰芳的知遇之恩感激不尽，不过他也明白，与其说梅兰芳是对他个人的关心，不如说是梅兰芳

②③朱振华、吴迎、梅葆玖:《德艺双馨·艺术大师梅兰芳》。

对地方戏的关心。

川剧《柳荫记》正式公演前，梅兰芳亲自去看了演员们的彩排。在随后举行的座谈会上，他对全剧最末化鸟的处理提出建议："可否采用别的表现手法，而不必扮许多雀子上场。"导演刘成基接受意见，将结尾改为用向空指鸟的象征手法，从而统一了全剧风格。后来，苏联艺术家奥布拉兹卓夫看了《柳荫记》后，特别欣赏结尾，认为突出显示了中国民族戏曲虚拟、象征的特点。[①]

以上种种，我们可以发现，梅兰芳对地方戏的关心似乎并不少于对他的本行京剧的关心。其实无论是在公还是在私，他都必须关注地方戏。在私，地方戏能充实他 的京剧表演；在公，他身为中国戏曲研究院院长，有责任关心地方戏。他认为各地方戏可以互相借鉴、互相学习，但他仍然期望"每个剧种都从原基础上发扬光大，不要在吸取别人的东西的同时，丢掉了自己传统的风格。"[②]在保持自家传统的基础上广纳各派精华为我所用。这或许就是他戏路越走越宽的主要原因。

当中国京剧代表团在为出访日本而紧锣密鼓地做着种种准备时，1956年5月26日，宣传部长陆定一向学术界、文化界人士作了题为《百花齐放，百家争鸣》的讲话。实际上，他的这个讲话来源于20多天前毛泽东在最高国务会议上提出的、要在文学艺术和学术研究中实行"百花齐放，百家争鸣"的方针。在那毛泽东咳唾成珠的时代，"最高指示"一下，思想解放便"忽如一夜春风来"，文艺界、学术界千树万树的梨花立刻绽放了！

在紧接着的第二次全国戏曲剧目工作会议之后，文化部宣布了

①朱振华、吴迎、梅葆玖：《德艺双馨·艺术大师梅兰芳》。
②梅兰芳：《梅兰芳文集》。

一个重大决定，对所有传统剧目一律开放。解放至此，传统戏曲剧目已经由全面禁过渡到了部分禁，由初期禁的50多出减少至26出。虽说明文规定被禁的是26出戏，但在执行中出现了偏差，有些戏目由于精华和糟粕糅合在一起而受到株连，也被排在禁戏之列。这显然不利于挖掘传统剧目的工作。对于前辈艺人来说，开放禁戏使他们的绝活不至于失传。因而，全面开禁自然是好事

然而，全面开放又造成另一种局面，禁戏中具有艺术价值的一部分戏目得到解放的同时，另一些带有大量恐怖、丑恶、淫猥、低级、迷信的禁戏如《僵尸开店》、《阿飞民览会》、《僵尸复仇记》、《杀子报》、《黄氏女游阴》、《马思远》等也纷纷见了天日。有些剧团对重演禁戏取慎重态度，对部分具有艺术价值的禁戏进行修改整理，然后搬上舞台；而有些剧团为了 满足一般人的猎奇心理，竟原封不动地将那些艺术价值不大戏搬上舞台。一时间，舞台上充斥着诸如将人大卸八块、开膛破肚、把人放进油锅，捞上来成了骷髅等恐怖场面。虽然观众席上常常是大人叫、小孩哭，但卖座都不错。于是，越来越多的剧团竞相演出此类禁戏，有的地方甚至出现几个剧团同时上演一出禁戏的奇特现象。对此，梅兰芳、周信芳、程砚秋等一批进步艺术家忧心忡忡，他们认为“若此风长，就会将优美的戏曲艺术引向堕落倒退的道路”。③因此，他们联名发文阐明对开放禁戏的认识：“开放剧目的目的，是为了更好地发扬我们戏曲艺术中的优良传统，虽然政府不用行政命令来取缔坏戏，但我们必须认识到这不等于艺术上没有好坏的标准。本来我们在艺术事业中，首先就要有辨别精粗美恶的修养，才不会走错道路，在剧目的选择上当然也应如此。所以我们应该有所提倡，也有所反对。我们提倡的是富有思想性艺术性的优秀剧目，至于

③《梅兰芳、周信芳、程砚秋、袁雪芬、常香玉、陈书舫、郎咸芬建议戏曲界不演坏戏》，《人民日报》1957.7.24.

内容和表演无甚价值甚而丑恶、淫猥、恐怖，对人们身心健康有害的东西，则是我们所坚决反对的。”同时，他们相约：“多演富有教育意义和技术的优秀剧目，并把一些虽无甚意义但有技术的戏加以改进。不演丑恶、淫猥、恐怖、有害人民身心健康的坏戏。”①

在《文汇报》随后举办的“怎样正确对待戏曲剧目开放”的笔谈中，梅兰芳态度明确，主张“扶持香花，清除毒草”②应当说，梅兰芳的观点是正确的，适当的。尤其是在那么一个人们头脑简单又易发热的时代，他的头脑是冷静的，理智的。

当时的中国人似乎总也找不到“正”道，不是偏“左”，就是偏“右”。

“百花齐放”之后，毛泽东又号召“大鸣大放”、帮助党“整风”，社会一下子变成了森林的早晨，百鸟齐唱、“百家争鸣”起来。然而，正当文艺界、学术界心情愉悦地猛吸畅所欲言的自由民主空气时，却未料到风云突变。对于许多中国人来说，1957年是不堪回首的一年。在这一年里，有无数人一夜之间由响应党的号召、积极“鸣放”的人变成居心不良的反党反社会主义的“右派分子”。反“右”派斗争在全国范围内全面展开。

随着反“右”斗争的扩大化，“左”的势力越来越强。他们过分地强调艺术为政治服务，认为纯娱乐性的剧目应当被禁。对于传统剧目，有些人将“清官戏一律视为歌颂封建统治阶级，丑角戏被认为是侮辱劳动人民，凡是出现忠孝节义的词句都被认为是宣扬封建道德，凡是出鬼的戏都被认为是宣传封建迷信，凡是反映帝王将相内部矛盾的剧目都被认为没有‘人民性’”。③因而，它们也应该被禁。

①《梅兰芳、周信芳、程砚秋、袁雪芬、常香玉、陈书舫、郎咸芬建议戏曲界不演坏戏》，《人民日报》1957.7.24.

②梅兰芳：《明辨是非开放香花》，《文汇报》1957.7.29.

③刘彦君：《梅兰芳传》第410页。

在这种情况下，梅兰芳有些沉不住气了。一般人都以为他是个凡事不争不吵、性情温和、修养极佳的“中庸主义者”，其实虽然他不如程砚秋那样刚烈，但他也是血性男儿，他也有怒气、火气，只不过他从来不轻易发火罢了，要不然他的书桌上不会有“制怒”二字，只有“怒”，才会有“制”。他很少发火发怒的原因是他与人为善，善于理解别人，也就容易原谅别人。除此以外，就是个人的修养了。他平常一般不发火，还可能是他觉得大多不值得动怒，而眼下所遇，涉及戏曲界的大是非，涉及他个人一生的总评价。具体说，他是从旧社会过来的人，常年演的戏以传统戏为主，如果清官戏一律是歌颂封建统治阶级的，出现忠孝节义的词句就是宣扬封建道德，反映帝王将相内部矛盾的剧目都是没有人民性的，那么，他这个“人民艺术家”岂不是早已站到了人民的对立面了吗？他不能容忍这样的侮辱。于是，他特别撰文《谈谈不演坏戏和反右派斗争问题》。

文章的开头，他首先说明的还是“坏戏不能演”的问题，并且特别举例说他已经不再演坏戏了：

比如，昆曲传奇《铁冠图》里有些常演的戏，从剧本上看，有它的写作技巧，表演上也有些独特的艺术技巧。但是，作者的立场，却是反对农民起义，仇视农民革命的。这种立场当然和我们相反。那么，剧本的写作技巧愈好，演员的表演技巧愈好，对观众起的坏作用也就愈大。最近北方昆曲剧院在建院的时候，演过一次《宁武关》，观众看了，就有意见。听说，这里的秦腔名演员刘易平先生也有这出拿手好戏，现在已经自动提出，永远不演《宁武关》了。这是刘易平先生提高政治觉悟的一个很好的表现，值得我们学习。

我也有一出《铁冠图》里的《刺虎》，前辈老艺人传授给我不少精湛的表演，我自己对它也下过很大的功夫来钻研。过去，我演这出戏在国内外都很受欢迎，是我的保留节目之一。但是，解放后由于认识到上面所说的原因，我自动把《刺虎》停演了。[1]

其实他的目的不单单是对外宣称“我已经不再演坏戏了”，而是提前把话说“满”，从而不留把柄于他人，为引出正题做好准备。也就是说，他下面要阐述的观点是建立在“不演坏戏”基础之上的。这是他行文的高明之处。接着，他将笔锋一转，直奔主题：

上面我所说的不演坏戏，和不适当的清规戒律是截然不同的。我们还是要反对那些清规戒律的。过去，我们吃了它的亏，特别是使传统节目的上演、整理、改编和挖掘工作都受到了很大的限制。比如说，衡量剧目，着重分析它的人民性，这是必要的，但是把这一问题简单化了，理解得很狭隘，认为只要是统治阶级，就不会有好人。像这种简单而狭隘的说法，我们把它叫做“惟成分论”，就不是正确地对待传统剧目的态度。

还有人看到剧本里的两个老婆，就认为违反今天的新婚姻法，不能上演。其实，多妻问题是中国封建社会存在的一种客观事实，反映了封建社会制度的一个不合理的现象，因此在舞台上出现，也是很自然的事情。今天，我们首先要看舞台上表演的故事、主题是什么？着重宣传守节是不好的，像《三娘教子》的主题是教子，为什么不可以演？美化和鼓吹多妻制当然不好，像《二堂舍子》的主题并不涉及多妻问题，而且还写出了一个善良后母的形象，这又有什么不可以呢？如果仅仅拿“宣传多妻制”的罪名，否定这些戏，我觉得是不妥当的。

前几年，有很多位参加戏曲工作的新文艺工作者，对传统剧目

① 《甘肃日报》1957.8.28.

不够了解。常常用框框去套全体的作品，套不上就大杀大砍，不仔细地去分析它的具体内容，这样做，就容易产生有害的清规戒律。

比方有人说："凡是有鬼的戏都不好"，又有人说："神佛可以登场，鬼魂为何不能出台？"这两种说法，形成对立。其实也要看剧本的具体内容，不能一概而论。有些戏，在舞台上出现了许许多多的鬼，就像开了个鬼的展览会，只会给人一种阴森森的恐怖印象，和剧情并没有多大关系，如《黄氏女游阴》、《唐王游地狱》等戏，就给人有这样的感觉。这种鬼戏，当然我们要坚决反对。可是也有些戏里出现的鬼，含有一种积极意义，像《情探》的敫桂英，《红梅阁》里的李慧娘等等，这就都是通过作者的幻想来表达人民斗争的意志，只要去掉恐怖的印象，又有什么不可以演的呢？

我们可以将梅兰芳所说归结为一句话，那就是"具体问题具体分析，不能简单化"。应该说，他的观点是相当客观的，即不演坏戏，但反对清规戒律。然而有的时候，客观并不一定就能成为"护身符"。梅兰芳显然也明白这个道理，因而他在文章的最后，用了四个"难道"说明党的领导的重要，并特别声明戏曲界与共产党是一条心，绝不会反党。反对"文艺不要党的领导"等"反党"言论几乎就是反"右"斗争的核心问题。在反"右"斗争开展得如火如荼之际，言明"不会反党"成为必要。

纵观全文，我们发现梅兰芳虽然心中有气，但落笔还是极为小心谨慎的，他首先宣称他是反对演坏戏的，然后又声明他和戏曲界同仁一样都是不会反党的，在这两个前提下，他才就如何对待传统剧目的问题进行了阐述。即便如此，在"左"的势力异常强盛之时，公开发表这样一个矛头明显指向"左"派的言论，确实需要有一定的勇气。因而，有人甚至怀疑此篇文章是否就是梅兰芳所为，因为依他的性格，他似乎不会公开与他人“叫板”的，何况还牵涉到政治问题。然而细究下去，谁又胆敢冒梅兰芳之名呢？其实早在这之前，梅兰芳就已经有过某些反“左”言行。针对当时有人提出的“演员下乡劳动戴手套是资产阶级思想的表现”，他实事求是地指出：“演员的身体就像画家的笔、墨、纸、砚，是创作的材料和工具，一定要保护、要爱护，特别是旦角演员的手更重要，要运用手的姿势，表达喜、怒、哀、乐的复杂表情和各种动作，不能搞粗了，更不能弄伤了，要买手套。”[①]从中我们可以看到梅兰芳性格的另一面，那就是敢于坚持真理，敢于讲真话。“文弱书生投袂起，愧煞四座武壮士！”其勇气使人敬佩。

颇具意味的是，以梅兰芳当年的身份和地位，他的这篇文章未在《人民日报》等大报上发表，却通过偏远的少有人知的《甘肃日报》与读者见面，是梅兰芳心存顾虑，还是有人存心缩减它的影响？

拍摄全景电影

在忙忙碌碌间，梅兰芳迎来了1958年。在这一年中，他的主要活动仍然以慰问演出为主。年初，他随阳翰笙、田汉、马少波等人赴北京郊区的门头沟和城子两矿，慰问煤矿工人并亲自下井与工人促膝谈心，随后撰文《矿井中的温暖》，刊登在《北京日报》上。接着，他和中国戏曲研究院的全体同仁前往北京东郊和平乡农业合作社参观访问，撰文《访问农村》刊登在《光明日报》上。仲春，他南下赴安徽蚌埠、淮南、合肥作巡回演出；春末夏初，他再北返，赴石家庄、太原演出。在太原演出期间，他还参加了太原市全体文艺界游行队伍上街宣传党的社会主义总路线。回到北京，已是炎炎夏

①奇固：《忆恩师梅兰芳先生与他的弟子李玉芙》，《中国戏剧》1993.4.

日。家中的凳子还未及坐热，又闻十三陵水库落成，他又 赶着去十三陵慰问劳动模范。下半年，他参加了以田汉为团长的文艺界慰问团，赴福建前线慰问人民解放军。要说这一年最值得纪念的事，那就是参加拍摄了全景电影《宝镜》。这是他第一次拍摄全景电影。

初次从苏联名导演柯米萨尔热夫斯基嘴里听到“全景电影”这个名词时，梅兰芳不禁茫然，他不仅没有拍过这种电影，而且连这个名词都没有听说过。

《宝镜》这部片子的内容，主要反映社会主义各国人民劳动创造的许多奇迹，比如北京刚刚建成的十三陵水库等，而这些奇迹通过一面宝镜表现出来，所以取名《宝镜》。请梅兰芳参与拍摄其中一段，表现他作为一个世界知名的艺术家，虽然经过长达半个世纪的舞台生涯，仍然保持着艺术青春。按柯米萨尔热夫斯基的计划，这部片子是准备拿到布鲁塞尔博览会上的电影展览会上参加竞赛的。

柯米萨尔热夫斯基是戏剧大师斯坦尼斯拉夫斯基的学生，也是梅兰芳的老朋友。早在1935年梅兰芳初次访问苏联时，两人就已经认识。1953年梅兰芳从维也纳回国途经莫斯科时，两人再次见面。对于老朋友的邀请，梅兰芳自然爽快答应。

拍摄方案很快敲定。首先拍摄梅兰芳教授下一代和日常生活的镜头。具体内容是：第一组镜头为梅兰芳在护国寺寓所庭院中间梨树下指导学生杜近芳、女儿梅葆玥做趟马姿势，儿子梅葆玖站在一边观看，姜妙香、徐兰沅则坐在藤椅上看他们练功；第二组镜头为梅兰芳在北房的客厅内与中国京剧院的李少春、袁世海等朋友聚谈。拍摄时，李少春等人先在客厅内，或坐或立或吸烟。梅兰芳从卧室走出来和大家握手招呼后，就指着柱子上乌兰诺娃的照片，介绍给大家看。接着，梅兰芳问李少春：“你拍了全景电影没有？”李少春做了几个猴子的动作，表示已经拍过，剧目是《闹天宫》。不过，由

于全景电影是要运用特殊装置的多路立体声来录音，故而几句对话都没有现场录音。

对于拍摄剧目的选择，柯米萨尔热夫斯基要求既要有载歌载舞的场面，又要人物众多。按照这个要求，梅兰芳最终确定了《霸王别姬》中“舞剑”一场，他演虞姬，袁世海演霸王，同时增加了12名女兵分立两旁，以增加画面中的人物。

拍摄工作进展得十分顺利，只用了4天时间便完成了。

通过此次实践，梅兰芳对全景电影有了全新认识，他认为一般电影虽然有画面太小的局限，但全景电影并非没有局限，局限便在于画面太大，对剧目的选择要求太高。比如“舞剑”一场戏，原本只有虞姬霸王两人，为全景电影的需要，不得不增加了12位女兵，如此处理大大削弱了悲剧色彩。不过，他也认为如果拍摄风景或大的群众场面，用全景电影的方式拍摄是最好不过的。

拍摄全景电影是梅兰芳的又一新尝试。

不顺利的入党

梅兰芳向党组织递交入党申请书，更直接的动因来自弟子程砚秋的入党。其实早在20世纪50年代初，周恩来、陈毅、周扬等党政领导和文艺界负责人就十分关心梅兰芳的入党问题。陈毅是做梅兰芳的入党思想工作的第一人，他多次找梅兰芳谈话，启发他入党。周恩来更是积极表示愿意做梅兰芳的入党介绍人。当时，梅兰芳并

⊙梅兰芳加入中国共产党宣誓（1959年3月）

非不想入党，只是他觉得自己刚刚从旧时代走进新时代，很多方面还不能适应新时代的要求，政治上更欠火候，因而他谦虚地说："我们做演员的，生活有些散漫，我还要努力。"[①]

当时讨论一个同志是否能够入党，并非支部说了算，而是一定要征求党外群众的意见，而且在召开支部大会讨论其入党时，一般也都邀请一些非党积极分子参加。在讨论程砚秋入党问题时，也依例而行。梅兰芳作为非党积极分子旁听了关于程砚秋入党的讨论并作了发言。

梅兰芳在发言中由程砚秋说到自己："我和他比，还差得很远。今后，我要向程砚秋同志学习，努力学习马列主义、毛泽东思想，改造自己的非无产阶级世界观，跟上革命形势的发展。"

随后，党支部便收到了梅兰芳的入党申请书。

然而，从梅兰芳向党支部递交入党申请书到最终被批准加入共产党，其间将近有一年半的时间。党为什么用了近一年半这么长的时间对他进行考验？最直接的原因恐怕便是支部从他交上来的入党申请书上的字迹辨认出，此申请书非他本人所写，而是请人代写的。

梅兰芳成名颇早，自成名后他的身边总是前呼后拥着一群人。有他们为他张罗，因而用不着他过问生活琐事。解放后撰文著书也用不着他亲自动笔，交给秘书就是。大概他的想法是，反正内容思想是我的，秘书所做不过是形式而已，而且文责自负嘛。

这也说明梅兰芳虽然做了共产党的高官，但对最讲究态度的共产党还不很了解。入党申请书只有文盲可以请人代笔，自己签名或按指印。识字的人请人代笔便会被视作态度不够严肃，入党条件自然要打折扣。关键是毛泽东在得悉梅兰芳递交了入党申请书后，发了话，指示"要加强对梅兰芳的教育，要以普通党员的姿态出现，不

①齐建昌:《戏曲界的一面旗帜——关于梅兰芳同志二三事》,《戏曲艺术》1984.4.

要特殊化”。[①]既然还要对他进行教育，那么说明他还有需要被教育的地方。这便是“对党的基本知识还缺乏了解，入党前要补上这一课，应该重新学习中国共产党党章，加强党性锻炼”。[②]“不要特殊化”这一说，恐怕便是梅兰芳婉言拒绝周恩来要求当他入党介绍人的原因。周恩来是程砚秋的入党介绍人，当他听说梅兰芳申请入党时，便去征求中国戏曲研究院党总支书记马少波，问是否也需要他当梅兰芳的入党介绍人。梅兰芳得知此情，说：“总理的关怀，我很感动，他作砚秋的入党介绍人，我也感到荣幸，但我想文艺界知名人士入党的很多，如果大家都援例要总理作介绍人，总理如何应付得了！我是一个普通人，不应特殊，我希望中国戏曲研究院和中国京剧院的两位党委书记张庚、马少波同志作我的入党介绍人，这样，有利于党对我的具体帮助。”[③]

对照党章，应该说，从梅兰芳自解放以来的种种表现来看，他是具备了一个共产党员的基本条件的。在政治方面，自新中国成立后，他拥护共产党的领导，响应党的一切号召，积极贯彻党的为工农兵服务的文艺方针，下农村、进工厂、到部队，甚至到抗美援朝第一线，为工农兵献艺。在外事工作中，他能抵挡住逆流，为增进中日两国人民的友谊积极努力。在戏曲艺术方面，他反对演坏戏，主张戏曲要反映社会主义时代的新生活。

事实上，党支部成员也一致认为：“他从一个爱国主义者成长为拥护党、拥护社会主义，进而成长为一个积极地自觉地贯彻执行党的路线、方针、政策的无产阶级战士，为党和人民做了许多有益的工作，基本上具备了一个共产党员的条件。”[④]

为了将“基本具备”转换成“完全具备”，梅兰芳欣然接受批评，认认真真地、毕恭毕敬地亲自重新撰写了入党申请书。经过了数个废寝忘食的白昼和不眠之夜，一份全新的带有自传性质的入党申请书摆在了支

①②④黎舟：《梅兰芳入党前后》，《文化月刊》1997.10.
③马少波：《马少波近作选》第557页。

部书记的桌上。这份普通的申请书倾注了梅兰芳对党的全部感情。

经过一年半的考验，梅兰芳终于如愿以偿。1959 年 3 月 16 日，在中共中国戏曲研究院支部大会上，通过了梅兰芳的入党申请。这年 7 月 1 日，中国戏曲研究院党支部在院党委书记张庚的主持下为梅兰芳举行了隆重的入党宣誓仪式。一代京剧大师梅兰芳在党旗下庄严地举起了右拳……

从那以后，梅兰芳对自己更加严苛，他甚至主动提出不拿在梅剧团每月 1100 元的保留工资，而只拿作为中国戏曲研究院院长的 336 元文艺一级工资。党组织同意了他的这个要求，但没有批准他同时提出的将个人存款悉数上交给党组织的请求。除此，他按时参加党的组织生活，认真学习，从不迟到早退。在脱产学习《毛泽东选集》第 4 卷期间，有一天中午返家吃饭时，他接到全国政协的通知，让他下午去开会。于是，他赶紧返回学习地准备请假。谁知偏偏电梯出了故障，他只得和一帮年轻人一起徒步上楼。他爬上六楼时已气喘吁吁，连话都说得结结巴巴的了。不仅如此，当党组织需要他自己保管文件时，他便像一个称职的管家一样仔细保管，从没有出过一点儿差错；当组织需要他参加“五一”游园活动时，他就放弃自己去外地演营业戏挣钱的机会。……

这时，梅兰芳已完全脱胎换骨。

绝唱《穆桂英挂帅》

在经历了种种运动之后，新中国即将迎来10周岁生日。尽管历经沧桑后的人民在物质生活上并没有大的飞跃，但精神上的亢奋依旧。他们欢天喜地地做着种种准备，以迎接年轻的新中国的寿辰。文艺界凭其得天独厚的优越条件，更加热闹非凡。单说戏曲界，全国

⊙梅兰芳在北京门头沟和煤矿工人在一起

各地剧种竞相赶排拿手戏，有历史戏，也有现代剧，一派百花齐放、欣欣向荣的灿烂景象。京剧作为戏曲界的“龙头”自然不甘落后。梅兰芳作为京剧行的“领头羊”便有了强烈的紧迫感。他不得不暂时放弃到西南地区作巡回演出的计划，一头扎进了献礼戏目的准备中。然而，排什么戏、演什么戏的问题时时牵扯着他的神经，让他一刻也不得安歇。

回溯以往，梅兰芳会演的戏不下百出，但经典之作不外乎《霸王别姬》、《贵妃醉酒》、《宇宙锋》、《游园惊梦》、《凤还巢》、《抗金兵》、《洛神》、《金山寺》、《天女散花》等。几十年来，特别是解放后，无论是演营业戏、义务戏，还是慰问工农兵，甚至为毛泽东等中央领导演出，他的演出剧目基本没有超出这个范围，虽说有些戏也经过了他的修改，但毕竟都属“老戏”。眼下如果再用老戏向建国十周年献礼，显然份量不够，戏的内容也多半不适合。因而，编排新戏成为迫在眉睫的头等大事。

自抗战初期编排了两部新戏《抗金兵》和《生死恨》之后，二十多年来，梅兰芳再没有一部新戏问世。除了抗战八年暂别舞台和解放前三年政局混乱不便编排新戏外，解放后的十年间，他也未能拿出新戏，不能不令人遗憾。要论原因，不是他不想，而是实属无奈。在入党宣誓大会发言中，他曾这样说：“我是一个戏曲演员，过去演了几十年的戏，也曾排演和创作了不少的新剧目，但解放后，没有排演过新戏，怕排了戏演不好，会把我在群众中间的一点声誉一扫而光，这无疑是个人主义思想在作怪。”[①]他所说的原因绝对不是主要

①王长发、刘华：《梅兰芳年谱》第208页。

原因，甚至不是因，而是果。还是在他入党宣誓大会的发言中，他自言："有意见不敢提，有话不敢说，怕说错了不合适。"在一个说话都得小心的时代，编出新戏上演当然冒的险就更大了。

早在1950年的秋天，他就有心要为庆祝建国一周年创排一部新戏，而且希望是"一部热热闹闹的喜剧"。在天津演出期间，他为此征求天津市文化局局长阿英的意见。阿英认为"唐人小说里有柳毅传书救龙女的故事，很有喜剧性"，便建议他考虑考虑。这一建议提醒了梅兰芳，他想起他的祖父梅巧玲曾经就这个题材演过一出《乘龙会》，唱的是昆曲，演的不是小龙女，而是反串柳毅。返回上海后，他首先翻箱倒柜，试图找出祖父当年演出的剧本，但一无所获。他借来唐人小说《柳毅传》，细心研读，发现的确如阿英所说，"很有喜剧性"。于是，他请许姬传写了一个剧本《柳毅传书》，准备排演。

新戏《柳毅传书》最终未能按计划编排的原因，许源来说："1950—1958年，梅先生经常去各地巡回演出，再加上国内外的各项政治任务，使他抽不出时间来编排新戏。"这也是梅兰芳始终没有新戏问世的原因之一。

梅兰芳这个名字和京剧和戏曲密切相联，因而他首先是个艺术家，而非政治家。然而自解放后，他似乎越来越靠向政治，而离他钟爱的艺术越来越远。当然，这并不是他的意愿。他对政治不感兴趣，大多数时候是政治主动找上了他，使他想躲也躲不了。在头上的政治光环越来越多之后，他不得不为它们付出代价。于是，他身不由己地频繁参加各种会议，并在会上作千篇一律的讲话和报告。

他又为贯彻"文艺为工农兵服务"的方针上山、下乡、到部队、奔前线，广泛为工农兵演出。文艺的确需要为工农兵服务，否则它就会失去生命力。但对于梅兰芳这样一位大艺术家来说，研究如何使中国古老的戏曲艺术朝更深层次发展，如何使国粹发扬光大，如何培养接班人从而使戏曲艺术后继有人才是首要。而将几乎所有精力耗在一般性演出上，耗在无数次地重复以往、重复自己中，真可谓是极大的浪费，于己于国益处何在呢？他说对于他自己来说，“在思想上、艺术上可以得到很大提高”。[①]然而思想上如何提高？他没有明确说，他只是说：“工农兵劳动人民对我的热烈欢迎和关怀，给我以极大的鼓舞，也给我以新的力量，使我的艺术创造有了新的生命，因而增加了我的舞台实践的信心。”[②]艺术上如何提高？他说：“例如，经过抗战期间八年的停演，我的嗓音中落了；可是在解放以后，我下了一番功夫，因此在行腔、用气、吐字方面更有了新的体会。此外，对剧中人物性格的体会，也比从前深入了许多，因而演起来也比从前的感情更丰富。”[③]如果仅满足于此，梅兰芳绝对成不了梅兰芳，他永远只能是个普通演员而已。大量的演出对于身体倒是很好的锻炼，所以他还说：“我不但克服了由于长期停演所造成的体力上的一些困难，而且我的体力更加充实了，又恢复到应付裕如的境地。”[④]

大量的会议和四处慰问演出已经耗去了梅兰芳不少时间和精力，加上他还得完成各项政治任务，比如出访维也纳、苏联、日本等地。如此，他的时间和精力已所剩无几，编排新戏便只能往后一拖再拖，终于拖到不能再拖的时候。可以这么说，新戏成了政治的牺牲品，梅兰芳为了政治不得不牺牲了他的新戏。这是时代所致，梅兰芳迫不得已。

梅兰芳最终决定编排新戏《穆桂英挂帅》，其动因并非仅如梅兰芳自己所说是已经克服了个人主义的错误思想，而恰又是政治所需。目的是为建国十周年助兴，同时庆贺他入党，因而梅兰芳不得不首先考虑这部新戏的内容。

①梅兰芳:《梅兰芳文集》第11页。

②③④见梅兰芳发表在1954年9月的《北京日报》、《光明日报》的文章。

其实梅兰芳一开始计划编排的新戏并不是《穆桂英挂帅》，而是1950年就想编排而被耽搁的《柳毅传书》。经中国京剧院创作组的范钧宏、吴少岳、吕瑞明根据《柳毅传》的重新编排，取名《龙女牧羊》的剧本摆在了梅兰芳的案头。与此同时，一本油印的豫剧剧本《穆桂英挂帅》由马少波送到了梅兰芳的手上。究竟编排其中的哪一出，梅兰芳颇费踌躇。细读剧本，他终于选择了似乎更适合形势需要的《穆桂英挂帅》。

穆桂英的故事几乎家喻户晓，她是北宋边关守将杨继业的孙媳。包括穆桂英在内的杨家将在抗击外族侵占的战斗中，几乎全家牺牲，可谓为北宋王朝立下过汗马功劳。然而战争结束后，由于朝廷奸臣当道，杨家将始终得不到信任与重用。无奈之余，穆桂英随祖母佘太君退隐家乡达20年之久。《穆桂英挂帅》的剧情大意是：穆桂英退隐20年后，西夏又来寻衅，边关再度告急。宋王传旨在校场比武，亲选帅才。穆桂英的女儿杨金花和儿子杨文广参加了比武。杨文广在比武中当场劈死奸臣王强之子王伦，夺得帅印。宋王见杨氏姐弟年纪尚轻，恐不能担当重任，便命穆桂英挂帅。穆桂英却因朝廷忘恩负义对杨家刻薄寡恩而不愿接印出征，后经佘太君力劝，她方舍弃私怨，重披战袍。

这出戏的主题固然是表现穆桂英崇高的爱国主义精神，但从侧面反映出的为大局而不计个人得失的品质，对于刚刚经历过反“右”斗争的中国人来说，具有极其重要的现实意义。对于梅兰芳个人而言，此时他已65岁高龄，已经微微发福的身材不再适合演一些大姑娘小媳妇，而演《穆桂英挂帅》中的年纪已经不轻的穆桂英是再恰当不过了。同时，这个角色也正能体现他老当益壮、老骥伏枥的奋斗精神。对于历史上充满浩然正气的爱国主义女英雄，梅兰芳一直心怀敬佩之感，为此，他曾在《木兰从军》中演过木兰，在《抗金兵》中演过梁

⊙《穆桂英挂帅》，梅兰芳饰演穆桂英

红玉。穆桂英则是他情有独钟的人物，他在《穆柯寨》、《枪挑穆天王》、《辕门斩子》、《破洪州》中已经接触过她，深为她爽朗热情勇敢且富反抗意志的性格所折服。按他自己所说，“我从早年就喜爱穆桂英这个人物，在不断演出中更和这个角色结下了深厚的感情”。[①]从主客观两方面考虑后，梅兰芳最终确定赶排《穆桂英挂帅》。

早在六年前，他就在上海观摩过豫剧“四大名旦”之一的马金凤演的豫剧《挂帅》，当即便有将此剧改编成京剧的想法。如他对马金凤所说，他演过年轻时的穆桂英，却从来没有演过老年的穆桂英。显然当时在他的眼里，老年的穆桂英比年轻时的穆桂英更有豪气。故而，看了一遍后他还觉得不过瘾，又连续看了三遍，甚至将马金凤请到家里，就穆桂英挂帅中的穆桂英形象切磋、交流。这为他日后改编《穆桂英挂帅》打下了良好的基础。相隔了五年，马金凤进京演出，保留剧目还是这部《挂帅》。此番再看，梅兰芳对这出戏有了进一步的认识，对穆桂英的形象也有了新的理解。台上的马金凤扮演的穆桂英的形象逐渐模糊，却幻化成了他梅兰芳所扮演的穆桂英，老迈却不失英姿，沉郁却不失豪气。这时，他意识到演穆桂英的时机已经成熟，预感到机会就要到来。

如今，机会真的来了。

很快，《穆桂英挂帅》剧组成立。在马少波的提议下，导演由中国京剧院的郑亦秋担当，女编剧陆静岩和袁韵宜负责编剧。他们结合梅兰芳的声腔特点编写唱词，均采用“人辰辙”，除保留原剧本中的“我不挂帅谁挂帅，我不领兵谁领兵”这两句台词外，其余的均重新改写。田汉在看了首场演出后，当即建议将最后一场穆桂英唱词中的“金花女着戎装仪态英俊”后四个字改为“婀娜刚劲”。全剧演员除了梅兰芳外，还有他的一双儿女葆玥和葆玖，以及著名小生

①梅兰芳:《中国京剧的表演艺术》,《梅兰芳文集》第37页。

穆

⊙梅兰芳演《穆桂英挂帅》，"捧印"一场

姜妙香等；鼓师和琴师分别是裴世长、姜凤山。徐兰沅、许姬传、许源来也参与了剧本的讨论和唱腔服装身段的设计。

梅兰芳在这出戏里的最大创新是一身兼二角。"二角"并非两个人物，而是两个不同行当的角色。在初排中，他发现《穆桂英挂帅》中的穆桂英与《穆柯寨》、《枪挑穆天王》中的穆桂英不仅存在着年龄上的差距，更重要的是年轻时的穆桂英飒爽英姿但因未历经磨难而思想单纯；老年穆桂英则因不被重用而退隐家乡却忧国忧民，所以比年轻时的穆桂英多了份沧桑、沉郁和忧患意识但仍不失豪迈。通过对人物的分析，梅兰芳认为以刀马旦应工年轻时的穆桂英是当然的，能突出穆桂英当年大破天门阵的英雄气概；以刀马旦应工接帅后的老年穆桂英也是应该的，能显现穆桂英老当益壮、威风不减当年的豪迈气魄。而在接帅前，穆桂英是一个已退隐家乡20年的普通家庭妇女，如果再以刀马旦应工显然不适合。以青衣应工却能恰如其分地衬托出此时的穆桂英沉郁、忧患的心态，也与她年过半百的家庭妇女身份相吻合。

在一部戏里以两种行当应工同一角色是梅兰芳的初次尝试，而起用专职导演编排新戏则是梅兰芳在这部戏里的另一个"初次"。说"初次"其实并不确切，梅兰芳早在解放前编排新戏时，齐如山、张彭春实际上都充当过导演，只是他们并不专职罢了。对于《穆桂英挂帅》的导演郑亦秋，梅兰芳说"他是属于熟悉传统表演，又能让演员们发挥本能的导演"，而他恰恰认为好的导演"应该有他自己的主张，但主观不宜太深，最好是在重视传统、熟悉传统的基础上进行创造，也让演员有发挥本能的机会”。①

郑亦秋自称是“人微言轻的后生之辈”，故而他初接此任时颇有点胆怯。梅兰芳的宽厚和蔼、诚恳谦逊方使他鼓足勇气，斗胆进言，不曾想梅兰芳丝毫没有小视他，反而愉快地接受了他的意见。那是在剧组召开的第一次讨论会上，老琴师徐兰沅主张在末场给梅兰芳加个“会阵”，让梅兰芳打套“快枪”。当时，姚玉芙也赞同此意。郑亦秋则有不同看法，他认为“这戏的主旨是‘穆桂英挂帅’，只要她愿意挂帅出征，凭她的盛名，足以震慑敌胆，再加‘会阵’就‘画蛇添足’了”。②梅兰芳当即拍板通过。

不过，大多数情况下总是梅兰芳提议的多，他毕竟技艺超群、经验丰富。这出戏全剧共有八场，有关穆桂英的有三场，即全剧的第二场《乡居》、第五场《接印》和第八场《发兵》。《乡居》一场主要写杨家听说西夏犯境的消息后，佘太君命杨金花、杨文广进京打探消息。穆桂英感于朝廷的薄情寡意，不同意儿女进京。这时穆桂英的扮相是梳大头，穿蓝帔，道地的青衣打扮，显示她普通家庭妇女的身份。《接印》一场是全剧的重点，梅兰芳在这场里有不少创新。开始是“挂念”阶段，穆桂英挂念儿女在外是否会遭奸臣所害。当她看见儿女接回帅印后，触景生情，竟要绑子上殿，交还帅印，这是“愤慨”阶段。然后经过佘太君的劝说，戏便进入“奋发”阶段。让梅兰芳为难的是穆桂英从不愿出征到愿意出征到闻鼓声而振奋的过程，转折得太快，铺垫得不够，似乎没有经过思想斗争，这显然不符合剧情。而如何表现她的思想斗争，梅兰芳颇费踌躇，因为在这里不能耽搁太多时间，否则会影响下面的高潮，而前面已经有大

①梅兰芳：《我怎样排演穆桂英挂帅》，《梅兰芳文集》第87页。
②郑亦秋：《艺高德重的楷模——为梅兰芳先生排〈穆桂英挂帅〉追记》，《戏曲艺术》1991年1期第70页。

段的唱工，这里再加一段唱也不适合，独白更是安插不进去。经过反复思考，又受河北梆子跃进剧团一位青年演员将穆桂英此时的思想转变过程处理成左右两冲的身段的启发，大胆地采取了〔九锤半〕的锣鼓套子，用哑剧式表演，完全用舞蹈的变化来说明她在考虑什么，表现了她为顾全大局不计个人得失的思想脉络，从而顺理成章地引出“我不挂帅谁挂帅，我不领兵谁领兵”的豪语，使人物形象更加饱满可信。一般地，〔九锤半〕多用在武戏，文戏里很少用，而青衣采用则又是梅兰芳首创。

穆桂英在第一场戏里是青衣打扮，穿帔，在最后一场里扎靠，这都没有问题。问题在于第二场，这场分前后两部分，前半部分，也就是在她还没有同意接印之前，她还得穿帔，而后半场在战马声嘶、鼓声阵阵的背景中，她已决定披挂上阵。这时，如何使仍着青衣装的穆桂英显现出英雄气概成为关键。梅兰芳的处理方式别具一格，他从这场的开始到结束，将所有的动作“比青衣放大些，比刀马旦文气些，用这两种方法把两类行当融化在一起”。[①]这又是梅兰芳新的尝试。

《发兵》一场主要写穆桂英在出征以前检阅队伍和教训儿子。梅兰芳在开场时接唱三句〔西皮原板〕，赞扬队伍整齐。接着，杨宗保、杨金花、杨文广从下场门出场，穆桂英见丈夫、儿女个个全身披挂，威风凛凛，不由感慨万千。这时的唱词有 六句：“见夫君气轩昂军前站定，全不减少年时勇冠三军；金花女换戎装婀娜刚劲，好一似当年的穆桂英；小文广雄赳赳执戈待命，此儿任性忒娇生。”为表现穆桂英此时的儿女情长，第二句至第五句的唱腔，梅兰芳大胆地改成悠扬宛转的〔南梆子〕，第六句由于是指责杨文广任性忒娇生，故而他又转回〔西皮原板〕。如此处理，既符合剧情又不生硬，而且还使观众听后有新鲜感。

①②梅兰芳:《我怎样排演穆桂英挂帅》,《梅兰芳文集》第87页。

⊙最后一次在中国科学院演出《穆桂英挂帅》后与郭沫若院长合影（1961年5月31日）

《穆桂英挂帅》从筹划到最终完成只花了不到两个月的时间。1959年5月25日，《穆桂英挂帅》在北京人民剧场首演，一连数场，场场爆满，好评如潮。观众说梅兰芳的几个捧印姿势，“使人看了有雕塑美的感觉”。[②]周恩来在看了此戏后，拉着梅兰芳的手连声说“很好”。10月初，为纪念中华人民共和国成立10周年，梅兰芳在北京正式公演《穆桂英挂帅》。著名京剧演员于连泉观后特别写了评论文章，道：

这一出戏是很难演的，要有扮相、有嗓子、有基本功夫，还要有元帅的气度。起先要含蓄，之后要放开，而且还不能离开青衣的范围，要演得既稳重又大气，才合乎中年穆桂英的身份。梅先生的艺术已到炉火纯青的地步，六十多岁的人了，还是嗓子是嗓子，扮相是扮相，腰腿灵活，身上、脸上、一招一式坦坦然然，水袖清清楚楚，跑起圆场来，脚底下轻、稳、快，叫人看了舒服松心，确实是难能可贵的。[③]

著名作曲家景孤血在他的题为《“一个人演满台”——写在观摩梅兰芳的〈穆桂英挂帅〉后》的观后文章中说：

过去戏曲界常说：“一个人要演满台”。这绝不是说一个人代替一切。因为舞台面积再小，一个人也到底还是一个人，他又怎能代替呢。这是说，当舞台上只有一个演员时，从这演员的表演技巧、包括了声、色、形、神、唱、念、动作，能使观众觉得气氛充满舞台，虽然仅仅是一个人，也就像在台上涌现了千军万马，满台绝不显得是空着那个角落，相反，每个角落却都在演员的表演气氛笼罩下。这

③于连泉：《老当益壮》，《文汇报》1959年10月12日。

事说着虽较容易，而作起来却非同小可。梅兰芳在这戏里，确已做到“一个人演满台”。[①]

《穆桂英挂帅》既是梅兰芳解放后的第一部新戏，也是他一生最后一部戏。可以这么说，这出戏展示了他的全部艺术才华，也是他舞台生活50年的集中体现。正如景孤血所说：“梅兰芳通过这本新戏，确如穆桂英的青春再现，他重新打开了 若干年来蕴藏的宝库，放射出艺术光辉”。它不仅是梅兰芳老年的代表作，更是他的经典之作。

《游园惊梦》被拍成电影

将《游园惊梦》拍成一部彩色戏曲片搬上银幕是夏衍建议的。提起拍摄彩色戏曲片，梅兰芳不由想起解放前夕由他参与拍摄的彩色戏曲片《生死恨》，那是我国第一部彩色戏曲片，由于技术上的问题而留下了许多遗憾。梅兰芳了解到经过十来年的发展，彩色片的摄制工作已经有了长足进步，于是便动了心。

当他不再为技术上的问题担忧后，年龄问题和化妆问题又困扰着他，让他寝食难安。这年他已64岁了，经过化妆在舞台上恐怕还可以“蒙混”过去，而拍成电影，他就有点担心掩藏不住老态。加之他以前拍电影都是自己化妆，电影厂的化妆师作点指点，但始终不尽如人意。负责拍摄任务的北京电影制片厂厂长汪洋在了解梅兰芳的心思后，将青年化妆师孙鸿魁拉到了梅兰芳的面前，让他保证将梅兰芳化妆得比在舞台上更美、更年轻。梅兰芳也决定改变化妆方式，将化妆任务全权交给化妆师，演员自己只提要求或意见。

1959年11月13日，《游园惊梦》摄制组正式成立，艺术顾问是

① 《梅兰芳艺术评论集》第279页。

崔嵬，导演是许珂，演职员有梅兰芳、俞振飞，言慧珠、朱传茗、姚玉芙、李春林等。

导演许珂计划用故事片的手法拍摄《游园惊梦》，但仍然要保存舞台上的优美表演，因此他在分镜头剧本里规定了闺房、庭院、花园、小桥畔、牡丹亭畔等几处场景。同时，他打破昆曲在歌唱进行中是不间断的规矩，计划插入一些音乐过门。梅兰芳不是一个保守的人，他完全赞同这一新尝试。

梅兰芳遇到的问题不是新尝试后带来的新问题，而是他一直比较担心的化装问题。第一次试装后，许姬传等人觉得他的眉毛画得太细，眉眼之间的红彩也不够重。根据他们的建议，梅兰芳又在两颊和眼圈外加重红彩，然后拍了两个镜头。样片出来后，他果然觉得眉毛太细，且有高低之感，脸上的油彩太浅，痣也明显，而且服装颜色过浅。重新化妆，又在导演的建议下，改绸子包头为用粉色、湖色的披纱包头，再戴一顶玫瑰紫花斗篷，如此又拍了几个镜头。第二次看样片时，化妆方面有些进步，包头也不错，只是觉得玫瑰紫花颜色的斗篷不如红色，显得不够古雅。第三次试装是化妆师孙鸿魁为梅兰芳做了一个面部模型，然后根据这个模型进行塑形化妆的尝试。他先把塑料做成的薄片贴在梅兰芳的鼻间，正好挡住了痣，接着在眼窝及额上都贴了塑料片和涂抹乳胶，乳胶怕油，所以在乳胶外又涂上另一种起隔离作用的胶，然后再上油彩。这样化妆后，虽然成功地掩盖了脸部的缺陷，但由于塑料片和乳胶使肌肉绷得太紧，影响了肌肉的活动，使得面部表情有些呆板，而许多场景都需要演员以丰富的面部表情表现主人公杜丽娘的内心活动，显然这种化妆方法以失败告终。梅兰芳最后还是选择了第二种化妆方式。

周信芳曾经给梅兰芳的弟子胡芝风讲过一个有关梅兰芳的故事：有一次梅兰芳在上海演出《龙凤呈祥》，先出台的宫女们个个漂

⊙梅兰芳拍摄电影《游园惊梦》，饰杜丽娘的一个镜头（左）
⊙《游园惊梦》拍摄现场（1959年）（右）

亮无比，然而梅兰芳的一个亮相就将所有的“宫女”都比了下去，他饰演的孙尚香光彩照人，美丽绝伦。

欧阳予倩曾经说梅兰芳是“美的创造者”。为了创造美，为让观众看到“最美的”，梅兰芳付出的心血非常人所能想像。就如这次拍摄《游园惊梦》，仅仅一个化妆问题，他就反复“折腾”了三次，足见他对艺术是何等的精益求精。

不仅仅是化妆，梅兰芳在正式拍摄中也是一丝不苟。他很清楚演员自己看不见自己的道理，所以在拍摄时，他就请其他人在旁“挑剔”。有一次，姚玉芙叫他眼睛不要往上翻，同时要睁左眼，因为他发现梅兰芳左眼的神气不如右眼饱满；李春林则常常提醒梅兰芳吸气、收肚子。梅兰芳戏称他们“如同四面八方的镜子”。[1]

虽说身边有镜子，但整个片子的样片出来后，大家发现问题还是不少。电影厂汪洋厂长认为在布景、色彩、舞蹈、镜头处理方面都或多或少存在着缺点，比如布景方面，树上的花、花台的花、地上的花过于堆砌；颜色方面，过于强调颜色就掩盖了服装的图案，使仙女缺乏仙气；舞蹈方面，20名仙女同时舞蹈过于拥挤凌乱；镜头处理方面，有些镜头不敢大胆突破舞台框框，分切镜头显得呆板。

在这种情况下，梅兰芳当即表示他不怕麻烦愿意重拍。俞振飞积极支持。于是，两位高龄老艺术家又和剧组其他人员一起再从头开始，重新安排布景、研究舞蹈、分析人物，又反复观看样片，细心寻找优劣。

经过一番充分准备，第二次拍摄进行得比较顺利，速度也快了很多。梅兰芳有时一天就要完成7个镜头，个中辛苦可想而知。

经过两个月的艰苦努力，《游园惊梦》终于成功拍摄完毕。《梅兰芳的舞台艺术》的副导演、上海海燕电影制片厂的岑范在看片后，特地给梅兰芳写了信，祝贺摄制工作的成功，他说他对影片的色彩、化妆、表演、布置等都很满意。

付出得到回报，梅兰芳自然很高兴。不过，他对自己的表演仍然有不满意之处。他说："因为戏曲表演的习惯，演员常常是面对观众做戏的，而电影的规则，在镜头不代替任何人、物对象的情况下，演员是不能看镜头的，这就使我在拍摄时思想上有顾虑，眼睛的视线会有意识地回避镜头。"②为此，他这么想："电影在拍摄一般故事片时，演员应该遵守这一条规则，但拍摄戏曲片时，不妨变通一下，当然，我们不能故意去看镜头，如果无意中看一下，也不致影响艺术效果，或者还有助于面部表情的更为自然。"③他打算在以后的拍摄过程中，通过实践证明他的看法是否正确。然而，恐怕连他自己都未曾料到，《游园惊梦》成为他一生中最后一部电影。

从1920年第一次拍摄《春香闹学》起，到1959年最后拍摄《游园惊梦》，梅兰芳一生一共拍了14部戏。除了《春香闹学》和《游

①②③梅兰芳：《我的电影生活》第149页、16页。

园惊梦》，他还拍过《天女散花》、《上元夫人》中的“拂尘舞”、《西施》中的“羽舞”、《霸王别姬》中的“剑舞”、《木兰从军》中的“走边”、《黛玉葬花》、《虹霓关》中的“对枪”、《廉锦枫》、《刺虎》、《生死恨》、《梅兰芳舞台艺术》、《宝镜》。其中《虹霓关》是在苏联拍的，《廉锦枫》是在日本拍的，《刺虎》是在美国拍的。这些片子还有几个“第一”：《刺虎》是第一部有声片；《生死恨》是第一部彩色戏曲片；《宝镜》是第一部全景电影。可以这么说，梅兰芳不仅是伟大的戏曲艺术家，也是杰出的戏曲电影艺术家。

梅门弟子遍天下

1955 年，经邵力子介绍，梅兰芳收湖南京剧名旦李湘芬为徒。其实当时他已无心再收徒，但看在老友邵力子的面子上，还是答应了。他说：“我已收弟子 49，湘芬排行第 50，就算封顶吧，以后便不再收了。”①

其实梅兰芳一生远远不止收徒50名，北京护国寺梅兰芳纪念馆曾经公布梅门弟子名单，共 102 名。由朱振华、吴迎、梅葆玖合著的《德艺双馨·艺术大师梅兰芳》一书中则写明梅门弟子109名，并且指出梅兰芳最后收的弟子名为毕谷云，时间是1961年，也就是在他去世前不久。

最近又有人提出，其实除了这 109 名之外，还有陈效梅、赵金蓉和陆素娟三名梅门女弟子被遗漏了。

原《十日戏剧》主编张古愚曾撰文说“梅兰芳在香港作寓公时期，在上海的梅太太福芝芳，代梅先生收了不少女弟子”。②这有待证实。据梅家介绍，福芝芳从不参与梅兰芳唱戏方面的事，由此看

①龚霁光:《梅兰芳先生收封顶徒记盛》,《艺潭》1985.1.

②张古愚:《梅门弟子知多少?》,《大成》第260期。

来，其代收女弟子似不可能。

梅兰芳的弟子数目不清的原因一是数量多，据说解放前唱旦角的，大多拜过梅兰芳，不管他是什么派的；二是事过境迁，物逝人非，记忆磨灭；三是有许多人对梅兰芳只是曾执弟子礼，行过拜师礼，但并未直接接受过梅兰芳的教诲和指点。梅兰芳一生谦虚谨慎，不耻下问，未尝好为人师，就连他儿子梅葆玖的旦角戏也并非他亲自传授，而是请王幼卿代教的。后来虽然收了一些弟子，但从不滥收弟子，而且只准他们称他为“先生”，而不得叫“老师”。梅兰芳一生到底收徒多少，恐怕连他自己也难确定。所谓109名，不过是后人的粗略统计。

梅兰芳对收徒颇为谨慎，对教学从不马虎。他的教学特点主要有以下几方面：

一是言传身教。不管给哪位弟子教戏，他总是先说剧情，分析人物性格，再一一讲解唱腔、身段、表情。然后，他要求弟子观摩，再谈感受并提出问题。最后，他才让弟子实践，在实践中发现问题、解决问题。有时为了帮助弟子解决一个问题，他不仅言传而且身教。一次他在草地上给弟子丁至云说《生死恨》中的屁股座子。不知为什么，丁至云始终做不好。梅兰芳便走到他的前边做示范，一遍遍地摔，直摔得丁至云感动得几乎说不出话来。14岁就拜梅兰芳为师的陈正薇曾经回忆说：“恩师口授勤育，言传身教，不辞辛劳，诲人不倦。时常为了一个行腔，一个动作要亲自示范数次，手把手地教。”③

二是因材施教。他很清楚人和人是不一样的，每个人有每个人的特点，因而他总是根据不同弟子的不同特点给予相应的指教。虽然梨园行一贯讲究“口传面授”，但梅兰芳却在口传面授的基础上要求弟子“善用其长，不显其短”，要求他们尽量发挥自己的特点

③陈正薇：《慈父·严师——忆从梅兰芳大师学艺》，《梅兰芳艺术评论集》。

三是鼓励广学博采。他曾对弟子沈小梅说:“不要以为自己和自己所宗的流派是最好的，应该看到，任何一个演员和流派都有他的长处，都有值得我们学习的地方。”①因而，他要求她向王幼卿学青衣，向周斌秋学花旦，向魏莲芳学刀马旦 。弟子童芷苓拜梅兰芳为师前已得“荀派”艺术真传，受梅兰芳教诲，她在学习“梅派”的同时又学“程派”名剧，还参与电影的拍摄，最终形成兼之各派特长的独特的唱腔。

四是鼓励创新。梅兰芳在教学中从不留一手，而将一招一式、一颦一笑都传授给弟子，但他同时反对学生一味地模仿，他常对弟子说的一句话就是:“你一定要根据自己的条件来学我。”他又常以齐白石的话“学我者生，像我者死”教育学生，要在学好基本功的基础上结合自己的特点发展创新。弟子程砚秋因为没有像梅兰芳那样响亮的金嗓子，因而便在学习梅派的基础上独创了“程派”。不过，梅兰芳虽然鼓励弟子勇于革新，但也要求革新要革在点子上，要根据剧情人物的需要，要经过深思熟虑后方能改动细节，而不是为改革而改革。

五是注重道德修养。他向来要求学生“分美恶，识精粗”。40年代，他给弟子们立过一条规矩，只准演好戏，不准演坏戏。当他发现弟子有不良习气时，立即严厉批评;当他发现弟子骄傲自满时，便加以循循善诱。弟子陈正薇渐有名气后，有一次不肯演《长坂坡》中的糜夫人，理由是糜夫人不是主角。梅兰芳得悉后，语重心长地对她说:“一出戏中，只有小演员没有小角色，不管什么角色都要认真演好，不能挑三拣四。想当年王大爷（王瑶卿）和我都扮演过这个活儿，何况在‘中箭’一场中的‘屁股坐’和‘脱帔’等动作，学得不到家，台上还要出毛病呢？”②一番话 说得陈正薇红了脸。

①朱振华、吴迎、梅葆玖:《德艺双馨·艺术大师梅兰芳》第106页。
②陈正薇:《慈父·严师——忆从梅兰芳大师学艺》,《梅兰芳艺术评论集》。

六是注重"诗外功夫"的修养。梅兰芳由他自己的亲身体会，教导弟子除了在本行内下足苦功外，还要注意从其他艺术形式中汲取营养，如此方能使技艺达到较高层次。如他的得意女弟子言慧珠一次演《洛神》，请李健吾观后提意见。李健吾说："你的唱腔、身段、行头、道具都是梅派，很好；但我觉得梅先生演的《洛神》有仙气，你似乎专在摹仿技术，要从仙气着眼，这就更上一层楼了。"言慧珠便又将此话告诉梅兰芳，请他传授"仙气"。梅兰芳笑着说："仙气恐怕是一种修养，你可以揣摹《洛神赋》，同时到博物馆看看《洛神图》古画，从文字、图画里下功夫研究。……你照我的方法去琢磨，就能找到李先生所说的仙气了。"

除此，他还经常嘱咐弟子要注意养身，特别要保护好嗓子。比如在饮食方面，在演出期间禁忌冷饮，平时多食牛奶、鸡蛋、粗粮、蔬菜、水果，少吃蛋白质含量过高的食物，不吃刺激性、油腻的东西；衣着方面，要注意天气的变化随时增减衣服，小心感冒。如果室内外温差相差比较大时，进出要格外小心，在寒冷季节，从外面走进温暖的化妆室，衣服不要脱得太快，演完戏后，要先用毛巾擦干汗水，离开后台要戴口罩，围上围巾。夏天天气热，不能对着电扇吹；冬天天气冷，房里的火炉、水的温度不宜开得过高，以免烤干嗓子。喊嗓方面：他的要求很严格。喊嗓要到树木茂盛、空气新鲜的地方，不能对着风喊；吊嗓方面，他也有讲究：平时要坚持吊嗓，若当时有演出，下午必须吊几段，但不可太吃力。另外，他特别要求弟子加强修养，尽量不发无名火。他自己的书桌上就有"制怒"两个字，以随时提醒自己要保持乐观情绪，因为他相信人的情绪和身体健康有直接关系。

杜近芳是梅兰芳花费心血较多的一个弟子，她的成材之路集中体现了梅兰芳不遗余力教育弟子的蜡烛精神。

梅兰芳收杜近芳为徒是因了一帧照片的关系，那是杜近芳的一张饰演虞姬的戏装照。开始梅兰芳以为是他自己的照片，还问夫人："这是我哪年照的？项链上的几颗珠子怎么没弄好？"梅夫人忍不住乐了。站在一旁等候"发落"的小杜近芳更是差点儿笑出了声，忙上前说明她才是照片上的人，并趁热打铁，恳请梅大师收她为徒。

杜近芳本不姓杜，刚出生就被抱进了"喜连成"出科的陈喜新家，那时她姓陈。11岁时，被北京的一位文化经纪人杜菊初收为养女，才改姓杜。早年杜近芳师从王瑶卿，又从王瑶卿的侄子王少卿那里学会了《宇宙锋》、《凤还巢》、《霸王别姬》等梅派戏。因而她拜梅兰芳时，已经有了较为扎实的梅派基础。1947年，杜近芳来到上海。到上海的目的除了能和李少春、袁世海、姜妙香等京剧名家合作演出外，更重要的是想拜梅兰芳为师。原本她有点担心梅兰芳是否会收她这么一个初出茅庐的后生，但一张足以乱真的戏装照使她美梦成真。从此，她的舞台生涯揭开了新的一页。

梅兰芳确实有些偏爱这个学生，不仅有问必答，而且还亲自为她说戏、走台步、分析人物、手把手地教。有一次杜近芳练《白蛇传》"水斗"时的"小快枪"，练到汗流浃背、气喘吁吁却还找不到感觉。在一旁观看的梅兰芳当即脱下皮大衣，亲自示范。继而又脱去棉衣、毛衣，只穿一件衬衫与弟子"对打"，直到杜近芳的"小快枪"打得像模像样了，他才得空将额上的汗水擦去。梅兰芳对杜近芳如此尽心尽力，以至使别的弟子心生"妒嫉"，言慧珠就说："我们都是'追'先生，而对近芳，则反过来，先生'追'学生"。[①]先生"追"着学生学，学生哪敢有半点疏懒。杜近芳备加珍惜学习机会，一心想将先生的本领全都学到手。一招一式丝毫也不马虎。比如对《霸王别姬》里的虞姬一角，她初只以为虞姬貌美、姿势美，却

①杜近芳:《梅兰芳先生教我演虞姬》，见《梅兰芳艺术评论集》。

对人物的性格理解得不够，因而表演缺乏深度。梅兰芳便耐心地为她分析历史背景、人物性格，告诫她表演是在理解的基础上内心真实感情的流露，只有表现内心真实感情的表演，方能感动观众。这席话不仅使杜近芳懂得如何演虞姬，更让她对戏曲表演艺术有了更深层次的理解。带着先生的教诲，杜近芳1956年第一次在国外演出《霸王别姬》就获得空前成功，不仅连演数天场场爆满，外国观众甚至将他与莎士比亚的《奥赛罗》相提并论。杜近芳本人更赢得了“东方皇后”的美誉。

而就在杜近芳的名声渐大，获得的掌声、鲜花、褒扬越来越多时，梅兰芳却又在为她设计更大的艺术前途了。他对杜近芳说，你如果仅仅守着我的几出戏，会妨碍自己的发展。在梅兰芳的直接关怀下，杜近芳陆续排演了《白蛇传》、《柳荫记》、《花木兰》、《佘赛花》、《桃花村》、《桃花扇》、《牛郎织女》、《玉簪记》、《谢瑶环》、《梁红玉》等历史戏及《白毛女》、《柯山红日》等现代戏，使艺术达到了前所未有的高度。

梅兰芳对弟子们的要求，其实也正是他对自己的要求。从中我们不是也可以看出他的为人品德和成功秘诀吗？

【梅兰芳先生弟子姓名一览表】

（按姓氏笔划为序）

丁至云	于素秋	王志怡	王佩瑜	王素琴	王熙春
王慧萍	毛世来	毛剑秋	申丽媛	白玉薇	任颖华
吕慧君	言慧珠	沈小梅	沈曼华	汪剑耘	李元芳
李玉芝	李玉芙	李玉茹	李世芳	李吟香	李金鸿
李香匀	李桂云	李国粹	李砚秀	李湘君	李斐叔
李毓芳	李碧慧	李慧芳	李慧琴	李蔷华	李燕香
李薇华	李　丽	杜近芳	杜丽云	吴若兰	范玉媛
周曼如	胡芝风	胡漱芳	胡　蝶	南铁生	红线女
高玉倩	高　华	唐富尧	郭建英	海碧霞	秦慧芬
陶默厂	马小曼	马金凤	阎立品	华慧麟	阳友鹤
陈永玲	陈正薇	陈伯华	陈书舫	毕谷云	徐再蓉
徐东来	徐碧云	许守义	章遏云	梁小鸾	黄世恩
曹慧麟	张世孝	张志英	张君秋	张春秋	张南云
张淑娴	张曼玲	张蝶芬	张丽娟	崔秀茹	童芷苓
云燕铭	喻志清	舒昌玉	程砚秋	邹慧兰	焦鸿英
新凤霞	新艳秋	贾世珍	杨玉娟	杨秋玲	杨慧敏
杨维君	杨畹农	杨荣环	赵文漪	赵慧娟	醉丽君
刘元彤	刘肖梅	刘淑华	冀韵兰	卢　燕	谢虹雯
谢黛林	韩淑华	魏莲芳	关肃霜	罗慧兰	顾正秋
顾景梅					

⊙(1)弟子新凤霞演《凤还巢》剧照
(2)弟子李玉茹（中）与梅兰芳夫妇
(3)梅兰芳在上海“梅华诗屋”接受陈正薇（前左二）拜师时照，其中有弟子言慧珠（后左三）、王佩瑜、顾景梅
(4)弟子白玉薇演《拾玉镯》剧照
(5)梅兰芳与弟子李世芳、毛世来（1936年）
(6)梅兰芳与弟子李斐叔（当时梅的秘书）
(7)梅兰芳与弟子杜近芳（1949年）
(8)梅兰芳与弟子顾正秋（1944年）

(1)

(2)

(3)

(8)

(7)

)

(5)

(6)

巨星殒落

曾与梅兰芳交谊深厚的吴性栽曾经用这样两句话概括梅兰芳的为人，“一句是中国老话‘为善最乐’，一句是西洋人的‘助人为快乐之本’”。[①]

京剧名丑萧长华先生一直保存着梅兰芳这样一封信：

长华先生大鉴：

久未通信，想您的身体安好？兰芳此次天蟾出演，嗓音似比去年好一点，上座也好。五月二十三、四两日在天蟾为上海伶联会和北平国剧公会义演，每会应得两亿九千六百八十九万六千元整，此款已于前日由新华银行汇平，暂存曹经理处，并加薪水七千四百二十二万四千元，共计三亿七千一百十一万二千元整。尚有娱乐捐一亿六千二百十三万七千元，此款因财政局免捐事迄未批准，候财政局批准后领回，此款当即汇平，所有清账候春林回平带上。已汇北平之三亿七千万款项，应如何支配，请先生费神，到会召集主持诸位商量，兰芳对此并无意见。再此次义演，北平来沪梅、杨两剧团诸君完全义务，特以奉闻，专此即请

道安

梅兰芳拜启六月三日[②]

早年，梅兰芳为帮助贫穷同业顺利渡过年关，每年底都要联合

①吴性栽：《沉痛中的怀念——再谈梅先生》，《京剧见闻录》。
②朱振华、吴迎、梅葆玖：《德艺双馨——艺术大师梅兰芳》。

各班演员演一场义务戏，将演出所得悉数捐出，这就是著名的“窝窝头会”。自“窝窝头会”成立后，梅兰芳不论自己的演出任务多重，都会抽暇完成这场特别的义演。有时，他人虽然不在北平，但总不忘寄钱回北平。这封写给萧长华的信，正是他委托萧长华将他在外地义演的收入转交“窝窝头会”。

萧长华先生十分了解梅兰芳的为人，他回忆道：“1931年，‘安苏湖义园’已无空隙，梨园界筹资购地及修建，需款三千元。向兰芳提起此事时，正赶上头生儿子（王氏所生）夭折，心绪很不好，但面部全无半点难色，当即慨然出资三百元，并当晚置伤子之痛于不顾，照常登台演出。解放前每逢旧历新正，只要他在北平，总要到我家去给我贺年；一同演戏，戏毕卸装的时候，必去看看我，道一声‘辛苦’。解放后，我被选为第二届全国人民代表大会代表，每逢开会，上车下车，步入会场，他总是不离手地搀着我。我有事请假，领取文件，他都为我代劳。”1947年，萧长华曾因中风而不能登台，梅兰芳不仅照发戏份，而且个人出资为他支付部分医药费。萧长华自感未参加演出就不能收受包银，便将钱如数交给管事。梅兰芳得知后，同管事一起亲自送钱上门。为此情所感，萧长华勉强收下钱款，随即买了一百多袋面粉，放在梨园公会门口，发放给贫苦的同业，称：“这是梅先生送给大家过年用的。”每每谈及此，萧长华先生总是由衷地感叹：“以前，戏班子里有这样一句话：‘脾气随着能耐长’，兰芳在京剧艺术上可以说是‘能耐’最高的，按说他的脾气应该最大，可是，他却一生都是虚心求进，严格律己，平易近人，毫无架子。”

至于梅兰芳平时不时地接济同班演员、乐师及后台工作人员，积极参加赈灾义演等，更是举不胜举。解放后，他虽然身居高位，但爱心依旧。

1951年初，梅兰芳到沈阳演出，下榻于交际处招待所。一天，传达室送来一封未署名的信，拆开一看，写信者竟是埋名匿迹数十年的小凤仙。信上写道："梅同志，寓沈阳很久，如有通信地址，望企百忙中公余之暇，来信一告，我现在东北统计局出收部张建中处做保姆工作，如不弃时，赐晤一谈，是为至盼。"阅罢，梅兰芳立即与小凤仙取得了联系。两人会了面，只见已五十开外的小凤仙衣着简朴，形容憔悴。梅兰芳问她生活情况，她说她先嫁给东北军一位师长，后嫁给一位工人，目前生活十分拮据。梅当即安慰她："你的生活问题，我跟交际处商量一下，人民政府一定会照顾你的。"小凤仙说："我觉得靠劳动吃饭最光荣，东北解放时，我在被服厂工作，以后做保姆。"当天，梅兰芳设宴招待小凤仙，离别时还送给她一笔钱。不久，他再次收到小凤仙来信，得知经交际处李处长介绍，她在东北人民政府机关学校当了一名保健员。小凤仙在信的最后还说：我的前途光明，是经梅同志之援助，始有今天。

1952年冬，文化部举行的全国首届戏曲会演期间，住在六国饭店的著名武生盖叫天夫妇巧遇河北保定的几位领导干部，对他们的择日回老家高阳县西演村走走看看的提议颇为动心，但因当时还没有固定工资，手头较紧，不要说给父老乡亲带些礼物，就是来回路费都有些困难，心里不免有些犯愁。梅太太福芝芳从盖太太薛义杰处得悉此事后，便与梅兰芳商量是否能接济一些。梅兰芳当即表示同意，随即请许源来筹集了500万元，悉数交给了薛义杰。其实梅兰芳这不是第一次接济盖叫天，据薛义杰说："抗战胜利那一年，为了要唱戏，行头都在当铺里，赎行头的钱，也是梅大爷卖了画借给我们的。"

⊙梅兰芳与盖叫天（上）
⊙《审头刺汤》，梅兰芳饰雪艳、萧长华饰汤勤（下）

与此同时，周恩来让文化部艺术局副局长马彦祥给盖叫天送去了300万元路费。接着，盖叫天陆续收到文化部发的奖金和戏曲研究院的讲课费。于是，他执意要将梅兰芳的500万元还给梅兰芳。梅兰芳说："您带着，宁可宽裕，不可局促。"盖叫天从老家回来后，又来梅家还钱，很认真地说："梅大爷，咱们都不要打肿脸充胖子了，您接济我，是您仗义，可我知道您也不宽裕。带着一个班子，又要养活一大家子，日子不会比我好过！"[①]在这种情况下，梅兰芳才勉强收下了钱。

梅兰芳之所以有如此宽厚待人的高尚品格，正如萧长华所说，"那是秉承了梅氏家风的"，当然也是他后天不断加强自身修养的结果。

纵观梅兰芳的一生，我们发现他这一辈子在生活上并没有吃过太多的苦，在政治上也没有受过迫害，除了抗战八年他被迫离开舞台，精神上也没有受到过太大的摧残。除此，他为了演戏的需要，从来没有放弃过身体的锻炼，又很注重保养，常服养生保健中药，况且他的生活条件、医疗条件都相当优越，加之他的性格温和，从不暴躁，很少发脾气。按理说，他

①沈祖安:《盖叫天与梅兰芳的友谊》,《中国戏剧》1994.3.

⊙梅兰芳在北京护国寺寓所院内与武术教师练功

⊙梅兰芳在练习舞剑

应该长寿，然而，他享年只有67岁。

早在1949年第一次由沪北上时，因日程安排得紧，梅兰芳不得不抱病演出。其实在解放前，他也多次因不愿意扫观众的兴而带病坚持上场。有一次他在天津贴演《生死恨》，照例在扮戏前喊一两声嗓子试试。刚一出声，他就觉得背脊上的一根大筋受了声带的震动而被牵拉得疼痛无比，他自觉不妙，遂请医生来诊治。医生仔细检查后，断言是风寒进入了筋络而引起的神经痛。此时管事的已来催着上台，梅兰芳请医生打了一针，然后振作精神急步上台。另有一次他得了眼疾，左眼瞳长出 一个小白点，不仅眼白都变红了，而且还疼痛难忍，偏偏当晚还有演出。经朋友介绍，一位俄国眼科大夫被请来诊治。大夫说这种眼病不是一天两天就能好的，最好休息几天才行。梅兰芳却说："我跟戏院订有契约，不能中途辍演"。大夫只好采取临时救急的办法，在梅兰芳的病眼上敷上药，不过他说明这种药只能暂时去除眼白上的红丝而不能治本，等药性过去，病态还是要恢复的。梅兰芳却不听警告，一连几天，他都是白天治病，晚上演出前请大夫敷上药，坚持演出。虽然北京戏馆一贯有回戏的风气，但梅兰芳却认为"这是不应该的"，他觉得那样对不起观众，因为有此思想，所以不论刮多大的风，下多大的雪，甚至明知受恶劣天气影响卖座不会好，不到万不得已，他绝不回戏。

那时他还年轻，而此时他已55岁，身体的自然衰老已不容他随便大意。那一次的抱病演出使他的身体受亏严重，从此再难恢复。这年秋天，他第二次北上。为不蹈覆辙，不单是周围的人，就连他自己都格外注意饮食起居，故而一直未出意外。最后一场演出后，秘书许姬传发现他脱下来的衬衫湿漉漉的，像刚从水里捞上来似 的，显然是被汗湿的。出了大汗很容易受凉，许姬传十分清楚这个道理，便嘱梅兰芳要小心身体。梅兰芳起初颇不以为然，谁知当晚洗了澡后，第二天一早便发现自己感冒了。为此，他足足愣了有5分钟，然后深深叹了口气，像是对许姬传说，又像是对自己说："想不到我的身体已经脆弱到这步田地。"①

解放后，梅兰芳的工作更加繁忙，既要演出、拍电影、写文章、给中国戏曲学院学生讲课，还要出访。紧张的生活节奏使他本来就已经开始脆弱的身体雪上加霜，感冒发烧越来越频繁。在拍摄《游园惊梦》时，他曾患了恶性感冒，高烧达39度以上，不得不暂时停机。更多的时候，他打上一针退烧针和大剂量的维生素丙，然后照常登台。他的理由就是"我决不能因病而停演，使观众高兴而来，扫兴而归"。②一切为观众着想，是他的做人原则。然而，他恰恰忘了自己也是血肉之躯。长时间超负荷运转，不要说是一个人，就连一部机器恐怕也难于支持。

1960年开始，梅兰芳常觉胸口隐隐作痛，初以为是胃病，便也不当回事，只是吃些消化药。如果此时他能应医院之约去做心电图检查，或者放下手中的一切工作卧床休息，或许……。然而他没有，他仍然"每天忙于工作，忘我地贡献自己的一切，谁也不知道他在带病坚守岗位"。③这期间，他除了讲学、演出、作文、收徒之外，第四次出访苏联。④与苏联朋友共庆中苏友好同盟互助条约签订10周年，还出席了全国第三次文学艺术界代表大会。1961年5月31日，他率梅剧团到北京西郊中关村为中国科学院科学家们演出《穆桂英挂帅》。谁也没有预料到这是他一生中的最后一场演出。

①刘彦君：《梅兰芳传》。

②③梅葆琛：《一代风范永存人间——想起先父梅兰芳逝世时刻》，《人民日报》(海外版) 1991.8.29.

④第三次访问苏联是在1957年11月7日，梅兰芳以中国劳动人民代表团团员的身份赴苏联参加十月革命节40周年的纪念庆祝活动。

不久，他的左胸疼痛加剧，经北京阜外医院检查结果是心绞痛、冠状动脉硬化，要不是文化部艺术局强行要求他停止一切活动入院治疗，他还准备像以往一样吃点药后坚持工作。即便如此，他的病其实已经拖了太久的时间。7月底，他的心绞痛突发，被送入阜外医院抢救。该院心脏内科主任黄宛教授与协和医院内科主任张孝骞、副主任方圻、北京医院内科主任陶恒乐等专家会诊，确认他患的是急性冠状动脉梗塞合并急性左心衰竭。

8月4日，周恩来到医院探望梅兰芳，还亲自为他把脉，并劝他要听医生的话，好好静卧休养。此时的梅兰芳挂念的不是他自己的身体，而仍然是工作。为庆祝建党40周年，他正在准备新戏《龙女牧羊》，唱腔都已经设计好了，还未来得及排演。他还想着新疆有一条铁路落成了，约他去参加庆祝通车典礼，火车票都买好了，可现在去不成了，等等。太多的事让他放不下心，他心急如焚。周恩来安慰他说："等你病好了，愿意到哪里就到哪里，国内国外都可以去。"①然而，他哪里也去不了了，死神正狞笑着一步步向他逼近。

8月7日晚，梅兰芳的精神似乎好了不少，他反过来安慰夫人福芝芳："这几天我已好多了，你也不要太操心了，你有高血压病，不要来得太早，要在家多休息，要多保重身体。"②随后，他让长子梅葆琛送福芝芳到病房对面的休息室去休息，然后他便沉沉睡去。

一直陪在父亲身边的梅葆琛见父亲睡得很安稳便放下了心，下半夜，他也回到休息室。天亮之际，梅葆琛突然听到一阵异样的惊动来自对面父亲的病房，他的心猛地抽紧，下意识地看了看手表：4点45分，然后三步并做两步奔到父亲身边，只见医护人员正为父亲实施抢救。

①福芝芳：《忆兰芳》，许姬传、许源来的《忆艺术大师梅兰芳》。
②梅葆琛：《一代风范永存人间——想起先父梅兰芳逝世的时刻》，《人民日报》（海外版）1991.8.29.

⊙梅兰芳追悼会上，陈毅副总理及各界人士向遗体默哀

抢救无效。

此时在天上，该有一颗耀眼的流星，无声地划过黎明前的苍穹，陨落在遥远的地平线上。

尾　声

一位很有名气的占卜家曾经这样说："梅先生在世时要当领袖，去世后睡的是皇帝的棺木。"③

梅兰芳活着时曾被人称做"伶界大王"，算得上是伶界领袖了。他去世后，夫人福芝芳惟一的要求就是不能火化只能土葬。治丧委员会主任周恩来立即建议将存放在故宫博物院的一口楠木棺材给梅兰芳安息之用。这口楠木棺材是过去为孙中山先生准备的，后来孙

③徐希博：《梅兰芳睡楠木棺材》，《大成》（香港）第255期。

⊙邓小平为梅兰芳纪念馆题写馆名的匾额

中山用的是苏联送来的一口水晶棺材，故而这口上好的楠木棺材就一直存放在故宫博物院内。不过，周恩来表示白送违反制度，建议福芝芳作价买回去。福芝芳当即花了4千元“巨款”将这口楠木棺木买了下来。梅兰芳因此睡的便是“皇帝的棺木”，因为大总统不也就是皇帝吗？

棺木确定后，下一步就是选择墓地。

北京西郊名胜古迹之一的香山是梅兰芳经常去的地方。早在1922年的某一天，梅兰芳和好友齐如山、李释戡、萧紫亭、王幼卿同上香山踏青。在一处被称为“蛤蟆山”的顶峰上，梅兰芳深深陶醉于山色美景之中，一时兴起，随手在一块大石块上 刻下一个大大的“梅”字，在右下角署名“兰芳”。李释戡又在“梅”字上方写了题记：“壬戌三月二十有四日萧紫亭、齐如山、梅兰芳、王幼卿、李释戡同来兰芳写梅释戡题记香山游者虽多未必逐登此石亦足以自豪矣李”，人称“五君子刻石”。不久，香山公园的主管熊希龄找到梅兰芳，戏言未经同意就在山上石头上刻字要罚款，不过不收钱，只请他给香山慈幼院筹募基金义演一场戏。梅兰芳爽快答应，择日便在香山饭店临时搭起的舞台演出一场《宇宙锋》，将全部收入捐献给了香山慈幼院。

梅兰芳每次上香山，必去碧云寺瞻仰孙中山的衣冠冢。有一次他站在碧云寺极目远望，发现在东侧幽静的山腰中还有一座小山。过去一打听，那座小山叫“万花山”，山上的一座庙宇，叫“万花娘娘庙”，前往烧香的香客络绎不绝。此山名因与梅兰芳 的字“畹华”谐音，梅兰芳一下子就喜欢上了这个地方。不久，他在山脚下买了一块地，种树盖房，取名“雨香馆别墅”。闲来无事，他便到此小住休养。前夫人王明华去世后，他便将她葬于此地。从此，万花山不再简单地是他躲避烦扰的“世外桃源”，也是夫人的安息之地。

五十年代末的一天，梅兰芳和夫人福芝芳旧地重游。似乎是得到了神灵的暗示，梅兰芳没有把注意力集中放在观赏满山红枫，却专注于周围的地形。夫人福芝芳笑问：“今儿个您是在当风水先生了不是？”梅兰芳认真作答：“我看这块地的环境太好了。我想，我死后最好就下葬在这里。”福芝芳随口接道：“您老百年后还不是被请进八宝山革命公墓。”梅兰芳不无担忧道：“我如进了八宝山，你怎么办？”福芝芳心里不由一热，她明白梅兰芳原来是打算和她葬在一起。尽管梅兰芳的承诺令福芝芳感动，但这样的话题毕竟是太沉重了。

按照梅兰芳生前要求，遵照福芝芳的嘱咐，梅兰芳被安葬在万花山。在他墓穴的右侧安葬着前夫人王明华的棺木，左侧是福芝芳的寿穴。

梅兰芳是幸运的。正当福芝芳和儿女们筹划着为他做墓时，周恩来指示说：“梅兰芳这位伟大的艺术家不仅仅是属于中国的，应该说，他是属于全世界的。我们不但为他修个像样的坟墓，边上还要盖一幢纪念梅兰芳艺术的展览馆。把梅兰芳的艺术成就和功绩展示出来，让后辈们都知道，让国际友人和艺术家们也来瞻仰和缅怀这位属于全世界的伟大艺术家。”[①] 经过仔细斟酌研究后，墓地的规划设计图终于完成。然而，还未来得及施工，“文革”便开始了。当造反派、红卫兵扛着工具冲向香山准备挖掘梅兰芳的坟时，却因为墓前尚未立碑而始终找不到坟的准确位置，他们面对的只是遍地的落叶和枯草。

长眠地下的梅兰芳没有受到一丝惊扰。他真正地得以安息。

①徐希博：《梅兰芳睡楠木棺材》，《大成》（香港）第255期。

⊙梅兰芳看孙儿嬉戏

后 记

梅兰芳在中国艺术史上是应该大书特书的人，如今拙作《梅兰芳全传》终于付梓，多年之愿一朝遂，心里感到十分欣慰。

梅兰芳是作为京剧大师名满天下的，但作为一个人来说，他了不起的地方决不仅限于京剧艺术。他作为一个名人，其名气早已逾出了京剧界的范围，他的成功，就不仅仅是其艺术的成功了，还有他为人的成功。前者固然应当敬佩，后者尤其值得看重。因为看似艺术以外 的诸如家庭、成长、做人等方面，恰恰是梅兰芳成其为大师的非常重要的原因，所以拙作追求的目标是尽可能反映传主生活的各方面，纯艺术性的东西不作过多分析，而着力表现这一 个人。

拙作对以往有关传主的一些语焉不详的生平、或尚未了结的公案做了挖掘考证与分析。比如传主较少人知的解放后的艺术与生活；鲁迅对传主究竟态度如何；传主在“四大名旦”的评选中到底得多少分，以及《凤还巢》有没有被奉系军阀禁演过等。

拙作在成稿过程中，曾得到传主家人梅绍武先生、屠珍女士的热情指点，他们提供了一些鲜为人知的珍贵史料，同时，还提供了全书照片，梅先生更慨然为本书作序，在此特致谢意；感谢前辈谢蔚明先生俯允作序，陡使拙作生辉；还要感谢中国青年出版社的常婷编辑，为拙稿付出了大量心血。

李伶伶

2001 年 3 月

(京)新登字 083 号
图书在版编目(CIP)数据
梅兰芳全传/李伶伶著.—北京：中国青年出版社，2001
ISBN 7-5006-4331-4

Ⅰ.梅… Ⅱ.李… Ⅲ.梅兰芳（1894～1961）-传记
Ⅳ.K825.78

中国版本图书馆 C I P 数据核字（2001)第 028744 号

《梅兰芳全传》
李伶伶/著

责任编辑/常婷
装帧设计：敬人设计工作室 吕敬人+张梦瀛+德浩
中国青年出版社出版发行 社址：北京东四 12 条 21 号 邮政编码：100708
北京顺诚彩色印刷有限公司 新华书店经销

889×1194 1/32 20.25 印张 4 插页 500 千字
2001 年 12 月北京第 1 版 2011 年 6 月北京第 3 次印刷 印数：10,500—12,500 册
定价：70.00 元